Günther Rüther (Hg.)
Repräsentative oder plebiszitäre Demokratie – eine Alternative?

Reihe: Grundlagen der politischen Bildung
Band 3

Günther Rüther (Hg.)

Repräsentative oder plebiszitäre Demokratie – eine Alternative?

Grundlagen, Vergleiche, Perspektiven

Herausgegeben im Auftrag
der Konrad-Adenauer-Stiftung e.V.

Politische Bildung, Wesseling-Eichholz
ISBN 3-931575-06-3
Umschlag: Herbert Dörnemann/Wolfgang-Michael Böttcher

ISBN 3-7890-4417-2

Inhalt

Anhang

Günther Rüther

Was verbirgt sich hinter der Forderung nach mehr direkter Demokratie?
Eine einführende Betrachtung

Die Väter und Mütter des Grundgesetzes haben sich mit Entschiedenheit für eine parlamentarisch-repräsentative Demokratie ausgesprochen. Die Bundesrepublik Deutschland erwarb mit diesem Regierungssystem ein Maß an politischer Entscheidungsfähigkeit und Stabilität wie niemals zuvor in der deutschen Geschichte. Da sich das Grundgesetz jedoch mit Ausnahme des Art. 29 zur Neugliederung des Bundesgebiets allen anderen direktdemokratischen Formen der Willensbildung verschließt, wird in dieser Konsequenz nicht nur eine Stärke, sondern auch von Beginn an ein Demokratiedefizit gesehen.

Parlamentarisch-repräsentatives System: Demokratie zweiter Klasse?

Der Parlamentarische Rat entschloß sich vor dem Hintergrund des Scheiterns der Weimarer Republik zu dieser Verfassungsordnung, um besonders in Krisenzeiten Parteien und Parlament in die Pflicht zu nehmen und ihnen den nichtparlamentarischen Ausweg der direkten Demokratie zu verstellen. Sie sollen gerade dann die volle Last der Verantwortung erfahren, wenn es darauf ankommt, und nicht die Möglichkeit des Ausweichens auf plebiszitäre Verfassungsinstitutionen suchen.[1] Befürworter der direkten Demokratie knüpfen hier an. Sie sehen in Plebisziten keine Gefährdung des parlamentarischen Regierungssystems, sondern behaupten vielmehr, daß diese die Entscheidungsfindung vor allem in auswegslos erscheinenden politischen Gemengelagen erleichtern, Volksabstimmungen zu Personal- und Sachfragen die demokratische Kultur bereichern und zu mehr Demokratie führen.
Die Debatte um mehr demokratische Mitwirkungsrechte des Volkes entbrannte in den 70er Jahren. Vor dem Hintergrund der außerparlamentarischen Opposition und der durch sie ausgelösten Diskussion über die demokratische Legitimation staatlicher Herrschaft gewann die Forderung an Bedeutung, den Bürgern mehr Partizipationschancen zu eröffnen. Gemeint war damit vor allem, die Bürger stärker als in den vorausgegangenen Jahren am demokratischen Willensbildungsprozeß zu beteiligen, und zwar nicht nur mittelbar über Parteien und Verbände, sondern vor allem durch verschiedene direktdemokra-

tische Formen politischer Beteiligung. Man wollte mehr Demokratie wagen und tat so, als wäre Art. 20 GG: »Alle Staatsgewalt geht vom Volke aus« bisher nicht ernst genug genommen worden. In diesem Zusammenhang blieb der nachfolgende Satz, in dem es heißt: »Sie wird vom Volke in Wahlen und Abstimmungen und durch besondere Organe der Gesetzgebung, der vollziehenden Gewalt und der Rechtsprechung ausgeübt«, ausgespart. Die von diesem Begehren ausgelöste verfassungspolitische und demokratietheoretische Diskussion leitete eine Korrektur verschiedener Länderverfassungen ein. Sie erfolgte mit dem Ziel, das diagnostizierte Demokratiedefizit zu beheben, indem diverse Elemente direkter Demokratie in die Länderverfassungen dort aufgenommen wurden, wo es sie – im Gegensatz etwa zu Bayern und Baden-Württemberg – noch nicht gab.

Nach der Wiedervereinigung flammte die Diskussion um mehr plebiszitäre Demokratie im Zuge der Debatte um die zukünftige gesamtdeutsche Verfassung erneut auf. Sie stützte sich dabei auf die Ereignisse der friedlichen Revolution und den Ruf der Demonstranten: »Wir sind das Volk«, der sich gegen den SED-Staat richtete. Diese Gemeinschaftserfahrung, aber auch die der sogenannten »Runden Tische« bestärkte viele Ostdeutsche in der Vorstellung, die direkte Demokratie böte dem Volk wie keine andere Regierungsform die Möglichkeit, seine Geschicke selbst in die Hand zu nehmen. Sicherlich spielte bei dieser Beurteilung auch die durchlittene Ohnmacht des einzelnen gegenüber dem allgegenwärtigen SED-Staat eine Rolle. Da politische Opposition nicht möglich war, hatten viele Menschen im Privaten in einem moralischen Rigorismus Zuflucht gesucht.

Es ist verständlich, daß diese Grundhaltung mit in das politische System der Bundesrepublik Deutschland und dessen Beurteilung eingebracht wurde. Weil die parlamentarisch-repräsentative Demokratie jedoch auf politischen Kompromiß hin angelegt ist und dabei ein hoher moralischer Anspruch nur selten durchgehalten werden kann, erblicken bis heute insbesondere die engagierten Demonstranten der friedlichen Revolution in Formen der direkten Demokratie eine Alternative. Die auf der Mehrheitsentscheidung beruhende parlamentarische Demokratie mit ihren oftmals hin und her gehenden zeitaufwendigen Entscheidungsprozessen liegt ihnen auch deshalb fern, weil sich das Rollenverständnis und die sich daraus ergebenden Handlungen von Oppositionsminderheit und Regierungsmehrheit im Deutschen Bundestag nicht mit ihrer politischen Sozialisation in der DDR decken. Man war für oder gegen den SED-Staat. Opposition durfte im Rahmen der bestehenden Verfassung nicht stattfinden.

Aber auch in der alten Bundesrepublik mehren sich die Stimmen nach mehr direkter Demokratie seit geraumer Zeit und gewinnen an Gewicht. Sie erschöpfen sich keineswegs, wie noch in den 50er und 60er Jahren, in vereinzelten Meinungsäußerungen kleiner politischer, wissenschaftlicher oder publizistischer Interessengruppen, sondern finden in breiten Kreisen der Öffentlich-

keit Beachtung und zum Teil auch durch namhafte Persönlichkeiten aus Politik, Wissenschaft und Publizistik medienwirksame Unterstützung.
Was verbirgt sich also hinter der Forderung nach mehr plebiszitärer Demokratie?
Zwei Gesichtspunkte spielen dabei eine besondere Rolle:
1. Die Befürworter der direkten Demokratie behaupten, sie sei der parlamentarisch-repräsentativen Demokratie überlegen. Diese vermeintliche Überlegenheit wird demokratietheoretisch erklärt. Sie stützt sich auf Annahmen, etwa die, daß der einzelne Bürger mehr politischen Einfluß geltend machen könne, welche als erwiesen betrachtet werden, obwohl empirische Untersuchungen zu anderen Ergebnissen gelangen, zumindest aber begründete Zweifel aufwerfen. Im Grunde verbirgt sich hinter dieser Demokratievorstellung in letzter Konsequenz der Wunsch nach einem politischen System, das die Staatsgewalt reduziert, wenn nicht ganz abschafft.
2. Kritiker der Parteiendemokratie erblicken in bisher nicht ausgeschöpften und weiterzuentwickelnden Formen direkter Demokratie die Chance, die von ihnen beschworene Parteien- und Politikverdrossenheit zu überwinden. Die Ursache dafür sehen sie in einer Akkumulation der Macht in den Parteien, damit zusammenhängenden Defiziten in der politischen Willensbildung und einer wachsenden Diskrepanz zwischen dem, was die Bürger tatsächlich wollen, und dem, was der »Parteienstaat« tut.
Für die Auffassung, die direkte Demokratie sei die eigentliche Demokratie, weil sie wie keine andere Herrschaftsform dem Volk unmittelbare Entscheidungskompetenzen einräume, lassen sich sowohl politisch-praktische als auch demokratietheoretische Argumente ins Feld führen. Einige wichtige seien nachfolgend kurz benannt:
1. Unter den politisch-praktischen Begründungen ragen die positiven Erfahrungen hervor, welche die Schweiz bislang mit der plebiszitären Demokratie macht.
Die hier wahrgenommene Form der Willensbildung und Entscheidungsfindung geht auf eine Jahrhunderte alte Tradition zurück, die sogenannte »Landgemeindedemokratie«. Diese wurzelt im alemannischen Brauchtum und erfuhr durch die demokratietheoretischen Konzeptionen der Aufklärung, insbesondere durch die Schriften Jean-Jacques Rousseaus, eine Bestätigung und Verfestigung, so daß sie Eingang in die Schweizer Bundesverfassung von 1848 und später in die bis heute gültige von 1874 fand.[2]
2. Das Wort »Demokratie«, als Volksherrschaft aus dem Griechischen übersetzt, trägt zu der Annahme bei, das Volk könne die Staatsgewalt selbst unmittelbar ausüben. Dabei schwingt die Vorstellung mit, daß dieses als Inhaber der Staatsgewalt mittels einer direkten Demokratie die staatlich organisierte politische Herrschaft überwinden könnte. Die Aussage vom Volk als Träger und Inhaber der Staatsgewalt legt jedoch in unserer Verfassungsordnung lediglich fest, daß »sich das Innehaben und die Ausübung der Staatsgewalt konkret

vom Volk herleiten muß. Die Wahrnehmung staatlicher Aufgaben und die Ausübung staatlicher Befugnisse bedarf einer Legitimation, die auf das Volk selbst zurückführt bzw. von ihm ausgeht«[3]. Dem vielfach mißverstandenen Anspruch der Volksherrschaft im wortgetreuen Sinne entsprach jedoch nicht einmal die athenische Demokratie im fünften und vierten Jahrhundert vor Christi Geburt. Hier oblag es allein den freien Bürgern der Polis, über die politischen Angelegenheiten im Staat zu entscheiden. Bei ihnen handelte es sich um eine kleine Gruppe Wohlhabender und Gebildeter, die in öffentlichen Zusammenkünften politische Entscheidungen trafen. Die Mehrzahl der Bevölkerung – Bauern, Handwerker, Arbeiter und Sklaven – verfügte über keine politischen Rechte. Dennoch gilt die athenische Demokratie vielen als ein Musterbeispiel direktdemokratischer Herrschaft.

3. Demokratietheoretisch wird eine Überlegenheit des plebiszitären Regierungssystems gegenüber dem repräsentativen damit begründet, daß ersteres die Volkssouveränität uneingeschränkt achte und zur Geltung brächte, die repräsentative Demokratie hingegen nur Gruppeninteressen verpflichtet sei. Rousseau folgend geht dabei die plebiszitäre Demokratie von einem einheitlichen Volkswillen aus, »von dem a priori angenommen wird, daß er mit dem Gesamtinteresse identisch sei«[4]. Bei dem sogenannten Gesamtinteresse handelt es sich um einen hypothetischen Volkswillen, der das Gemeinwohl zum Ausdruck bringt. Soll der Volkswille in der Regierung unmittelbar werden, bedarf es einer doppelten Kongruenz, der zwischen dem Volkswillen und dem Gesamtinteresse einerseits und der zwischen diesen und der Regierung andererseits. Am stärksten kommt dies in der von Carl Schmitt aufgestellten Formel von der Identität der Regierenden mit den Regierten zum Ausdruck. Sollte sich diese Kongruenz jedoch nicht einstellen und es statt dessen zu einer Divergenz zwischen dem Volk und der Regierung kommen, dann soll dem empirisch nachgewiesenen Volkswillen entsprochen werden. Seine Souveränität bleibt unveräußerlich und stets dem Gesamtinteresse übergeordnet. Für Rousseau ist jedes Gesetz null und nichtig, welches nicht unmittelbar vom Volk bestätigt wird. Der Staat gerät zum Befehlsempfänger des Volkes. Diese uneingeschränkte Entscheidungskompetenz und Machtfülle des Souveräns Volk scheinen es zu sein, welche auf den ersten Blick die hohe Attraktivität der plebiszitären Demokratie ausmachen.

4. Mit der plebiszitären Demokratie verbindet sich die Hoffnung, daß Staat und Bürokratie besser kontrolliert und ihre Macht durch den Einspruch des Volkes beschnitten werden könnte. Das gleiche wird mit Blick auf die Parteien und Verbände erwartet. Mehr direkte Demokratie garantiere ein effizienteres Regieren. In dieser Auffassung schwingen einerseits demokratietheoretische Konzeptionen mit, wie sie Karl Marx für die Pariser Kommune von 1871 entwickelte. Darin äußert sich aber auch die im Wilhelminischen Reich von 1871 bis 1918 kultivierte Parlamentsverdrossenheit und die in der Weimarer Republik entfachte Polemik gegen die repräsentative Demokratie, die

in dem Schlagwort vom »Parteienstaat« ihren Ausdruck fand. Nach Auffassung von Carl Schmitt bemächtigten sich die politischen Parteien in der Weimarer Republik der staatlichen Willensbildung und betrieben damit einen zersetzenden politischen Pluralismus, der den Staat als neutrale politische Größe sui generis aushöhle.[5]

Gegenüber diesen Argumenten hat es die repräsentative Demokratie deshalb schwer, sich zu behaupten, weil sie ihre Legitimation einerseits aus der Volkssouveränität herleitet, andererseits aber nicht von der Utopie eines homogenen Volkswillens ausgeht, in dem sich das Gemeinwohl manifestiere. Tatsächlich entwickelt sich der Volkswille in einem komplizierten politischen Prozeß, der immer wieder anders verläuft. Von ganz wenigen Ausnahmen abgesehen, ist er keineswegs von vornherein da. Seine Prägung erfährt er in aller Regel von einer politisch engagierten Minderheit in Parteien, Verbänden, Vereinigungen, den Kirchen oder auch fachlich ausgewiesenen Einzelpersönlichkeiten mit Hilfe und kräftigem Zutun der Medien. In der Geschichte der Bundesrepublik Deutschland können dafür als Beispiele u.a. die Einführung der Sozialen Marktwirtschaft, die Zustimmung zum Aufbau der Bundeswehr oder zum Nato-Doppelbeschluß, aber insbesondere auch die Wiedervereinigung angeführt werden. Zu Recht stellte Hermann Heller deshalb fest, daß alle Machtausübung dem Gesetz der kleinen Zahl unterliege.[6]

Die Vision von der Volksherrschaft im ursprünglichen Sinne des Wortes wird hier ebenso im Kern entlarvt wie die Lehre von der Identität der Regierenden mit den Regierten. Die Staatsgewalt und die mit ihr gegebene Herrschaft von Menschen über Menschen bleibt stets wirksam, sie löst sich nicht in einer wie auch immer gearteten Herrschaftsfreiheit, nicht in einer »falsch verstandenen Identität von Regierenden und Regierten, auch nicht im herrschaftsfreien Diskurs auf«[7]. Dem Schweizer Demokratiemodell oder der klassischen athenischen Demokratie gegenüber sieht sich die parlamentarische Demokratie gezwungen, die eigenen konkreten politischen Erfahrungen entgegenzuhalten, die man meist nur deshalb kritischer beurteilt, weil man sie besser kennt. Differenzierte Vergleiche relativieren auf jeden Fall die häufig auf Annahmen beruhenden Urteile. Die Rechtfertigung der repräsentativen Demokratie, den empirischen Volkswillen nicht in seiner ursprünglichen, sondern in einer durch Wahlen und Delegation »veredelten« Form als letztlich verbindlich anzuerkennen, vermag denjenigen nur schwer zu überzeugen, der von der Prämisse ausgeht, die Ausübung der Staatsgewalt müsse identisch mit dem Vollzug eines einheitlichen Volkswillens sein. Aus dieser Perspektive steht die parlamentarisch-repräsentative Demokratie ständig unter dem Verdacht, irgendwelchen Sonderinteressen zu folgen und die Wünsche des Volkes sträflich zu mißachten.[8]

Im Gegensatz zur plebiszitären gründet die parlamentarisch-repräsentative Demokratie eben nicht zuerst auf einer zündenden Idee. Ihr visionärer Gehalt bleibt bis heute unterbelichtet. Nach dem Zusammenbruch der kommunistischen Staatenwelt spüren wir dies noch stärker als zuvor. So sind es vor allem formale, rechtstechnische Verfahrensweisen und Regeln, manchmal auch nur Übereinkünfte, die sie auszeichnen und ihr Beständigkeit verleihen. Die parlamentarisch-repräsentative Demokratie erscheint von daher zu allererst als ein demokratisches Organisationsverfahren zur Bildung und Ausübung der politischen Herrschaft durch das Volk. Aber stellt sie deshalb, weil sie sich mehr formal als inhaltlich begründet, eine mindere Form der Demokratie dar? Ist sie nur eine Demokratie zweiter Klasse? Zeigt nicht die Geschichte der Bundesrepublik Deutschland, daß auf dieser Grundlage erfolgreich zum Wohle des Volkes regiert werden kann? Stimmt denn überhaupt die These, daß der direkten Demokratie ein höheres Maß an Legitimität zukommt als der repräsentativen? Können wir heute in einer sich immer mehr auflösenden, von Einzelinteressen geprägten Gesellschaft überhaupt von der Annahme ausgehen, daß es einen einheitlichen Volkswillen gebe, der noch dazu mit dem Gesamtinteresse übereinstimme, aus dem sich das Gemeinwohl herleitet? Beweisen nicht viele Volksabstimmungen, wie z.B. zur Frage der Mitgliedschaft in der Europäischen Union in Frankreich, daß die Meinung in der Bevölkerung gespalten ist? Stehen sich die beiden Demokratiemodelle in der politischen Praxis tatsächlich so unversöhnlich gegenüber, wie es ihre idealtypische Ausgestaltung nahelegt? Enthält die repräsentative Demokratie keine plebiszitären Komponenten? Erscheint nicht vor diesem Hintergrund der Versuch eines Interessenausgleichs, wie ihn die parlamentarisch-repräsentative Demokratie erstrebt, angebrachter? Haben das sozialistische Demokratieexperiment und die nationalsozialistische Diktatur nicht gezeigt, welche Gefahren politische Systeme in sich bergen, welche die Idee von der Volksherrschaft mit der Lehre von der Identität von Regierten und Regierenden verknüpfen? Wohnt nicht der plebiszitären Demokratie in viel stärkerem Maße als der parlamentarisch-repräsentativen die Gefahr des politischen Mißbrauchs inne, sei es durch Populismus, Demagogie oder eine charismatische Persönlichkeit, die Emotionen schürt oder zumindest sachfremde Entscheidungen begünstigt?

Parteien- und Politikverdrossenheit: Direkte Demokratie als Allheilmittel?

Dieses Buch wirbt für die parlamentarisch-repräsentative Demokratie des Grundgesetzes. Es benennt die Stärken und Schwächen dieses Regierungssystems, warnt aber auch vor übertriebenen Erwartungen an ein plebiszitär geprägtes politisches System, die allzu häufig mit der Kritik am Repräsentativen einhergehen. Formen der direkten Demokratie haben sich auf kommunaler Ebene bewährt; dafür mangelt es nicht an Beispielen. Aber die direkte Demokratie ist dennoch kein Allheilmittel, mit dem Probleme der politischen Entscheidungsfindung und Willensbildung in unserer Gesellschaft zu lösen wären, wenn man nur den Mut und die Kraft dazu aufbrächte. Gelänge es, so schreibt Hans Herbert von Arnim, der als Parteienkritiker Popularität fand, in der »›Frankfurter Intervention‹ gegen die Politikverdrossenheit«, direktdemokratische Reformprozesse in Gang zu setzen, »so könnte das wie ein demokratischer ›Urknall‹ wirken, der wie ein Fanal auf andere Bundesländer und den Bund übergreifen und die politische ›Gestimmtheit‹ und den nötigen öffentlichen Druck schaffen könnte«[9].

Sind die angezeigten Mängel in unserem Regierungssystem tatsächlich so groß und systembedingt, das heißt innerhalb der parlamentarischen Demokratie nicht korrigierbar, daß wir das bestehende Regierungssystem hin zu einer plebiszitären Demokratie verändern müssen? Welchen Stellenwert gewinnt vor diesem Hintergrund die sogenannte Politik- und Parteienverdrossenheit? Was verbirgt sich hinter diesem Wort des Jahres 1992?

Zunächst zeigt sich darin das gute Recht des Bürgers, in einer Demokratie seiner Unzufriedenheit Ausdruck zu geben. Er macht damit von seinem Verfassungsrecht Gebrauch, seine Meinung in Wort, Schrift und Bild frei zu äußern und diese zu verbreiten. Kritik gehört zur Demokratie wie die Pressefreiheit, das freie und gleiche Wahlrecht oder die Unabhängigkeit der Gerichte. Deshalb erscheint es zumindest gewagt, aus einer wachsenden Bereitschaft zur Kritik an unserer Gesellschaft den Schluß zu ziehen, in ihr offenbare sich ein hohes Maß an Verdrossenheit gegenüber unserem politischen System, den tragenden politischen Kräften und den handelnden politischen Akteuren.

Betrachten wir die Merkmale, die als Beleg für diese Verdrossenheit ins Feld geführt werden, im einzelnen, so sind es vor allem sechs Argumente:

1. die rückläufige Entwicklung der Mitglieder, insbesondere bei den beiden großen Parteien SPD und CDU;
2. die nachlassende Wahlbeteiligung bei Europa-, Bundestags- und Landtagswahlen sowie die damit in Zusammenhang stehende anschwellende Zahl der Nichtwähler;
3. der Stimmenverlust der großen Volksparteien, bei gleichzeitigen Stimmengewinnen von Bündnis 90/Die Grünen als »neuer« politische Kraft und links- wie rechtsextremistischen sowie populistischen Parteien;
4. der Vertrauensverlust der Politik und die Einbuße an persönlicher Glaubwürdigkeit einzelner Politiker;
5. der Akzeptanzkrise der wichtigen staatlichen Institutionen, vor allem des Parlaments;
6. die Machtzuwächse der Parteien und die Ohnmacht des einzelnen.[10]

Diese Argumente sind ernst zu nehmen und stellen eine Herausforderung für die parlamentarisch-repräsentative Demokratie dar. Es wäre falsch, sich nicht mit ihnen auseinanderzusetzen, da das parlamentarische Regierungssystem wie kaum ein anderes davon lebt, daß im öffentlichen Diskurs Fehlentwicklungen benannt und Lösungen gesucht werden. Dennoch ist es erlaubt, danach

zu fragen, ob den Defiziten, die hier skizziert wurden, die öffentliche Bedeutung zukommt, die ihnen vor allem die Massenmedien schenken.
Ist es vor dem Hintergrund dieser Befunde gerechtfertigt, von einer Krise des parlamentarischen Regierungssystems zu sprechen? Und woher nehmen Teile der Bevölkerung die Überzeugung, daß die direkte Demokratie als therapeutisches Mittel gegen Parteien- und Politikverdrossenheit zu wirken vermag?
Woher wissen wir, daß die Effizienz der großen Volksparteien unmittelbar mit ihrer Mitgliederstärke zusammenhängt? Wo liegt die gerade noch vertretbare Untergrenze für die Aufgabe, die Art. 21 GG den Parteien bei der politischen Willensbildung des Volkes zuweist – bei 500.000 Mitgliedern, wieviel darüber, wieviel darunter? Wo ist umgekehrt die optimale Mitgliederstärke zu veranschlagen?
Stellt die nachlassende Wahlbeteiligung tatsächlich ein Krisensymptom dar, oder äußert sich darin möglicherweise auch ein gewisses Maß an Systemzufriedenheit? Vielleicht gehen viele Bürger deshalb nicht zur Wahl, weil sie im großen und ganzen mit der politischen Entwicklung im Lande einverstanden sind. Dieser Gedanke scheint vor dem Hintergrund nicht abwegig, daß praktizierte Formen der direkten Demokratie – z.B. in der Schweiz oder im US-Bundesstaat Kalifornien – eine weitaus geringere Wahlbeteiligung verzeichnen.
Die großen Volksparteien CDU/CSU und SPD haben bei den letzten Bundestagswahlen 1994 zusammen 77,8 Prozent der Stimmen auf sich vereinigen können. Sicherlich ist dies viel weniger als 1976, als sie gemeinsam mit 91,2 Prozent einen Höchststand erreichten. Aber wurde deshalb damals nicht befürchtet, daß sich das Mehrparteiensystem der Bundesrepublik zu einem Zweiparteiensystem hinentwickle, in dem außer den beiden großen im Bundestag vertretenen Fraktionen keine andere Partei mehr die Chance hätte, sich zu behaupten? Vier Jahre später trat erstmals mit »Die Grünen« eine neue Partei bei Bundestagswahlen in Erscheinung. Sie hat sich inzwischen als feste politische Größe in der politischen Landschaft der Bundesrepublik Deutschland etabliert. Die damaligen Befürchtungen haben sich als vorschnell erwiesen.
Handelt es sich bei dem in jüngster Zeit viel beschworenen Vertrauensverlust in die Politik nicht um ein Phänomen, das – wie kaum ein anderes – von Stimmungen und spezifischen Ereignissen oder politischem Fehlverhalten einzelner Politiker bestimmt wird? Es versteht sich von selbst, daß dieses Fehlverhalten öffentlich gebrandmarkt werden muß; aber sagt die Art und Weise, wie in Deutschland Debatten über menschliches Versagen in der Politik geführt werden, nicht auch etwas über die politische Gemütslage der Deutschen und ihren hohen moralischen Anspruch aus, den sie an die Politik wie an keinen anderen Bereich des öffentlichen Lebens, von den Medien über die Großindustrie bis zu den Banken und Kirchen, herantragen?

Politische Entrüstung gehört offensichtlich in Deutschland stärker zur politischen Kultur als andernorts, zumindest solange damit keine Nachteile verbunden sind.
Verbirgt sich hinter der Kritik an der Macht der Parteien nicht zu einem großen Teil eine Überschätzung der Einflußmöglichkeiten des einzelnen in der Demokratie, der ja stets nur seine Stimme in die Wahlurne werfen kann, die eine von Millionen anderen ist? Und schließlich: Steht nicht hinter der gesamten Debatte über Parteien- und Politikverdrossenheit allzuoft der moralisierende Bürger, der sich von der parlamentarisch-repräsentativen Demokratie mehr erhofft, als er selbst bereit ist, an Engagement einzubringen?
Entpuppt sich die Krise der Institutionen, vor allem aber die sogenannte Parlamentsverdrossenheit, nicht bei näherem Hinsehen als ein wiederkehrender Topos, speziell in der deutschen Geschichte des Parlamentarismus? Ernst Fraenkel entdeckte sie im Nachkriegsdeutschland bereits Mitte der 60er Jahre und führte sie damals darauf zurück, daß die großen ideologischen Kontroversen immer weniger zwischen den Fraktionen im Parlament stattfänden.[11] Er schreibt dazu 1964: »Die neu-deutsche Parlamentsverdrossenheit kann nur überwunden werden, wenn die Parteien und Gruppen von innen belebt werden, wenn die Vorurteile gegen Parteien und Gruppen restlos verschwinden und die Funktion des Parlaments klar erkannt wird.«[12]
Diese Fragen können und sollen die aufgezeigten Ursachen für die viel beschworene Parteien- und Politikverdrossenheit natürlich nicht beseitigen, aber sie helfen, diese im historischen Kontext zu sehen, zu vergleichen und damit zu relativieren. Das parlamentarische Regierungssystem, so wie es sich in der Bundesrepublik Deutschland entwickelt hat, kann ohne ein starkes und funktionierendes Parteiensystem nicht auskommen. »Dies bedeutet nicht, daß Parteien allzuständig sind oder daß sie einen Allzuständigkeitsanspruch auch nur erheben sollten, aus dem sich aus der Vergangenheit der Eindruck ihrer Allmacht ergeben konnte. Im Gegenteil: Um adäquat wirken zu können und aus reinem Selbsterhaltungstrieb, sollten Parteien den Rückzug antreten, damit sich Parteienverdrossenheit nicht doch krisenhaft zuspitzt. Es geht um inhaltliche Selbstbeschränkung und um die Aufgabe bestimmter gesellschaftlicher Felder, in denen Parteien tatsächlich nichts zu suchen haben. Die Parteien müssen die Grenzen der eigenen Kompetenzen eingestehen und die möglicherweise bestehende Allzuständigkeitsvermutung umkehren in die Zuständigkeitsvermutung der Bürger.«[13]
Die direkte Demokratie mag auf den ersten Blick attraktiver erscheinen als das von den politischen Parteien maßgeblich geprägte parlamentarisch-repräsentative Regierungssystem. Aber hält dieser Eindruck stand? Was zeigt die Erfahrung in anderen Ländern, z.B. in Italien oder Frankreich? Welcher Stellenwert kommt Formen direkter Demokratie in Deutschland auf der Ebene der Länder und Kommunen zu? Ist die direkte Demokratie das geeignete Mittel im innerparteilichen Willensbildungsprozeß? Ermutigen die hier zu gewin-

nenden Einsichten, mehr davon auch auf nationaler Ebene zu wagen. Bei alledem sollten wir die Weimarer Erfahrung nicht aus dem Blick verlieren. Sie lehrt uns, welches Risiko darin steckt, »unser politisches System in mehr plebiszitärer Richtung zu verändern«[14]. Gerade weil in den letzten 15 Jahren die Konsens stiftenden Kräfte, von den großen Volksparteien über die Gewerkschaften bis zu den Kirchen, den Zusammenhalt der Gesellschaft nicht mehr so wie früher fördern, schon gar nicht gewährleisten können, sollten einschneidende politische Experimente vermieden werden. Angesichts des politischen Radikalismus und Extremismus, des Hangs zu einem egoistischen Individualismus und einem die Realität verzerrenden Populismus der Massenmedien, der mit Volkstümlichkeit fast nichts, aber mit grober Vereinfachung sehr viel zu tun hat, sowie der Gefährdung, die unsere Gesellschaft durch eine wachsende Arbeitslosigkeit erfahren kann, sind die unser Regierungssystem tragenden Institutionen zu stärken. Sie haben sich alles in allem bewährt und scheinen deshalb am ehesten geeignet, die sich hinter dem Begehr nach mehr direkter Demokratie verbergende Akzeptanzkrise der parlamentarisch-repräsentativen Demokratie zu überwinden, die Teil der Orientierungskrise ist, in welche die westlichen Industrienationen nach dem Zusammenbruch der kommunistischen Staatenwelt unerwartet schnell geraten sind.

Was sagen die Autoren? Das Buch im Überblick

Der Sammelband wendet sich in seinem *ersten Teil*, ausgehend von einer verfassungsnormativen Darstellung unseres parlamentarischen Regierungssystems, den ideengeschichtlichen Wurzeln der Demokratie zu. Sie werden bis ins 17. und 18. Jahrhundert, die Jahrhunderte der großen Gesellschaftsverträge von John Locke, Charles-Louis de Montesquieu und Jean-Jacques Rousseau, zurückverfolgt, deren Schriften die geistige Grundlage für die Französische Revolution, die Demokratieentwicklung in den Vereinigten Staaten, Großbritannien und Frankreich schufen. Ihr Einfluß wirkte weit über diese Staaten hinaus und ist bis heute spürbar. Auch die aktuelle Diskussion um die parlamentarisch-repräsentative oder plebiszitäre Demokratie findet in ihnen ihren theoretischen und politisch-praktischen Ursprung.
In einem *zweiten Teil* wird auf die deutsche Verfassungsgeschichte eingegangen und untersucht, welchen Stellenwert darin Formen der direkten und indirekten Demokratie gewannen. Ein Blick auf das italienische und französische Regierungssystem offenbart, inwieweit es gelingt, beide Demokratiemodelle miteinander zu verbinden. Hier knüpft eine Darstellung zur Parteiendemokratie und Repräsentation an, wie sie sich in der deutschen Nachkriegsgeschichte ausgebildet hat.
Der *dritte Teil* setzt sich mit der aktuellen Diskussion auseinander und fragt danach, wieviel plebiszitäre Elemente die parlamentarisch-repräsentative De-

mokratie verträgt. Dabei wird auf die Reform des Grundgesetzes nach der Wiedervereinigung, die Wahl des Bundespräsidenten, die Weiterentwicklung der innerparteilichen Willensbildung, die Stellung des Abgeordneten, die Partizipation und Direktwahl der Bürger in der Kommunalpolitik eingegangen.
Im *Schlußteil* wird die Frage aufgeworfen, ob die heutige Gesellschaft, die sich durch einen bisher nicht gekannten Individualismus der Lebenschancen und Lebensbrüche auszeichnet, überhaupt noch repräsentierbar ist. Demokratie und Massenmedien sind in den zurückliegenden Jahrzehnten der Geschichte der Bundesrepublik Deutschland in eine intensive Wechselbeziehung eingetreten. Kann die bereits herausgehobene Stellung der Massenmedien in unserer Gesellschaft durch mehr direktdemokratische Willensbildungsprozesse noch weiter ausgebaut werden? Besteht die Gefahr, daß sie im Verein mit den neuen Medien in diesem Fall noch stärker als bisher meinungsprägend wirken? Sind die Schweizer Erfahrungen auf unsere Medienlandschaft übertragbar? Abrundend untersucht der letzte Beitrag dieses Buches, inwieweit repräsentative und plebiszitäre Elemente sich in unserer Verfassungskultur ergänzen können.
Der vorliegende Sammelband erhebt den Anspruch, ein Lehr- und Arbeitsbuch für die politische Bildung zu sein. Er will einführen, erklären, analysieren, Zusammenhänge aufzeigen und zur eigenständigen Urteilsbildung anregen. Quellen und Literaturhinweise im Anhang sollen dabei behilflich sein. Alle Autoren verbindet das Engagement für die parlamentarisch-repräsentative Demokratie des Grundgesetzes. Der zur Mode gewordenen Parteienschelte stehen sie insoweit distanziert gegenüber, daß sie augenfällig gewordene Fehlentwicklungen und eine kultivierte Politikverdrossenheitsdebatte nicht dazu verleiten, die in mehr als 40 Jahren erbrachten politischen Leistungen geringzuschätzen. Die Stabilität unseres Regierungssystems bedeutet ihnen viel. Sie wissen, welchen Anteil die Parteien daran haben und lehnen deshalb weitreichende plebiszitäre Demokratievorstellungen ab, die ein anderes politisches System im Auge haben.
Der ehemalige Bundesverfassungsrichter und Göttinger Staatsrechtler *Hans Hugo Klein* stellt in seinem Beitrag dar, was der Satz: »Alle Staatsgewalt geht vom Volke aus« unseres Grundgesetzes für die parlamentarische Demokratie aussagt. In diesem Zusammenhang geht er auf die Begriffe der Volkssouveränität, des Staatsvolkes, der staatsbürgerlichen Gleichheit und des demokratischen Prinzips ein. Erkenntnisleitende Fragen sind, was Repräsentation in einer Demokratie bedeutet, ob der demokratische Staat ohne Repräsentation handlungsfähig sei. Da das Volk nicht ständig präsent sein und die Regierungsgeschäfte selbst betreiben kann, überträgt es durch Wahlen seine Macht auf Zeit. Der Autor legt dar, was dies im einzelnen bedeutet, und geht dann auf die verschiedenen Bundesorgane, die Staatsleitung, näher ein. Er hebt hervor, daß unter ihnen allein der Deutsche Bundestag über eine unmittelbare demokratische Legitimation verfügt. Sie berechtigt ihn, über die Regierung zu

entscheiden. Konkret wird dies bei der Wahl des Bundeskanzlers. Maßgeblich ist dabei das Mehrheitsprinzip. Bezugnehmend auf ein Urteil des Bundesverfassungsgerichts, stellt der Autor fest, daß bei seiner Anwendung das Gemeinwohl nicht aus dem Auge verloren werden darf. Es schützt die Minderheit, dessen Rechte und Interessen zu beachten sind. In einem abschließenden Teil geht Hans Hugo Klein näher darauf ein, warum repräsentative Demokratie auch kommunikative Demokratie sein muß. Ihr Raum ist die Öffentlichkeit. Hier vollzieht sich die parlamentarische Debatte. Neben den Verfassungsorganen füllen ihn die Parteien, Verbände, Vereinigungen und vor allem die Medien aus. Der Autor zeigt aber auch, welche Möglichkeiten der einzelne hat, sich in den politischen Willensbildungsprozeß einzubringen. Er setzt sich in diesem Zusammenhang mit dem besonderen Schutz auseinander, den der Bürger durch die in der Verfassung verankerten Grundrechte erfährt. Sie bewahren ihn vor ungesetzlichen Eingriffen des Staates und eröffnen ihm die Teilhabe an der öffentlichen Kommunikation. Die Stimme des einzelnen könne Bedeutung erlangen, aber sie relativiere sich naturgemäß im politischen Willensbildungsprozeß. Anders stellt sich der Sachverhalt dar, wenn sie über Parteien, Verbände, Vereinigungen oder Bürgerinitiativen Unterstützung erfährt. In diesem Zusammenhang spielen Presse, Rundfunk und öffentliche Meinung eine zentrale Rolle. Die von den Massenkommunikationsmitteln produzierte »veröffentlichte Meinung« legt darüber nach Auffassung von Hans Hugo Klein in augenfälliger Weise Zeugnis ab.
Prinzip und Stellenwert der Repräsentation für das parlamentarische Regierungssystem sind vielen Mißverständnissen ausgesetzt. Der Kieler Politikwissenschaftler *Ulrich Matthée* schildert Entstehung und Wandel der Idee der Repräsentation ausgehend von der Spätscholastik bis zur Neuzeit. Er geht dabei von dem englischen Regierungssystem aus, das er als eines von drei grundsätzlich verschiedenen Formen der Repräsentation ausmacht. Ideengeschichtlich wendet er sich in der Auseinandersetzung mit dem monarchischen Absolutismus John Locke, dem großen politischen Philosophen, zu, dessen politische Lehre der Glorreichen Revolution zum Sieg verhalf. Locke gilt als Vater des Gesellschaftsvertrages und der Repräsentation. Er entwickelte die Grundzüge des liberalen Verfassungsstaates, dessen oberste Pflicht es sei, Leben und Eigentum der Bürger zu schützen. Ausgehend von der englischen Gesellschaft des frühen 18. Jahrhunderts, vermittelt Matthée die Einsichten, die Montesquieu auf seinen Englandreisen gewann, und welche Konsequenzen er daraus für seine Idealverfassung der Gewaltentrennung zog. Der Ire Edmund Burke war selbst Abgeordneter. Er kannte die Vor- und Nachteile des britischen Regierungssystems von innen heraus. Seine berühmt gewordene Theorie der Repräsentation stellt, wie Matthée betont, das eigentliche Gegenstück zu Rousseaus Volkssouveränitätslehre dar. Burke begründet, warum der Abgeordnete gegenüber seinen Wählern unabhänigig bleiben müsse. Die »reine« Theorie der Repräsentation scheiterte jedoch an der politischen Praxis ebenso

wie die »reine« Theorie der plebiszitären Demokratie. Rousseaus der Aufklärung geschuldete Vision von der Präfiguration der Gesellschaft, die durch Gesetzgebung und Erziehung eigenständig den Weg zum Gemeinwohl findet, erwies sich letztlich als verhängnisvoll. Nicht das theoriegläubige Frankreich, sondern die angelsächsischen Staaten, die einen pragmatischen Weg zur Demokratie einschlugen, fanden, wie Matthée anschaulich macht, zu politischer Stabilität.

Der Reutlinger Totalitarismusforscher *Klaus Hornung* setzt sich in seinem Aufsatz mit den ideengeschichtlichen Zusammenhängen zwischen plebiszitärer Demokratie und totalitärer Herrschaft auseinander. Er geht dabei auf die großen Diktaturen unseres Jahrhunderts ein, zeigt aber auch auf, welche Ambivalenz dem modernen Demokratiebegriff der Französischen Revolution innewohnt. Alexis de Tocqueville sei es gewesen, der als erster darauf aufmerksam gemacht habe, daß aus der demokratischen Bewegung zwei Quellen fließen, die eine sei der Freiheit, die andere dem Despotismus günstig. Jean-Jacques Rousseau versuchte, in seinem für die Demokratieentwicklung zentralen Werk »Du Contrat Social« die Grundlagen für eine rechtmäßige republikanische und demokratische Ordnung zu legen. Mit seiner Annahme, daß sich der Gemeinwille durch das Aufgehen des Individuums in der Gemeinschaft forme, legte er den Grundstein für eine Erziehungsdiktatur, der das Kollektiv alles, der einzelne aber nichts bedeutete. Teile der Rousseauschen Demokratiekonzeption dienten den Jakobinern im Verlauf der Französischen Revolution als Rechtfertigung ihrer Herrschaft. Später war es François-Noël Babeuf, der sein kommunistisches Programm im Namen des Volkes gewaltsam den Menschen aufzwingen wollte. Er glaubte sich dazu berechtigt, weil er meinte, den Schlüssel für eine endgültige soziale Ordnung, der *Ordre Naturel*, wie sie Rousseau nannte, gefunden zu haben. Auch Karl Marx knüpfte bei Rousseau an. Die Aufhebung des Widerspruchs zwischen dem Willen des einzelnen und dem Gesamtwillen diente ihm als Hypothese für die klassenlose Gesellschaft des Kommunismus und die Rechtfertigung der Diktatur des Proletariats in einer Übergangsphase auf dem Weg dorthin. Was Marx entwickelte, griff Lenin in Rußland theoretisch und politisch-praktisch auf. Sein Konzept der »Partei neuen Typs« und seine »Strategie der Klassenbündnisse« halfen ihm 1917, hinter einer demokratischen Fassade die Macht an sich zu reißen. Ideengeschichtlich bei den Vorstellungen Rousseaus anknüpfend, kam es zuerst in Rußland, später in vielen anderen Ländern der Welt zu Einparteidiktaturen, die eine totalitäre Herrschaft »im Namen des Volkes« ausübten. Hornung geht in diesem Zusammenhang auch auf die sozialistische Volksdemokratie der DDR ein und setzt sich mit ihrer verfassungsrechtlichen Verankerung auseinander. Zu Recht weist er darauf hin, daß auch der Nationalsozialismus im »Volksstaat« die maßgebliche Alternative zur parlamentarisch-repräsentativen Demokratie sah, die er in der Weimarer Republik mit allen Mitteln bekämpfte. Sein Fazit lautet: Die plebiszitäre

Demokratie vermag eine kleine Minderheit dazu zu verführen, ihre Interessen als in Übereinstimmung mit dem Volkswillen zu definieren, um daraus die Berechtigung abzuleiten, ihn auch durchzusetzen.
Thomas Würtenberger zeigt in seinem Überblick repräsentative und plebiszitäre Traditionen in der deutschen Verfassungsgeschichte auf. Er verdeutlicht dabei, wie sehr Verfassungsgeschichte und politische Entwicklung in den letzten beiden Jahrhunderten in Deutschland miteinander verknüpft gewesen sind. Dies gilt auch für die Frage, in welchem Umfang repräsentative und plebiszitäre Elemente Eingang in die jeweiligen Verfassungen fanden. Während die Weimarer Verfassung im Anschluß an das Deutsche Kaiserreich zu einer Präsidialdemokratie mit kräftigen plebiszitären Elementen (z.B. der Wahl des Reichspräsidenten) führte, lehnte das Grundgesetz vor dem Hintergrund der Weimarer Erfahrungen weitestgehend plebiszitärdemokratische Verfassungskomponenten ab. Es entschied sich für eine parlamentarische Demokratie ohne Wenn und Aber. Diesem Grundsatz folgten zunächst auch die Länderverfassungen. Allerdings sei dabei zwischen denen zu unterscheiden, die nach und vor dem Inkrafttreten des Grundgesetzes entstanden. Letztere entsprachen der Weimarer Tradition. Die 70er Jahre lösten in vielen Ländern eine Verfassungsdiskussion aus. Sie zielte nach Meinung des Autors darauf ab, die durch das Grundgesetz vorgegebene, konsequente repräsentative Verfassungsstruktur durch direktdemokratische Elemente zu erweitern. Volksbegehren und Volksentscheid finden sich inzwischen in (fast) allen Länderverfassungen. Dies gilt auch für die neuen Länder, in denen direktdemokratische Formen der Willensbildung aus der Erfahrung mit der friedlichen Revolution unmittelbar in die verfassungsrechtliche Ausgestaltung einflossen. Die Verfassungspraxis zeigt jedoch, daß bisher nur in Bayern und Nordrhein-Westfalen Volksbegehren und Volksentscheide über Gesetze stattfanden. Trotz des hier bestehenden niedrigen Quorums bildeten sie jedoch die Ausnahme. Der Freiburger Staats- und Verwaltungsrechtler Thomas Würtenberger weist allerdings darauf hin, daß allein die bestehende Möglichkeit plebiszitärer Meinungsbildung dazu beiträgt, daß die Entscheidungen des Parlaments, soweit es geht, dem Bürgerwillen Rechnung zu tragen versuchen.
Der Trierer Politikwissenschaftler *Adolf Kimmel* setzt sich in seinem Beitrag mit Regierungssystemen auseinander, die neben repräsentativen direktdemokratische Beteiligungsformen an der politischen Willensbildung kennen. Als Beispiele wählt er Frankreich und Italien. Zunächst geht er der Geschichte des Referendums in Frankreich nach, das seinen Ursprung in der Erklärung der Menschen- und Bürgerrechte von 1789 findet, wo direktdemokratische neben repräsentativen Verfassungsinstitutionen stehen. Ausführlich schildert er, wie es zum Referendum in der Verfassung der V. Republik von 1958 kam. In der von Charles de Gaulle damals angestrebten Präsidialdemokratie wies er dem Referendum einen wichtigen Platz zu. De Gaulle konnte seine Vorstellungen jedoch nur zum Teil durchsetzen. Wie dieser plädiert heute der amtierende

Präsident Jacques Chirac für eine Ausweitung des Referendums. Er veranlaßte, daß zukünftig auch über »Reformen der Wirtschafts- und Sozialpolitik der Nation und über die öffentlichen Dienste durch Volksabstimmung entschieden werden könne«. Der Autor geht dann näher auf die Praxis des Referendums und seinen Stellenwert im politischen System ein. Nach seiner Auffassung dient es nicht primär der Beteiligung der Bürger im politischen Willensbildungsprozeß, sondern der Stärkung des Staatspräsidenten.
Im Gegensatz zu Frankreich haben in Italien direktdemokratische Elemente keine Tradition. Genaugenommen entwickelten sie sich erst nach dem Faschismus Mussolinis. Dennoch bietet die italienische Verfassung den Referenden, sieht man einmal von der Schweiz und Liechtenstein ab, den breitesten Raum. Der Autor benennt fünf direktdemokratische Beteiligungsformen. Davon erlangte wider Erwarten das abrogative Referendum besondere Bedeutung. Von 1990 bis 1995 wurde es allein 24mal eingesetzt. Es diente vor allem politischen Minderheiten, trug aber auch dazu bei, das verkrustete und durch Skandale belastete parlamentarische System zu erneuern. In dem abschließenden Kapitel zu Reformüberlegungen in der repräsentativen Demokratie äußert Kimmel, ausgehend von den Erfahrungen in Frankreich und Italien, die Auffassung, daß bei vorsichtiger Handhabe direktdemokratische Institutionen mit der repräsentativen Demokratie vereinbar zu sein scheinen. Die Gefahr eines demagogischen Mißbrauchs bleibe aber bestehen.
Wolfgang Rudzio zählt zu den bekanntesten Parteienforschern in Deutschland. In seinem Beitrag setzt er sich mit der Kritik an der Parteiendemokratie auseinander. Die immer wieder zu hörenden Vorwürfe, ihr fehle eine hinreichende Gemeinschaftsorientierung, sie höhle das Repräsentationsprinzip aus und bringe nur in unzureichendem Maße den Volkswillen zum Ausdruck, weist er mit überzeugenden Argumenten zurück. Statt dessen ruft er in Erinnerung, daß in der Geschichte der Bundesrepublik von den Parteien zentrale Richtungsentscheidungen herbeigeführt worden seien, die bei Volksabstimmungen kaum eine Mehrheit gefunden hätten. Die Volksmeinung, soweit sie überhaupt ermittelbar ist, stellt seines Erachtens keine kalkulierbare Entscheidungsgrundlage für die Politik dar. Allerdings dürfe es auch in zentralen Fragen der Politik zu keiner längerfristigen Auseinanderentwicklung zwischen der Parlamentsmehrheit bzw. der Regierung einerseits und der Mehrheit des Volkes andererseits kommen. Dies zu verhindern, liege sui generis im Interesse der um Wähler ringenden Parteien. Gerade die plebiszitäre Kritik an der Parteiendemokratie verkenne, in welchem Maße es in den zurückliegenden 40 Jahren immer wieder gelungen sei, den Weg einer Politik des Ausgleichs und der Konsistenz zu finden: eine Eigenschaft, die plebiszitär-demokratische Entscheidungen kaum kennzeichne.
Als anläßlich des 40. Geburtstags der Bundesrepublik Deutschland am 24. Mai 1989 Bilanz gezogen wurde, stellte sich die Frage, ob sich das Grundgesetz bewährt habe. Mit der Wiedervereinigung erhält die Debatte darüber

eine neue unerwartete Dimension. Der in Wiesbaden lebende, ehemalige Thüringer Justizminister und heutige Bundesverfassungsrichter *Hans-Joachim Jentsch* schildert in seinem Beitrag über die Diskussion um das Grundgesetz, daß trotz der teils heftigen Auseinandersetzungen auch nach der Wiedervereinigung eine überwältigende Mehrheit der Deutschen diese Verfassung gut heiße. Dabei sei zu bedenken, daß der Verfassungsentwurf des »Runden Tisches« vom März 1990 nicht den Beitritt der DDR zum Grundgesetz vorsah. Seine Initiatoren hielten an der Zweistaatlichkeit fest. Als sie jedoch erkannten, daß die politische Entwicklung auf die deutsche Einheit zulief, brachten sie ihren Verfassungsentwurf in die gesamtdeutsche Debatte. Sie beriefen sich dabei auf die Präambel und vor allem auf Art. 146 GG. Der »Königsweg« nach Art. 23 GG schien vor dem Hintergrund der Zweistaatlichkeit kaum noch beschreitbar. Aber letztlich war er es dennoch, der zur deutschen Einheit führte. Die Kontroverse über eine zukünftige gesamtdeutsche Verfassung war damit aber noch nicht beendet. Art. 5 des Einigungsvertrages forderte dazu auf, über eine Verfassungsreform nachzudenken. Vor diesem Hintergrund legte das »Kuratorium für einen demokratisch verfaßten Bund deutscher Länder« im Juni 1991 einen Verfassungsentwurf vor, der in der Tradition des Entwurfs des »Runden Tisches« stand. Auch das Kuratorium wollte eine neue gesamtdeutsche Verfassung über Art. 146 GG schaffen. Ende 1991 nahm die »Gemeinsame Verfassungskommission« von Bundestag und Bundesrat ihre Arbeit auf. Zwei Jahre später legte sie ihren Bericht vor. Im letzten Kapitel widmet sich Jentsch der Frage, ob mit dem Fortbestehen des Art. 146 der Versuch einer zukünftigen Totalrevision wie ein Damoklesschwert über dem Grundgesetz schwebt. In diesem Zusammenhang erörtert er, ob es richtig gewesen wäre, die Verfassung dem wiedervereinigten deutschen Volk zur Entscheidung vorzulegen.

Als Roman Herzog 1994 Bundespräsident wurde, kam es zu einer heftigen öffentlichen Debatte darüber, ob es nicht an der Zeit sei, das »Weimarer Trauma« zu überwinden und den ranghöchsten Repräsentanten unseres Staates wie damals direkt vom Volk wählen zu lassen. Der Kieler Politikwissenschaftler *Werner Kaltefleiter*, der bereits 1970 eine umfangreiche Studie zu den Funktionen unseres Staatsoberhauptes vorlegte, untersucht zunächst den verfassungsrechtlichen Spielraum des Bundespräsidenten. Dabei geht er auf die Amtsinhaber von Heuss bis Herzog kurz ein und analysiert, wie sie ihr Amt in politisch schwierigen Situationen, etwa bei der Auflösung des Bundestages nach Art. 68, verstanden haben. Seine These lautet, daß es bisher über die Rechte und Pflichten des Bundespräsidenten in wesentlichen Fragen keinen Verfassungsdisput gab. Dieser Sachverhalt steht auch im Zusammenhang mit dem Wahlmodus. So wäre etwa zu bedenken, ob ein vom Volk direkt gewählter Präsident nicht zuletzt aufgrund seiner hohen Legitimation auch über mehr Rechte verfügen müßte. Die Dauer seiner Amtszeit und die Frage nach seiner Wiederwahl haben demgegenüber nur einen vergleichsweise geringen

Stellenwert, weil sie keine grundlegende Veränderung unseres politischen Systems zur Folge hätten. Ein direkt gewähltes Staatsoberhaupt mit mehr Kompetenzen, wie der französische Präsident, würde zu einer Aufspaltung der exekutiven Macht führen. Der Verfasser weist darauf hin, zu welchen politischen und verfassungsrechtlichen Konflikten es führt, wenn der Präsident und der von der parlamentarischen Mehrheit getragene Premierminister, in Deutschland Bundeskanzler, unterschiedliche politische Vorstellungen entwickeln. Als Beispiele führt er Chirac und Balladur als französische Regierungschefs in Mitterrands Präsidentschaft an. Nach Abwägung verschiedener Argumente lautet Kaltefleiters Fazit, daß für eine Direktwahl des Bundespräsidenten keine Notwendigkeit bestünde, ja diese sogar disfunktional sei.
Eckhard Jesse ist als Parlamentarismusforscher durch fundierte Veröffentlichungen ausgewiesen. Aus Trier kommend, lehrt er heute an der Technischen Universität in Chemnitz. In dem vorliegenden Beitrag zu plebiszitären Elementen in der Parteiendemokratie unterscheidet er vier Varianten: einerseits personal- und sachplebiszitäre für die Parteibürger, und andererseits personal- und sachplebiszitäre Elemente für die Wahlbürger. Auf diese vier Ebenen der heute geführten Debatte um mehr Mitwirkungsrechte der Partei- und Wahlbürger am politischen Willensbildungsprozeß geht er näher ein. In seiner differenzierten Analyse gelangt er zu dem Ergebnis, daß personalplebiszitäre Entscheidungen durch den Partei- und Wahlbürger dazu beitragen können, den demokratischen Prozeß zu beleben. Demgegenüber sieht er in sachplebiszitären Entscheidungsverfahren keine geeigneten Instrumentarien, um den demokratischen Verfassungsstaat effizienter auszugestalten. Das überzeugendste Argument gegen die Einführung von Sachplebisziten liegt nach seiner Auffassung darin, daß sich die Frage der politischen Verantwortlichkeit nicht mehr wie bisher stelle. Wie soll sich das Volk selbst zur Verantwortung ziehen? Es kann seine Entscheidung korrigieren, aber mehr nicht. Jesses Fazit lautet deshalb, daß übertriebene Erwartungen an plebiszitärdemokratische Entscheidungsverfahren fehllaufen. Direktdemokratische Willensbildungsprozesse erscheinen ihm deshalb kaum geeignet, bestehende Funktionsschwächen des politischen Systems zu heilen.
Werner J. Patzelt hat sich in den zurückliegenden Jahren in zahlreichen Studien mit Aufgabe und Stellung der Abgeordneten im Rahmen der repräsentativen Demokratie auseinandergesetzt. In dem hier vorliegenden Beitrag geht er auf die gegensätzlichen Vorstellungen der Aufgaben eines Abgeordneten in der Demokratie ein. Am schärfsten treffen sie im imperativen und freien Mandat aufeinander. Seiner Meinung nach stehen sich jedoch beide Prinzipien in der politischen Praxis der Bundesrepublik nicht diametral gegenüber, sondern vielmehr sei es die ausbalancierte Verwirklichung beider Leitgedanken, die in unserer parlamentarischen Demokratie Repräsentation hervorbringe. Denn ein Abgeordneter, der wiedergewählt werden möchte, kann sich auch bei einem freien Mandat nicht allzu weit von den Interessen der Wahlbürger ent-

fernen. Auch sieht er sich stets an die Repräsentanten und Nominierungsgremien der Partei, die ihn aufgestellt haben, rückgebunden. Ausgehend von diesem demokratietheoretischen und politisch-praktischen Verständnis der Aufgaben des Abgeordneten, setzt er sich mit dessen Stellung, Rolle und Amtsverständnis auseinander. Von entscheidender Bedeutung erweist sich in diesem Zusammenhang die Tatsache, daß der Abgeordnete »Vertreter des ganzen Volkes« ist und sein Mandat frei ausübt. Hierin begründet sich seine spezifische Form der Verantwortung. Auf der anderen Seite sieht sich der Abgeordnete vielfältigen Formen politischer Abhängigkeit ausgesetzt. Der Autor stellt diese – insbesondere mit Blick auf Parteien und Fraktion – dar. Können vor diesem Hintergrund plebiszitäre Elemente auf Bundesebene von Nutzen für die Demokratie sein? Bemerkenswert sind die Gründe, die Patzelt für die repräsentative Demokratie benennt. Die vermeintlichen Vorteile von Plebisziten liegen seiner Meinung nach in einem verkürzten oder fehlgeleiteten Bild vom Abgeordneten begründet. Im letzten Kapitel schildert der Autor die besondere Verantwortung der Parlamentarier; er bemängelt in diesem Zusammenhang die Karrierisierung der Parteilaufbahnen. In letzterem sieht er eine Fehlentwicklung und den zentralen Reformbedarf unserer Demokratie.
Der Politikwissenschaftler *Everhard Holtmann* von der Universität Halle-Wittenberg entwickelt in seinem Beitrag »Zwischen Repräsentation und Plebiszit: Bürger und Parteien in der Kommunalpolitik« die moderne Tradition kommunaler Selbstverwaltung, ausgehend von der Preußischen Städteordnung des Freiherrn vom Stein vom 19. November 1808. Mit dieser historisch zu nennenden Reform wurde die Grundlage für die Demokratisierung des Kommunalwahlrechts geschaffen, wie es sich dann später in der Weimarer Republik und vor allem seit Inkrafttreten des Grundgesetzes in seiner Vielgestaltigkeit in den Ländern der Bundesrepublik Deutschland entfaltete. Die »partizipatorische Revolution« (Max Kaase) führte vor allem auf kommunaler Ebene zu einer Erweiterung der unmittelbaren Beteiligungsrechte der Bürger. Das bis dahin vorherrschende Repräsentationsprinzip hat, sieht man einmal von Bayern und Baden-Württemberg ab, wo es von vornherein u.a. durch die Direktwahl der Bürgermeister und Landräte eingeschränkt war, seine dominierende Stellung in den Gemeinde- und Kreisordnungen verloren. Inzwischen sind fast alle Kommunalverfassungen dem Vorbild der süddeutschen Ratsverfassung gefolgt. Eine Ausnahme bilden nur noch – für die Wahl der ehrenamtlichen Bürgermeister in kleinen Gemeinden – Rheinland-Pfalz, Mecklenburg-Vorpommern und Schleswig-Holstein. Den Forderungen der Bürger nach mehr plebiszitären Rechten wurde nach Auffassung des Autors weitestgehend entsprochen. Die Kommunalverfassungen in den neuen Ländern trugen dieser Entwicklung, wenn auch in unterschiedlichem Maße, Rechnung. Die stärkere unmittelbare Beteiligung der Bürger auf kommunaler Ebene fördere das Interesse an der Politik in der Gemeinde und im Kreis. Sie schaffe mehr Transparenz und Mitbestimmung. Holtmann benennt aber auch

die Schattenseiten der unmittelbaren Bürgerbeteiligung. Ein grundsätzliches Problem sieht er darin, daß mehr und mehr die plebiszitären Elemente das Repräsentationsprinzip überlagern. Konkret zeigt sich dies an der Entmachtung der gewählten Gemeinderäte und Kreistage. Damit werde das Verfassungsprinzip kommunaler repräsentativer Demokratie an zentraler Stelle ausgehöhlt.

Die repräsentative Demokratie knüpft an den Alltagserfahrungen der Menschen an. Diese besagen, daß der Mensch stets aufgerufen ist, für andere mitzuentscheiden, und daß er diese Aufgabe wie selbstverständlich angenommen hat. Der an der Universität Lüneburg lehrende Politologe und Chefredakteur der »Zeitschrift für Parlamentsfragen«, *Uwe Thaysen,* hebt dies in seinem Beitrag einleitend hervor. Er zeigt, daß Repräsentation ein unausweichliches Prinzip menschlichen Seins darstellt. Allerdings ergäbe sich daraus auch, daß die Auseinandersetzung um die Verwirklichung der Repräsentation nicht verstummen könne und dürfe. Der Grad der Repräsentation sei allerdings ebenso schwer meßbar wie die Kunst. Deshalb könne die Frage, ob die Gesellschaft heute im Deutschen Bundestag repräsentiert sei, allenfalls theoretisch zufriedenstellend beantwortet werden. Eine Alternative zur Repräsentation bestehe allerdings aus den eingangs dargelegten Gründen grundsätzlich nicht, eher spreche die zunehmende Komplexität der Gesellschaft für eine auch komplexer verstandene Qualität von Repräsentation.

Im empirischen Teil seines Beitrags setzt er sich mit der Wahlfunktion des Deutschen Bundestages auseinander und zieht eine Bilanz seiner Berufsstruktur. Dabei warnt er vor dem vorschnellen Schluß, daß aus der sozialen Repräsentanz unmittelbare Rückschlüsse auf die soziale Repräsentation gezogen werden könnten. Hat der Deutsche Bundestag bei seinen Entscheidungen, insbesondere in der Wirtschafts- und Sozialpolitik, die Solidarität der Gesellschaft gefördert oder einzelne Gruppen unangemessen begünstigt? Nimmt der Bundestag seine Erziehungsfunktion wahr? Thaysen verweist in diesem Zusammenhang auf eine Studie, die sich mit den Wechselwirkungen von Parlament und Öffentlichkeit auseinandersetzt. Anschließend geht er auf die Kontrollfunktion des Bundestages ein. Er unterscheidet hier zwischen den Aufgaben der Regierungsmehrheit und Opposition im Parlament. Den Vorwurf, der Bundestag sei eine »notarielle Stempelstelle« für andernorts initiierte und vorbereitete Gesetze, weist er mit dem Argument zurück, daß sich dahinter die fehlgeleitete Vorstellung verberge, der Gesetzgeber müsse auch alleiniger Initiator im Gesetzgebungsprozeß sein. Zusammenfassend würdigt Thaysen die Repräsentationsleistung des Deutschen Bundestages.

Der Koblenzer Medienwissenschaftler *Josef Klein* untersucht die Auswirkungen, die plebiszitäre politische Entscheidungsprozesse auf Bundes- oder Länderebene im massenmedialen Zeitalter auf die Entscheidungsfindung haben können. Dabei stößt er auf die Schwierigkeit, daß es in Deutschland zur Beweisführung kein entsprechendes empirisches Datenmaterial gibt. Er versucht

deshalb vorsichtig Rückschlüsse aus Schweizer Erfahrungen zu ziehen. Nach einer Analyse über den gegenwärtigen Zustand der Medien und der Meinungsbildung in der parlamentarisch-repräsentativen Demokratie der Bundesrepublik rückt er die Frage in den Mittelpunkt, was man von den Massenmedien zu erwarten und befürchten hätte, wenn in das Regierungssystem der Bundesrepublik Deutschland mehr direktdemokratische Entscheidungsformen aufgenommen würden.
In der Schweiz, dem Mutterland der direkten Demokratie, das vielen als großes Vorbild gilt, habe sich in den zurückliegenden Jahrzehnten eine politische Kultur bei Volksabstimmungen verfestigt, die der »politischen Beratschlagung der Bürger und Bürgerinnen« überaus hilfreich sei. Augenfällig würde dabei, daß die Medienberichterstattung in der Schweiz im Vergleich zu bedeutenden Sachfragen, die im Deutschen Bundestag zur Entscheidung anstehen, weniger polemisch, dafür stärker sachorientiert, weniger personalisierend und dafür argumentativ dichter und ausgewogener abliefe. Die Gefahr, daß die zur Abstimmung aufgerufenen Bürger und Bürgerinnen einer medialen Desinformation oder einem Gesinnungsjournalismus aufsitzen, wird aufgrund der zurückliegenden Erfahrungen von ihm deshalb gering eingeschätzt, weil die Massenmedien in der Schweiz bei Wahlentscheidungen zu einem rationalen Entscheidungsklima beitragen.
Gegen eine stärkere Verankerung plebiszitärdemokratischer Elemente auf der Bundesebene in Deutschland sprechen trotz der im großen und ganzen positiven Schweizer Erfahrungen aus kommunikationswissenschaftlicher Sicht für Josef Klein vor allem zwei Gesichtspunkte:
1. Aufgrund des in Deutschland bestehenden Selbstverständnisses der Medien und der von ihnen über viele Jahre praktizierten Form der Berichterstattung bleibe es fraglich, ob sie sich bei Aufnahme direktdemokratischer Entscheidungsmechanismen die Zurückhaltung auferlegen können und auch wollen, die notwendig wäre, um sich nicht dem Vorwurf der Manipulation oder der einseitigen Parteinahme auszusetzen.
2. Gegen mehr Plebiszite auf der Bundesebene spräche das stärkere außenpolitische Gewicht Deutschlands. Direktdemokratische Entscheidungen zur Außenpolitik böten weder den Menschen in anderen Staaten und nur sehr bedingt deren Medien die Chance, sich in den nationalen Meinungsbildungsprozeß einzubringen, auch wenn sie davon maßgeblich betroffen wären. Da immer mehr innenpolitische Entscheidungen außenpolitische Auswirkungen hätten, schränke dies die überzeugende Anwendung von Plebisziten auf nationaler Ebene maßgeblich ein.
Der Passauer Politikwissenschaftler und Direktor der Akademie für Politische Bildung in Tutzing, *Heinrich Oberreuter*, hat sich mit zahlreichen Beiträgen in die deutsche Parlamentarismusdiskussion eingebracht. Hier geht er der Frage nach, ob sich repräsentative und plebiszitäre Elemente als ergänzende politische Prinzipien im parlamentarischen Regierungssystem verstehen.

Nach Ernst Fraenkel schließen sie sich aus, finden sich aber dennoch als Elemente in einem gemischten Regierungssystem wieder. Deshalb untersucht Oberreuter, was beide Modelle verbindet und trennt. Ihre Unvereinbarkeit führt er im wesentlichen auf ihre idealtypische, aus der Ideengeschichte abgeleitete Ausgestaltung zurück. Demgegenüber sieht er gerade in der repräsentativen Demokratie, die im Zeitalter der Massenmedien in immer stärkerem Maße eine kommunikative geworden ist, Volkssouveränität und Parlamentarismus in enger Verbindung. Plebiszitäre Elemente sind in sie in ganz unterschiedlichen Formen eingeflossen, die wiederum durch den Verfassungsstaat begrenzt werden. Ausgehend von Fraenkels Definition der Repräsentation, setzt er sich mit der These auseinander, warum die Zurückdrängung repräsentativer Elemente, die von verschiedenen Seiten gefordert wird, nicht mehr Demokratie bedeutet. Fünf Argumente führt er für die repräsentative Demokratie, wie sie sich in Deutschland entwickelt hat, ins Feld. Im einzelnen geht er dabei auf das Problem des Gemeinwohls, auf die Spannung zwischen Betroffenheit und Bindungswirkung politischer Entscheidungen für alle, die vermeintlich höhere Legitimität plebiszitärer Entscheidungen, auf Rationalität und Effizienz der Entscheidungsfindung sowie auf die Dynamik des Repräsentationsvorgangs in der kommunikativen Demokratie ein. Oberreuter vertritt die Auffassung, daß gerade das Verständnis der kommunikativen Demokratie am deutlichsten aufzuzeigen vermag, daß die sterile Entgegensetzung von repräsentativer und plebiszitärer Demokratie in der politischen Praxis längst widerlegt ist.

Mein herzlicher Dank gilt allen Autoren für ihre Bereitschaft, an dieser Veröffentlichung mitzuwirken und das Wagnis mit dem Herausgeber einzugehen, in kurzen Beiträgen zentrale und komplizierte Sachfragen zu behandeln. Hans-Joachim Veen danke ich für manchen guten Rat bei der Vorbereitung des Buches, Herrn Böttcher für die redaktionelle Arbeit und seinen engagierten Einsatz, dieses im Dialog mit den Autoren zur Fertigstellung zu führen.

Anmerkungen

1 Vgl. Karl Dietrich Bracher: Politische Institutionen in Krisenzeiten. In: Vierteljahrshefte für Zeitgeschichte 33 (1985), H. 1, S. 18.
2 Vgl. Wolfgang Luthardt: Direkte Demokratie. Ein Vergleich in Westeuropa, Baden-Baden 1994, S. 43 ff.
3 Ernst-Wolfgang Böckenförde: Staat, Verfassung, Demokratie. Studien zur Verfassungstheorie und zum Verfassungsrecht, Frankfurt/M. 1991, S. 299.
4 Ernst Fraenkel: Deutschland und die westlichen Demokratien, 4. Auflage, Stuttgart 1968, S. 82.
5 Vgl. Carl Schmitt: Der Hüter der Verfassung, 3. Auflage, Berlin 1985, S. 88 ff.
6 Vgl. Hermann Heller: Staatslehre, 4. Auflage, Leiden 1970, S. 247.
7 Böckenförde: Staat, Verfassung, Demokratie (wie Anm. 3), S. 297.
8 Vgl. Fraenkel: Deutschland und die westlichen Demokratien (wie Anm. 4), S. 85.

9 Hans Herbert von Arnim: »Gewaltenteilung mit Leben erfüllen«. In: Stuttgarter Zeitung, 23. September 1994.

10 Vgl. Andreas Püttmann: Moral aus dem Glashaus. Anmerkungen zur »Politikverdrossenheit«. In: Die neue Ordnung 49 (1995), H. 5, S. 351 ff.

11 Vgl. Fraenkel: Deutschland und die westlichen Demokratien (wie Anm. 4), S. 77.

12 Ebd., S. 78.

13 Peter Lösche: Parteienverdrossenheit ohne Ende? Polemik gegen das Lamentieren deutscher Politiker, Journalisten, Politikwissenschaftler und Staatsrechtler. In: Zeitschrift für Parlamentsfragen 26 (1995), H. 1, S. 159.

14 Bracher: Politische Institutionen in Krisenzeiten (wie Anm. 1), S. 23.

Erster Teil

Grundlagen

Hans Hugo Klein

Die parlamentarisch-repräsentative Demokratie des Grundgesetzes
Wie übt das Volk seine Macht aus?

Die im Untertitel dieses Beitrags gestellte Frage verlangt nach einer zweifachen Antwort – entsprechend dem doppelten Ursprung, aus dem das politische Gemeinwesen Bundesrepublik Deutschland seine Legitimation bezieht. Nach der Legitimation eines Staates fragen heißt danach fragen, woraus ihm der Anspruch auf rechtliche Anerkennung erwächst, d.h., wodurch die von seinen Organen getroffenen Entscheidungen für seine Bürger rechtliche Verbindlichkeit erlangen. Die Antwort auf diese Frage ist in dem Begriff der »freiheitlichen demokratischen Grundordnung« enthalten, in dem das Grundgesetz (GG) an zwei Stellen (Art. 18, 21 Abs. 2) den doppelten Legitimationsgrund des von ihm verfaßten Staates präzise benennt: die Freiheit des einzelnen als Person, zu der es sich als der – vorstaatlich gedachten – »Grundlage jeder menschlichen Gemeinschaft, des Friedens und der Gerechtigkeit in der Welt« bekennt (Art. 1 Abs. 2), und die Souveränität des Volkes, von dem alle Staatsgewalt auszugehen hat (Art. 20 Abs. 2).

Demokratie stellt, wie wir seit Aristoteles wissen, eine von mehreren Möglichkeiten dar, einem Staat eine Form zu geben, staatliche Herrschaft zu organisieren. Demokratie hebt den Staat und die von ihm ausgeübte Herrschaft nicht auf. Es ist nicht so, daß im demokratisch verfaßten Staat ein jeder nur sich selbst gehorcht. Freiheitliche Demokratie bedeutet vielmehr zweierlei: die Zuordnung der Staatsgewalt und ihrer Ausübung zum Volk – das demokratische Prinzip – und die Verpflichtung der Staatsgewalt auf die Achtung der durch die Grundrechte gewährleisteten Freiheit der einzelnen – das rechtsstaatliche Prinzip. Der demokratisch und rechtsstaatlich verfaßte Staat ist unter den Bedingungen der modernen Industriegesellschaft zugleich notwendig Sozialstaat: Die durch die Entfaltung der individuellen Freiheit in Wirtschaft und Gesellschaft erzeugten Ungleichheiten bedürfen zur Bewahrung des sozialen Friedens mannigfacher Korrektur, die durch staatliche Eingriffe bewirkt wird.

Das Volk als Zurechnungssubjekt der Staatsgewalt bedarf der Organisation, das Verfahren, in dem es seinen Willen bildet und vermittels dessen die Entscheidungen des Staates auf diesen Willen zurückgeführt werden können, der rechtlichen Regelung. Wie die Herrschaft des *Volkes* im Staat durch das

Grundgesetz organisiert und geregelt ist – anders formuliert: wie demokratische Legitimation nach dem Willen der Verfassung formal bewirkt wird – stellt nachfolgend der Abschnitt »Parlamentarische Demokratie« dar. »Repräsentative Demokratie als Kommunikationsprozeß« fragt danach, welche Möglichkeiten – über seine Teilnahme an Wahlen und Abstimmungen hinaus – der *einzelne* besitzt, auf den Prozeß der politischen Willensbildung im Staate Einfluß zu nehmen.

Parlamentarische Demokratie

Grundlegung

Art. 20 Abs. 2 GG lautet:

> »Alle Staatsgewalt geht vom Volke aus. Sie wird vom Volke in Wahlen und Abstimmungen und durch besondere Organe der Gesetzgebung, der vollziehenden Gewalt und der Rechtsprechung ausgeübt.«

1. Volkssouveränität

Anders als noch zur Zeit der konstitutionellen Monarchie, also bis 1918, ist im demokratischen Staat das Volk die einzige Quelle der Staatsgewalt. Wir sprechen von Volkssouveränität. Souveränität im Sinne freier, rechtlich ungebundener Entscheidungsmacht besitzt das Volk allerdings nur als Inhaber der verfassunggebenden Gewalt.[1] Indem es dem Staat eine Verfassung gibt – was auf sehr verschiedene Weise und in höchst unterschiedlichen Verfahren geschehen kann –, ordnet sich das Volk selbst der Verfassung unter, solange diese Bestand hat (Vorrang der Verfassung). Der einmal in Geltung befindlichen Verfassung kann sich das Volk nur durch eine Revolution entledigen, ein aus der Sicht der bestehenden Verfassung rechtswidriger Vorgang, dem indessen gleichwohl, setzt sich der revolutionäre Impetus durch, rechtserzeugende Kraft zukommt. *Im* Verfassungsstaat indessen gibt es keinen Souverän.[2] Auch das Volk bleibt – wie die anderen Staatsorgane – auf die ihm von der Verfassung zugewiesenen Zuständigkeiten beschränkt; nur in diesem Rahmen ist es selbst zu handeln befugt.[3]

2. Begriff des Volkes

Das Volk, von dem alle Staatsgewalt auszugehen hat, ist keine vorgegebene Größe. Es bedarf der Bestimmung und – zur Herstellung seiner Handlungsfähigkeit – der Organisation. Beides geschieht durch Recht, in erster Linie durch die Verfassung. Die im Volk zu einer Einheit verbundene Gruppe von Menschen zeichnet sich vor anderen durch komplexe Gemeinsamkeiten aus – mit diese in vielfältig unterschiedlicher Gewichtung bestimmenden, im Geschichtsverlauf unter Umständen auch wechselnden Elementen –, die ihr überpersonale Konsistenz und damit historische Dauerhaftigkeit verleihen.[4] Die Organisation des Volkes zum Staatsvolk mag an solche Kriterien in der einen oder anderen Weise anknüpfen, gebunden ist sie daran nicht. Sie bedient sich regelmäßig des Instituts der Staatsangehörigkeit, um die als Staatsvolk begriffene Personengesamtheit mit der gebotenen rechtlichen Eindeutigkeit zu definieren. »Das Staatsvolk ist die Summe aller Staatsangehörigen.«[5] Dieser Regel folgt auch das Grundgesetz:

> »Das Volk, von dem die Staatsgewalt in der Bundesrepublik Deutschland ausgeht, wird [. . .] von den deutschen Staatsangehörigen und den ihnen nach Art. 116 Abs. 1 gleichgestellten Personen gebildet.«[6]

Nur diesem Personenkreis steht deshalb das Wahlrecht zu den Parlamenten des Bundes und der Länder zu.[7]
Die Bestimmung der das Staatsvolk bildenden Personengesamtheit mit den Mitteln des Staatsangehörigkeitsrechts entspricht dem demokratischen Prinzip jedenfalls dann, wenn sie im wesentlichen diejenigen umfaßt, die der Herrschaft des betreffenden Staates auf Dauer unterworfen sind und vornehmlich ihm eine gleichfalls auf Dauer gestellte Loyalität entgegenbringen. Das demokratische Prinzip hat hingegen nicht zum Inhalt, daß sich die Entscheidungen der Staatsgewalt von den jeweils durch sie Betroffenen her – oder gar nur durch sie, wie es gewissen basisdemokratischen Vorstellungen entspricht – zu legitimieren haben.[8]

3. Staatsbürgerliche Gleichheit

Das Volk als ganzes ist Subjekt der Staatsgewalt, nicht der einzelne. Nur dem Volk kommt das Recht zu, über das politische Schicksal der Gesamtheit zu entscheiden oder diejenigen zu wählen, denen es diese Entscheidung anvertraut.[9] Der einzelne hat daran nur als einer unter vielen Gleichen teil.[10] Das Prinzip der staatsbürgerlichen Gleichheit ist für die Demokratie konstituierend und die notwendige Entsprechung zum Prinzip der politischen Freiheit. Wollte man sich auf bestimmte Entscheidungen einigen, etwa indem man den Betroffenen einen über den der anderen hinausgehenden Einfluß einräumt, hätte diese Privilegierung einiger weniger die Diskriminierung aller anderen zur Folge. Politische Freiheit kann in der Demokratie nur als gleiche Freiheit aller bestehen. Deshalb hebt das Bundesverfassungsgericht vor allem in seiner Rechtsprechung zu Fragen des Wahlrechts immer wieder hervor, daß der in

Art. 38 Abs. 1 Satz 2 GG niedergelegte Grundsatz der Gleichheit der Wahl strikt und formal zu verstehen ist. Er duldet keine Abstufungen des Stimmgewichts nach Klasse oder Stand, nach Alter (sieht man davon ab, daß das Wahlrecht ein bestimmtes Mindestalter erfordert, soll es nicht kindlichem Spieltrieb ausgeliefert sein), Erfahrung, Leistung oder Bildung. Stimmen werden gezählt, nicht gewogen. Die Organisation der Demokratie ist egalitär.[11]

4. Demokratisches Prinzip

Der Satz, daß alle Staatsgewalt vom Volke ausgeht, enthält ein Legitimations- und Verantwortungsprinzip.[12] Er besagt, daß im demokratischen Verfassungsstaat *alle* Ausübung staatlicher Gewalt[13] dem Volk stets zurechenbar, auf das Volk – unmittelbar oder mittelbar – zurückzuführen sein muß: Der Bundestag wird vom Volk gewählt; er beschließt (unter Beteiligung des Bundesrates) die Gesetze, nimmt (durch öffentliche Debatten und Entschließungen) Einfluß auf die Politik der Regierung. Im parlamentarischen Regierungssystem des Grundgesetzes wählt der Bundestag den Bundeskanzler, auf dessen Vorschlag die Bundesminister vom Bundespräsidenten ernannt werden, der seinerseits kraft seiner Wahl durch die Bundesversammlung (Art. 54 GG) über eine (mittelbare) demokratische Legitimation verfügt. Die Bundesminister berufen die Beamten in ihre Ämter[14], die Richter der obersten Bundesgerichte werden von Kollegialorganen (Richterwahlausschüssen) gewählt, die aus Abgeordneten des Bundestages und Landesministern bestehen, also demokratisch legitimiert sind, und vom Bundespräsidenten ernannt.
Zur persönlichen tritt die sachliche Legitimation durch die Bindung an die Verfassung (Gesetzgeber) und an Gesetz und Recht (vollziehende Gewalt und Rechtsprechung).[15] Im Bereich der Exekutive kommt die Bindung an die Weisungen des Vorgesetzten hinzu, letztlich des Ministers, der dem Parlament für die Erledigung der in die Zuständigkeit seines Ressorts fallenden Aufgaben politisch verantwortlich ist. Die hierarchische Ordnung gewährleistet die legitimierende Rückbindung der vollziehenden Gewalt an das Parlament als die unmittelbar vom Volk gewählte Repräsentation desselben.[16] Die Richter freilich sind von Weisungen freigestellt, weil sie nur so ihrer Aufgabe unparteiischer Streitentscheidung nachkommen können. Gerade wegen dieser Unabhängigkeit aber betont die Verfassung um so nachdrücklicher, daß sie »nur dem Gesetz unterworfen« sind (Art. 97 Abs. 1 GG). Das Bundesverfassungsgericht[17] hat das so ausgedrückt:

> »Die verfassungsrechtlich notwendige demokratische Legitimation erfordert eine ununterbrochene Legitimationskette vom Volk zu den mit staatlichen Aufgaben betrauten Organen und Amtswaltern. Die Legitimation muß jedoch nicht in jedem Fall durch unmittelbare Volkswahl erfolgen. In

aller Regel genügt es, daß sie sich mittelbar auf das Volk als Träger der Staatsgewalt zurückführen läßt.«

Dieser Legitimationszusammenhang ist nicht nur in einem formalen Sinne zu verstehen. Ihm korrespondiert – sieht man von der aufgabenbedingten Sonderstellung der Rechtsprechung ab – ein Verantwortungszusammenhang: Jede Ausübung von Staatsgewalt muß dem Volk gegenüber verantwortet werden – regelmäßig auf dem Weg über das Parlament (dem ersten, unumgänglichen und wichtigsten Glied der das Volk mit jedem Amtsträger verbindenden Legitimationskette), dessen Verantwortung gegenüber dem Volk sich darin verwirklicht, daß seine Mitglieder sich in regelmäßigen Abständen einer Neuwahl stellen müssen.
Die Bundesrepublik Deutschland ist ein demokratischer Bundesstaat (Art. 20 Abs. 1 GG). Das demokratische Prinzip gilt deshalb auf der Ebene des Bundes wie auf derjenigen der Länder. Wie die Ausübung der Staatsgewalt des Bundes sich auf das Bundesvolk zurückführen lassen muß, so die Ausübung der Staatsgewalt der Länder auf das Landesvolk (Art. 28 Abs. 1 Satz 1 GG). Darüber hinaus schreibt das Grundgesetz vor, daß das Volk auch in den Kreisen und Gemeinden eine von ihm gewählte Vertretung haben muß (Art. 28 Abs. 1 Satz 2 GG).[18]

Repräsentation

Nach Art. 20 Abs. 2 GG wird die Staatsgewalt vom Volk in Wahlen und Abstimmungen sowie durch besondere Organe der Gesetzgebung, der vollziehenden Gewalt und der Rechtsprechung ausgeübt.
Abgesehen von Wahlen und Abstimmungen handelt das Volk also nicht selbst, sondern durch Organe und Amtswalter, denen es die Staatsgewalt zur Ausübung anvertraut hat: Die durch das Grundgesetz verfaßte Demokratie ist repräsentative Demokratie.

1. Begriff – Funktionsbedingungen – Amtsgedanke

Repräsentant ist, wer durch seine Entscheidung die Befugnis hat, die von ihm Repräsentierten rechtlich zu verpflichten, ohne dabei an Weisungen der Repräsentierten selbst oder Dritter gebunden zu sein. Damit dies gelingt, müssen eine Reihe von teils formalen, teils inhaltlichen Voraussetzungen erfüllt sein:

– Der Repräsentant bedarf einer Legitimation, in der Demokratie einer Legitimation durch die Repräsentierten, die durch Wahl erfolgt (dazu oben »Demokratisches Prinzip«, S. 36 f.).

- Repräsentatives Handeln geschieht in Verantwortung gegenüber den Repräsentierten und muß durch sie kontrollierbar sein.
- Repräsentation bedarf deshalb der Öffentlichkeit; denn nur was unter den Augen der Öffentlichkeit geschieht, ist der Kontrolle durch die Repräsentierten zugänglich und kann ihnen gegenüber verantwortet werden.
- Der Repräsentant muß in der Lage sein, seine Entscheidung frei von Weisungen irgendeines Auftraggebers zu treffen (freies Mandat), denn nur die in Freiheit getroffene Entscheidung kann verantwortet werden. Der Repräsentant bleibt dem Ganzen, dem Gemeinwohl, verpflichtet, nicht partikularen Interessen; der Lobbyist ist als Repräsentant nicht glaubwürdig, weil er sein Erstgeburtsrecht, den repräsentativen Status, für ein Linsengericht, den (sei es auch gut honorierten) Status eines bloßen Dienstnehmers[19], eintauscht.
- Schließlich: Der Repräsentierte muß dem Repräsentanten ein Mindestmaß an Vertrauen entgegenbringen. Durch die Wahl schenkt der Wähler dem Gewählten sein Vertrauen, um es ihm bei der nächsten Wahl gegebenenfalls wieder zu entziehen; er überträgt ihm Macht auf Zeit. »Das Prinzip der Delegation von Macht«, schrieb Alexander Hamilton in den »Federalist Papers«[20], »bedingt, daß unter den Menschen ein gewisses Maß an Tugend und Ehre zu finden ist, das eine vernünftige Grundlage für Vertrauen bildet.«

»Der zentrale Begriff der repräsentativen Demokratie ist [. . .] das Amt.«[21] Der Repräsentant ist Inhaber eines Amtes. Mit dem Begriff des Amtes verbindet sich die Verpflichtung des Amtsinhabers zur Uneigennützigkeit, zum ausschließlichen Dienst am Gemeinwohl. Nur wenn er dieser Verpflichtung genügt, erhält er sich das in ihn gesetzte Vertrauen. Aufgabe der Amtsidee ist es, »die Amtswalter aus ihren gesellschaftlichen Verstrickungen zu lösen [. . .]. Der Amtsinhaber ist Treuhänder des Volkes [. . .]. Das Amt ist kein Medium egozentrischer Selbstverwirklichung [. . .].«[22]
Das Amt der Repräsentanten, namentlich der parlamentarischen Mandatsträger weist allerdings im Vergleich etwa zu demjenigen der Beamten eine Besonderheit auf. Sie besteht darin, daß die Repräsentanten bei der Erfüllung dieses Anspruchs keinerlei Weisung, im Falle seiner Verletzung keiner[23] Sanktion unterliegen – mit der einen Ausnahme, daß sie sich nach Ablauf der Wahlperiode erneut der Wahl stellen müssen. Der Amtsgedanke ist in Art. 38 Abs. 1 Satz 2 GG in herkömmlicher Form, wenngleich schief, so formuliert:

> »Sie [die Abgeordneten des Deutschen Bundestages; H.H.K.] sind Vertreter des ganzen Volkes, an Aufträge und Weisungen nicht gebunden und nur ihrem Gewissen unterworfen.«

Schief ist in diesem Zusammenhang der Begriff des Gewissens. Denn gemeint ist nicht, was der Wortlaut nahelegt, daß die von den Abgeordneten zu treffen-

den Entscheidungen ihre Privatsache wären, eine Angelegenheit ihrer Gewissensfreiheit, wie sie Art. 4 Abs. 1 GG als individuelles Grundrecht garantiert. Vielmehr wird auf die Verpflichtung der Abgeordneten hingewiesen, ihre Entscheidungen gewissenhaft, d.h. so zu treffen, wie sie nach ihrem besten Wissen und Gewissen dem Ganzen am besten dienen.
In der repräsentativen Demokratie verwirklicht sich die Macht des Volkes nach alledem dadurch, daß es im Abstand von wenigen Jahren die Gelegenheit hat, den Repräsentanten Vertrauen zu bekunden oder zu entziehen, sie (wieder) zu wählen oder abzuwählen.[24]

2. Unentrinnbarkeit

Repräsentation ist unentrinnbar. Das trifft auch deshalb zu, weil selbst in kleinräumigen Gemeinwesen, geschweige denn im modernen Flächenstaat, das Volk nicht ständig präsent sein kann, um den laufend anfallenden Entscheidungsbedarf zu befriedigen, also für die Zeit seiner Nicht-Anwesenheit Macht auf Amtsträger delegieren, d.h. Repräsentanten bestimmen muß. Vielmehr gilt: »es gibt [. . .] keinen Staat ohne Repräsentation«[25], schon gar nicht einen demokratischen. Auch dort, wo das Volk selbst handelt, bei Wahlen und Abstimmungen, treten nur die stimmberechtigten Bürger in Erscheinung, die mit dem Ganzen des Volkes nicht identisch sind.[26] Wiederum gilt das zuvor über den repräsentativen Status Gesagte: Der wählende und abstimmende Bürger handelt als »Vertreter des ganzen Volkes«; die Wahlkabine ist nicht der Ort, an dem es erlaubt wäre, privatistische Vorlieben und Abneigungen auszuleben. In Wahrnehmung seiner staatsbürgerlichen Rechte handelt der Bürger – auch hier wird der Amtsgedanke wirksam – als *citoyen*, nicht als *bourgeois*.
Allerdings ereignet sich die Stimmabgabe – um ihrer Freiheit willen notwendigerweise[27] – außerhalb der Öffentlichkeit. Das ändert zwar nichts an den Pflichtbindungen des Abstimmenden, hat aber zur Folge, daß er für deren Verfehlung nicht zur Verantwortung gezogen werden kann. Im Unterschied zu der des gewählten Mandatsträgers geht die Verantwortlichkeit des abstimmenden Bürgers ins Leere.[28] Das ist einer der (guten) Gründe dafür, daß in der parlamentarischen Demokratie des Grundgesetzes die plebiszitären Einsprengsel so karg bemessen sind – die Verfassung kennt sie lediglich im Zusammenhang mit der Neugliederung des Bundesgebietes (Art. 29, 118).[29] Nur die repräsentative ist eine verantwortete Demokratie. Zwar haben auch Wahlen in bestimmter Weise den Charakter von Abstimmungen: Das Ergebnis einer Bundestagswahl entscheidet z.B. meist darüber, wer Bundeskanzler wird; auch werden regelmäßig gewisse Sachaussagen und politische Zielvorstellungen zum Gegenstand der Auseinandersetzung im Wahlkampf gemacht.

Aber dem Wahlergebnis wohnt insoweit keine Verbindlichkeit inne; die Gewählten bleiben in ihrer Entscheidung frei.[30]

Staatsleitung

Die politische Leitung des Staates[31] steht den obersten Bundesorganen – Bundestag, Bundesrat, Bundesregierung – »zur gesamten Hand« zu, jedem nach Maßgabe der ihm von der Verfassung zugewiesenen Zuständigkeiten. Auch das Bundesverfassungsgericht und der Bundespräsident haben daran in je spezifischer Weise teil.[32]

1. Bundestag

Unter den genannten Verfassungsorganen verfügt allein der Bundestag über eine unmittelbare demokratische Legitimation. Von wenigen Ausnahmen abgesehen, wird allen anderen Organen des Bundes – mit Ausnahme des Bundesrates – demokratische Legitimation nur über den Bundestag vermittelt. Das verschafft ihm einen besonderen Rang unter den obersten Staatsorganen, aber keinen Vorrang; es folgt daraus nicht einmal eine Kompetenzvermutung zu seinen Gunsten.[33] Dennoch hat der Bundestag weitreichende Aufgaben und Befugnisse. Sie lassen sich zusammenfassen in die Funktionen der Gesetzgebung (zusammen mit dem Bundesrat), der Kreation anderer Staatsorgane (vor allem: Wahl des Bundeskanzlers), der politischen Willensbildung und Regierungskontrolle (zu welcher das Budgetrecht zählt) sowie schließlich der Herstellung der Öffentlichkeit des politischen Entscheidungsprozesses.[34]

2. Mehrheit und Minderheit

Der Wähler bestimmt die Stärke der im Bundestag vertretenen Kräfte. Diese sind aufgerufen, eine möglichst stabile Mehrheit im Parlament zu schaffen. In ihm wird, wie in anderen Kollegialorganen auch, mit Mehrheit, meist mit einfacher, gelegentlich (so grundsätzlich bei der Wahl des Bundeskanzlers, vgl. Art. 63 GG) mit absoluter, bei Verfassungsänderungen mit Zwei-Drittel-Mehrheit (Art. 79 Abs. 2 GG), entschieden. Das Mehrheitsprinzip bleibt aus praktischen Gründen unverzichtbar, ist es doch nicht möglich, Entscheidungen aufzuschieben, bis allseits Konsens besteht. In der Konsequenz des Mehrheitsprinzips aber liegt es, daß die Entscheidungen der Mehrheit den politischen Vorstellungen der Minderheit, der Opposition, nicht entsprechen, für diese und ihre Wähler aber gleichwohl Verbindlichkeit haben. Das kann nur unter bestimmten Voraussetzungen funktionieren, die das Bundesverfassungsgericht wie folgt beschrieben hat:

> »Nur wenn die Mehrheit aus einem freien, offenen, regelmäßig zu erneuernden Meinungs- und Willensbildungsprozeß, an dem grundsätzlich alle wahlmündigen Bürger zu gleichen Rechten teilhaben können, hervorgegangen ist, wenn sie bei ihren Entscheidungen das – je und je zu bestimmende – Gemeinwohl im Auge hat, insbesondere auch die Rechte der Minderheit beachtet und ihre Interessen mitberücksichtigt, ihr zumal nicht die rechtliche Chance nimmt oder verkürzt, zur Mehrheit von morgen zu werden, kann die Entscheidung der Mehrheit bei Ausübung von Staatsgewalt als Wille der Gesamtheit gelten und nach der Idee der freien Selbstbestimmung aller Bürger Verpflichtungskraft für alle entfalten.«[35]

Die parlamentarische Mehrheit muß entscheidungs- und durchsetzungsfähig sein.[36] Nicht weniger wichtig für den Bestand der Demokratie ist jedoch die Oppsition.[37] Sie verkörpert die Chance des Machtwechsels, die Regierung von morgen. Die Opposition artikuliert die Meinung der bei der letzten Wahl Unterlegenen. Die Mehrheit zeigt keine Schwäche, wenn sie auf die Stimme der Minderheit hört, die Minderheit nicht, wenn sie die Mehrheit dort unterstützt, wo deren Politik auch ihren Vorstellungen entspricht. Die politische Kultur der Demokratie verlangt nach einem von wechselseitigem Respekt getragenen pfleglichen Umgang miteinander, nach begrenzter Kooperation. Eine auf bloße Obstruktion bedachte Oppositionspolitik wäre damit ebensowenig vereinbar wie der Versuch der Mehrheit, der Minderheit Informationen vorzuenthalten, die für ihre politische Willensbildung wichtig sind.

3. Bundesregierung

Wie die parlamentarische Mehrheit vom Vertrauen der Mehrheit der Wähler getragen wird[38], so die Bundesregierung vom Vertrauen der Mehrheit der Abgeordneten. Der Wirkungsbereich der Bundesregierung findet sich im Grundgesetz nirgendwo bündig beschrieben. Ihr fallen politische Leitungsfunktionen ebenso zu wie Aufgaben ausführender Art. In enger Kooperation mit dem Parlament, in erster Linie mit der sie stützenden Mehrheit, bestimmt sie – d.h. vermöge der ihm von der Verfassung zugewiesenen starken Position vor allem der Bundeskanzler – die »Richtlinien der Politik« (Art. 65 GG). In aller Regel obliegt der Regierung die politische Initiative, und zwar sowohl im Bereich der Gesetzgebung[39] als auch dort, wo es zur Umsetzung politischer Ziele des Gesetzes nicht bedarf. Die Regierung ist weitgehend Inhaberin der Organisations-, Planungs- und auswärtigen Gewalt; sie verfügt über die Bürokratie und damit über deren Arbeits- und Informationspotential.[40] Im Beziehungsgeflecht zwischen Bundestag und Bundesregierung gibt es trennscharf voneinander geschiedene Zuständigkeiten, aber auch Bereiche gemeinsamer Verantwortung; hierzu gehört vor allem die Festlegung der Grundrichtung der Politik und die Entscheidung in für sie wesentlichen Einzelfragen. Die politische Gewichtsverteilung zwischen ihnen ist, abhängig nicht zuletzt von den beteiligten Personen, nicht stabil, sondern dynamisch; das Grundgesetz läßt hier der Mannigfaltigkeit des politischen Kräftespiels breiten Raum.[41]

4. Bundesrat

Eine Besonderheit des Bundesstaates stellt das föderative Bundesorgan, der Bundesrat dar.[42] Durch ihn »wirken die Länder bei der Gesetzgebung und Verwaltung des Bundes und in Angelegenheiten der Europäischen Union mit« (Art. 50 GG). Anders als der Senat der Vereinigten Staaten von Amerika, von dessen Mitgliedern je zwei in jedem Gliedstaat unmittelbar gewählt werden, besteht der Bundesrat aus – entsprechend der Einwohnerzahl der Länder – zwischen drei und sechs Mitgliedern der Landesregierungen, die sie bestellen und abberufen. Die Stimmen eines Landes können nur einheitlich abgegeben werden; darüber, wie sie abzugeben sind, entscheidet die Regierung des jeweiligen Landes (Art. 51 GG). Auf das Gesetzgebungsverfahren nimmt der Bundesrat erheblichen Einfluß: Deutlich mehr als die Hälfte der Bundesgesetze kommt nur mit seiner Zustimmung zustande.[43] In den anderen Fällen kann er gegen ein vom Bundestag beschlossenes Gesetz Einspruch erheben, der vom Bundestag – je nachdem ob er vom Bundesrat mit der Mehrheit oder mit mindestens zwei Dritteln seiner Stimmen beschlossen worden ist – mit entsprechenden Mehrheiten zurückgewiesen werden kann.

Im Unterschied zum Bundestag verfügt der Bundesrat nicht über eine unmittelbare demokratische Legitimation, wohl aber über eine mittelbare: Als Mitglieder einer Landesregierung sind alle Mitglieder des Bundesrates vom Vertrauen der Landesparlamente getragen. Die durch den Bundesrat vermittelte Mitwirkung der Länder – vor allem der Landesregierungen – an der staatlichen Willensbildung im Bund ist ein die Macht der Mehrheit im Bundestag spürbar begrenzendes Element vertikaler Gewaltenteilung, das überdies dazu führt, daß die im Bundestag opponierenden Kräfte einen – freilich von ihrer Stärke in den Ländern abhängigen – Einfluß auf die Politik des Bundes haben. Daß die Landesregierungen gegenüber den Landtagen (und diese gegenüber dem Volk in den Ländern) politische Verantwortung tragen, verhindert allerdings in der Regel zuverlässig, daß eine Bundesratsmehrheit, die der Opposition im Bundestag nahesteht, sich von dieser bedingungslos instrumentalisieren läßt.

Zusammenfassend läßt sich sagen, daß die Macht des Volkes auf Bundesebene doppelt wirksam ist: Es bestimmt in der Bundestagswahl die Zusammensetzung des Bundestages, in 16 Landtagswahlen die der Landtage und dadurch mittelbar die des Bundesrats.

5. Europäische Union

Durch die vom Verfassunggeber gewollte[44] und von allen Regierungen der Bundesrepublik Deutschland seit 1949 verfolgte Politik der europäischen Integration wanderte eine Vielzahl von Zuständigkeiten, vor allem der Gesetzgebung, zu den Europäischen Gemeinschaften ab. Deren »demokratisches Defizit« wird vielfach beklagt – insofern zu Recht, als das wichtigste Rechtsetzungsorgan der Gemeinschaften, der Ministerrat, kein direkt vom Volk gewähltes Parlament ist und das direkt gewählte Europäische Parlament nicht den einem Parlament zukommenden Einfluß auf die Europäische Gesetzgebung hat. Daran läßt sich, solange die Europäische Union nicht als Staat, sondern als ein bloßer Staatenverbund firmiert, prinzipiell nichts ändern.[45] Aus der Sicht des demokratischen Prinzips kann dieser Sachverhalt hingenommen werden, solange das politische Handeln der Europäischen Organe an die Parlamente der Mitgliedstaaten rückgekoppelt bleibt, also etwa der Deutsche Bundestag einen wirksamen Einfluß auf das Verhalten der Mitglieder der Bundesregierung im Ministerrat hat und ausübt.[46]

Repräsentative Demokratie als Kommunikationsprozeß

Repräsentation als Aufgabe

»Repräsentative Demokratie muß kommunikative Demokratie sein.«[47] »Für eine realisierte Demokratie ist neben der formalen auch inhaltliche Repräsentation notwendig.«[48] Beide Sätze meinen das gleiche: Der Akt der Wahl – der einzige, durch den das Volk als ganzes auf der Ebene des Bundes in der repräsentativen Demokratie des Grundgesetzes selbst und unmittelbar Staatsgewalt ausübt (abgesehen von den seltenen, weil auf Neugliederungen des Bundesgebietes beschränkten Abstimmungen) – bedeutet keine Selbstentäußerung, der die Gewählten für die Dauer der Wahl in eine souveräne Beliebigkeit entließe und die Wähler zu schierer Ohnmacht verurteilte. Das Handeln der Repräsentanten muß vielmehr so beschaffen sein, »daß die einzelnen und die Bürger insgesamt (das Volk) in diesem Handeln sich wiederfinden können, in ihren unterschiedlichen Auffassungen ebenso wie in dem, was sie gemeinsam für richtig halten und wollen«[49]. Notwendige Bedingung einer Repräsentation, die gelingen soll, ist das ständige Gespräch zwischen Repräsentanten und Repräsentierten, das durch Öffentlichkeit vermittelt wird. In diesem auf die vom Grundgesetz gewährleisteten Grund- und Menschenrechte gestützten dialektischen Prozeß haben Parteien, Bürgerinitiativen, sonstige politische Vereinigungen und Verbände sowie die Massenmedien, in denen sich die öffentliche Meinung spiegeln soll, ihren Ort. Hier gewinnt die parlamentarische Debatte ihre wichtigste Funktion, und dem einzelnen eröffnet sich die Chance aktiver Einflußnahme auf das politische Geschehen. In diesem Zusammenhang wird Repräsentation nicht durch formale Legitimation bewirkt, sondern durch das öffentliche Ringen um das gemeine Beste: »Repräsentation als Aufgabe«[50].

Demokratische Grundrechtsfunktionen

Die Grundrechte sind überwiegend und in erster Linie Rechte des einzelnen auf Abwehr staatlicher Eingriffe in die Freiheit der Person. Sie schützen einen – durch Gesetz begrenzbaren – Raum privater Freiheit vor staatlicher Einmischung. Sie nehmen nicht in Pflicht: Sie eröffnen einerseits dem Grundrechtsträger den Zugang zu öffentlicher Kommunikation – indem sie ihm etwa die Möglichkeit geben, einer Partei beizutreten und in ihr politisch zu wirken, sich an einer Bürgerinitiative zu beteiligen, durch Meinungsäußerungen die öffentliche Meinung zu beeinflussen, an Versammlungen (Demonstrationen) teilzunehmen –, stellen es ihm aber andererseits frei, diesen Zugang auch wirklich zu nutzen. Es gibt keine rechtsverbindliche (wohl aber eine moralische) Bürgerpflicht zu politischem Engagement, weil in der freiheitlichen Demokratie der dialektische Prozeß der Repräsentation nur gelingen kann, wenn er aus dem freien Willen der an ihm beteiligten Bürger erwächst, wenn also die Impulse, die den Staat aus dem Raum der Gesellschaft erreichen (und derer er bedarf), nicht das Produkt eines Zwanges sind, der von ihm selber ausgeht. Weil politisches Engagement eine Sache der freien Entscheidung jedes einzelnen ist, liegt es auch bei ihm, den Umfang dieses Engagements zu bemessen. Davon und von seinen Fähigkeiten, seinem Durchsetzungsvermögen und der Unterstützung, die er bei anderen findet, hängt das Maß des Einflusses ab, das er gewinnen kann. Hier geht es nicht um staatsbürgerliche Gleichheit, sondern um individuelle Leistungsbereitschaft und -fähigkeit.
Wohl also haben die Grundrechte eine wichtige demokratische Funktion: die Gewährleistung der Freiheit und Offenheit des demokratischen Prozesses.[51] In diesem Sinne gehören sie in der Tat »zu den unentbehrlichen Funktionselementen eines demokratischen Gemeinwesens«[52]. Politischem Engagement in Wahrnehmung der Grundrechte kommt jedoch kein rechtlicher Mehrwert zu, aufgrund dessen diese Art des Grundrechtsgebrauchs vor anderen (vermeintlich unpolitischen) eine Privilegierung erfahren dürfte. Die Freiheitsgarantien des Rechtsstaats überlassen es dem einzelnen, welchen Gebrauch er – im Rahmen des Gesetzes – von seiner Freiheit machen will. Nicht unproblematisch bleibt deshalb die Emphase, mit der das Bundesverfassungsgericht[53]

die Inanspruchnahme der Versammlungsfreiheit für Demonstrationen in seinen Schutz genommen hat, da doch »der Demonstrant seine Meinung in physischer Präsenz«, nicht selten unter Einsatz von Gewalt[54], zur Geltung bringt und »speziell bei Demonstrationen das argumentative Moment zurücktritt«[55]. Demgegenüber ist mit Nachdruck darauf hinzuweisen, daß, wie das Gericht an anderer Stelle mit Recht betont hat, die Freiheit der geistigen Auseinandersetzung eine unabdingbare Voraussetzung für das Funktionieren der freiheitlichen Demokratie darstellt. Demzufolge soll das Grundrecht der freien Meinungsäußerung nur den geistigen, d.h. ohne Ausübung von Pressionen zu führenden Kampf der Meinungen gewährleisten.[56] Für die durch Demonstration auf die Straße verlagerte Auseinandersetzung darf nichts anderes gelten.[57]
Der Vollständigkeit halber sei erwähnt, daß der Bürger auch durch Inanspruchnahme der Gerichte Einfluß darauf nehmen kann, daß der oben beschriebene demokratische Legitimations- und Verantwortungszusammenhang wirksam bleibt. In seinem Urteil zum Vertrag von Maastricht[58] hat das Bundesverfassungsgericht entschieden, daß das in Art. 38 GG gewährleistete aktive Wahlrecht verletzt sein kann, wenn durch die Verlagerung von Aufgaben und Befugnissen des Bundestages (in diesem Falle auf die Europäische Union) dessen Einfluß soweit gemindert wird, daß nurmehr eine leere Hülse bleibt. Die Verbürgung des Art. 38 GG erstrecke sich auch »auf den grundlegenden demokratischen Gehalt« des Wahlrechts, also darauf, daß der Wahlberechtigte an der Legitimation der Staatsgewalt durch das Volk mitwirken und auf ihre Ausübung Einfluß nehmen kann. Das Urteil beschränkt sich zwar darauf, dies für den »Anwendungsbereich des Art. 23 GG« auszuführen. Indessen ist es nur folgerichtig anzunehmen, daß das in der genannten Entscheidung entwickelte »Grundrecht auf substantielle Kompetenzausstattung des Parlaments«[59] etwa auch dann verletzt sein könnte, wenn durch die Herstellung sogenannter ministerialfreier Räume oder die Bindung von Verwaltungsentscheidungen an die Zustimmung außenstehender Dritter die Kontrollfunktion des Parlaments erheblich verkürzt würde.[60]

Kollektive Wahrnehmung politischer Interessen

1. Vereinigungen und Verbände

»Einzelkämpfer« können naturgemäß nur wenig Einfluß auf die politische Willensbildung im Staate nehmen. Zwar ist es jedermann erlaubt, sich auf einen öffentlichen Platz zu stellen und seine Meinung kundzutun, solange er andere dadurch nicht über Gebühr belästigt. Die Wirkung solchen Tuns wird sich aber regelmäßig in engen Grenzen halten. Von ausschlaggebender Bedeutung ist es deshalb, daß der einzelne, der politisch tätig werden will, bei Gleichgesinnten Rückhalt finden kann. Dafür lassen sich vor allem diejenigen grundrechtlichen Gewährleistungen nutzbar machen, die den einzelnen Bürgern das Recht geben, sich mit anderen zur Verfolgung gemeinsamer Ziele zusammenzutun, um dadurch größere Wirkung zu erzielen. Neben dem schon erwähnten Grundrecht der Versammlungsfreiheit (Art. 8 GG) muß hier insbesondere das Grundrecht der Vereinigungsfreiheit (Art. 9 GG) genannt werden, das auch das Recht einschließt, »zur Wahrung und Förderung der Arbeits- und Wirtschaftsbedingungen Vereinigungen zu bilden«, also Gewerkschaften und Arbeitgeberverbände.

2. Presse, Rundfunk, öffentliche Meinung

Auch Presse- und Rundfunkfreiheit gehören in diesen Zusammenhang. Zwar ist der Zugang zu Presse und Rundfunk aus tatsächlichen Gründen nicht für jedermann leicht möglich; selbst wenn es an Druckkapazitäten, Papier und Frequenzen nicht fehlt, erfordert der Betrieb einer Zeitung oder eines Rundfunksenders wirtschaftliche Mittel, über die nicht jedermann verfügt. Indessen zeigt der auch nur flüchtige Blick auf autoritäre und totalitäre politische Systeme, daß die prinzipielle Freiheit des privaten Zugangs zu den öffentlichen Kommunikationsmitteln – und d.h. auch ihre privatwirtschaftliche Struktur! – eine notwendige Funktionsbedingung des demokratischen Verfassungsstaates darstellt.[61] Im übrigen darf nicht unterschätzt werden, daß die Pressefreiheit etwa auch das Recht gewährleistet, Flugblätter zu drucken und zu verteilen, eine Möglichkeit der Kommunikation, die sich mit geringem Aufwand nutzen läßt.
Aus dem freien Gebrauch der Kommunikationsgrundrechte entsteht die öffentliche Meinung. Verstanden als freie – d.h. auch: nicht kartellierte[62] – geistige Auseinandersetzung ist sie eine unabdingbare Voraussetzung freiheitlicher Demokratie; man hat sogar Demokratie als Herrschaft der öffentlichen Meinung definiert.[63] Ihrer Idee und ursprünglichen Konzeption nach befördert die öffentliche Meinung – durch den Austausch von Kritik und Antikritik – die Erkenntnis des (im Sinne des gemeinen Besten) politisch Richtigen. Das ist auch heute nicht schlechthin falsch. Indessen hat schon Tocqueville gewarnt, die öffentliche Meinung könne sich eher als Zwang zur Konformität denn als kritische Kraft entpuppen.[64]
Die Beobachtung der von den Massenkommunikationsmitteln unserer Zeit produzierten »veröffentlichten Meinung« liefert dafür vielfältige Belege; als Ursache lassen sich etwa Gewinnsucht, Jagd nach Einschaltquoten, Sensationsgier, Cliquenbildung mit einseitiger politischer Ausrichtung und missionarischer (auch investigativer) Journalismus benennen. Sie beeinträchtigen die Repräsentativität der öffentlichen Meinung, die im Maße dieser Beeinträchti-

gung ihre Funktion der Auffindung des Richtigen – der »Wahrheit« – verfehlt.[65]

3. Parteien

Eine spezifische Möglichkeit politischer Betätigung bieten die Parteien. Neben Art. 20 Abs. 2 und Art. 38 (Wahlrechtsgrundsätze; freies Mandat) ist Art. 21 GG die wichtigste Grundnorm der parlamentarisch-repräsentativen Demokratie. Sie gewährleistet die Parteigründungsfreiheit und erteilt den Parteien den Auftrag, bei der politischen Willensbildung des Volkes mitzuwirken. Zu Recht bezeichnet deshalb § 1 des Parteiengesetzes die Parteien als einen verfassungsrechtlich notwendigen Bestandteil der freiheitlichen demokratischen Grundordnung; ihre Aufgabe wird dort wie folgt beschrieben:

> »Die Parteien wirken an der Bildung des politischen Willens des Volkes auf allen Gebieten des öffentlichen Lebens mit, indem sie insbesondere auf die Gestaltung der öffentlichen Meinung Einfluß nehmen, die politische Bildung anregen und vertiefen, die aktive Teilnahme der Bürger am politischen Leben fördern, zur Übernahme öffentlicher Verantwortung befähigte Bürger heranbilden, sich durch Aufstellung von Bewerbern an den Wahlen in Bund, Ländern und Gemeinden beteiligen, auf die politische Entwicklung in Parlament und Regierung Einfluß nehmen, die von ihnen erarbeiteten politischen Ziele in den Prozeß der staatlichen Willensbildung einführen und für eine ständige lebendige Verbindung zwischen dem Volk und den Staatsorganen sorgen.«

In dem – zu Fragen der Parteifinanzierung ergangenen – Urteil des Bundesverfassungsgerichts vom 9. April 1992[66] heißt es:

> »Die Parteien sind [. . .] nicht bloße Wahlvorbereitungsorganisationen, und nicht nur in dieser Funktion sind sie für die demokratische Ordnung unerläßlich. Sie sind vornehmlich berufen, die Bürger freiwillig zu politischen Handlungseinheiten mit dem Ziel der Beteiligung an der Willensbildung in den Staatsorganen organisatorisch zusammenzuschließen und ihnen so einen wirksamen Einfluß auf das staatliche Geschehen zu ermöglichen. Den Parteien obliegt es, politische Ziele zu formulieren und diese den Bürgern zu vermitteln sowie daran mitzuwirken, daß die Gesellschaft wie auch den einzelnen Bürger betreffende Probleme erkannt, benannt und angemessenen Lösungen zugeführt werden. Die für den Prozeß der politischen Willensbildung im demokratischen Staat entscheidende Rückkoppelung zwischen Staatsorganen und Volk ist auch Sache der Parteien. [. . .] Der dargelegten Rolle der politischen Parteien im Prozeß demokratischer Willensbildung und staatlicher Entscheidungsfindung hat das Grundge-

setz in Art. 21 Ausdruck verliehen. Um ihr gerecht zu werden, müssen die Parteien zum einen eine ständige Wirksamkeit nach innen entfalten, indem sie ihre Mitglieder ansprechen und in die innere parteiliche Willensbildung einschalten. [. . .] Sie müssen aber nicht minder auch nach außen tätig werden, im Wettbewerb mit anderen Parteien und sonstigen auf die Bildung der öffentlichen Meinung Einfluß nehmenden Einrichtungen und Verbänden die Bürger von der Richtigkeit ihrer Politik zu überzeugen versuchen.«

Bereits früher hatte das Bundesverfassungsgericht[67] ausgeführt, Parteien seien

»Zwischenglieder zwischen dem Bürger und den Staatsorganen, Mittler, durch die der Wille der Bürger auch zwischen den Wahlgängen verwirklicht werden kann. Sie stellen, sofern sie die Parlamentsmehrheit bilden und die Regierung stützen, die wichtigste Verbindung zwischen dem Volk und den politischen Führungsorganen des Staates her und erhalten sie aufrecht. Als Parteien der Minderheit bilden sie die politische Opposition und machen sie wirksam.«

Parteien sind deshalb in einer Demokratie[68] nicht etwa ein notwendiges Übel, sondern »ein wichtigstes Aktivum der staatlichen Zivilisation«[69]. Nach Walter Bagehot gilt: »Party government is the vital principle of representative government.«[70]
Parteien haben nach alledem zwar ein »grundrechtliches Fundament«[71], da ihre Bildung und Wirksamkeit aus der freien Entscheidung der Bürger erwächst. Aber sie reichen in den staatsorganschaftlichen Bereich hinein, insofern im wesentlichen ihnen die Auswahl des politischen Führungspersonals obliegt[72] – dies mit der Folge, daß die Mitglieder der Parlamente und Regierungen in aller Regel auch einer Partei angehören. In Parlament und Regierung sind daher die Parteien, nicht zuletzt in Gestalt der von ihnen gebildeten Fraktionen, die maßgebenden Faktoren der politischen Willensbildung.
Parteien streben nach Macht und bemühen sich darum, in der Wahl einen möglichst großen Stimmenanteil zu erringen. Dieser Umstand macht es notwendig – jedenfalls für größere, zumal für die sogenannten Volksparteien –, sich einer möglichst großen Zahl der in der Gesellschaft vorhandenen Interessen anzunehmen. Diese gilt es dann, »unter einen Hut zu bringen«, die vielen heterogenen, mitunter gegenläufigen Interessen in einem homogenen politischen Programm[73] zusammenzuführen – *e pluribus unum*, wie der Wappenspruch der Vereinigten Staaten von Amerika lautet. Diese originär staatliche Aufgabe, politische Entscheidungen gemeinwohldienlich zu treffen – also nicht, einer Lobby folgend, an einem partikularen Interesse zu orientieren –, wird in einem gewissen Umfang von den Parteien vorweg besorgt. Parteien, die vor dieser Aufgabe versagen, werden bei Wahlen zumindest auf Dauer keinen Erfolg haben.

In diesem Sachverhalt liegt eine spezifische Stärke der Parteien, aber zugleich auch eine Schwäche. Denn mit wachsender Zahl der von ihnen vertretenen Interessen verliert ihr Profil an Schärfe, an den Rändern verschwimmen die Unterschiede zwischen ihnen. Aus dieser Schwäche gewinnen die Interessenverbände ihre Stärke, die sich gerade zur Verfolgung eines Interesses oder allenfalls weniger Interessen gebildet haben.[74] Die Schärfe des Profils einer politischen Organisation ist die Resultante der Zahl der Interessen, die zu vertreten sie sich vorgenommen hat. Die Aufgabe der Parteien – wie der dem Wohle des ganzen Volkes und zur Neutralität gegenüber den partikularen Interessen verpflichteten Staatsorgane – liegt darin, zu den Interessenverbänden auf Distanz zu gehen, sie aber zugleich in möglichst umfassender Weise ins Gespräch zu ziehen, um sich die notwendige Sensibilität gegenüber den in der Gesellschaft virulenten Vorstellungen und Bedürfnissen zu bewahren. Hierbei – und nur hierbei! – kann die Demoskopie Orientierungshilfe leisten.[75]
Aus der Sicht des einzelnen allerdings bietet das Engagement im Interessenverband im Vergleich zu demjenigen in einer Partei einen augenscheinlichen Vorzug: Sein spezifisches Interesse stößt dort auf schnelleren und vollständigeren Widerhall, da es mit anderen nicht auf einen gemeinsamen Nenner gebracht werden muß.

Bürgerinitiativen sind – oft, aber nicht immer als flüchtige Erscheinungen – in Mode. Als Organisationen, die sich zur Vertretung eines gemeinsamen, regelmäßig eher eng definierten Interesses bilden, können sie im politischen Raum erhebliche Stoßkraft entwickeln. Ihr Wirken, sofern es sich im Rahmen der Gesetze bewegt, ist durchaus legitim. So wichtig ihre Aufgabe erscheint, zumal von den politischen Parteien vernachlässigte Interessen im Konzert der Meinungen zu Gehör zu bringen, so sehr vermag allerdings auch die Eindimensionalität ihres Programms die Konsistenz des politischen Systems zu gefährden. Das von diesem zu realisierende Gemeinwohl ergibt sich stets als Resultante unterschiedlicher, ja gegenläufiger Interessen und Kräfte. Mit Interessengruppen allein – und auch Bürgerinitiativen gehören dazu – ist kein demokratischer Staat zu machen. Dazu bedarf es der Parteien, die im Vorfeld der von den Staatsorganen zu treffenden Entscheidungen die auseinanderstrebende Vielheit der Interessen zu alternativen Politikangeboten zu bündeln und so dem Wähler die Möglichkeit der Wahl zwischen ihnen zu bieten haben. Dieses Bemühen, das vielen als »Kuhhandel« erscheint und ihnen von mit demokratischen Funktionsweisen oft wenig vertrauten (oder von intellektueller Arroganz bestimmten) Medien auch oft so dargestellt wird, ist das Lebenselixier des demokratischen Prozesses. Die im Zeichen sogenannter Parteiverdrossenheit zu beobachtende Minderung des Ansehens der Parteien, an der sie freilich selbst nicht unschuldig sind[76], signalisiert deshalb eine der Bedrohungen, denen sich die Demokratie gegenwärtig ausgesetzt sieht.

Fazit

Die parlamentarisch-repräsentative Demokratie lebt aus zwei sie legitimierenden Quellen: der (in dem Abschnitt »Parlamentarische Demokratie« dargestellten) normativen Zuordnung und Zurechnung der staatlichen Institutionen, Organe, Verfahren und der durch sie hervorgebrachten Entscheidungen zum Staatsvolk einerseits und der (in dem Abschnitt »Repräsentative Demokratie als Kommunikationsprozeß« behandelten) rechtsstaatlich, genauer: grundrechtlich fundierten aktiven Teilnahme der Bürger am Prozeß der politischen Willensbildung und Entscheidungsfindung andererseits.[77] Diese Feststellung beschreibt freilich nur teilweise ein Sein, im übrigen ein – jedenfalls nicht mit den Mitteln des Rechts erzwingbares – Sollen. Verbindlich ordnen läßt sich nur die formale Seite demokratischer Legitimation und Repräsentation. Im übrigen (und zum größeren Teil) beruht die Funktionsfähigkeit der repräsentativen Demokratie auf Erwartungen – an Repräsentanten wie an Repräsentierte. Die Verfassung kann nur voraussetzen, daß diese Erwartungen in Erfüllung gehen: Daß die Repräsentanten nicht in eine vom Denken und den Bedürfnissen des Volkes abgehobene Souveränität und die Repräsentierten nicht in eine privatistische, sich ihrer sozialen Verantwortung entledigende Selbstgenügsamkeit abgleiten. Wird beiden Versuchungen widerstanden, hat die Herrschaft des Volkes die Chance des Gelingens. Seine Macht ist dann nicht nur ein wohlfeiles Alibi in den Sonntagsreden der Machthaber, sondern politische Wirklichkeit.

Anmerkungen

1 Josef Isensee: Grundrechte und Demokratie. Die polare Legitimation im grundgesetzlichen Gemeinwesen, Bonn 1981, S. 11.
2 Martin Kriele: Einführung in die Staatslehre. Die geschichtlichen Legitimitätsgrundlagen des demokratischen Verfassungsstaates, 4. Auflage, Opladen 1990, S. 111 ff.
3 Bundesverfassungsgerichtsentscheidungen (BVerfGE) 8, S. 104 ff., hier: S. 114 ff.
4 Rolf Grawert. In: Josef Isensee/Paul Kirchhof (Hrsg.): Handbuch des Staatsrechts der Bundesrepublik Deutschland, Bd. 1, Heidelberg 1987, § 14 Rdnr. 2 m.N.
5 Rudolf Laun. In: Gerhard Anschütz/Richard Thoma: Handbuch des Deutschen Staatsrechts, Bd. 1, Tübingen 1930, S. 244.
6 BVerfGE 83, S. 37 ff., hier: S. 51.
7 Ebd., S. 51 ff. – Für die Vertretungen des Volkes in den Kreisen und Gemeinden gewährt Art. 28 Abs. 1 Satz 3 GG nunmehr auch Personen, die die Staatsangehörigkeit eines Mitgliedstaates der Europäischen Gemeinschaft besitzen, das aktive und passive Wahlrecht. Diese durch das Gesetz zur Änderung des Grundgesetzes vom 21. Dezember 1992 (Bundesgesetzblatt – BGBl. – I, S. 2086) eingefügte Bestimmung nimmt die in Art. 8b EG-Vertrag i.d.F. von Art. G des Vertrags über die Europäische Union (Maastricht-Vertrag) getroffene Regelung auf. Das Bundesverfassungsgericht hatte eine solche Verfassungsänderung vorsorglich schon in seinem Urteil vom 31. Oktober 1990 (BVerfGE 83, S. 37 ff., hier: S. 59) für unbedenklich befunden.

8 BVerfGE 83, S. 37 ff., hier: S. 51, 52.

9 Dementsprechend kennt auch das Völkerrecht nur das Volk als Träger des Selbstbestimmungsrechts, ohne daß in diesem Zusammenhang allerdings allein das Staatsvolk als Träger des Selbstbestimmungsrechts angesehen werden dürfte. Vgl. Art. 1 des Internationalen Paktes über bürgerliche und politische Rechte vom 19. Dezember 1966 (BGBl. 1973 II, S. 1534); aus dem Schrifttum Eckart Klein: Das Selbstbestimmungsrecht der Völker und die deutsche Frage, Berlin 1990, insbesondere: S. 37 ff.

10 Dazu anschaulich Hans Buchheim in Günther Rüther (Hrsg.): Politik und Gesellschaft in Deutschland. Grundlagen, Zusammenhänge, Herausforderungen, Köln 1994, S. 26 ff.

11 Vgl. Ernst-Wolfgang Böckenförde. In: Isensee/Kirchhof (Hrsg.): Handbuch des Staatsrechts der Bundesrepublik Deutschland, Bd. 1 (wie Anm. 4), § 22 Rdnr. 43 m.N.

12 Grawert (wie Anm. 4), Rdnr. 22.

13 Darunter ist jedenfalls alles amtliche Handeln mit Entscheidungscharakter zu verstehen (vgl. BVerfGE 47, S. 253 ff., hier: S. 273; 83, S. 60 ff., hier: S. 73; 93, S. 37 ff., hier: S. 68).

14 Oder schlagen sie dem Bundespräsidenten zur Ernennung vor (Art. 60 GG).

15 Art. 20 Abs. 3 GG.

16 BVerfGE 93, S. 37 ff., hier: S. 67.

17 BVerfGE 77, S. 1 ff., hier: S. 40; siehe auch BVerfGE 47, S. 253 ff., hier: S. 272, 275; 83, S. 60 ff., hier: S. 72 f.

18 Auch die sog. höheren Kommunalverbände (z.B. die bayerischen Bezirke, Landschafts- und Regionalverbände) haben teils unmittelbar, teils mittelbar gewählte Volksvertretungen. Überblick bei Armin Dittmann. In: Norbert Achterberg/Günter Püttner (Hrsg.): Besonderes Verwaltungsrecht, Bd. 2, Heidelberg 1992, S. 99 ff.

19 In Titel III, Kap. IV, Sect. 2, Art. 2 der französischen Verfassung von 1791 heißt es: »Les administrateurs n'ont aucun caractère de représentation. Ils sont agents [. . .] pour exercer sous la surveillance et l'autorité du roi les fonctions administratives.« (Die Beamten haben keinen repräsentativen Status. Sie sind Agenten [. . .], die unter der Aufsicht und Autorität des Königs [d.h. dessen Weisungen unterworfen; H.H.K.] die Angelegenheiten der Verwaltung besorgen.) Der Hinweis bei Carl Schmitt: Verfassungslehre, 3. Auflage, Berlin 1954, S. 213.

20 Alexander Hamilton/James Madison/John Jay: Die Federalist Papers, hrsg. und übersetzt von Barbara Zehnpfennig, Darmstadt 1993, Nr. 76, S. 449. Der Hinweis bei Wilhelm Hennis: Amtsgedanke und Demokratiebegriff. In: ders.: Politik als praktische Wissenschaft, München 1968, S. 48 ff., hier: S. 52.

21 Hennis: Politik als praktische Wissenschaft (wie Anm. 20), S. 50 f.

22 Josef Isensee. In: Ernst Benda/Werner Maihofer/Hans-Jochen Vogel (Hrsg.): Handbuch des Verfassungsrechts der Bundesrepublik Deutschland, 2. Auflage, Berlin – New York 1994, § 32 Rdnr. 17.

23 Über parlamentarische Sanktionen eines etwaigen Fehlverhaltens von Bundestagsabgeordneten vgl. Hans Troßmann: Der Bundestag. Verfassungsrecht und Verfassungswirklichkeit. In: Jahrbuch des öffentlichen Rechts 28 (1979), S. 102 ff. Siehe auch: Die Verhaltensregeln für Mitglieder des Deutschen Bundestages, Anlage 1 zur Geschäftsordnung des Deutschen Bundestages, sowie § 46 Abs. 1 Nr. 3 i.V.m. §§ 13 Nr. 1, 15 Abs. 2 Nr. 1 des Bundeswahlgesetzes. Die Mitglieder der Regierung – auch sie gehören zum Kreis der Repräsentanten – unterliegen parlamentarischer Kontrolle; das Parlament spricht ihnen gegebenenfalls das »Mißtrauen« aus. In diesem Sprachgebrauch hat sich der angelsächsische Gedanke der *trusteeship* erhalten; siehe Hennis: Politik als praktische Wissenschaft (wie Anm. 20), S. 51.

24 Es ist – ungeachtet seiner Vorzüge im übrigen – eine Schwäche des Verhältniswahlrechts, daß es diesen Tatbestand verdunkelt. Denn anders als im Falle der Mehr-

heitswahl, die in der Regel zu eindeutigen Mehrheiten führt, bleibt es unter den Bedingungen der Verhältniswahl den Gewählten überlassen, ihre Kräfte in einer vom Wähler nicht immer vorhersehbaren Weise zu bündeln, also Koalitionen zu schmieden. Der Wähler wird sich dadurch nicht selten genasführt vorkommen – wenngleich zu Unrecht: Die Freiheit des Mandats gilt auch für die Mehrheitsbildung wie für die Inhalte der Politik. Der »Bruch eines Wahlversprechens« mag das Vertrauen des Wählers enttäuschen (und bei der folgenden Wahl zum Entzug dieses Vertrauens führen), einen Rechtsbruch stellt er nicht dar. Das ist auch politisch konsequent. Denn in aller Regel wird der Auftrag der Wähler nicht bestimmten (meist eher verschwommenen und den meisten im einzelnen fast immer unbekannten) programmatischen Aussagen gelten, sondern einer Partei, der er ein gewisses Basisvertrauen entgegenbringt, welches sich auf ihre weltanschauliche und politische Grundkonzeption und – bis zu einem gewissen Grade – oft auch auf das von ihr präsentierte Führungspersonal stützt. Auf dieser Grundlage erhält die gewählte Partei das Mandat, in der folgenden Wahlperiode Politik (nicht eine bestimmte Politik!) zu machen – sei es in der Regierung oder in der Opposition. Das kann schon deshalb nicht anders sein, weil jede Parlamentspartei im Verlauf mehrerer Jahre ihre Politik der sich verändernden Lage anpassen muß, ja unter Umständen schon in den auf die Wahl folgenden Koalitionsverhandlungen erhebliche Abstriche von ihrem Programm zu machen gezwungen ist.

25 Schmitt: Verfassungslehre (wie Anm. 19), S. 206.

26 Zu Recht bezeichnet deshalb Böckenförde – in: Josef Isensee/Paul Kirchhof (Hrsg.): Handbuch des Staatsrechts der Bundesrepublik Deutschland, Bd. 2, Heidelberg 1987, § 30 Rdnr. 14 – die schweizerische Referendumsdemokratie als eine Abart der repräsentativen Demokratie.

27 Das Wahlgeheimnis ist die wesentliche Gewähr der Wahlfreiheit.

28 Vgl. Hennis: Politik als praktische Wissenschaft (wie Anm. 20), S. 54.

29 Weitergehende plebiszitäre Elemente finden sich in den Landesverfassungen.

30 Vgl. Hans H. Klein. In: Isensee/Kirchhof (Hrsg.): Handbuch des Staatsrechts, Bd. 2 (wie Anm. 26), § 41 Rdnr. 3, und oben Anm. 24.

31 Die Rede ist hier vom Bund, nicht von den Ländern. Zur Europäischen Union siehe S. 43.

32 Darauf kann hier aus Raumgründen nicht näher eingegangen werden. Zu den Funktionen des Bundespräsidenten vgl. Klaus Schlaich in: Isensee/Kirchhof (Hrsg.): Handbuch des Staatsrechts, Bd. 2 (wie Anm. 26), § 49, sowie Klaus Stern: Das Staatsrecht der Bundesrepublik Deutschland, Bd. 2, München 1980, § 30. Zum Bundesverfassungsgericht vgl. Stern: Das Staatsrecht der Bundesrepublik Deutschland, Bd. 2, § 32; Hans H. Klein: Verfassungsgerichtsbarkeit und Verfassungsstruktur. In: Paul Kirchhof/Klaus Offerhaus/Horst Schöberle: Steuerrecht – Verfassungsrecht – Finanzpolitik, Festschrift für Franz Klein, Köln 1994, S. 511 ff., hier: S. 515.

33 BVerfGE 49, S. 89 ff., hier: S. 125.

34 Näher dazu Hans H. Klein in: Isensee/Kirchhof (Hrsg.): Handbuch des Staatsrechts, Bd. 2 (wie Anm. 26), § 40 Rdnr. 13 ff.

35 BVerfGE 44, S. 125 ff., hier: S. 142.

36 An dieser Stelle sei der Bericht der Enquete-Kommission »Verfassungsreform« zitiert (zur Sache 3/76, S. 49): »Das Verfassungsproblem eines nach dem demokratischen Prinzip organisierten und sich herstellenden politischen Gemeinwesens ist daher nicht, diese für seine Existenz notwendige unabhängig-repräsentative politische Leitungsgewalt abzubauen oder zu minimalisieren, um ein angebliches Mehr an Demokratie zu erreichen, sondern sie in einer Weise zu organisieren, die eine möglichst unmittelbare Legitimation durch das Volk und die Rückbindung an den Volkswillen gewährleistet. Durch solche Legitimation und Rückbindung erhält die oberste politische Leitungsgewalt nicht nur in einem organisatorisch-formalen, sondern auch in einem politisch-inhaltlichen Sinn, bezogen auf das demokratische Prin-

zip, repräsentativen Charakter. Erst dadurch kommt in ihr der Gedanke der Selbstregierung des Volkes zum Ausdruck und wird es ermöglicht, daß diese oberste Leitungsgewalt nicht nur organisatorisch, sondern auch real und politisch dem Volk selbst zugerechnet werden kann und im Bewußtsein der Bürger auch zugerechnet wird.«

37 Hans-Peter Schneider: Die parlamentarische Opposition im Verfassungsrecht der Bundesrepublik Deutschland, Frankfurt/M. 1974; ders. in: Benda/Maihofer/Vogel (Hrsg.): Handbuch des Verfassungsrechts der Bundesrepublik Deutschland (wie Anm. 22), § 13 Rdnr. 98 ff.

38 Das gilt für den Zeitpunkt der Wahl, hat aber Geltung gewissermaßen als (grundsätzlich) unwiderlegliche Vermutung (Ausnahmen: vorzeitige Parlamentsauflösung, Koalitionswechsel) für die ganze Dauer der Wahlperiode.

39 So wurden von den in der 9., 10. und 11. Wahlperiode des Bundestages von diesem verabschiedeten 828 Gesetzen 608 von der Bundesregierung eingebracht, an weiteren 39 Gesetzesinitiativen war die Bundesregierung beteiligt (Quelle: Datenhandbuch zur Geschichte des Deutschen Bundestages 1983 bis 1991, verfaßt und bearbeitet von Peter Schindler, Baden-Baden 1994, S. 821).

40 Zu den Aufgaben der Bundesregierung siehe im einzelnen Meinhard Schröder in: Isensee/Kirchhof (Hrsg.): Handbuch des Staatsrechts, Bd. 2 (wie Anm. 26), § 50; Stern: Das Staatsrecht der Bundesrepublik Deutschland, Bd. 2 (wie Anm. 32), § 31.

41 Ins Gewicht fallende Faktoren sind etwa das Ansehen des Bundeskanzlers, seine Durchsetzungsfähigkeit in seiner Partei und der von dieser gestellten Parlamentsfraktion, deren Führungspersonal, die Stabilität der Regierung und der sie tragenden Koalition, Durchschlagskraft und Zerstrittenheit der Opposition u.v.a.m.

42 Über den Bundesrat vgl. Roman Herzog in: Isensee/Kirchhof (Hrsg.): Handbuch des Staatsrechts, Bd. 2 (wie Anm. 26), §§ 44-46; Stern: Das Staatsrecht der Bundesrepublik Deutschland, Bd. 2 (wie Anm. 32), § 27; Hans H. Klein in: Archiv des öffentlichen Rechts 108 (1983), S. 329.

43 Von den 822 Gesetzen, die während der 9., 10. und 11. Wahlperiode des Bundestages verkündet wurden, waren nach übereinstimmender Auffassung von Bundestag und Bundesrat 457 der Zustimmung des Bundesrates bedürftig, acht weitere wurden als zustimmungsbedürftig verkündet, obgleich der Bundestag sie nicht für zustimmungsbedürftig hielt. Die restlichen 357 Gesetze wurden als nicht zustimmungsbedürftig verkündet, obgleich 25 von ihnen nach Auffassung des Bundesrates seiner Zustimmung bedurft hätten – in diesen Fällen hatte der Bundesrat offensichtlich tatsächlich zugestimmt, da es sonst wohl zur verfassungsgerichtlichen Austragung des Streits gekommen wäre (Quelle: Datenhandbuch zur Geschichte des Deutschen Bundestages [wie Anm. 39], S. 825).

44 Vgl. die Präambel sowie Art. 23 und 24 Abs. 1 GG.

45 Vgl. dazu das Maastricht-Urteil des Bundesverfassungsgerichts (BVerfGE 89, S. 155 ff., hier: S. 181 ff.).

46 Dazu Art. 23 Abs. 2 und 3, Art. 45 GG; für den Bundesrat: Art. 23 Abs. 2, 4 bis 7 und Art. 50, 52 Abs. 3 a GG sowie die Gesetze über die Zusammenarbeit von Bundesregierung und Bundestag und von Bund und Ländern in Angelegenheiten der Europäischen Union vom 12. März 1993 (BGBl. I, S. 311, 313).

47 Heinrich Oberreuter: Abgesang auf einen Verfassungstyp? In: Aus Politik und Zeitgeschichte 1983, B 2, S. 19 ff., hier: S. 29.

48 Böckenförde. In: Isensee/Kirchhof (Hrsg.): Handbuch des Staatsrechts, Bd. 2 (wie Anm. 26), § 30 Rdnr. 18.

49 Ebd.

50 Ebd., Rdnr. 24.

51 Konrad Hesse: Grundzüge des Verfassungsrechts der Bundesrepublik Deutschland, 20. Auflage, Heidelberg 1995, Rdnr. 161.

52 BVerfGE 69, S. 315 ff., hier: Leitsatz 1.

53 BVerfGE 69, S. 315 ff.; siehe auch 92, S. 1 ff.

54 Zum Begriff der Gewalt im Nötigungstatbestand des § 240 Strafgesetzbuch (StGB) siehe BVerfGE 92, S. 1 ff., hier: S. 14 ff.; V. Krey: Kritische Anmerkungen anläßlich des Sitzblockaden-Beschlusses des 1. Senats vom 10. Januar 1995. In: Juristische Rundschau (JR) 1995, S. 265 ff., insbesondere S. 270 f.

55 Die Zitate in BVerfGE 69, S. 315 ff., hier: S. 345. Kritisch gegenüber dem hier zutagetretenden fundamentaldemokratischen Mißverständnis rechtsstaatlicher Freiheitsgewährleistung auch Peter Badura in: Isensee/Kirchhof (Hrsg.): Handbuch des Staatsrechts der Bundesrepublik Deutschland, Bd. 1 (wie Anm. 4), § 23 Rdnr. 42.

56 BVerfGE 25, S. 256 ff., hier: S. 265.

57 Weil der politische Prozeß frei bleiben muß von Nötigung und Zwang, verbietet etwa die Rechtsordnung auch den politischen Streik.

58 BVerfGE 89, S. 155 ff., hier: Leitsatz 1, S. 171 f.

59 E. Klein: Grundrechtsdogmatische und verfassungsprozessuale Überlegungen zur Maastricht-Entscheidung des Bundesverfassungsgerichts. In: Albrecht Randelzhofer/Rupert Scholz (Hrsg.): Gedächtnisschrift für Eberhard Grabitz, München 1995, S. 271 ff.

60 Dazu BVerfGE 93, S. 37 ff., hier: S. 66 ff.

61 Die öffentlich-rechtliche Monopolstruktur des Rundfunks – zumal wenn ihre Staatsfreiheit nicht wirksam gesichert ist – bildet deshalb grundsätzlich einen Fremdkörper innerhalb des Systems freier Kommunikation, welches zur Demokratie gehört wie das Gelbe zum Ei. Dies gilt, wenngleich abgeschwächt, auch für die weitgehende Reglementierung des sog. dualen Systems, wie sie – unter der Regie des Bundesverfassungsgerichts – auch in Deutschland noch immer besteht.

62 Von daher rechtfertigen sich sowohl die Pressefusionskontrolle (vgl. § 23 Abs. 1 Satz 7 GWB) als auch gewisse rechtliche Vorkehrungen zur Aufrechterhaltung der publizistischen Vielfalt im Rundfunkwesen.

63 Schmitt: Verfassungslehre (wie Anm. 19), S. 246.

64 Zit. nach Werner Mangold: Öffentliche Meinung. In: Roman Herzog/Hermann Kunst/Klaus Schlaich/Wilhelm Schneemelcher (Hrsg.): Evangelisches Staatslexikon, Bd. 2, 3. Auflage, Stuttgart 1987, Sp. 2265 ff., hier: Sp. 2267.

65 Zum Ganzen umfassend Herbert Krüger: Allgemeine Staatslehre, 2. Auflage, Stuttgart 1966, § 26 (S. 437 ff.).

66 BVerfGE 85, S. 264 ff., hier: S. 284 f.

67 BVerfGE 44, S. 125 ff., hier: S. 145.

68 Im Unterschied zur absoluten Monarchie oder zur Diktatur, wo die Bildung von Parteien entweder verboten ist oder vom Staat streng kontrolliert wird! In den totalitären Links- und Rechtsdiktaturen der Moderne dirigiert die *eine* Staatspartei (die allenfalls eine beschränkte Zahl unselbständiger Trabantenorganisationen neben sich duldet) den Staatsapparat, den sie sich als Instrument zur Durchsetzung ihrer Zwecke gewissermaßen angeeignet hat. Die Partei – die sich freilich nicht mehr als Teil (lat.: *pars*), sondern als das Ganze (lat.: *totum*) versteht – beherrscht den Staat; sie, nicht das Volk, ist souverän.

69 Richard Thoma. In: Melchior Palyi (Hrsg.): Hauptprobleme der Soziologie. Erinnerungsgabe für Max Weber, Bd. 2, München 1923, S. 37 ff., hier: S. 63.

70 Zit. nach Peter Badura: Bonner Kommentar zum Grundgesetz, Art. 38 Rdnr. 14 (Zweitbearbeitung). Als weiterer Beleg sei auf Heinrich Treitschke hingewiesen (Preußische Jahrbücher 27 [1871], S. 188 f.): »Wir wissen es alle, das Parteileben ist eine Notwendigkeit für freie Völker, das unentbehrliche Mittel, um aus dem Gewirr der Interessen, Leidenschaften, Meinungen einen Durchschnittswillen herauszubilden, den Einzelwillen Ordnung und Gliederung und dadurch Macht zu bringen, durch Stoß und Gegenstoß der also gescharten Kräfte dem Staate eine feste Richtung zu geben.« Hier zit. nach Klaus Stern: Das Staatsrecht der Bundesrepublik Deutschland, Bd. 1, 2. Auflage, München 1984, S. 457 Fn. 129.

71 Isensee: Grundrechte und Demokratie (wie Anm. 1), S. 16.

72 Nach § 27 Abs. 1 Satz 1 des Bundeswahlgesetzes können nur von Parteien Landeslisten (im Unterschied zu Kreiswahlvorschlägen, §§ 18, 20 Bundeswahlgesetz [BWahlG]) eingereicht werden.

73 Nach § 1 Abs. 3 des Parteiengesetzes müssen Parteien ihre Ziele in politischen Programmen niederlegen.

74 Das Beispiel Greenpeace ist augenfällig. Wer nur den Schutz der Umwelt auf sein Panier schreibt, kann andere Gesichtspunkte, wie z.B. die wirtschaftlichen Folgen umweltpolitischer Entscheidungen, getrost vernachlässigen.

75 Parteien, parlamentarische Mehrheiten, Regierungen, die – sei es auch demoskopisch untermauerten – Wählerstimmungen nachlaufen, verkennen nicht nur ihre Aufgabe, sie folgen auch einem trügerischen Erfolgsrezept. Denn weit mehr als solches Verhalten schätzt der Wähler die Kunst entschiedener politischer Führung. Er weiß durchaus zwischen privaten Meinungen (die die Demoskopie abfragt) und verantwortlicher Entscheidung (wie sie in der Wahlkabine zu treffen ist) zu unterscheiden. Vgl. Wilhelm Hennis: Meinungsforschung und repräsentative Demokratie. In: ders.: Politik als praktische Wissenschaft (wie Anm. 20), S. 125.

76 Auf die mit der besonderen Staatsnähe der Parteien verbundenen Gefahren – Stichwort: Ämterpatronage – kann im Rahmen dieser Abhandlung nur hingewiesen werden.

77 Ähnlich Isensee: Grundrechte und Demokratie (wie Anm. 1), S. 23 f.

Ulrich Matthée

Der Gedanke der Repräsentation in der politischen Ideengeschichte

Zum Begriff der Repräsentation

Erst mit den großen atlantischen Revolutionen, wie Karl Dietrich Erdmann sie nannte[1], trat ein traditionsreicher Rechtsbegriff in die politische Ideengeschichte ein: Die Repräsentation diente in der Glorreichen Englischen Revolution (1689), in der Amerikanischen (1776) sowie in der Großen Französischen (1789) zur Legitimation konkreter politischer Herrschaft, welche sich sowohl gegen die Scylla des monarchischen Absolutismus als auch gegen die Charybdis des Volksabsolutismus richtete. Zugleich wurde sie aber Konstruktionsmerkmal konkreter Verfassunggebung. Was den Römern als Stellvertretung, als angemessenes, standesgemäßes und würdevolles Auftreten galt, war nicht so ungleich der Vorstellung des heutigen Zivilrechts von der Vertretungsmacht.

Aus privatrechtlichem Ursprung erwuchs in der Ständeordnung des Mittelalters die Technik politischer Repräsentation der Steuerpflichtigen gegenüber dem Steuernehmer, in der Regel dem Monarchen oder Fürsten von Gottes Gnaden. Auf Reichstagen und Landtagen bestritten Repräsentanten im Auftrag ihrer Standesgenossen dem Monarchen das Recht zu willkürlicher Steuererhebung und damit die transzendentale Legitimation durch eine höhere Macht bzw. Gott. Diese Ständerepräsentanten hatten ein konkretes Mandat; sie waren Ausdruck und Überwinder mittelalterlicher Herrschaftssysteme. Einerseits Spiegel der organischen Gewachsenheit der pyramidalen Gesellschaftsstruktur – welche sich nur in Ständetagen organisieren konnte –, dienten sie andererseits auch als Hebel zu ihrer Überwindung, indem sie gegenüber dem Monarchen bzw. Fürsten die Zustimmung der Besteuerten zur Besteuerung einforderten. Aus der Repräsentation der Besteuerten sollte im Zuge des Übergangs vom transzendentalen zum säkularisierten Naturrecht allmählich der Anspruch auf Repräsentation des ganzen Landes erwachsen[2] (*No taxation without representation!*).

In der politischen Ideengeschichte sind es vor allem die gefeierten akademischen Lehrer in Oxford und Paris, William Ockham (ca. 1285-1347/50) und Marsilius von Padua (ca. 1275/80-1342/43), die in der Spätscholastik des

14. Jahrhunderts fürstliche Herrschaftslegitimation an die Zustimmung der Betroffenen binden. Es ist sicher kein Zufall, daß England und Frankreich den Rhythmus der Modernisierung bestimmen, wandert doch das Schwergewicht europäischer Politik des Mittelalters von der Mittelachse des Heiligen Römischen Universalreiches, Deutschland – Italien, an die atlantische Peripherie aus, an welcher sich die säkularen, national und merkantil geprägten Königreiche entfalten. Hier erfolgt der Übergang mittelalterlicher Repräsentation zu neuzeitlicher – sei es zu monarchischer Repräsentation wie im bourbonischen Frankreich, wo der Monarch der ständischen Macht das Rückgrat bricht und den Adel teils domestiziert, teils – wie den hugenottischen – aus dem Lande treibt, sei es wie in England, wo die ständischen Repräsentanten sich in den Bürgerkriegen des 17. Jahrhunderts siegreich behaupten können gegen den Zugriff der Stuart-Könige nach absolutistischer Herrschaft. Die siegreichen Stände vollziehen in der Folge allmählich den Übergang zu parlamentarischer Repräsentation, welcher einhergeht mit dem Wechsel von der partikularen (konkreten) Interessenrepräsentation zur virtuellen (abstrakten), also an das Gemeinwohl gebundenen und dieses formulierenden Repräsentation.

Der Gedanke der modernen Repräsentation, wie er vor gut 300 Jahren siegreich an das Licht der Geschichte trat, bedeutet im technischen Sinne nach der Definition Karl Löwensteins, daß die Repräsentanten »im voraus Auftrag und Vollmacht erhalten, gemeinschaftlich für ihre Auftraggeber zu handeln und sie durch ihre kollektive Entscheidung zu verpflichten«[3]. Ernst Fraenkel konkretisierte diese auf die privatrechtlichen Traditionen der Antike und des Mittelalters zurückgehende Definition:

> »Repräsentation ist die rechtlich autorisierte Ausübung von Herrschaftsfunktionen durch verfassungsmäßig bestellte, im Namen des Volkes, jedoch ohne dessen bindenden Auftrag handelnde Organe eines Staates oder sonstigen Trägers öffentlicher Gewalt, die ihre Autorität mittelbar oder unmittelbar vom Volk ableiten und mit dem Anspruch legitimieren, dem Gesamtinteresse des Volkes zu dienen und dergestalt dessen wahren Willen zu vollziehen.«[4]

Der empirische Volkswille tritt dabei hinter den hypothetischen zurück; dieser wird durch die Repräsentanten im Parlament mediatisiert, d.h., er wird als nicht unmittelbar Zugänglicher eben durch die am Gesamtinteresse des Volkes ausgerichteten Handlungen der als Medien wirkenden Parlamentäre mittelbar zugänglich und damit erst politisch handhabbar. Das Gemeinwohl erscheint so in abstrakt-metaphysischer Gestalt.

Der Wandel von der Repräsentation priviligierter Partikularinteressen zur Bindung an ein Gemeininteresse vollzog sich im England des 18. Jahrhunderts. Meilenstein dieser Entwicklung ist die berühmte Rede des Parlamentskandidaten Edmund Burke (1729-1797) in Bristol 1774, in welcher dieser den Anspruch seiner Wähler bestreitet, er habe im Parlament ihre spezifischen

Interessen bzw. die des Wahlkreises zu vertreten. Mit der Bindung an *the whole realm* gewinnt die moderne Theorie der politischen Repräsentation ihre feste Form und klare Konturen in Gestalt der Repräsentation der Nation.

Von der ständischen zur parlamentarischen Repräsentation: das Beispiel England

Mit dem Übergang des durch Überschneidung verschiedener Rechtskreise, durch Immunitäten (Unantastbarkeiten) und Exemptionen (Ausnahmeregelungen) geprägten mittelalterlichen Gemeinwesens zum monolithischen Staatswesen der Neuzeit nahm die Repräsentation drei grundsätzlich verschiedene Richtungen:

1. die des Übergangs zum monarchischen Absolutismus. Im bourbonischen Frankreich gewann der König von Gottes Gnaden das Monopol der Repräsentation von Gemeinwesen und Gemeinwohl; das geschah im Zeichen der Trilogie der Bodinschen Souveränitätslehre (*un roi, une loi, une foi)*[5] sowie des Credos des Sonnenkönigs (*»l'état c'est moi«*).
2. den gegenläufigen Weg zum ständischen Repräsentationsmonopol nach dem Erlöschen starker Königsherrschaft mit dem Aussterben der vitalen Dynastie der Jagiellonen 1572 in Polen. Gerade in diesem Jahr der Bartholomäusnacht in Frankreich, in welcher die (überwiegend) hugenottische Ständemacht in Blut erstickte, stieg in Polen die Macht des Adels in schwindelnde Höhen: die beiden Adelskammern des Sejm (»Parlament«) – der Senat als Vertretung des Hochadels, die Landbotenstube als Vertretung des niederen, meist Schwertadels – reduzierten die Königsmacht durch die Wahlkapitulationen sowie durch das *»Nihil novi«* und das *»Liberum veto«*.[6] Der Wandel vom Königreich zur Adelsrepublik stellte einen Rückschritt dar und führte Polen von der modernen Staatenentwicklung fort auf den Weg zu den Teilungen von 1772, 1793 und 1795.
3. England ging den Weg dualistischer Repräsentation nach der Glorreichen Revolution. Die Parlamentspartei hatte im Bürgerkrieg obsiegt, den Griff der Stuart-Könige nach absolutistischer Macht abgewehrt. Die siegreiche Partei war klug genug, der Versuchung des Parlamentsabsolutismus zu widerstehen. William III. von Oranien († 1702) und seine Gemahlin Mary Stuart († 1694) wurden Könige von Parlamentes Gnaden. Mit der *Bill of Rights* 1689 erkannte man dem Monarchen eine immer noch wichtige Rolle zu. Er repräsentierte das Gemeinwesen ebenso wie das Parlament der Glorreichen Revolution. John Locke (1632-1704) nahm die neue Machtbalance zwischen König, Parlament und »King in Parliament«[7] in seine Gewaltenteilungstypologie auf, die dem König die Exekutive, ferner die Föderative (d. h. die auswärtige Gewalt) sowie die Teilhabe an der Legislative zuschrieb (die Judikative wurde erst 1701 mit dem *Act of Settlement* zur eigenständigen Gewalt erhoben). Im

Parlament war nicht das Volk von England als solches repräsentiert, sondern nach dem liberalen Credo John Lockes die durch individuelle Freiheit und rechtlich gesichertes Eigentum geprägten Individuen. »Das Volk« als politische Größe verstand John Locke in seinen »Two Treatises of Government« (1690) eher abstrakt. Nur in dieser mediatisierten Gestalt ließ sich Volkssouveränität mit Repräsentation verbinden. Es waren seine Anthropologie, die Rivalität mit dem Protagonisten des Absolutismus Thomas Hobbes (1588-1679) sowie seine politische Erfahrung mit dem radikaldemokratisch-egalitaristischen Experimenten John Lilburnes (1614-1657)[8], des Führers der Levellers in der puritanischen Revolution, und dem absolutistischen Begehren der Stuarts, die John Locke auf den Weg vorsichtiger Balance zwischen den Abgründen monarchischer Souveränität einerseits und Volkssouveränität andererseits führten.

Dieses subtile Staatsgebilde bedurfte der doppelten Flankensicherung gegen die Gefahren sowohl des monarchischen wie des Volksabsolutismus. Die Unwägbarkeiten und Gefahren beider waren für John Locke am Ende der Bürgerkriege noch lebhaft gegenwärtig: absolutistische Experimente der Stuarts, die sich legitimierten durch die Lehre seines großen Rivalen Thomas Hobbes vom nahezu totalen Staat in Gestalt des »Leviathan« und die nur knapp gescheiterten Versuche der puritanischen Levellers, die unmittelbare Demokratie mit puritanisch-religiös begründeter Egalisierung des Privatbesitzes zu verbinden.

Aus der Anthropologie John Lockes, die er in seinen Essays »Concerning Human Understanding« (1690) bzw. »Concerning Toleration« (1689) dargelegt hat[9], ergibt sich zwingend die Notwendigkeit der Repräsentation als Vertretung des allgemein-abstrakt verstandenen Volkswillens durch quasiaristokratische Repräsentanten. Menschen begriff er als frei geborene Individuen, die niemandem etwas schuldeten, weder den Eltern noch der Tradition noch Gott noch irgendeiner Form bindender Gemeinschaft. Die Individuen durchstreiften die Natur auf der Suche nach Nahrung und schützten das hohe Gut ihrer individuellen Freiheit durch den Erwerb von Eigentum. Dieses bildete sich durch die Vermischung der von der künstlerischen Phantasie und dem handwerklichen Plan gelenkten Handarbeit mit der toten Materie dergestalt, daß das Individuum der Materie eine Gestalt aufzwang, in der es sich widerspiegelte.

Konflikte kamen auf, als mit der Einführung der Geldwirtschaft die Möglichkeit entstand, Eigentum zu akkumulieren, da Edelmetalle im Gegensatz zu landwirtschaftlichen Produkten nicht verderblich sind. Indem der Wunsch, das Verlangen entstand, mehr zu haben, als man brauchte (*»the desire of having more than man needed«*), um die individuelle Freiheit zu schützen, kam es zum Exzeß des Eigentums über die Freiheit. Die Folge war, daß niemand sich mehr sicher vor dem begierigen, wölfischen Zugriff seines Nachbarn fühlen konnte (*»life became unsafe«*). Im Naturzustand hätte ein friedliches Nebeneinander geherrscht, nämlich Wohlwollen, Vorsorge, ein Zustand des Friedens und gegenseitige Hilfe (*»good will, preservation, state of peace, mutual assistance«*). Die im sicheren Genuß ihrer ursprünglichen *liberty* und *property* gestörten Individuen schlossen sich in ihrer Bedrängtheit zusammen zu einem Urvertrag (*»original compact«*) und gründeten so einen politischen Organismus, den *»body politic«*, auf daß dieser Freiheit und Eigentum wieder sicher machte. Da John Locke um die Gefährlichkeit der menschlichen Begierden wußte, versuchte er die Tätigkeit dieses Staates nunmehr zu beschränken auf die Sicherungsaufgabe. Nicht Menschen von Fleisch und Blut sollten herrschen, sondern *»government by law«*.

In Ausübung dieser Herrschaft mußte der Organismus des *government by law* mit Kompetenzen versehen werden, welche die Individuen im Akt der Vertragsschließung abgaben. Von ihren ursprünglich unbeschränkten natürlichen Rechten traten sie das Recht auf Verfolgung, ja Tötung von Rechtsbrechern ab, verzichteten also darauf, Richter in eigener Sache zu sein. Da aber eine Staatstätigkeit ohne das entsprechende Personal, ohne Minister, Parlamentarier und Richter nicht möglich war, bedurfte es einer komplizierten Konstruktion des Staates mit zahlreichen Hemmungen und Balancen.

Der liberale Verfassungsstaat, der mit der Glorreichen Revolution in England an das Licht der Geschichte trat, sah seinen Zweck in der Sicherung der Freiheit und des Eigentums mit Hilfe einer grundrechtssichernden und gewaltenteilenden Konstruktion.[10] In dieser nahm die parlamentarische Repräsentation eine wichtige, den Basiswillen kanalisierende, filternde und damit Gewalten und Passionen hemmende Funktion ein.[11]

Von der konstitutionellen zur parlamentarischen Monarchie

War das 17. Jahrhundert durch heftige Eruptionen, Zäsuren und Kriege gekennzeichnet, führte das 18. Jahrhundert zu einer behutsamen, evolutionären Entwicklung, in der sich das mit der Glorreichen Revolution etablierte Regierungssystem des Konstitutionalismus allmählich zum Parlamentarismus, die ständische Repräsentation zur parlamentarischen Repräsentation wandelte. Damit wurde die auf dem europäischen Kontinent überwiegend vorherrschende Phase des Absolutismus übersprungen.

Es war der Bildungsreisende Charles-Louis de Secondat, genannt Montesquieu (1689-1755), der auf zwei Englandreisen gegen Ende der 20er Jahre des 18. Jahrhunderts ein – wenn auch falsches – Englandbild gewann, aus dem sich seine berühmte Gewaltenteilungslehre entwickelte.[12] Seine Herkunft aus dem gebildeten und gewerbetreibenden Adel des südlichen Frankreich – der alten okzitanischen Hochburg der vertriebenen Hugenotten – führte ihn in eine ähnliche Frontstellung wie zuvor John Locke. Der bourbonische Absolutismus war ihm zutiefst verächtlich, und er gab dieser Einschätzung Ausdruck

in seinen »Lettres persanes« (1721), in denen er die orientalischen Despotien mit dem höfischen Leben im bourbonischen Frankreich verglich.
Die englische Gentry als tragende politische Klasse stand ihm bedeutend näher als der devote, intrigante französische Hofadel in Versailles. Die Gentry als eine Verbindung von urbanisiertem, nunmehr gewerbetreibendem Landadel und nach adeliger Art und Weise lebendem Londoner Gewerbebürgertum erschien ihm als ideale Verkörperung seiner *corps intermédiaires*. Diese »Zwischenkorps« waren nach seiner Typologie der Staatsformen dazu berufen, individuelle Freiheit und rechtlich gesichertes Eigentum zu schützen gegen den begehrlichen Zugriff monarchischer Despoten wie gegen die entfesselten, chaotisch dahinspülenden Leidenschaften des Volkes.

1. Die Englandbilder Charles de Montesquieus und Jean-Jacques Rousseaus

Diesen empirischen Volkswillen an der umittelbaren Verwirklichung zu hindern, ihn aufzunehmen, zu sublimieren und zu kanalisieren, um dadurch erst eine moderate politische Aktion zu ermöglichen, schien ihm die vornehmste Aufgabe dieser politischen Klasse zu sein. Montesquieus Staatsideal war die aristokratisch geprägte Republik bzw. die aristokratisch geprägte säkulare Monarchie. Psychologische Qualität seiner politschen Klasse war die Mäßigung (*modération*). Besonders gefährlich erschien ihm eine Berührung und Vermengung von monarchischem Absolutismus und Volksabsolutismus in Gestalt eines plebiszitären Cäsarismus. Dies zu verhindern sei die eigentliche Aufgabe der granitenen Zwischenschicht der *corps intermédiaires*, welche sowohl hemmende als auch verbindende Aufgaben zwischen der Staatsspitze und dem Volk hätte.
Das Bild des Englandtouristen Montesquieu war schief, wenn nicht gar falsch. Es verkannte als statische Momentaufnahme den dynamischen Charakter des englischen Systems und die Realität des britischen *government by corruption* in der Ära des ersten Premierministers Robert Walpole (1721-1742). Sein Amt hatte sich, wie fast alles in der englischen Verfassungsgeschichte, aus der Situation heraus gebildet. Georg I. war nicht fähig, Englisch zu sprechen, und auch nicht willens, es zu lernen. Walpole übernahm daher im Thronrat zunächst die Übersetzungsarbeit, später – als der König sich demotiviert ganz zurückzog – auch den Vorsitz. Als »First Lord of the Treasury« verfügte er über die Ressourcen des Königs, über die Vergabe von Ämtern und Pfründen. So wurde er zum ersten Patronageminister und kaufte sich von Fall zu Fall für seine Budgetgesetzgebung die Stimmen im Parlament.
Die von der Vergabe ausgeschlossenen Abgeordneten bildeten die Opposition, die Begünstigten gaben der Regierung parlamentarischen Rückhalt für Gesetzgebung und Budget. So wandelte sich England vom Konstitutionalismus zum Parlamentarismus dergestalt, daß die Gewaltenteilungslinie tatsäch-

lich zwischen der Regierung und ihrer Parlamentsmehrheit einerseits sowie der Opposition andererseits verlief.
In seiner idealisierten Perspektive erfaßte Montesquieu das Wesen der quasiaristokratischen Repräsentation gleichwohl richtig. Die schweren Schäden des *government by corruption* bedrohten jedoch wegen der Bindungslosigkeit der Abgeordneten an das Gemeinwohl die Existenz des repräsentativen Prinzips schlechthin. Wie das plebiszitäre Prinzip zum plebiszitären Cäsarismus pervertieren kann, so droht das Repräsentativprinzip durch »Isolation, Kooptation und Korruption«[13] dem ehernen Gesetz der Oligarchie zu erliegen und für die Repräsentierten unerträglich zu werden.
Die oligarchischen Tendenzen des britischen Systems erkannte ein anderer Besucher der Insel: Jean-Jacques Rousseau (1712-1778) reiste allerdings gut 30 Jahre nach Montesquieu nicht komfortabel im Rahmen einer Kavalierstour, sondern als politischer Flüchtling im Exil. Seine Anglophobie ist sehr viel realistischer als die undifferenzierte Anglophilie Montesquieus. Er sah die Gefahr des Absturzes in eine Revolution, welche die Oligarchie des *unreformed parliament* verschlingen würde.[14]

2. Edmund Burke und der Begriffswandel der Repräsentation

Diese Gefahr sah auch der Abgeordnete irischer Herkunft Edmund Burke, als er 1774 in seiner Wahlrede in Bristol auf die Bedeutung der Virtualität[15] der Repräsentation ebenso hinwies wie auf die Freiheit des Abgeordnetenmandates von Weisungen der Wähler. Virtuelle Repräsentation bedeutete ihm die aus der Kraft des Gewissens und der Einsicht des Verstandes geschweißte Selbstbindung des Abgeordneten an ein transpersonal und metaphysisch verstandenes Gemeininteresse, dessen inhaltliche Ausgestaltung Einsicht und Gewissen ständig aktualisieren. Die so verstandene Repräsentation entspricht nach Edmund Burke der doppelten Funktion des Abgeordneten: nämlich einerseits Repräsentant zu sein, andererseits permanenter Interpret des Gemeinwohls.[16]
In der Krise des Parlaments entwickelte Edmund Burke seine berühmte Theorie der Repräsentation. Diese

> »stellt die theoretische Rechtfertigung des Bestrebens dar, die Souveränität des englischen Parlaments sowohl gegenüber dem Souveränitätsanspruch der Krone als auch gegenüber dem Souveränitätsanspruch des Volkes sicherzustellen und gleichzeitig dafür Sorge zu tragen, daß die Funktion des Parlaments, Vertretung des Volkes zu sein, nicht zu einer Fiktion entarte. In ihr spiegelt sich die parlamentarische Opposition Burkes gegen das persönliche Regime Georg III., seine publizistische Opposition gegen die Volkssouveränitätslehre Rousseaus und seine parteipolitische Opposi-

tion gegen die Absicht der Parlamentsmehrheit wider, die nordamerikanischen Kollegen der Steuerhoheit des Parlaments zu unterwerfen.«[17]

Gegenüber dem Anspruch der Wähler seines Wahlkreises Bristol behauptete Burke die Unabhängigkeit des Repräsentanten von Instruktionen seiner Wähler. Nur so könne dieser sich mit anderen Abgeordneten zu Parteien vereinen und den Souveränitätsanspruch des Parlaments behaupten. Der Abgeordnete sei daher nicht unmittelbar der Wählerschaft seines Wahlkreises verpflichtet, auch nicht der Gesamtheit der Wählerschaft Englands, sondern in einem umfassenderen Sinne auch den früheren und zukünftigen Generationen, da das Gemeinwesen sich in der Generationenfolge herausbilde. Gleichwohl sei der Abgeordnete nicht ungebunden, er müsse in Übereinstimmung mit dem von ihm nach strenger Gewissensprüfung erkannten Gemeinwohl im objektiven Interesse der Wählerschaft handeln, aber ohne ihren konkreten Auftrag. Die Nation, deren Wohl er sich verpflichtet wissen müsse, sei der umfassendere Begriff.
Ähnlich Montesquieu ist Burke erfüllt von der Skepsis gegenüber der »Richtigkeit« der jeweiligen Volksstimmung. Er befürchtet die Unbeständigkeit und Wechselhaftigkeit launischen Volkswillens. Allerdings bedürfe die virtuelle Repräsentation zu ihrer Legitimität der permanenten Selbstprüfung der Abgeordneten, ob sie im Sinne des Gemeinwohls handelten. Dabei wurde Gemeinwohl noch als eine abstrakte, fixe Größe verstanden, welche sich hoch über das pluralistische Spiel gesellschaftlicher und politischer Kräfte erhob. Erst im 19. Jahrhundert definierte es sich zunehmend als Resultante des Parallelogramms politischer und gesellschaftlicher Kräfte in einer offenen pluralistischen Gesellschaft.
Burke sah die Mißstände des britischen Systems mit anderen Augen als Rousseau. Er begrüßte nicht die Möglichkeit oder das Heraufziehen einer revolutionären Situation durch unerträglich gewordene oligarchische Erstarrung des Parlaments wie jener, sondern hoffte auf die Heilung der Schäden durch Ausdehnung der Repräsentationsbasis auf immer breitere Wählerschichten. Insbesondere geißelte er die Sonderbehandlung der amerikanischen Kolonien durch das Parlament, in welcher er eine exzessive Überdehnung der Repräsentation sah.
Die Unabhängigkeitserklärung der Kolonien gab ihm ebenso Recht wie die Rückwirkungen auf das Mutterland. Wurde im Anschluß an die Ablösung der Kolonien nach langem Ringen zwischen plebiszitärem und repräsentativem Demokratieverständnis das Repräsentativprinzip in der amerikanischen Verfassung von 1787 festgeschrieben, so verbreiterte sich im Mutterland England die Legitimationsbasis durch die etappenweise Erweiterung des Wahlrechts.[18]
Dieser leistete Burke selbst Vorschub, indem er während der Französischen Revolution aus Empörung über die Begeisterung seiner Whig-Kollegen diese Partei mit einigen Getreuen verließ, in das Lager der Torys überwechselte und

mit diesen zur modernen Conservative Party verschmolz. Seine im Lichte der Erfahrungen mit den blutigen, Freiheit und Eigentum vernichtenden Exzessen der Französischen Revolution gereifte Lehre legte er in seinem berühmten Werk »Reflections on the Revolution in France« (1790) nieder.

Repräsentation zwischen Pluralismus und Föderalismus: das Beispiel USA

Die Krise englischer Repräsentation begünstigte die Loßreißung Amerikas. In der Verfassung der USA von 1787 entfaltete sich dann der Gedanke der Repräsentation in der im wesentlichen auch noch heute gültigen Weise. Dies geschah in scharfem Gegensatz und als Gegengewicht zu den vagabundierenden plebiszitären Elementen in den Verfassungen einiger der 13 Einzelstaaten. Das Staatsideal der *More perfect union* stellte die Repräsentation durch Repräsentantenhaus und Senat, die pluralistische Vielfalt der heterogenen Gesellschaft und den Föderalismus als Element vertikaler Gewaltenteilung in den Mittelpunkt.[19]

Die Grundgedanken der Verfassungsväter fanden ihren Niederschlag in den 85 Briefen der »Federalist Papers«, einer Sammlung von Artikeln und Pamphleten, mit deren Hilfe die zunächst widerstrebende Wahlbevölkerung des damals größten der 13 Staaten, New York, doch noch zur Annahme der Verfassung gewonnen werden sollte.[20] Die darin vertretene Anthropologie sah den Menschen unter Rekurs auf David Hume (1711-1776) skeptisch[21], aber nicht durchweg pessimistisch. Sie schrieb ihm nicht nur Rechte zu, wie es John Locke getan hatte, sondern auch Pflichten. Dies geschah im Anschluß an die Pufendorfsche Pflichtenlehre »De officio hominis et civis« (1673), die durch John Wise in Amerika rezipiert und 1776 in die *Virginia Bill of Rights* eingeflossen war.[22]

Die Verfassungsväter sahen den Menschen als Spielball, dessen Natur von unguten Affekten und Leidenschaften getrieben sei:

> »Die verborgenen Gründe des innenpolitischen Gruppenantagonismus sind so in der Natur des Menschen angelegt; und wir sehen sie überall, je nach den unterschiedlichen Verhältnissen der menschlichen Gesellschaft in verschiedener Wirksamkeit. Die Begeisterung für unterschiedliche religiöse Meinungen, hinsichtlich der Politik und für viele andere Punkte sowohl in der Theorie als auch in der Praxis; die Anhänglichkeit an verschiedene Führer, die ehrgeizig um die Vorherrschaft und Macht kämpfen, oder an andere Personen, an deren Schicksal die menschlichen Leidenschaften interessiert waren. All dies hat die Menschheit nach und nach in verschiedene Parteien geteilt, sie mit gegenseitiger Feindschaft entflammt und sie vielmehr geneigt gemacht, sich gegenseitig mit Kleinigkeiten zu quälen,

anstatt für das Gemeinwohl zusammenzuarbeiten. [. . .] Aber die häufigste und dauerhafteste Quelle für die Auseinandersetzung von Gruppen ist die unterschiedliche und ungleiche Verteilung von Eigentum gewesen.«[23]

Da dieser Zustand der ungleichen Eigentumsverteilung aber irreversibel sei, bedürfe es subtiler institutioneller Vorkehrungen gegen den Ausbruch der unguten menschlichen Leidenschaften. Insbesondere die Demokratie im identitären bzw. plebiszitären Sinne mit ihren Geboten von Egalitarismus und Homogenität sei ungeeignet, diesem unabänderlichen Faktum Rechnung zu tragen: Daher seien Demokratien immer Schauplätze stürmischer Auseinandersetzungen und Turbulenzen gewesen. Die jeweilige Mehrheit tendiere dazu, die jeweilige Minderheit zu vergewaltigen und ihrer Rechte zu berauben:

> »In fast allen Fällen wird die Mehrheit eine gemeinsame Leidenschaft oder ein gemeinsames Interesse haben. Der Zusammenschluß und die Möglichkeit, das Einverständnis zu pflegen, folgt aus der Regierungsform selbst, und es gibt nichts, was den Trieb, die schwächere Partei [. . .] aufzuopfern, einschränken könnte. Aus diesem Grunde sind solche Demokratien zu allen Zeiten zum Schauplatz stürmischer Auseinandersetzungen geworden [. . .].«[24]

Die Berechenbarkeit des empirischen Volkswillens in Gestalt der öffentlichen Meinung und seine Vereinbarkeit mit den Sicherungsansprüchen von *liberty* und *property* sei nur dadurch gegeben,

> »daß die öffentliche Meinung geläutert und erweitert wird, indem sie den Filter einer gewählten öffentlichen Körperschaft von Bürgern passiert, deren Einsicht die Gewähr bietet, daß sie die wahren Interessen ihres Landes erkennen, und deren Patriotismus und Gerechtigkeitsliebe die Annahme zuläßt, daß sie diese wahren Interessen nicht augenblicklichen Vorteilen oder parteilichen Erwägungen opfern. Auf diese Weise kann es geschehen, daß die Stimme des Volkes dort, wo sie aus dem Munde der Volksvertreter spricht, eher dem Gemeinwohl dient als dort, wo das Volk selbst zusammentritt, um seinen Willen unmittelbar kund zu tun.«

Die gewählten Volksvertreter sind die Repräsentanten, die in Profil und Funktion der Tradition des römischen Senats, der englischen Gentry und der Montesquieuschen *corps intermédiaires* folgen. Das entsprach dem klassischen Bildungsideal der amerikanischen Verfassungsväter: Sie lasen die antiken Schriftsteller: Aristoteles' »Politeia«, Polybios' »Historien«, Ciceros »De re publica« und »De officiis«; sie übernahmen den Areopag und den römischen Senat in die US-Verfassung, bauten Kapitole in antiker Gestalt und nannten den Fluß, an dem sie den Bundesdistrikt bauten, Potomoi (griechisch: Fluß). Ihre Protagonisten James Madison (1751-1836), Alexander Hamilton (1755-1804) und John Jay (1745-1829) wählten für die 85 Briefe des »Federalist« bewußt das Pseudonym »Publius« nach Publius Valerius Publicus, dem Verteidiger der – aristokratisch geprägten – Römischen Republik, dessen Vita sie bei Plutarch gelesen hatten.[25]

»Repräsentativer Despotismus« versus »Plebiszitärer Despotismus«: das Beispiel der Französischen Revolution

Die englische Verfassungsgeschichte trug mit ihren gleitenden Übergängen und Kompromissen der tatsächlichen Natur menschlichen Lebens Rechnung und politisierte ein skeptisches – weder euphorisches noch desperates – Menschenbild. Die Väter der USA schlossen vielfache Kompromisse zwischen den bereits bestehenden plebiszitär geprägten Verfassungen von Einzelstaaten und dem repräsentativen Charakter der Union, zwischen dem quasiaristokratischen und durch Montesquieu gefärbten englischen Modell und dem durch Rousseau inspirierten »Jefferson-Mythos«[26]. Die Französische Revolution hingegen ging den Weg der Polarisierung.

In ihrer ersten Phase bestimmten wesentlich der Graf von Mirabeau (1749-1791) und Emmanuel-Joseph Abbé Siéyès (1748-1836) die Entscheidung für eine dogmenreine, von jeglichen realen Einflüssen freie Repräsentativität in Gestalt des Titels III, Art. 2 Abs. 2 der Verfassung von 1791: »Die Nation, von der alle Gewalten ausgehen, kann diese nur ausüben durch Delegation. Die französische Verfassung ist repräsentativ.« Nach dieser Vorstellung kann sich Volkssouveränität nur in Gestalt einer vom Volk total unabhängigen und weit entfernten, weder durch Parteien noch durch Subsysteme oder Interessengruppen beeinflußte repräsentative Versammlung manifestieren. Repräsentation und Volkssouveränität in mediatisierter, also von jeglicher Unmittelbarkeit freien Form hängen von daher eng zusammen. Die jakobinischen Gegner, die diese Verfassung stürzten, warfen ihr volksfernen, ja volksfeindlichen repräsentativen Despotismus vor. In der Tat entwickelten sich in der Verfassungswirklichkeit nach 1791 überzogen-repräsentative Züge: Die liberalen Verfassungsväter unterwarfen sich strikt dem Verbot der Wiederwahl zur Legislativen Versammlung, das sie der Verfassung aufgrund eines repräsentativen Purismus eingefügt hatten. Nur das »reine« Gemeinwohl sollte zur Geltung kommen. Damit eliminierte sich die Elite des *Tiers-Etat* (des dritten Standes) selbst und machte die Verfassung zur wehrlosen Beute ihrer radikalen Feinde.

In der zweiten, der jakobinischen Phase, ging man von dem idealtypischen Modell der *République une et unique et indivisible* aus und fingierte mehrfache Identität: die zwischen Volk und Regierung, hypothetischem und empirischem Volkswillen sowie zwischen dem allgemeinen Wohl und den in diesem durch *aliénation totale* (d.h. totale Selbstentäußerung des Individuums) aufgehenden Individualinteressen und -überzeugungen. Eine etwaige Lücke zwischen hypothetischem – d.h. das Gemeinwohl objektiv erkennenden – Volkswillen und dem sich möglicherweise durch mangelhaftes Bewußtsein auszeichnenden empirischen Volkswillen wurde zugunsten des ersteren geschlossen.

Hatten die Levellers in der puritanischen Revolution Englands dieses Problem der Identität noch dadurch gelöst, daß sie nicht das gesamte Volk, sondern nur die *well affected people* als demokratische Basis gelten lassen wollten, so spielte es bei der von Jean-Jacques Rousseaus Lehren inspirierten jakobinischen Revolution 1792 bis 1794 eine zentrale Rolle. Wenn das Volk in seinem tatsächlich rückständigen Bewußtsein – verursacht durch Überreste traditionellen, religiösen oder mythischen Denkens – (noch) nicht wissen könne, was es wolle und was ihm objektiv zum Besten gereiche, müsse eine Minderheit der Bewußten für die Mehrheit der noch Rückständigen stellvertretend mitdenken. Die Mehrheit wurde so behandelt, als ob sie bereits bewußt wäre, wobei ein optimistischer Evolutionismus von dem unaufhaltsamen Fortschreiten des empirischen Volkswillens zu den lichten Höhen des »objektiv richtigen« Volkswillens ausging. Diese so von Rousseau inspirierte Republik und der ihr zugrundeliegende Allgemeinwille haben so drei Eigenschaften: Sie sind

1. einig (*une*),
2. einzig (*unique*),
3. unteilbar (*indivisible*).

»Einig« bedeutet, daß sich alle objektiv richtig Denkenden in einer einzigen machtvollen Willensbekundung zusammenfinden und den allgemeinen Willen formulieren, der mit dem Allgemeinwohl identisch ist. Wenn schon nicht Einstimmigkeit der Aktivbürger erreicht werden könnte, so doch Einmütigkeit (*unanimité*).

»Einzig« (monistisch) ist der Wille, weil es keine alternative Fragestellung und Überzeugung dazu legitimerweise geben kann; wenn sie doch auftreten, so müssen sie als objektiver Störfaktor unterdrückt werden.

»Unteilbar« bedeutet, daß es keine Parteien, keine Einzelgewalten, keine Subsysteme – insbesondere keinen Föderalismus – geben kann. Alle Individuen, Korporationen und historischen Landschaften sind nach dem Homogenitätsprinzip Rousseaus eingeschmolzen in den monolithisch verfaßten Allgemeinen Willen. Dieser manifestiert sich mit großartig vorwärtsstürmender, alles Individuelle und Partikulare verschlingenden Unwiderstehlichkeit.

Wie aber ist die Lücke zwischen hypothetischem und rückständigem empirischem Volkswillen zu schließen? Die Enzyklopädisten am Vorabend der Französischen Revolution vertrauten auf die bewußtseinsstiftende Kraft unaufhörlich vordringender Aufklärung. Es gäbe einen vorgegebenen, objektiv feststellbaren und durch eine Zunahme des richtigen Bewußtseins von allen allmählich erreichbaren Punkt absoluter Richtigkeit, objektiven Gemeinwohls, einen *point fixe d'intégrité*. Dieser könne allein schon durch den dra-

matischen Fortschritt der Naturwissenschaften definiert werden. Auf diesem Wege sei es möglich, Politik und Moral soweit zu verwissenschaftlichen, ja zu vernaturwissenschaftlichen, daß sie einen Grad von Berechenbarkeit, Programmierbarkeit und objektiver Beweisbarkeit erreichten »que les mathématiques elle mêmes«[27]. Das Universalgesetz dieser wunderbar gefügten Ordnung sei präfiguriert, es müsse nur entdeckt werden. Wenn aber dieses gleichsam die Welt im Innersten zusammenhaltende Gesetz zum einzigen Maßstab einer klugen, die inneren Spannungskräfte, Widersprüchlichkeiten und Leidenschaften der Menschen ausbalancierenden Gesetzgebung (*législation*) und öffentlichen Erziehung (*education*) gemacht werde, sei es allmählich niemandem mehr möglich, unwissend und unmoralisch zu sein. Durch diese Erziehung und Gesetzgebung entstehe eine Mauer, die niemand mehr übersteigen könne, um zurückzukehren zu seiner traditionellen Unwissenheit, Unmoral und Disharmonie.[28] Die gegenwärtigen Menschen seien keine Übeltäter (*malfaisants*), sondern Übelgemachte (*malfaits*).
Die Materialisten Claude Adrien Helvétius (1715-1771) und Paul Heinrich Dietrich Baron von Holbach (1723-1789) lehrten,

> »das irdisch-zeitliche Interesse allein reiche aus, wenn es geschickt gehandhabt würde, um tugendhafte Menschen zu formen. Gute Gesetze allein machen tugendhafte Menschen. Daher sei das Laster in der Gesellschaft nicht eine Folge der Verderbtheit der menschlichen Natur, sondern die Schuld des Gesetzgebers. [. . .] Bis jetzt sei die Erziehung dem Zufall überlassen und zur Beute falscher Grundsätze gemacht worden. Jetzt aber sollte man sich daran erinnern, daß alle Glückseligkeit die Folge von Erziehung sei.« Deshalb sei es an der Zeit, daß »Gesetzgeber, Sittenlehrer und Naturwissenschaftler [. . .] sich zusammentun, um den Menschen zu formen nach ihren Lehren [. . .]. Regierungen haben es in ihrer Macht, Genies zu züchten, den Standard der Fähigkeit in einer Nation zu heben oder zu senken.«[29]

Ähnlich dachte der Rationalist Marie Jean Antoine Nicolas de Caritat, Graf von Condorcet, nachmals Autor der Verfassung von 1793: Der wahren Prinzipien, nach denen der Mensch wie eine ingenieurmäßig konstruierte, wohlgeölte, gleichmäßig surrende Maschine funktioniere, sei sich selbst die Amerikanische Revolution noch nicht voll bewußt geworden. Die Amerikaner hätten sich noch nicht die Prinzipien für ein solches gleichmäßig und unveränderlich funktionierendes Staatswesen angeeignet, die die Gefahr ausschlössen, daß »irgendwelche Gesetzgeber [. . .] ihre besonderen Vorurteile und Leidenschaften in die politischen Institutionen hineinbringen« könnten. Es sei ihnen daher noch nicht möglich gewesen, daran zu denken, »auf der festen, dauerhaften Grundlage von Natur und universalen Gesetzen eine Gesellschaft von gleichen und freien Menschen zu bauen«. Sie hätten sich bislang »damit begnügen müssen, ›Gesetze für erbliche Mitglieder‹ aufzustellen, das heißt

soviel wie Gesetze im Rahmen der gegebenen Verhältnisse und der Zweckmäßigkeit. Das amerikanische System biete daher ein Beispiel für die Suche nach einer vermittelnden Ordnung zwischen der Oligarchie der Reichen und der Unbeständigkeit der Armen, ein Zustand, der zu einer Tyrannei geradezu einlade.«[30] Das führe zum repräsentativen Despotismus.
Dagegen bezeichnet die Französische Revolution nach Condorcet den absoluten Wendepunkt in der Geschichte des Menschengeschlechts:

> »Wir gelangten zu einer Epoche, in der die Philosophie ... die denkende Klasse beeinflußte, diese dann wirkte auf das Volk und seine Regierungen ein, und es war ein Einfluß, der nicht mehr allmählich vor sich ging, sondern eine Umwälzung in der Gesamtheit gewisser Nationen hervorrief und dadurch ein sicheres Pfand bildete für die allgemeine Revolution, die eines Tages folgen und die gesamte menschliche Gattung umfassen soll ... nach Zeitaltern der Irrungen, nach Wanderungen auf all den trügerischen Pfaden unklarer und fehlerhafter Theorien, gelangten die Schriftsteller ... endlich zur Kenntnis der wahren Menschenrechte ... abgeleitet von demselben Prinzip ... ein Wesen, gefühlsbegabt, der Überlegung fähig ... Gesetze, abgeleitet von der Natur unseres eigenen Gefühls ... unserer sittlichen Veranlagung.«[31]

Kurz: Die Französische Revolution sei eine totale, die amerikanische eine mißratene.
Doch die Realitäten in Frankreich weigerten sich, als gehorsame Mägde aufklärischer und rationalistischer Dogmen zu dienen. Die Praxis erwies sich als ungehorsam gegenüber der Theorie, die Fiktion identitärer Demokratie als hypertroph. Die jakobinische Revolution hob sich wegen ihrer unhaltbaren anthropologischen Prämissen selbst auf und erstickte in dem Blut, das sie der Diktatur radikaldemokratischer Tugend geopfert hatte. Ihren großen Protagonisten Maximilien de Robespierre (1758-1794) verschlang die Guillotine am 9. Thermidor. So pervertierten im Verlauf der Französischen Revolution beide: Sowohl die reine Repräsentation als auch die reine Identität gingen an ihren Prämissen zugrunde. Das theoriegläubige, puristische Frankreich sollte in 200 Jahren fünf Republiken, zwei Empires und drei Königreiche verschleißen und tiefe Zäsuren (Revolutionen, Staatsstreiche etc.) durchleben.
Die angelsächsischen Seemächte dagegen nahmen eine pragmatische Entwicklung, an deren Ende das Verhältnis von Parlamentsrepräsentation und Demokratie sich harmonisierte – in England in Gestalt parlamentarischer, in den USA in Gestalt präsidentieller Regierungsweise.
»Der Umstand, daß die Redewendung ›ein demokratisches Parlament‹ sich im Verlauf der letzten zwei Jahrhunderte aus einem Paradoxon in einen Pleonasmus umwandelte, läßt den fundamentalen Wandel erkennen, den Begriff und Inhalt sowohl der Repräsentation als auch der Demokratie unterzogen worden sind.«[32]

Nach diesem ideengeschichtlichen Überblick erscheint es wohl einleuchtend, daß die Protagonisten moderater Repräsentation in der Regel das Volk als Träger der Souveränität begreifen, als die pluralistisch-vielschichtig gegliederte Gesellschaft, und die Wirtschaftsordnung als Marktwirtschaft verstehen. Umgekehrt sehen die Verfechter identitärer bzw. plebiszitärer Demokratie das Volk mythisch als Gemeinschaft und tendieren zur Staatsintervention in den Wirtschaftskreislauf.

Anmerkungen

1 Karl Dietrich Erdmann: Die Revolution Mitteleuropas. Historische Perspektiven. Vorlesung in der Universität Kiel am 29. April 1995 (Sonderdruck der Universitäts-Pressestelle).
2 Das transzendentale Naturrecht entspringt als *lex aeterna* (ewiges Gesetz) der Vernunft und dem Willen Gottes *(ratio divina vel voluntas Dei)*. Es manifestiert sich in der Offenbarung und im Schöpfungsplan. Säkularisiert wurde das Naturrecht in der Neuzeit dadurch, daß nicht mehr die *ratio* Gottes, sondern die aus der Natur des sittlich und intellektuell autonomen Menschen begründbare Vernunft Hauptquelle der Erkenntnis ist. Die Rechtsphilosophie verdrängte damit die Theologie. In Deutschland geschah dies vor allem durch Samuel Pufendorf (1632-1694) und Christian Thomasius (1655-1728), in England durch Thomas Hobbes (1588-1679) und in Frankreich durch René Descartes (1596-1650). Für Hans Maier (Politische Wissenschaft in Deutschland, München 1969, S. 137) zählt dieses sich hier entfaltende Naturrecht neben der von Machiavelli entwickelten *ragione di stato* (Staatsraison) zur wesentlichen normativen Grundlage des neuzeitlichen Staates.
3 Karl Löwenstein: Verfassungslehre, Tübingen 1959, S. 107.
4 Ernst Fraenkel: Deutschland und die westlichen Demokratien, 2. Auflage, Stuttgart 1964, S. 71. Zur Vieldeutigkeit des Begriffs in der aktuellen Diskussion vgl. Gerhard Leibholz: Das Wesen der Demokratie und der Gestaltwandel der Repräsentation im 20. Jahrhundert, 3. Auflage, Berlin 1966, S. 25.
5 Jean Bodin: Les six livres de la République, Paris 1576.
6 Mit dem Aussterben der Jagiellonendynastie im Mannesstamm (1386-1572) durch den Tod des Königs Sigismund II. August ging das Adelsparlament, der Sejm, dazu über, Nachfolgekandidaten gegeneinander auszuspielen und im Zweifel den zu wählen, der der monarchischen Prärogative entsagte, die »goldenen« Adelsfreiheiten zu beschwören bereit war, d.h., vor dem Adel kapitulierte. Als erster tat dies Henri III. Valois (König von 1572-1574), als letzter Stanislaus August Poniatowski (König von 1763-1795). *»Nihil novi«* hieß, daß der König nichts fundamental Neues ohne Zustimmung des Sejm ins Werk setzen durfte. Mit dem *»Liberum veto«* besaßen zunächst Gruppen, später galt das auch für jeden einzelnen, ein freies Vetorecht gegen Vorhaben des Königs. De facto wurde die Vetostimme einzelner Adeliger käuflich. Die Gesandten interessierter Teilungsmächte – wie Rußland, Österreich, Preußen und Schweden – boten horrende Summen und wetteiferten miteinander. Das führte zur Zersetzung der Königsherrschaft, ja des Staates schlechthin.
7 Der König als Teilhaber der Legislative bzw. die von ihm ernannte Regierung: ein Kern der konstitutionellen Monarchie.
8 John Lilburne: Legal fundamental Liberties of the People of England, London 1649. Die hier sichtbar werdende Präfigurierung einer Avantgarde von Bewußten und Tugendhaften sollte in der jakobinischen Revolution Robespierres ihre rigide Ausprägung erfahren.

9 Siehe dazu die Artikel über John Locke in: Hans Maier (Hrsg.): Klassiker des politischen Denkens, München 1968.

10 So hielt auch die FDP vor 1969 als Juniorpartner in Bundes- und Landesregierungen meist die Ministerien für Justiz *(liberty)* und Finanzen *(property)*.

11 Das schlug sich auch in der Baukunst nieder: Es gibt in England so gut wie keinen Barock, die Bauform des fürstlichen Absolutismus. Es fand ein direkter Übergang von der palladianisch (nach dem italienischen Architekten Palladio, 1508-1580) inspirierten Renaissance zu einer langen Phase des Klassizismus statt.

12 Siehe die große Biographie von Robert Shakleton: Montesquieu. A Critical Biographie, London 1961, S. 284-307. Montesquieus Englandbild findet sich im 6. Kapitel des XI. Buches seines »De l'Esprit des Lois« unter der Überschrift »Essay de la Constitution d'Angleterre«. Vgl. dazu auch: Berthold Falk: Montesquieu. In: Maier (Hrsg.): Klassiker des politischen Denkens, Bd. 2 (wie Anm. 9), S. 68 ff.; das freie Mandat des Repräsentanten postuliert Montesquieu im XI. Buch des »Esprit des Lois«; es ist in Amerika rezipiert worden im 47. Brief des »Federalist«.

13 Fraenkel: Deutschland und die westlichen Demokratien (wie Anm. 4), S. 75.

14 Ebd.; Oligarchie als Entartung der Aristokratie, einer Herrschaft der wenigen Besten, entsteht durch Erstarrung, Abschottung und Privilegierung einer politischen Elite.

15 Virtualität bezeichnet hier den Übergang von der Bindung des Abgeordneten an ständische und regionale Partikularinteressen zu derjenigen an das Gemeinwohl. Allerdings müßten sich alle Landes- und Bevölkerungsteile durch *die* Abgeordneten (d.h. *das* Parlament) repräsentiert fühlen (virtual: eigentlich; im wesentlichen; faktisch).

16 Fraenkel: Deutschland und die westlichen Demokratien (wie Anm. 4), S. 79.

17 Ebd., S. 78.

18 Zu dieser kam es durch die drei *Reform Bills* des 19. Jahrhunderts (1832, 1867, 1883/84), in welchen das Wahlrecht so ausgeweitet wurde, bis es 1918 mit dem *National Representation Act* allgemein wurde. Seit 1867 brach dabei ungeplant eine starke plebiszitäre Komponente in das Repräsentativsystem Westminsters ein: Parteienmaschinen entstanden mit starken Propagandaapparaten zum Zwecke des Stimmenfangs; der Wählerschaft kam die Schiedsrichterrolle zwischen Regierung und Opposition zu. Die bei Wahlen siegreiche Partei richtet als Regierung ihre Politik auf die nächste Wahl aus, d. h. auf den Schiedsspruch der Wähler. Gemildert wird diese plebiszitäre Komponente dadurch, daß die Parteien aus dem Unterhaus heraus vom Premier bzw. Schattenpremier straff geführt werden, wodurch sich externe Parteiapparate nicht verselbständigen und gegen »ihre Regierung« in Westminster wenden können (vgl. Fraenkel: Deutschland und die westlichen Demokratien [wie Anm. 4], S. 79).

19 Besonders in den zwei wichtigsten der 85 Briefe des »Federalist«, Nr. 10 und Nr. 47. Vgl. dazu Jürgen Gebhard in: Maier (Hrsg.): Klassiker des politischen Denkens (wie Anm. 9).

20 Die Forschung schreibt 51 der Briefe Alexander Hamilton zu, 29 James Madison und fünf John Jay. Die Zuordnung der einzelnen Briefe ist jedoch umstritten.

21 David Hume: Treatise on Human Nature. In: The Philosophical Works, ed. Green und Grose, Aalen 1964, Bd. 1, S. 195. Dazu auch Douglas Adair: The Politics may be reduced to a Science. David Hume, James Madison and the Tenth Federalist.

22 Zu Pufendorfs Pflichtenlehre vgl. Albrecht Randelzhofer: Die Pflichtenlehre Samuel Pufendorfs, Berlin 1983; John Wise: A Vindication of the Government of the New England Churches, Boston 1717.

23 Federalist, Nr. 10.

24 Ebd.

25 Vgl. dazu Gebhard (wie Anm. 19), S. 79.

26 Vgl. dazu Golo Mann: Politische Entwicklung 1815-71. In: Golo Mann (Hrsg.): Propyläen-Weltgeschichte, Bd. 8, Berlin – Frankfurt/M. – Wien 1960, S. 425. Freie »far-

mers, labourers, mechanics« sollten das soziologische Fundament eines wahrhaft demokratischen Amerika mit stark identitären Zügen und einer Souveränität der Einzelstaaten *(state rights)* bilden. Der Jefferson-Mythos bringt das Credo des agrarisch-demokratisch-föderativen Amerika zum Ausdruck, das die tatsächliche Entwicklung zu Industrialisierung und Urbanisierung, zur Herrschaft der politischen Eliten sowie zur Zentralisierung politischer Macht bei der Union in deren Hauptstadt Washington beklagt.

27 Jacov L. Talmon: Die Ursprünge der totalitären Demokratie, Köln – Opladen 1961, S. 15 ff.

28 Ebd.

29 Ebd., S. 30 f.

30 Ebd., S. 24.

31 Zitiert nach ebd., S. 24 f.

32 Fraenkel: Deutschland und die westlichen Demokratien (wie Anm. 4), S. 72.

Klaus Hornung

Plebiszitäre Demokratie und totalitäre Diktatur

Historische Erfahrungen mit direktdemokratischen Ideen und Programmen

Der Wandel macht das Wesen des historisch-politischen Prozesses aus. Nach einer langen Stabilitätsperiode seit dem Zweiten Weltkrieg sieht sich die repräsentativ-parlamentarisch-parteienstaatliche Demokratie der Bundesrepublik Deutschland seit dem Ende der 60er Jahre den Alternativangeboten und Verheißungen direktdemokratischer und plebiszitärer Vorstellungen gegenüber. Seitdem ist die Diskussion um die Überwindung tatsächlicher oder angeblicher »Verkrustungen« und sklerotischer Erscheinungen der Verfassungswirklichkeit des parlamentarischen Parteienstaates zumindest durch Reformen und Ergänzungen in plebiszitärer Richtung nicht mehr zur Ruhe gekommen. Nach der Wiedergewinnung der staatlichen Einheit 1990 schwoll der Chor der Plädoyers für eine entsprechende Revision des Grundgesetzes erneut an, drang jedoch in der Verfassungsreform nicht durch.

Historischer Abriß

Die Debatte wird auch in Zukunft anhalten. Um so wichtiger bleibt die kritische wissenschaftliche Begleitung dieses öffentlichen Diskurses, auch durch Erfahrungen und Einsichten, die die neuere politische Ideen- und Realgeschichte zu vermitteln vermag. Die Erfahrungen mit direktdemokratischen und plebiszitären Ideen und Programmen der letzten rund zweihundert Jahre – angefangen von der Jakobiner-Diktatur (1793/94) über das Konzept der »wahren Demokratie« bei Karl Marx bis hin zu den totalitären Konsequenzen des marxistisch-leninistischen Sowjetkommunismus und des »nationalsozialistischen Volksstaates« als totalitäre Partei- bzw. Führer-Diktaturen – bedürfen immer wieder aufs neue der Vergegenwärtigung. Es geht dabei um die epochale geschichtliche Erfahrung, daß – jedenfalls in europäischen Großstaaten – fundamentaldemokratische Verheißungen allzu leicht in Minderheitsdiktaturen und totalitäre Herrschaftssysteme »im Namen« des realen Volkes und der »wahren Demokratie« umschlagen konnten. Diese Einsicht fügt einer oft allzu vordergründigen Debatte die notwendige historisch-politische Tiefendimension hinzu.

Als einer der ersten hatte der scharfsichtige Alexis de Tocqueville auf die Doppeldeutigkeit der modernen demokratischen Bewegung seit der Französischen Revolution aufmerksam gemacht mit ihren »zwei entgegengesetzten Bewegungen, die man nicht miteinander verwechseln darf; die eine war der Freiheit, die andere dem Despotismus günstig«[1]. Aus dem Erbe der Revolution, so Tocqueville, waren zwei unterschiedliche, ja gegensätzliche Ströme hervorgegangen, deren einer die Menschen zu freiheitlichen Institutionen führte, während der andere sie zu einem Despotismus neuer Art im Gewand der Volkssouveränität treiben konnte. Tocquevilles Urteil lag nicht zuletzt das große politisch-ideologische Laboratorium der Französischen Revolution zugrunde: Was 1789 als liberale Revolution begonnen hatte, schlug bald darauf in die jakobinische Minderheitsdiktatur im Namen radikaler Demokratie um, und eine darauf folgende bourgeois-liberale Zwischenphase mündete schließlich in die plebiszitäre Militärmonarchie Napoleons. Auch in den folgenden Jahrzehnten setzte besonders Frankreich die Verfassungsexperimente fort. Walter Bagehot wurde zum Zeitzeugen der demokratischen Fiktion des plebiszitären Kaisertums Napoleons III., der »im Namen des Volkes« und als dessen »Beauftragter« zu herrschen beanspruchte. Dessen Legitimationsformel formulierte Bagehot mit dem Satz: »I am your advocate and your leader: make me supreme, and I will govern for your good and in your name.«[2] Die Debatte flammte schließlich auf deutschem Boden erneut auf in der Krise der Weimarer Republik, als Carl Schmitt die monistische Demokratietheorie mit ihrer »Homogenität« und angeblichen »Identität von Regierenden und Regierten« gegen den »unpolitischen«, von Partikularinteressen durchzogenen und geschwächten pluralistischen »bürgerlichen Rechtsstaat« ausspielte und in jener die »politische Form« der Zukunft erblickte.[3]
Nach dem Zusammenbruch des totalitär-»demokratischen« Führerstaats des Nationalsozialismus führte dann vor allem Ernst Fraenkel die Debatte zu einer scharfen Abgrenzung der beiden Demokratiebegriffe, des repräsentativ-pluralistischen und des plebiszitär-monistischen. Der große Konflikt zwischen Totalitarismus und pluralistisch-freiheitlicher Demokratie hatte Fraenkels idealtypische Unterscheidung gewissermaßen realhistorisch vorbereitet und gezeigt, daß die Diktaturen in besonderer Weise »von der Hypothese der Existenz eines eindeutig bestimmbaren, *a priori* gegebenen Gemeinwohls« ausgingen, »von dem unterstellt wird, es sei ausreichend detailliert, um von der Einheitspartei als politisches Aktionsprogramm verwertet werden zu können«. Die pluralistische Demokratie hingegen erkenne zwar auch die Notwendigkeit eines generell akzeptierten Wertkodex und eines Minimums von regulativen Ideen an, beruhe aber auf der grundlegenden Hypothese, »in einer differenzierten Gesellschaft könne im Bereich der Politik das Gemeinwohl lediglich *a posteriori* als das Ergebnis eines delikaten Prozesses der divergierenden Ideen und Interessen der Gruppen und Parteien erreicht werden«.[4]

Jean-Jacques Rousseau

Im Zusammenhang dieser Debatte hat Fraenkel insbesondere Jean-Jacques Rousseau als »Apostel des Antipluralismus« und frühen Anwalt eines monistischen und kollektivistischen Demokratieverständnisses dargestellt, dessen Hauptwerk »Du Contrat Social« (Vom Gesellschaftsvertrag, 1762) zum vielleicht »einflußreichsten Buch der politischen Weltliteratur« wurde, das wesentlich zu einer weiten und oft unkritischen Verbreitung der radikal- und vulgärdemokratischen Theorie und ihres Verständnisses als *die* Demokratietheorie überhaupt beitrug. Rousseau suchte nach den Grundlagen einer »rechtmäßigen«, d.h republikanischen und demokratischen Ordnung und fand sie in einem Gesellschaftsvertrag, der »die totale Übereignung *(aliénation totale)* jedes Teilhabers mit allen seinen Rechten an die gesamte Gemeinschaft« zum Inhalt hat. Dabei sollte es sich um eine »Übereignung ohne Vorbehalt« handeln, durch die »jeder von uns der Gemeinschaft seine Person und alles, was sein ist, der höchsten Leitung des Gemeinwillens unterstellt, und wir als Körperschaft empfangen jedes Mitglied als vom ganzen unabtrennbaren Teil«.[5] Dieser entschieden monistische und kollektivistische Ansatz hatte für Rousseau ganz praktisch-politische Auswirkungen, vor allem die Ausschaltung aller Sonderinteressen und Partikularwillen. Der Gemeinwille war nach Rousseaus Überzeugung alles andere als die Resultante der Privat- und Sonderwillen, sondern Ausdruck der Prämisse des »vollständigen Aufgehens des Individuums in der Gesamtheit«. Dabei machte er es sich mit der Beantwortung der Frage, ob dieser Ansatz nicht gerade neue »Ketten« anstelle der alten vordemokratisch-feudalen heraufbeschwören konnte, verhältnismäßig einfach. Er vertraute auf die Vernunft beider Seiten, der Staatsbürger und des staatlichen Souveräns, die aus ihrem identischen Willen entspringen und sie zur Gegenseitigkeit verpflichten sollte, so daß der Souverän die Bürger mit »keinen der Gemeinschaft unnötigen Ketten« beladen würde.

Wer entschied aber nach dieser philosophisch-abstrakten und optimistischen Hypothese darüber, was »unnötige Ketten« sind? Hier mochte Rousseaus Argumentation sein radikaldemokratisches Verständnis der Abgeordneten als bloßen »Beauftragten« (*commis*) des Volkes zu Hilfe kommen, deren Gesetze vom Volk bestätigt werden mußten, so daß Machtmißbrauch unmöglich wurde. Schließlich war in Rousseaus Beweisführung die Überwindung der eigensüchtigen Triebe und Interessen die wesentliche Voraussetzung für den Eintritt in den Gesellschaftsvertrag und die Ausbildung des Citoyen als Teil der *volonté générale*, gewissermaßen die Reinigung von der sozialen Erbsünde, die Rousseau vor allem in der Habgier und dem Verlangen nach Eigentum erblickte. An dieser Stelle postulierte Rousseaus Menschen- und Gesellschaftsbild einen gefährlichen irrationalen Sprung, eine Metamorphose und Metanoia von quasireligiöser Qualität durch die Umwandlung des egoistischen Individuums in den tugendhaften Citoyen als Glied und Mitgestalter des Gemeinwillens. Diese Prämisse wurde dann für die Jakobiner-Diktatur und die totalitären Herrschaftssysteme eineinhalb Jahrhunderte später mit ihren Vorstellungen vom »neuen Menschen« in einer völlig »neuen Gesellschaft« grundlegend.

Der Umschlag des Gemeinwillens in eine Erziehungsdiktatur mit ihrem »Zwang zur Freiheit« war bei Rousseau insoweit angelegt, als er die Erziehungsaufgabe einem übermenschlichen Gesetzgeber *(législateur)* anvertrauen wollte, den er im berühmten siebten Kapitel des zweiten Buchs des »Contrat Social« darstellte, gewissermaßen der Schlüsselfigur seiner Staatslehre: »Wer es zu unternehmen wagt, *ein Volk zu bilden*, muß sich imstande fühlen, sozusagen *die menschliche Natur zu verwandeln*. Er muß jedes Individuum, das als solches ein vollkommenes und selbständiges Ganzes ist, in einen Teil eines größeren Ganzen umformen, von dem dieses Individuum in gewisser Hinsicht sein Leben und sein Wesen empfängt.«[6] Für diese Figur des Gesetzgebers hatte offensichtlich die Gestalt des Lykurg bei Plutarch Pate gestanden; es ist nicht ohne Bedeutung, daß dessen Schöpfung, der elitär-kollektivistische spartanische Kriegerstaat, zu wesentlichen Teilen das Modell für Rousseaus republikanischen Gemeinwillen abgab. Die Erziehungsdiktatur des Gesetzgebers diente Rousseau gewissermaßen zur Quadratur des Kreises von extremem Individualismus und ebenso extremem Kollektivismus, die in der Utopie seines Gemeinwillens angelegt war und nur durch eine völlige Neuschaffung der menschlichen Natur realisiert werden konnte. Damit aber wurde Rousseau zu einem der Stammväter des politischen Messianismus in der neuen europäischen Geschichte, dessen Weg dann über Marx zu den totalitären Systemen dieses Jahrhunderts führte.

Das wurde noch unterstrichen durch das Schlußkapitel des »Contrat Social«: »Über die staatsbürgerliche Religion«[7]. Deutlich sah Rousseau, daß der neue Mensch und die neue Gesellschaft, die er forderte, Fundamente und Integrationskräfte quasireligiöser Qualität benötigten. Das christliche Evangelium mit seinem »rein innerlichen Kult des höchsten Wesens und den ewigen Pflichten der Moral« war nach Rousseaus Eindruck dafür ungeeignet. Es bedurfte dazu einer *politischen Religion (réligion civile)* nach dem Muster der antiken Polis, die »die zwei Köpfe des Adlers«, politische und ideologische Macht, vereinte und damit die Einheit und Homogenität des Staates sicherstellte. »Indem sie das Vaterland zum Gegenstand der Verehrung der Staatsbürger macht, lehrt sie sie, dem Staat dienen heiße: dem Schutzgott dienen. Es ist das eine Art von Theokratie.« Die homogene Republik bedarf einer Zivilreligion, die den Citoyen »seine Pflichten lieben läßt«, eines »staatsbürgerlichen Glaubensbekenntnisses« mit einigen einfachen und gemeinverständlichen Dogmen, die auf dem Aufklärungsdeismus der Zeit Rousseaus beruhten: »die Existenz der mächtigen, vernünftigen, wohltätigen, vorsehenden und vorsorgenden Gottheit, die Glückseligkeit der Gerechten, die Bestrafung der Bösen, die Heiligkeit des Gesellschaftsvertrags und der Gesetze« – ein dünnes Dogmengerippe, das deshalb noch ergänzt werden mußte durch »Gemeinschaftsgefühle, ohne die es unmöglich ist, weder ein guter Staatsbürger noch ein treuer Untertan zu sein«.

Rousseau sind die zahlreichen Widersprüche und Aporien seiner Konstruktion im »Contrat Social« nicht entgangen, was allein schon die zusätzlichen Hilfsmittel belegen – wie der Gesetzgeber und die eben erwähnte Zivilreligion –, die diese Widersprüche dennoch stimmig machen sollten. So vernehmen wir auch in der Mitte des Buches den Seufzer. »Wenn es ein Volk von Göttern gäbe, würde es sich demokratisch regieren. Den Menschen entspricht eine so vollkommene Regierung nicht.«[8] Das verhinderte aber nicht, daß Rousseaus »Gesellschaftsvertrag« als Grundbuch der radikalen Demokratie und des radikaldemokratisch-direkten Legitimationsprinzips politischer Herrschaft fortwirkte.

Die Jakobiner-Diktatur 1793/94

Die Machtergreifung der radikalen »Bergpartei« im Verlauf der Französischen Revolution seit 1792 legte zum ersten Mal die möglichen Konsequenzen von Rousseaus Denken in der historisch-politischen Praxis offen: die elitäre Interpretation und Manipulation der *volonté générale* durch kleine revolutionäre Oligarchien und ihre Herrschaft im Namen des Volkes unter gleichzeitiger Loslösung vom realen Volk. Die hier wirksame Demokratietheorie lieferte erstmals »kleinen Minderheiten die ideologische Basis, den Volkswillen in Übereinstimmung mit ihren eigenen subjektiven Interessen zu definieren und notfalls sogar mit Gewalt gegen die Interessen und Wünsche der ›übrigen‹ Angehörigen und Gruppen des faktischen Volkes durchzusetzen«[9]. Die Monate der Jakobiner-Herrschaft und ihrer rousseauistischen »Republik der Tugend« wurden zur ersten Improvisation totalitärer Herrschaft.[10] Unter dem Vorwand des Schutzes der Demokratie nach innen und außen drang die Revolution mit Agitation und Zwang in die Breite und Tiefe des gesellschaftlichen und persönlichen Lebens ein, in Alltag, Mode, Geschmack, öffentliche und private Feiern etc. Messianische Erneuerungssucht entfachte eine wahre »Raserei des Umtaufens«[11] von Orts-, Straßen-, Monats- und Vornamen. Gegen »Aristokraten und Reiche« legitimierte sie Neid und Gleichheitsfanatismus und sorgte für die Einebnung der Stände. Die »Volksgesellschaften« *(societés populaires)* und Klubs wurden zu Vorformen des totalitären Parteistaates, bildeten vordergründig ein Netzwerk des revolutionären Volkes, tatsächlich aber eines der Herrschaft und Indoktrination durch die neuen Herren. So wirkten sie als Zentren von deren Propaganda und Spitzelwesen. Schätzungen gehen dahin, daß die Zahl der Aktivisten und Anhänger auf dem Höhepunkt der Jakobiner-Herrschaft zehn Prozent der Wählerschaft kaum überschritten haben dürfte, was etwa 300.000 bis 500.000 Personen unter fünf bis sechs Millionen

Wahlberechtigten ausmachte. Eine solche Minderheitsherrschaft begünstigte Verdächtigung und Einschüchterung, Denunziation und Opportunismus gewissermaßen systemimmanent.

Seit dem Herbst 1793 konzentrierte sich die Macht in den beiden formell dem Konvent unterstellten Ausschüssen, dem Wohlfahrtsausschuß *(Comité de Salut Public)* und dem Sicherheitsausschuß *(Comité du Sureté Générale)*. Der erstere war das zentrale Führungs- und Kontrollorgan der Minderheitsdiktatur, das nach der radikaldemokratischen Theorie seine Legitimation vom Konvent ableitete, ihn jedoch faktisch beherrschte durch fortwährende »Säuberungen« von politischen Gegnern unter den Vorwänden mangelnder Zuverlässigkeit und »revolutionärer Tugend«, der »Verschwörung« mit dem äußeren oder inneren Feind. Er wurde zum Urmuster aller künftigen totalitären Parteioligarchien und Politbüros. Schließlich verschwand auch die nominelle verfassungsmäßige Regierung, der »Exekutivausschuß« *(Conseil éxécutif)* des Konvents, so daß sich im Wohlfahrtsausschuß sowohl die Richtlinien- und Kontrollfunktion wie die Exekutivgewalt konzentrierte.

Auf wirtschaftspolitischem Gebiet wurden gleichzeitig die dirigistischen und planwirtschaftlichen Maßnahmen der Revolutionsregierung verstärkt: Höchstpreise, dirigistische Verteilung der Nahrungsmittel und Verbrauchsgüter, Rationierungssysteme mit Brot- und Fleischkarten, härteste Strafen für Verstöße, eine umfangreiche Bürokratie. Das ließ sich nicht nur mit der äußeren Bedrohung durch die Heere der europäischen Koalition rechtfertigen, sondern entsprang auch einem egalitären Gesellschaftsideal, so daß der französische Revolutionshistoriker Albert Mathiez geradezu von einer Frühform der Diktatur des Proletariats sprechen kann. Hand in Hand damit erreichte die Erziehungsleidenschaft ihren Höhepunkt, wie sie schon bei Rousseau und der radikalen Aufklärung angelegt war. Einfache und angeblich »evidente« Lehrsätze sollten zu demokratischer und revolutionärer Tugend anleiten. Tatsächlich dienten sie aber zur Durchsetzung politischer Rechtgläubigkeit und der Unterwerfung unter den unfehlbaren und von der jakobinischen Elite authentisch interpretierten Gemeinwillen. Abgestützt wurde das Herrschaftsgebäude durch die neue ersatzreligiöse Orientierung und Liturgie in den standardisierten Formen und Formeln der Zivilreligion, etwa an den Ruhetagen am Ende jeder Dekade (die Wocheneinteilung war abgeschafft worden) oder bei den politischen Feiern der militärischen Siege.

Zur Legitimation ihrer Herrschaft berief sich die Jakobiner-Elite auf die philosophischen Prämissen und Lehren der »Natürlichen Ordnung« *(Ordre Naturel)*, die im von ihr interpretierten und exekutierten Gemeinwillen ihre untrügliche und verbindliche Verwirklichung finden sollte. Die Träger dieser Minderheitsdiktatur sahen nicht mehr, wie Hippolyte Taine bemerkte, »die Franzosen aus Fleisch und Blut«, sondern abstrakte Menschen, »wie sie nach den Geboten der Natur und den Lehren der Vernunft beschaffen sein *sollten*«.[12] Widerstand gegen die Herrschenden konnte seine Wurzel nur in der Verdor-

benheit der Menschen durch die bisherige Geschichte haben und wurde von den Revolutionären als Beweis dafür gewertet, daß sie auf dem richtigen Weg zu einer neuen, von der Verderbnis gereinigten Menschheit seien. Dies konnte aber die Achillesferse dieser revolutionären Konstruktion im Rechtfertigungsgewand radikaler Demokratie nur zeitweise verdecken, daß nämlich »das Dogma von der Souveränität des Volkes«, wie Taine schrieb, »in Wirklichkeit auf die Diktatur einiger weniger und die Vergewaltigung aller übrigen hinauslief. Gehört man nicht zur Partei, so steht man außerhalb des Gesetzes.«[13]
Ein Nachklang der Jakobiner-Herrschaft war die sogenannte »Verschwörung der Gleichen« unter der Führung des Berufsrevolutionärs François-Noël Babeuf im Frühjahr 1796 mit ihren radikal- und totalitärdemokratischen Ideen und Forderungen.[14] Alle Entscheidungen des Konvents sollten unter der strengen Aufsicht »des Volkes« getroffen werden, das sich jedoch der aufgeklärten und wissenden Avantgarde zu unterwerfen hatte. Voll Zustimmung zitierte Babeuf Robespierre, daß »die wahren Gesetzgeber ihre Gesetze nicht der korrupten Moral derjenigen, für die sie bestimmt sind, anpassen sollten«, sondern »die Sittlichkeit des Volkes durch die Gesetze wiederherstellen, diese erst auf Gerechtigkeit und Tugend basieren und dann jede Schwierigkeit zu bewältigen wissen, um sie den Menschen aufzuzwingen«.[15] Babeuf vertrat erstmals ein kommunistisches Programm des Klassenkampfes, der Beseitigung des Monopols des Reichtums in den Händen einer kleinen Minderheit durch Totalenteignung *(deproprairiser toute la France)* sowie der künftigen Produktion und Verteilung in einem umfassenden System staatlichen Gemeineigentums *(communauté)*, in dem alle Bürger Staatsbeamte und Staatspensionäre sein sollten. Auch Babeuf teilte den messianischen Glauben, daß man den Geheimschlüssel gefunden habe zu einer vollkommenen und endgültigen sozialen Ordnung entsprechend den Gesetzen des *Ordre Naturel*.

Karl Marx und die Formel von der »wahren Demokratie«

Trotz der frühen Erfahrungen, die Europa mit der Jakobiner-Herrschaft und den plebiszitären Militärmonarchien der beiden Napoleone gemacht hatte, die zeigten, wie leicht plebiszitärdemokratische Ideen und Institutionen zu antidemokratischen Zwecken mißbraucht werden können, blieb die radikal- und direktdemokratische Tradition bei der bürgerlichen und sozialistischen europäischen Linken ungebrochen. So enthielten z.B die Programme der SPD von Eisenach (1869), Gotha (1875) und Erfurt (1891) radikaldemokratische Forderungen, wie etwa die einer direkten Volksgesetzgebung.
Für Karl Marx war das freilich eine »kleinbürgerliche Ideologie«, der »freie Volksstaat« eine »leere Phrase«.[16] Die nur »politischen Revolutionen« von 1776 in den Vereinigten Staaten und 1789 in Frankreich mit dem Ergebnis der »demokratischen Republik« hatten nach Marx »die Pfeiler des Hauses«, Pri-

vateigentum, Staat und Familie, stehengelassen, die Klassenspaltung nicht beseitigt.[17] Gerade sie wollte er aber umstürzen. So wurde für ihn »Demokratie« zur Chiffre, die weit über die »nur« politische Emanzipation hinausführte, zum »aufgelösten Rätsel aller Verfassungen«. Die »wahre Demokratie« konnte sich erst in der klassen-, eigentums- und herrschaftslosen kommunistischen Gesellschaft »erfüllen«.[18] Hatte Rousseau die Demokratie als Verwirklichung des *Ordre Naturel* in den gesellschaftlich-politischen Beziehungen der Menschen verstanden, so wurde sie für Marx zum angeblich vorbestimmten und unvermeidlichen Ziel des Geschichtsprozesses in Form einer klassenlosen Zukunftsgesellschaft, zum Inbegriff der Aufhebung aller »Entfremdung«, einer »neuen Erde« im Kommunismus.

Mit dem Instinkt eines revolutionären Herrschaftswillens entdeckte Marx das Kapitel über den Gesetzgeber im »Contrat Social« und dessen Mission der Verwandlung der menschlichen Natur »in einen Teil eines höheren Ganzen, von dem dieses Individuum in gewisser Hinsicht sein Leben und sein Wesen empfängt«[19]. Auch Marx will die »Wiedertaufe« des Menschen durch die Aufhebung des Widerspruchs zwischen dem egoistischen Individuum und dem Gesamtwillen, in Marx' geschichtsphilosophischer Totalität sogar mit der menschlichen »Gattung« schlechthin. Die klassenlose Gesellschaft des Kommunismus mündet daher bei Marx folgerichtig in einen emphatischen Kollektivismus, der sich vor allem auch auf den ökonomischen »Unterbau« erstreckt und hier die »gesellschaftlich-planmäßige Regelung der Produktion« einbezieht.[20]

Marx proklamiert einerseits die »breiteste Demokratie«, versteht er doch die Diktatur des Proletariats als Diktatur der »ungeheuren Mehrzahl« über die Minderheit der kapitalistischen Produktionsmittelbesitzer. Zugleich skizziert er schon im »Kommunistischen Manifest« eine gewaltige Zunahme der Staatsmacht. Viele Interpreten des Manifests haben jedenfalls bis heute über das darin enthaltene politische Aktionsprogramm seiner Verfasser Marx und Engels hinweggelesen[21]: Konfiskation des Eigentums der politischen Gegner, Verstaatlichung der Banken und des Transportwesens, »Vermehrung der Nationalfabriken«, also der Staatsbetriebe, »gleicher Arbeitszwang für Alle« und »Errichtung industrieller Armeen, besonders für den Ackerbau« – eine Vision, die dann im Archipel GULag geschichtliche Realität wurde. Das alles bezog sich zwar nur auf die Übergangszeit der Diktatur des Proletariats, die die Pforte für das anschließende Paradies der Arbeiter und Bauern bilden sollte. Aber was war, wenn »das Proletariat« und seine Wortführer Freude an der Diktatur und ihrer Dauer gewinnen sollten?

Tatsächlich enthielt auch schon das »Kommunistische Manifest« den Entwurf der Diktatur der kommunistischen Avantgarde, werden doch hier die Kommunisten als »der entscheidende, immer weiter treibende Teil der Arbeiterparteien aller Länder« bezeichnet, da sie »theoretisch [. . .] der übrigen Masse des Proletariats die Einsicht in die Bedingungen, den Gang und die allgemei-

nen Resultate der proletarischen Bewegung voraus« hätten[22], also den Einblick in die grundlegenden Bewegungsgesetze des gesellschaftlichen Gesamtprozesses.
Nicht zuletzt in seiner Schrift »Der Bürgerkrieg in Frankreich« über die Pariser Commune von 1871 hat Marx wesentliche Teile seiner Staatstheorie gezeichnet[23], wurde die Kommune für ihn doch zum Lehrstück für die proletarische Revolution, Machtergreifung und Machtausübung. Marx nimmt darin zunächst die klassische radikaldemokratische Kritik an der parlamentarischen Demokratie auf, in welcher »einmal in drei oder sechs Jahren zu entscheiden [ist], welches Mitglied der herrschenden Klasse das Volk im Parlament ver- und zertreten soll«. Dann wird »das Volk« von Marx reduziert auf die »Arbeiter oder anerkannten Vertreter der Arbeiterklasse« (für die intellektuelle Avantgarde mußte ja in diesem Modell Platz sein), auf die produzierenden und nichtbesitzenden Klassen, wie schon die jakobinische Elite »das Volk« auf die Patrioten und tugendsamen Citoyen eingeschränkt hatte. Marx nennt die Kommune daher »Selbstregierung der Produzenten« und »Regierung der Arbeiterklasse«, die auf jeden Fall »demokratischer« sei als die bürgerliche Klassenherrschaft selbst in der freiesten Republik, wie etwa den USA. Hier stehe dann die öffentliche Gewalt erstmals nicht mehr *über* der Gesellschaft, sondern sie sei deren verantwortlicher *Diener*. Sie benötige daher auch nicht mehr die bürgerlich-liberale Gewaltenteilung. Die Exekutivorgane der Kommune sollen »gesetzgebend und ausführend zugleich« sein und für einen Arbeiterlohn arbeiten; sie können vom »souveränen Volk« jederzeit abberufen werden. Dieses neue Herrschaftsmodell ist nach Marx' propagandistischer Argumentation nicht nur demokratischer, sondern auch »wohlfeiler« als der schmarotzende bourgeoise Staatsapparat. Marx geriet bei seinem Modell stellenweise geradezu ins Schwärmen: Diese angeblich »wahre Vertreterin aller gesunden Elemente der französischen Gesellschaft«, die nun in Paris herrschte, war nach seiner Überzeugung eine »durch und durch ausdehnungsfähige politische Form«.
Tatsächlich wurde die Commune-Schrift mit ihrer Mischung aus parteilicher Klassenanalyse und Aktionsprogramm, radikaldemokratischer Rhetorik und schneidendem Herrschaftsmodell zu Marx' Vermächtnis an die kommunistische Weltbewegung. Sowohl die kommunistisch-radikalsozialistischen Rätetheorien wie die marxistisch-leninistische Parteitheorie fanden hier wesentliche Anregungen und Versatzstücke für ihr Staats- und Gesellschaftsbild. Die für jede rationale und humanistische Analyse auf der Hand liegende Befürchtung, daß Marx' Vorstellung einer »wahren Demokratie« im Zuge ihrer Realisierung leicht in Diktatur und Terror umschlagen konnte, ja mußte, störte ihn dabei nicht.

Lenin und die Grundlegung des kommunistischen Parteistaats

Lenins historische Bedeutung als Schöpfer der Bolschewiki-Partei und der Sowjetunion besteht vor allem darin, daß er den revolutionären Kern der Marxschen Lehre erkannte und ihm durch Anpassung an die besonderen Bedingungen Rußlands zu Beginn des 20. Jahrhunderts zu weltgeschichtlicher Wirkung verhalf. Aus der radikaldemokratischen und politisch-messianischen Überlieferung seit der Französischen Revolution nahm er vor allem zwei Grundelemente auf:

- das Verhältnis zwischen dem Volk, »den Massen«, und den »Avantgarden«, das Rousseau, die Jakobiner und Marx zu den im vorausgehenden skizzierten Lösungen geführt hatten, und
- die Frage nach den Bedingungen und Methoden des revolutionären Wegs zur kommunistischen Herrschaft, den Lenin sich nur unter der entschlossenen Führung jener Avantgarden vorstellen konnte.

Lenins Konzept der »Partei neuen Typs« in seiner Schrift »Was tun? Brennende Fragen unserer Bewegung« (1902)[24] wurde zum grundlegenden Modell des totalitären Herrschaftssystems der Bolschewiki und nach 1917 auch für die faschistischen wie nationalsozialistischen Gegen- und Nachbilder. Schon der Begriff der »Partei« war dabei eine bewußte Irreführung. Sie sollte gerade nicht die Organisation eines spezifischen Teils der Gesellschaft und seiner Interessen sein, sondern eine revolutionäre Machtergreifungsorganisation zur Gewinnung und anschließenden rücksichtlosen Verteidigung der Monopolmacht in Staat, Gesellschaft und Wirtschaft, Kernstück des geplanten Herrschaftssystems mit militärähnlicher Disziplin und ideologischer Geschlossenheit und Reinheit, wie sie schon die entschiedenen Jakobiner zur Zeit Robespierres und Saint-Justs erstrebt und zeitweise durchgesetzt hatten. Das Verhältnis zwischen Parteiführung und Parteibasis wie zwischen jener und der Gesamtbevölkerung wurde bald als »demokratischer Zentralismus« definiert; darunter wurde offiziell eine breite »demokratische« Beschluß- und Entscheidungsfindung bei anschließender kompromißloser Durchsetzung der Entscheidungen durch die zentrale Führung verstanden. Tatsächlich verhüllte er jedoch die zentralistisch-hierarchische Realität durch demokratischen Anspruch und Anstrich. So betonten die Programme und Statuten der KPdSU und der anderen kommunistischen Parteien des sowjetkommunistischen Typs immer wieder, daß sie und ihre Führer nicht die enge Fühlung mit den »Massen« verlieren sollten. Lenin und stärker noch in der Folge Stalin ließen keinen Zweifel daran, daß die »Avantgarde des Proletariats«, also die Partei, das Proletariat zu erziehen habe und über allem die Befähigung der Partei und ihrer Führung zu stehen habe, »die Macht zu ergreifen und das ganze Volk zum Sozialismus zu führen, die neue Ordnung zu leiten und zu organisieren, Lehrer, Leiter, Führer aller Werktätigen and Ausgebeuteten zu sein«[25]. Das Spannungsfüge zwischen angeblich »breitester Demokratie« auf der einen Seite

und rigoros zentralistischer Führung andererseits sowie die stets erneute praktische Auflösung dieser Spannung zugunsten der Führung wurde – in der Nachfolge Rousseaus, der Jakobiner und Marx' – zum Grundmuster der Parteien und Herrschaftssysteme des sowjetkommunistischen Typs.
Die andere Voraussetzung seiner Machtergreifung entwickelte Lenin mit seiner Strategie der Klassenbündnisse, erstmals in seiner Schrift »Zwei Taktiken der Sozialdemokratie in der demokratischen Revolution« (1905)[26]. Hier empfahl er seiner Partei, dem bolschewistisch-revolutionären Flügel der russischen Sozialdemokratie, die Revolution in Stufen voranzutreiben und mit den anderen »demokratischen« und »fortschrittlichen« Kräften zeitweilige Bündnisse zu schließen, so mit den sozialdemokratischen Menschewiki und den agrarischen Sozialrevolutionären und insbesondere mit der großen Mehrheit der Bauern. Wollten die Bolschewiki als anfängliche verschwindende Minderheit in das politische Spiel kommen, waren sie auf die Verbreiterung ihrer Aktionsbasis durch solche Bündnisse dringend angewiesen. Daher sollten sie nach Lenins Rat ihre Maximalziele für die Dauer dieser Bündnisse zurückstellen oder hinter allgemein-demokratischen Bekundungen verschleiern. Aber es galt ja nicht nur, die »rechten«, monarchischen und reaktionären Kräfte als anfängliche Hauptgegner zu isolieren und auszuschalten, sondern ebenso, auf die Bundesgenossen »wie auf den Feind aufzupassen« und das eigene Endziel nie aus den Augen zu lassen.
Nach diesem Konzept verfuhr Lenin zwischen 1902 und 1917 überaus erfolgreich; und seine Strategie prägte auch danach die der kommunistischen Parteien und Staaten, voran der Sowjetunion selbst, über Jahrzehnte: als »Arbeitereinheitsfront« der Kommunisten mit Sozialisten und Sozialdemokraten, wobei man die letzteren leicht als »Arbeiterverräter« diffamieren konnte, wenn sie sich dem kommunistischen Führungsanspruch entzogen. Darüber hinaus erwies sie sich – wie das Beispiel der »Volksfront«-Politik zeigt – auch elastisch genug, mit »fortschrittlichen« liberalen und bürgerlichen Kräften zusammenzuarbeiten. In der Variante der Friedens- und Abrüstungspolitik vermochte diese Strategie nach 1945 zeitweilig bis in das christliche oder kapitalistische Lager hineinzureichen. Demokratische Camouflage, die die Kommunisten wie selbstverständlich zum demokratischen und »Friedenslager« zählte, besaß daher für die kommunistische Machtergreifungsstrategie einen hohen Stellenwert; sie fand auch im bürgerlich-liberalen Lager immer wieder ihre Anhänger.
Eine wichtige Variante dieser »demokratischen« Einheitsfrontstrategie stellte die Idee der Räte (russisch: »Sowjets«) dar. Diese entnahm Lenin ebenfalls Marx' Commune-Schrift; er instrumentalisierte sie als demokratische Fassade, hinter der die Machtergreifung der Bolschewiki vorangetrieben werden konnte. Einen ersten Versuch unternahm Lenin bereits in der ersten Revolution 1905/06, dann erneut im Entscheidungsjahr 1917.[27] Bis zum Sommer dieses Jahres war die Partei Lenins in den Sowjets der Arbeiter und Soldaten

neben den Sozialrevolutionären, Menschewiki und Unabhängigen deutlich in der Minderheit gewesen. In dieser Lage sollte Lenins Parole »Alle Macht den Sowjets!« Gegnern wie Bundesgenossen das Bild demokratischer Zuverlässigkeit der Bolschewiki vermitteln und zugleich ihre Aktionsbasis innerhalb des »linken« Lagers verbreitern. Die Uneinigkeit der Mehrheit in den Sowjets des Jahres 1917 und die Schwäche der provisorischen Regierung Kerenski, die die brennende Agrarfrage aufschob und der künftigen Verfassunggebenden Versammlung überlassen wollte, taten ein übriges, um der bolschewistischen Agitation das Spiel um die Macht zu erleichtern. Schließlich gelang es ihr, mit den populären Slogans »Friede und Land!« und »Alles Land denen, die es bebauen!« bis zum September schrittweise die Mehrheit in den stimmungslabilen Sowjets, besonders dem wichtigsten in Petrograd, auf ihre Seite zu bringen, so daß Lenin und Trotzki für den 25. Oktober 1917 (7. November) den Entschluß zum Putsch fassen konnten. Als die rechten Sozialrevolutionäre und die Menschewiki dann noch den Fehler begingen, den Allrussischen Volkskongreß der Sowjets zu verlassen, rief Trotzki den Ausziehenden höhnisch nach: »Eure Rolle ist ausgespielt, schert euch hin, wo ihr von nun an hingehört – auf den Kehrichthaufen der Geschichte!«
Aber auch jetzt noch setzte Lenin sein scheindemokratisches Spiel fort, indem er an dem von der Kerenski-Regierung festgelegten Wahltermin zur Verfassunggebenden Versammlung am 12. (25.) November 1917 festhielt. Das Wahlergenis enttäuschte die Bolschewiki: Von 36 Millionen Wählern stimmten nur neun Millionen für sie, während die Sozialrevolutionäre mit 21 Millionen und 370 von 707 Sitzen die absolute Mehrheit gewannen; die Bolschewiki erhielten dagegen nur 175 Sitze. Obwohl das politische Kräfteverhältnis klar zu sein schien, sollte sich zeigen, daß für die Leninisten nicht die Wahl, sondern nur die Macht entscheidend war, getreu der jakobinischen Logik, daß in einer totalitären Demokratie nicht die quantitative Mehrheit, sondern stets nur die wissende und tugendhafte Minderheit der Avantgarde zu entscheiden hatte. Entsprechend handelten die bolschewistischen Führer: Als am 18. Januar 1918 die Konstituante zu ihrer ersten und letzten Sitzung zusammentrat, stand der Sitzungsort im Taurischen Palais in Petrograd bereits unter dem »Schutz« der Roten Garden, der bolschewistischen Parteiarmee, angeblich zur Abwehr »konterrevolutionärer Provokationen«.
Die Szene erinnerte an den jakobinischen Konvent von 1794 mit seiner Besetzung der Galerien durch zuverlässige Parteigänger, die den notorischen wahren Volkswillen gegen die Mehrheit im Parlament verteidigten. Aber auch der Vergleich zu dem Zusammentritt des Deutschen Reichstags im März 1933 läßt sich ziehen, als das revolutionäre NS-Regime bereits die ganze kommunistische Fraktion ausgeschlossen hatte und die Volksvertretung unter der Drohung von SS und »SA-Hilfspolizei« stand. Als die Deputierten in Petrograd am 19. Januar zur zweiten Sitzung erschienen, fanden sie das Taurische Palais von Truppen besetzt. Die formelle Auflösungsbegründung wurde vom

bolschewistisch beherrschten Zentralexekutivkomitee der Arbeiter- und Soldatensowjets als dem neuen »legislativen Organ« nachgeschoben: »Die Formen des bürgerlich-demokratischen Parlamentarismus«, so hieß es da, seien »trügerisch«, da sie »die Befreiung der unterdrückten Klassen« verhindern wollen.[28] Die Saat von Marx war aufgegangen: Lenins Antiparlamentarismus hatte sich durchgesetzt. Der Parlamentarismus wurde mit dem bürgerlichen Kapitalismus identifiziert, deshalb sei er »mit den Aufgaben der Verwirklichung des Sozialismus absolut unvereinbar« und habe sich somit »überlebt«.[29] An seiner Stelle wurden die pseudodemokratischen Sowjets zur Fassade der Parteidiktatur.
Im März 1921 rebellierten in Kronstadt vor den Toren Petrograds die Matrosen, die im Oktober 1917 zu guten Stücken Lenins Sieg entschieden hatten. Wieder ertönte der Ruf »Alle Macht den Sowjets!«, dieses Mal gerichtet gegen das Parteimonopol der Bolschewiki in Staat, Verwaltung, Armee, Wirtschaft. Die »dreijährige blutige Zerstörungsarbeit der Kommunisten« während des Bürgerkriegs wurde verurteilt, geheime Neuwahlen wurden gefordert mit voller Rede-, Presse- und Versammlungsfreiheit.[30] Noch einmal rührten sich die Kräfte der Demokratie gegen die Apriori-Herrschaft des totalitären Parteistaats und seiner pseudodemokratischen Fassade. Doch diese saß bereits zu fest im Sattel. Die Losung der »Sowjetdemokratie« hatte 1917/18 ihre Schuldigkeit getan. Nun meisterte Lenin die Krise des Systems durch die Doppelstrategie militärischer Gewalt und zeitweiliger wirtschaftspolitischer Lockerung mittels der Kurskorrektur der sogenannten Neuen Ökonomischen Politik bei gleichzeitiger Verstärkung der Parteidiktatur in dem realistischen Kalkül, daß die Mehrheit an Brot und Gleichheit mehr interessiert sei als an politischer Freiheit. »Sowjetunion« blieb der irreführende Staatsname der totalitären Parteidiktatur bis 1991.

Sozialistische Volksdemokratie als Parteidiktatur: die DDR

Auf den von Marx und Lenin gelegten Fundamenten entwickelten sich nach 1917 die politisch-gesellschaftlichen Systeme der Staaten des sowjetkommunistischen Typs. Sie brachten schon in ihrem Namen den Überlegenheitsanspruch der sozialistischen Demokratie gegenüber der bürgerlichen zum Ausdruck. Diesen Anspruch benutzten sie auch als Instrument propagandistischer Einwirkung auf die Demokratien des Westens. Entsprechend der marxistisch-leninistischen Staatsdoktrin bekannte sich auch die DDR zur Gewaltenkonzentration mit dem Argument, in ihr sei der für die bürgerliche Demokratie konstitutive Klassengegensatz durch die neuen sozialistischen Produktionsverhältnisse beseitigt und durch eine grundsätzliche Interessenübereinstimmung in der Gesellschaft abgelöst worden. Dementsprechend vertraten auch die offiziellen Kommentare zur DDR-Verfassung von 1974 die Auffassung,

»daß jede staatliche Machtausübung entweder durch die Volksvertretungen unmittelbar oder ausschließlich in ihrem Auftrag und mit ihrer ausdrücklichen Vollmacht erfolgt«[31]. Für den Aufbau und das System der staatlichen Leitung, für die »sozialistische Gesetzlichkeit und Rechtspflege« sowie für die »örtlichen Volksvertretungen und ihre Organe«, die zugleich die unterste Stufe der staatlichen Leitung darstellten, war nach diesem propagandistischen Selbstbild »die Souveränität des werktätigen Volkes« und seine »politische Macht« grundlegend, die Volkskammer nach der DDR-Verfassung angeblich »das oberste staatliche Machtorgan«, das nach dem »Grundsatz von Beschlußfassung und Durchführung« in seinen Plenarsitzungen über »die Grundfragen der Staatspolitik« entschied.[32] Diese Behauptung verschwieg den fundamentalen Eckstein der Systeme des sowjetkommunistischen Typs, nämlich den Führungsanspruch »der Arbeiterklasse und ihrer marxistisch-leninistischen Partei«, wie er in Art. 1 der DDR-Verfassung von 1974 kodifiziert war. Nur mit diesem Apriori konnte die DDR-Verfassung – wie auch alle anderen sowjetkommunistischen Verfassungen – zureichend interpretiert werden. Es war gewissermaßen das fundamentale Vorzeichen vor der Klammer des »Aufbaus und Systems der staatlichen Leitung«, das der scheinbar fundamental-demokratischen Kompetenz der Volkskammer in Wirklichkeit einen entsprechend überaus geringen Stellenwert zuwies.
Eine ähnlich grundlegende ideologische und politisch-ökonomische Vorentscheidung war in Art. 9 Abs. 1 und 3 der DDR-Verfassung von 1974 fixiert, die das »sozialistische Eigentum an den Produktionsmitteln« und den »Grundsatz der Leitung und Planung der Volkswirtschaft sowie aller anderen gesellschaftlichen Bereiche« betraf. Dieser Artikel untermauerte den Führungsanspruch der Partei mit allen seinen das gesamte Gefüge von Staat, Wirtschaft und Gesellschaft durchdringenden Konsequenzen, die dann durch Gesetzgebung und politische Praxis weiter spezifiziert wurden. Ohne den grundlegenden Verfassungsvorbehalt des Führungsanspruches der Partei, wie er sich allein schon aus dem Wortlaut der Verfassung ergab, mochte man sich geradezu in einem demokratischen Paradies wähnen. Aber Art. 1 der oben genannten Verfassung legte die »führende Rolle« der herrschenden Staatspartei unumstößlich fest. Der »Staatsapparat« (schon der Begriff machte seine instrumentelle Funktion deutlich) war »Ausführungssystem« der Parteiführung und *ihres* Willens.[33] Auch der Volkskammer kam daher in der Verfassungswirklichkeit lediglich die Aufgabe zu, als Akklamationsorgan die vom Politbüro der SED als letztentscheidendem Richtlinienorgan gefaßten Beschlüsse »notariell« zu ratifizieren und in staatliches Recht zu transformieren.
So war es auch kein Zufall, daß die Volkskammerabgeordneten nicht zur Funktionselite der DDR zählten. Für ihre formell-notarielle Tätigkeit genügten die üblicherweise drei bis vier Mal im Jahr angesetzten, jeweils nur zwei- bis dreitägigen Plenarsitzungen. Die fundamentale Abwertung der Prinzipien parlamentarischer Demokratie im Dienst der Verschleierung des harten

Systemkerns der Parteidiktatur hinter der Fassade einer angeblich sozialistischen Realdemokratie blieb unübersehbar. Diese realen Machtverhältnisse waren auch an wenig öffentlich bekannter Stelle unmißverständlich festgeschrieben, so zum Beispiel im Gesetz über den Ministerrat, nach dessen Paragraph 4 dieser »auf der Grundlage des Programms der SED und der Beschlüsse des ZK der SED, die die staatliche Tätigkeit betreffen« arbeitete.[34] Die parlamentarische Akklamationsfassade der Volkskammer mitsamt ihrem angeblichen Pluralismus von Parteien und Organisationen in der Nationalen Front bestätigt sich auch an dieser Stelle eindrucksvoll.

Von daher konnten auch die Wahlen in der DDR nicht die Aufgabe haben, grundlegende Entscheidungen des souveränen Volkes herbeizuführen. Der Zusammenschluß der Parteien und Organisationen in der Nationalen Front diente vor allem der Verschleierung des Machtmonopols der Staatspartei. Die dort mit der SED verbundenen Parteien und »Massenorganisationen« waren nach Leninscher Tradition und offiziellem Verständnis Transmissionsriemen, die unter Führung der SED aktiv an der Gestaltung der entwickelten sozialistischen Gesellschaft teilnehmen und sie unterstützen sollten. Die Kandidatenaufstellung lag generell fest in der Hand der Nomenklaturabteilung der Staatspartei. Prüfungs- und Rückrufrechte der sogenannten Wählerkollektive waren reine Kosmetik, die den Eindruck einer lebendigen Basisdemokratie erwecken sollten. Wahlen hatten in diesem Gesamtsystem den Hauptzweck, die »Volksmassen« für die jeweilige Generallinie der SED zu mobilisieren und die Einheit des Gesamtwillens zu demonstrieren.

Populäre Aussagen – etwa von Walter Ulbricht – waren hier aussagekräftiger als die meisten staatsrechtlichen Kommentare und ihre dialektischen Künste. Schon 1945 lautete seine zentrale Weisung für den Aufbau der Ostberliner Verwaltung nach dem Zeugnis Wolfgang Leonhards: »Es muß demokratisch aussehen, wir müssen aber alles in der Hand behalten.«[35] Nach rousseauistischer und jakobinischer Logik erwuchs die Rechtmäßigkeit der Parteiherrschaft eben nicht aus der Mehrheit der *volonté de tous*, sondern aus der politischen Macht der *volonté générale*, die von einer Minderheit der um den Gang der Geschichte Wissenden und dadurch »Aufgeklärten« definiert und ausgeübt wurde.

»Nationalsozialistischer Volksstaat« als Führer-Diktatur

Auch Hitler und der Nationalsozialismus standen in der Traditionslinie radikaler Kritik an der pluralistisch-parlamentarischen Demokratie. Diese war nach nationalsozialistischer Auffassung letztlich eine Herrschaftsform des großen Kapitals, das die öffentliche Meinung über die Presse und über die Parteien manipulierte.[36] Das Gemeinwohl konnte nicht aus der Vertretung der Einzelinteressen und ihrem kompromißhaften Konsens a posteriori hervorgehen, sondern nur aus einer »Volkspolitik«, die die »wahren« Interessen der Gesamtheit authentisch a priori vertritt. So nahm die NSDAP nach Hitler »keine Interessen irgendwelcher Art, außer die der deutschen Nation in der Gesamtheit«[37] wahr. »Vor den höchsten Interessen der Nation« gab es keine Arbeitgeber und Arbeitnehmer; in der klassenlosen Volksgemeinschaft konnte es deshalb »nur Arbeitsbeauftragte des ganzen Volkes« geben, die die ideologisch festgelegten und von daher scheinbar »begründeten Interessen der Nation« aufzugreifen hatten »gegenüber dem Egoismus der Einzelnen«.[38] Die Alternative zur parlamentarischen Demokratie war für die Nationalsozialisten der »Volksstaat«, der den »Klassen- oder Kastenstaat«[39] angeblich überwunden hatte und in dem die vom »Führer« und seiner Partei formulierte *volonté générale* anstelle der Gruppeninteressen das letzte Wort haben mußte. Hitler selbst zählte seine Führer-Diktatur zu den »volksregierten Staaten«[40], die die höhere Form der Demokratie gegenüber den plutokratisch verdorbenen liberal-demokratischen Staaten des Westens darstellten.

Hier vermischten sich demokratische Rhetorik und elitärer Anspruch zu einem exlosiven Gemisch im Dienst eines größenwahnsinnigen Machtwillens des Führer-Diktators. Sprach Hitler demagogisch einerseits von »diesen 68 Millionen«, die »unsere Auftraggeber« seien, »ihnen allen sind wir verpflichtet, ihnen allen sind wir verantwortlich. Das Volk allein ist unser Herr«[41], so rühmte er andererseits die »historischen Minoritäten«. Schon in einer Rede von 1925 rechnete er dazu die Kommunisten in Rußland, deren 470.000 Mitglieder 138 Millionen Menschen beherrschten, ebenso wie in Italien 580.000 Faschisten den italienischen Staat regierten.[42] Er selbst begriff sich als Handelnder im Dienst eines geschichtlichen Auftrags, einer »totalen Revolution«, die nicht nur alle Gebiete des öffentlichen Lebens »umgestaltete«, sondern auch »die Beziehungen der Menschen« untereinander und die »Fragen des Daseins« vollkommen zu ändern und »neuzuformen« beanspruchte.[43] Die NSDAP sah nach Hitler als »Weltanschauungspartei« in der Gewinnung der politischen Macht »nur die Voraussetzung für den Beginn der Erfüllung ihrer eigentlichen Mission«, nämlich »zu allen Erscheinungen und Vorgängen des Lebens« ihr »bindendes und verpflichtendes Gesetz für jedes Wirken« durchzusetzen.[44] Bei allen unterschiedlichen ideologischen Vorzeichen und Inhalten – einer völkisch-biologistischen hier und einer ökonomisch-materialistischen dort – stoßen wir immer wieder auf den gemeinsamen Wurzelgrund von Marxismus-Leninismus und Nationalsozialismus im modernen politischen Messianismus und seiner charakteristischen identitär-totalitären Demokratievorstellung.

Natürlich fehlte es auch in der Nazi-Diktatur nicht an eilfertigen wissenschaftlichen Kommentaren, um das Handeln des Führers für das Volk zu erläutern und zu rechtfertigen. Der identitäre »mystische Einklang von Führer und Volk« beruhte auf der Überzeugung, »daß in der ›richtigen Idee‹ des Nationalsozialismus und in seinem vollkommenen Repräsentanten, dem Führer, alle Partikularinteressen vertreten und zugleich aufgehoben sind«.[45] So treffen wir gerade auch im Nationalsozialismus auf jene irrationalistische und voluntaristische Herrschaftsbegründung aus dem angeblich höheren Wissen der »Aufgeklärten« und »Tugendhaften«, die schon bei Rousseau und den Jakobinern zu beobachten war und im Fall der Nationalsozialisten sich auf einer äußerst vulgären biologistisch-sozialdarwinistischen »Geschichtsphilosophie« gründete.

Das alles blieb nicht nur Theorie und Anspruch, sondern wurde seit dem 30. Januar 1933 in raschen Schritten politische Realität. Am 14. Juli 1933 erging auf der Grundlage des Ermächtigungsgesetzes vom 26. März 1933 das »Gesetz gegen die Neubildung von Parteien«, das die NSDAP zur »einzigen politischen Partei in Deutschland« erklärte – auch sie eine »Partei neuen Typs« nach dem Lenin-Modell als revolutionäre Organisation zur Eroberung und Verteidigung ihrer Monopolmacht in Staat, Gesellschaft und Wirtschaft. Zur Absicherung dieses Monopols erhob das »Gesetz zur Sicherung der Einheit von Partei und Staat« vom 1. Dezember 1933 die NS-Partei zur »führenden und bewegenden Kraft des nationalsozialistischen Staates«. Mit dem gleichfalls am 14. Juli 1933 erlassenen »Gesetz über Volksabstimmung« machte sich das Regime die Möglichkeiten pseudo-direktdemokratischer und plebiszitärer Legitimierung der Führer-Diktatur zunutze. Danach sollte »das Volk« »beabsichtigte Maßnahmen der Reichsregierung« auf deren »Befragen« billigen oder ablehnen können, auch verfassungsändernde Vorlagen im Reichstag.[46]

Tatsächlich respektierte das Regime in der Folgezeit nicht einmal seine eigenen »Rechts«-Grundlagen. Am 12. November 1933 hatte »das Volk« erstmals über die im Oktober von Hitler getroffene Entscheidung des Austritts aus dem Völkerbund abzustimmen, also nicht eine *»beabsichtigte«*, sondern eine *bereits getroffene* wichtige außenpolitische Weichenstellung *nachträglich* akklamativ zu bestätigen. Desgleichen bestätigte eine Volksabstimmung am 19. August 1934 die ebenfalls bereits vollzogene Vereinigung der Ämter des Reichspräsidenten und des Reichskanzlers in Hitlers Hand mit 89,9 Prozent bei einer Wahlbeteiligung von 95,7 Prozent. In gleicher Weise hatte sich am 29. März 1936 die Bevölkerung zu der am Monatsanfang stattgefundenen militärischen Wiederbesetzung des Rheinlands zu äußern. Auch dieses Plebiszit erbrachte 98,8 Prozent Ja-Stimmen, die aus einer Mischung populärer Anti-Versailles-Stimmung, von Parteipropaganda und öffentlichem Meinungssog zustandekamen. Zu dieser Zeit erklomm Hitler den Höhepunkt seiner plebiszitären Popularität, wie auch die Volksabstimmung im April 1938 über den Anschluß Österreichs zeigte.

Seit 1933/34 war die Führer-Diktatur etabliert, die den Gemeinwillen den Willensbekundungen des faktischen Volks entzog und seine Bestimmung dem Führer-Diktator überließ, der sich auf seine »geschichtliche Mission« berief und seine einsamen Entschlüsse in einem System der »Gleichschaltung«

durch Indoktrination, Erfassung, Kontrolle und – wo nötig – erbarmungsloser Repression der Gesellschaft durchsetzte.

Fazit

Versuchen wir ein kurzes Fazit der vorausgegangenen ideengeschichtlichen Analyse, so läßt es sich in die Formulierung kleiden, daß die »monistische« Demokratie a priori, die sich so gern als die eigentliche, klassische Demokratie versteht, »kleinen Minderheiten die ideologische Basis liefert, den Volkswillen in Übereinstimmung mit ihren eigenen subjektiven Interessen zu definieren und notfalls sogar mit Gewalt gegen die Interessen und Wünsche der ›übrigen‹ Angehörigen und Gruppen des faktischen Volkes durchzusetzen«[47]. Um die Gefahren einer solchen monistisch-identitären Demokratie zu verhindern, bedarf es einer lebenskräftigen freiheitlich-pluralistisch-demokratischen Ordnung.

Anmerkungen

1 Alexis de Tocqueville: Über die Demokratie in Amerika, München 1976 (= Dünndruck-Ausgabe dtv-Bibliothek, Bd. 6063), S. 109.
2 Walter Bagehot: Letters on the French coup d'etat. Zitiert bei: Erik Kuehnelt-Leddihn: Freiheit oder Gleichheit. Die Schicksalsfrage des Abendlandes, Salzburg 1953, S. 67 f.
3 Carl Schmitt: Die geistesgeschichtliche Lage des heutigen Parlamentarismus, 6. Auflage, Berlin 1985, S. 5 ff., 30 ff.
4 Ernst Fraenkel: Deutschland und die westlichen Demokratien, Stuttgart 1964, S. 167 f.
5 Jean-Jacques Rousseau: Staat und Gesellschaft – Contrat Social. Übersetzt und kommentiert von Kurt Weigand, München o.J. (= Goldmann-Taschenbuch, Bd. 532), S. 18.
6 Ebd., S. 37 ff.
7 Ebd., S. 111 ff.
8 Ebd., S. 61.
9 Dieter Oberndörfer: Volksherrschaft. Zur normativen Prämisse der Demokratie. In: Dieter Oberndörfer/Wolfgang Jäger (Hrsg.): Die neue Elite. Eine Kritik der kritischen Demokratietheorie, Freiburg 1975, S. 14.
10 Crane Brinton: Europa im Zeitalter der Französischen Revolution, 2. Auflage, Wien 1947; Ernst Schulin: Die Französische Revolution, München 1988; Klaus Hornung: Das totalitäre Zeitalter. Bilanz des 20. Jahrhunderts, Frankfurt/M. – Berlin 1993, S. 58 ff.
11 Brinton: Europa im Zeitalter der Französischen Revolution (wie Anm. 10), S. 246.
12 Hippolyte Taine: Die Entstehung des modernen Frankreich, Berlin – Frankfurt/M. 1954, S. 118.
13 Ebd., S. 12.
14 Jacov L. Talmon: Die Ursprünge der totalitären Demokratie, Köln – Opladen 1961, S. 153 ff.; Hornung: Das totalitäre Zeitalter (wie Anm. 10), S. 76 ff.

15 Talmon: Die Ursprünge der totalitären Demokratie (wie Anm. 14), S. 191.
16 Karl Marx: Randglossen zum Programm der deutschen Arbeiterpartei (Gothaer Programm) 1875. In: Iring Fetscher (Hrsg.): Karl Marx/Friedrich Engels Studienausgabe, Bd. 3, Frankfurt/M. 1973 (= Fischer-Taschenbuch, Bd. 6061), S. 174 ff.
17 Karl Marx: Zur Kritik der Hegelschen Rechtsphilosophie. In: Iring Fetscher (Hrsg.): Karl Marx/Friedrich Engels Studienausgabe, Bd. 1, Frankfurt/M. 1966 (= Fischer-Taschenbuch, Bd. 764), S. 26 f.
18 Karl Marx: Kritik der Hegelschen Staatsphilosophie. In: Siegfried Landshut (Hrsg.): Karl Marx. Die Frühschriften, Stuttgart 1968 (= Kröner-Taschenausgabe, Bd. 209), S. 47 f.; hier findet sich auch Marx' Formel von der »wahren Demokratie«, in welcher »der politische Staat untergehe«. Vgl. Klaus Hornung: Der faszinierende Irrtum. Karl Marx und die Folgen, 4. Auflage, Freiburg 1982 (= Herder-Taschenbuch, Bd. 645), S. 134 ff. (»Die ›wahre Demokratie‹: Der Umschlag von der Emanzipation zum Despotismus«).
19 Karl Marx: Zur Judenfrage. In: Landshut (Hrsg.): Die Frühschriften (wie Anm. 18), S. 199.
20 Hornung: Der faszinierende Irrtum (wie Anm. 18), S. 124 ff.
21 Karl Marx/Friedrich Engels: Das kommunistische Manifest. In: Fetscher: Marx/Engels Studienausgabe, Bd. 3 (wie Anm. 16), S. 76 f.
22 Ebd., S. 70.
23 Karl Marx: Der Bürgerkrieg in Frankreich. In: Iring Fetscher (Hrsg.): Karl Marx/Friedrich Engels Studienausgabe, Bd. 4, Frankfurt/M. 1966 (= Fischer-Taschenbuch, Bd. 767), S. 210 ff.
24 Wladimir I. Lenin: Ausgewählte Werke, Bd. 1, Ost-Berlin 1951, S. 112 ff.; zum Verhältnis zwischen Sowjetkommunismus und Nationalsozialismus vgl. Ernst Nolte: Der Europäische Bürgerkrieg 1917-1945, Frankfurt/M. – Berlin 1987, S. 3 ff., 28 ff., sowie Hornung: Das totalitäre Zeitalter (wie Anm. 10), S. 184 ff.
25 Wladimir I. Lenin: Ausgewählte Werke, Bd. 2, Ost-Berlin 1951, S. 176.
26 Lenin: Ausgewählte Werke, Bd. 1 (wie Anm. 24), S. 357 ff.
27 Georg von Rauch: Geschichte des bolschewistischen Rußland, 7. Auflage, Stuttgart 1987, S. 53 ff.; Hornung: Das totalitäre Zeitalter (wie Anm. 10), S. 122.
28 von Rauch: Geschichte des bolschewistischen Rußland (wie Anm. 27), S. 81.
29 Ebd.
30 Ebd., S. 146 ff.
31 Kommentar zur Verfassung der DDR von Klaus Sorgenicht u.a., Bd. 1, Ost-Berlin 1969, S. 278 f.
32 Artikel 48 der DDR-Verfassung von 1974.
33 Georg Brunner: Politische Soziologie der UdSSR, Teil 2, Wiesbaden 1977.
34 Bundesministerium für innerdeutsche Beziehungen (Hrsg.): DDR-Handbuch, Ausgabe 1985, Artikel: Ministerrat, S. 912 ff.
35 Wolfgang Leonhard: Die Revolution entläßt ihre Kinder, Köln – Berlin 1955, S. 365.
36 Die Zeitgeschichtsschreibung hat zum Teil lange den Nationalsozialismus als vor allem reaktionär-konterrevolutionäre Bewegung interpretiert, als Söldner- und Schutztruppe des Monopolkapitals, und folgte damit dem dogmatischen Faschismusbegriff des Marxismus-Leninismus. Die neuere Forschung hebt statt dessen den entschieden antibürgerlich-revolutionären Antrieb Hitlers und vieler nationalsozialistischer Unterführer hervor mit durchgreifenden »modernisierenden« und egalitären Wirkungen. Mit dieser Interpretation ist schon in den 60er Jahren Ralf Dahrendorf vorangegangen in seinem Buch »Gesellschaft und Demokratie in Deutschland«, München 1966, wo er von dem durch den Nationalsozialismus – oft gegen die eigene konservative Rhetorik – bewirkten »brutalen Bruch mit der Tradition und Stoß in die Modernität« als dem »inhaltlichen Merkmal der sozialen Revolution des Nationalsozialismus« spricht (S. 432). »Als traditionslose Clique, deren Gesinnung sicher nicht als konservativ beschrieben werden kann, waren die Nazi-Führer zur Begründung

unangefochtener Macht auf den Weg des Totalitarismus angewiesen. Dieser setzte seinerseits die Gleichschaltung aller Institutionen mit eigenem Lebensbereich, die Zerstörung aller nicht staatsbezogenen Loyalitäten der Menschen, die grenzenlose Erweiterung der sozialen Rolle des ›Volksgenossen‹ voraus« (S. 437). Vgl. auch David Schoenbaum: Die braune Revolution. Eine Sozialgeschichte des Dritten Reiches, Köln – Berlin 1968; Rainer Zitelmann: Hitler. Selbstverständnis eines Revolutionärs, 2. Auflage, Stuttgart 1989; Horst Möller: Die nationalsozialistische Machtergreifung. Konterrevolution oder Revolution. In: Vierteljahrshefte für Zeitgeschichte 1983, S. 25 ff.; Michael Prinz/Rainer Zitelmann (Hrsg.): Nationalsozialismus und Modernisierung, Darmstadt 1991; hier auch der Beitrag von Rainer Zitelmann: Die totalitäre Seite der Moderne, S. 1 ff.; Hornung: Das totalitäre Zeitalter (wie Anm. 10), S. 200 ff., 230 ff.

37 Zitelmann: Hitler (wie Anm. 36), S. 386.

38 Ebd., S. 388.

39 Hornung: Das totalitäre Zeitalter (wie Anm. 10), S. 198 ff.

40 Karl Dietrich Bracher/Wolfgang Sauer/Walter Schulz: Die nationalsozialistische Machtergreifung. Studien zur Errichtung des totalitären Herrschaftssystems in Deutschland 1933/34, 2. Auflage, Köln – Opladen 1962, S. 349.

41 Ebd.

42 Zitelmann: Hitler (wie Anm. 36), S. 402.

43 Walter Hofer (Hrsg.): Der Nationalsozialismus. Dokumente 1933-1945, Frankfurt/M. 1989 (= Fischer-Taschenbuch, Bd. 6084), S. 89 f.

44 Ebd., S. 82.

45 Karl Dietrich Bracher: Die deutsche Diktatur, Köln – Berlin 1969, S. 371. Der Führer war nach nationalsozialistischer Auffassung »im Besitz des Heils« und handelte »immer in Übereinstimmung mit den objektiven Gesetzen des Lebens der Nation«. Vgl. auch Ernst Rudolf Huber: Verfassungsrecht des Großdeutschen Reiches, Hamburg 1939, S. 213, 230.

46 Wortlaut der Gesetze bei Hofer (Hrsg.): Der Nationalsozialismus (wie Anm. 43), S. 62 f.; Hornung: Das totalitäre Zeitalter (wie Anm. 10), S. 205 ff.

47 Oberndörfer: Volksherrschaft (wie Anm. 9), S. 14.

Zweiter Teil

Vergleiche

Thomas Würtenberger

Repräsentative und plebiszitäre Elemente in der deutschen Verfassungsgeschichte

Die Entwicklung der repräsentativen und plebiszitären Elemente im Bereich der politischen Willensbildung ist eng mit der politischen Geschichte Deutschlands verknüpft. Während sich im 19. Jahrhundert und bis zur Weimarer Verfassung eine strikt repräsentative Demokratie entwickelte, regelte die Weimarer Verfassung eine repräsentative Demokratie mit bedeutsamen plebiszitären Elementen. Die Landesverfassungen, die vor dem Grundgesetz der Bundesrepublik Deutschland in Kraft traten, verbanden ebenfalls, aber in abgeschwächter Form, das Modell der repräsentativen Demokratie mit plebiszitären Elementen. In Distanzierung von der Weimarer Republik verzichtete das Grundgesetz fast vollkommen auf Elemente plebiszitärer Willensbildung; dem folgten zunächst die Landesverfassungen, die nach Erlaß des Grundgesetzes in Kraft traten.
Die Demokratisierungsdiskussion[1] in den 70er Jahren trug dazu bei, daß in einige der westdeutschen Landesverfassungen Elemente unmittelbarer Demokratie aufgenommen worden sind. Die nach der deutschen Wiedervereinigung in Kraft getretenen Landesverfassungen der neuen Bundesländer regeln wohl auch wegen der positiven Erfahrungen mit der friedlichen Revolution von 1989 und in Anlehnung an die Entwicklung des deutschen Landesverfassungsrechts sehr ausführlich plebiszitäre Formen politischer Willensbildung mit zum Teil recht geringen Quoren.

Die Entwicklung der repräsentativen Demokratie

Nach dem Modell der repräsentativen Demokratie werden politische Entscheidungen nicht unmittelbar vom Volk, sondern durch dessen Repräsentanten (Stellvertreter) gefällt. Die von diesen im Parlament beschlossenen Gesetze und Grundsatzentscheidungen bringen der Idee nach den Volkswillen zum Ausdruck. Die Repräsentanten erhalten ihr Amt aus den Händen des Volkes durch einen Wahlakt. Wahlakt und Mehrheitsentscheidung sind die legitimierenden Grundlagen der repräsentativen Demokratie. Anders als bei der privatrechtlichen Stellvertretung ist das Handeln der Repräsentanten nicht an

konkrete Weisungen der Repräsentierten gebunden; es herrscht vielmehr das *freie Mandat.*
Durch die Gestaltung des Wahlverfahrens läßt sich die Zusammensetzung des Parlaments als »Repräsentationsorgan« nicht unerheblich beeinflussen. Da politische Wahlen zudem am Ausgangspunkt der Legitimationskette einer repräsentativen Demokratie stehen, soll deren *historische Entwicklung anhand der Wahlrechtsentwicklung* verfolgt werden.[2] Die sich mit dem Übergang von der konstitutionellen Monarchie zum demokratischen Staat wandelnden Kompetenzen des Parlaments werden, da weitgehend bekannt, nur kurz skizziert.

In den Staaten des Deutschen Bundes

Die Entwicklung eines repräsentativen politischen Systems, in dem die Abgeordneten stellvertretend für die von ihnen repräsentierte Gesellschaft handeln, beginnt in den Staaten des Deutschen Bundes (1815-1866). Art. 13 der Wiener Bundesakte sah für alle Bundesstaaten eine landständische Verfassung vor. Kernfrage der verfassungsrechtlichen Auseinandersetzungen war, ob die Verfassungen der Bundesstaaten eher am alten Modell der Ständeversammlungen oder am neuen von repräsentativen Versammlungen orientiert sein sollten.[3]
Bereits frühzeitig fanden die süddeutschen Staaten beim Erlaß ihrer Verfassungen einen Kompromiß zwischen alter ständischer und moderner repräsentativer politischer Willensbildung. Die Verfassungen von Bayern (1818), Württemberg (1819) und Baden (1818) führten ein Zwei-Kammer-System ein, wobei die beiden Kammern bei der Gesetzgebung[4] und der Festlegung des Haushalts gegenüber dem Landesherrn zur politischen Mitbestimmung befugt waren. Entsprechend dem Modell der konstitutionellen Monarchie konnte die vom Monarchen berufene Regierung von den Kammern nicht gestürzt werden, faktisch allerdings der Monarch auch nicht auf Dauer an einer Regierung festhalten, die in den Kammern auf Ablehnung stieß.[5] In der ersten Kammer saßen in der Regel die Prinzen der herrschenden Dynastie, Vertreter des Adels und der Kirchen oder andere Würdenträger. Die Vergabe der Sitze erfolgte teilweise unmittelbar durch die Verfassung, teils durch Wahl, teils durch Ernennung. Die Mitglieder der zweiten Kammer wurden demgegenüber aufgrund eines beschränkten und indirekten Wahlrechts bestellt. Aktives und passives Wahlrecht blieben allein auf die männliche Bevölkerung beschränkt.
Hinzu trat ein in den einzelnen Landesverfassungen unterschiedlich geregelter Einkommens- oder Eigentumszensus. Dabei waren die gewählten Abgeordneten nicht ihrem Stand oder Distrikt, sondern dem gesamten Staat und dem Gemeinwohl verantwortlich.[6] Sie hatten also kein interessengebundenes

oder ständisches Mandat, sondern die Aufgabe, stellvertretend für das Volk zu handeln.
Das Wahlrecht in Preußen wurde erst 1849 neu geregelt und schließt – zugleich mit einer vorsichtigen Öffnung zu einem allgemeinen Wahlrecht – die Entwicklung von Modellen des Zensuswahlrechts ab. Um in der zweiten Kammer jede gesellschaftliche Gruppe gemäß ihrer sozialen, wirtschaftlichen und politischen Stellung zu repräsentieren, wurde das Drei-Klassen-Wahlsystem eingeführt.[7]
Die in jedem Wahlkreis ermittelte Gesamtsumme des Steueraufkommens wurde gedrittelt und die Wähler gemäß ihrer Steuerleistung den jeweiligen Klassen zugeteilt. Dies hatte zur Folge, daß einige wenige Steuerpflichtige in der ersten Klasse ein Drittel der Wahlmänner wählten, während diejenigen Wähler, die keine oder sehr geringe Steuern zahlten, der zahlenmäßig stärksten dritten Klasse zugeteilt waren, die ebenfalls ein Drittel der Wahlmänner wählte. Auf diese Weise konnten die Wähler der beiden besser verdienenden Klassen, die bisweilen lediglich eine Minderheit von 10 bis 15 Prozent der Wähler insgesamt ausmachten, die große Mehrheit der Wahlberechtigten überstimmen.
Das Zensuswahlrecht in den deutschen Bundesstaaten des 19. Jahrhunderts ging davon aus, daß die zu Wohlstand gekommene bürgerliche Schicht auch politisch mündig und zur Repräsentation des Gemeinwesens berechtigt sei. Der ökonomische Erfolg und damit das Vermögen bestimmten das Maß an politischer Mitsprache. Die ökonomisch herrschende Klasse fühlte sich zu politischer Herrschaft legitimiert. Zugleich wurde das Zensuswahlrecht gegen politische Mitspracherechte der Arbeiterschaft instrumentalisiert. Schon frühzeitig hegte man die Befürchtung, daß ein Parlament, in dem die Arbeiterschaft aufgrund des allgemeinen Wahlrechts die Mehrheit erringen könnte, zu Radikalismus, zur Umverteilung und damit zur Zerstörung der überkommenen sozialen Strukturen neigen würde.

In der Revolution von 1848

Eine Ablösung dieser zensusorientierten Repräsentation erfolgte erstmalig in den Wahlen zur deutschen Nationalversammlung und wurde sodann in der Paulskirchen-Verfassung geregelt. Am 30. März und am 7. April 1848 faßte die Bundesversammlung, das oberste Organ des Deutschen Bundes, in Frankfurt gemäß den Forderungen des dort versammelten, revolutionär legitimierten Vorparlaments den Beschluß allgemeiner Wahlen zu einer verfassunggebenden deutschen Nationalversammlung. Hierbei sollte das Wahlrecht nicht durch einen Wahlzensus und nicht durch die Zugehörigkeit zu bestimmten Ständen beschränkt[8], Wähler jeder volljährige und selbständige Staatsangehörige sein. Anfang Mai 1848 wurde aufgrund eines so umrissenen allgemeinen

und weitgehend gleichen Wahlrechts die deutsche Nationalversammlung gewählt.
Die Paulskirchen-Verfassung sah, deutscher Tradition folgend, ein Zwei-Kammer-System vor. Während das Staatenhaus das föderalistische Element repräsentierte, bestand das Volkshaus aus den Abgeordneten des deutschen Volkes (§ 93 Paulskirchen-Verfassung). Nach § 80 Paulskirchen-Verfassung übte der Kaiser gemeinsam mit den beiden Häusern des Reichstags die gesetzgebende Gewalt aus. Gegen Gesetzesbeschlüsse hatte der Kaiser ein suspensives Veto: Faßte der Reichstag in drei aufeinanderfolgenden Sitzungsperioden denselben Beschluß, war das kaiserliche Veto überwunden (§ 101 Paulskirchen-Verfassung). Diese vorsichtige Öffnung zu einem parlamentarischen System[9] war ebenso heftig umstritten wie das Wahlgesetz.[10] Weil die Wahlen zur Paulskirchen-Versammlung nach den Grundsätzen eines allgemeinen und gleichen Wahlrechts erfolgten, bedeutete dies für die Klärung der Wahlrechtsfrage eigentlich schon eine Vorentscheidung. Während ein fortschrittlicher Flügel im Einklang mit der damaligen öffentlichen Meinung ein allgemeines und gleiches Wahlrecht verfocht und dabei an die Erfolge der Pariser Februar-Revolution anknüpfte, versuchte die konservative und liberale Mehrheit im Verfassungsausschuß der Paulskirche, die unteren Schichten der Bevölkerung mit dem Argument mangelnder politischer Mündigkeit vom aktiven und passiven Wahlrecht weitgehend auszuschließen. Nach intensiven Diskussionen wurde am 12. Mai 1849 ein »Reichsgesetz über die Wahlen der Abgeordneten zum Volkshause«[11] beschlossen, das das allgemeine, gleiche und direkte Wahlrecht vorsah.
Dieses durchaus moderne und die Idee der repräsentativen Demokratie verwirklichende Wahlrecht trat allerdings nicht in Kraft. Der preußische König Friedrich Wilhelm IV. hatte am 28. April 1849 die ihm von der Paulskirchen-Versammlung angebotene Kaiserkrone der Deutschen abgelehnt. Damit waren die Verfassunggebung und auch das Wahlrecht der Nationalversammlung gescheitert. Dennoch gewannen die in der Frankfurter Paulskirche ausgearbeitete Verfassung und vor allem auch die egalitären Wahlrechtsbestimmungen des Jahres 1848 auf die weitere Verfassungsentwicklung in Deutschland einen maßgeblichen Einfluß.

Im Norddeutschen Bund und im Deutschen Reich von 1871

Am 9. April 1866 stellte Preußen beim Bundestag in Frankfurt den Antrag, den Deutschen Bund insofern zu reformieren, als »eine aus direkten Wahlen und allgemeinem Stimmrecht der ganzen Nation hervorgehende Versammlung« zur Beratung einer Reform der Bundesverfassung einberufen werden sollte.[12] Diese Forderung nach einem allgemeinen Wahlrecht auf nationaler Ebene orientierte sich teilweise am allgemeinen Wahlrecht in Frankreich, zielte auf die deutsche Einheit und wandte sich zugleich gegen das damals noch zum Deutschen Bund gehörende Österreich, das wegen seiner Nationalitätenprobleme ein allgemeines Wahlrecht fürchtete. Nach der Niederlage Österreichs in der Schlacht von Königgrätz am 3. Juli 1866 war der Weg zur Gründung des Norddeutschen Bundes frei. Das »Wahlgesetz für den konstituierenden Reichstag des Norddeutschen Bundes« vom 15. Oktober 1866 war großenteils mit dem Wahlgesetz der Paulskirchen-Versammlung identisch und sollte zur Grundlage des bis zum Ende des Ersten Weltkrieges geltenden Reichswahlgesetzes werden. Es schuf ein allgemeines, gleiches, direktes und geheimes Wahlrecht.[13] Die Verfassung des Norddeutschen Bundes, die später zur Verfassung des Kaiserreichs von 1871 wurde, sprach sich dementsprechend für allgemeine, direkte und geheime Wahlen zum deutschen Reichstag aus. In den Verfassungsberatungen wurde wiederholt darauf abgestellt, daß die historische Entwicklung auf das allgemeine Wahlrecht hinauslaufe, das bereits beim Versuch der deutschen Einigung in der Frankfurter Paulskirche beschlossen worden sei.

Durch das allgemeine Wahlrecht gewannen die Massen neben den alten politischen Eliten an Gewicht. Gewählt wurde nach absoluter Mehrheit in Wahlkreisen. Gewann diese keiner der Kandidaten, fand eine Stichwahl zwischen den beiden Kandidaten mit der höchsten Stimmenzahl statt. Zur Wahl standen weder Listen noch Parteien, sondern Persönlichkeiten, die eine bestimmte politische Richtung verkörperten. Die 397 Wahlkreise waren zunächst, von einigen Ausnahmen abgesehen, fast gleich groß. Sie wurden aber nicht der sich verändernden Bevölkerungszahl angepaßt, was zu einem erheblichen Ungleichgewicht führte. Dies wurde unterlassen, um die agrarisch geprägten Regionen zu begünstigen und dadurch den konservativen Parteien einen Vorteil zu verschaffen.[14]

Der nach einem durchaus modernen Wahlrecht gewählte Reichstag hatte allerdings nicht jenes politische Gewicht, das einer Repräsentativkörperschaft bei der politischen Willensbildung und Kontrolle der Macht der Exekutive zukommt. Dies war durch das System der konstitutionellen Monarchie bedingt. Im politischen Kräftespiel zwischen persönlichem Regiment des Kaisers, politischer Mitbestimmung des Bundesrates, politischer Führung des Reichskanzlers und der Politik der Ressortchefs kam dem Reichstag bisweilen eine nur bescheidene politische Rolle zu.

Bei aller Relativierung darf allerdings nicht übersehen werden: Soweit Gesetze zu erlassen waren, bedurfte es jeweils einer Mehrheit im Reichstag. Manches Gesetz, das von der Regierung eingebracht worden war, wurde im Reichstag von Grund auf neu gefaßt (wie z.B. das Sozialversicherungsrecht[15]). Der durchaus geglückte Ausbau des liberalen und sozialen Rechtsstaats gehört zu den positiven Leistungen des Reichstags. Die Pressefreiheit wurde 1874 geregelt, die Strafprozeßordnung von 1877 brachte den Schutz der persönlichen Freiheit, der Wohnung und des Besitzes vor willkürlichen Maßnahmen der Strafverfolgungsbehörden, das Gerichtsverfassungsgesetz von 1877 das Recht auf den gesetzlichen Richter und die Unabhängigkeit der Gerichte, das Reichsvereinsgesetz von 1908 die Liberalisierung des Vereinswesens, die Sozialgesetzgebung seit den 80er Jahren die soziale Sicherheit.[16] Nach der alten Erfahrung, daß Repräsentativkörperschaften im Laufe der Zeit jene politischen Mitwirkungsrechte erstreiten, die ihnen gebühren, gewann der Reichstag seit 1890 zunehmend an politischer Bedeutung.[17] Dabei spielte am Rande eine Rolle, daß durch die noch unter Bismarck streng abgelehnte Einführung der Diäten (1906) der Typus des Berufspolitikers sich im neuen Jahrhundert langsam durchsetzen konnte. Bereits vor dem Ersten Weltkrieg wurden Forderungen nach einer parlamenarischen Regierungsweise laut, die sich freilich nicht durchsetzen konnten.

In der Weimarer Republik

Die zu Ende des Ersten Weltkriegs unternommenen Versuche einer Wahlrechtsreform, die mit Projekten einer Verfassungsreform verbunden waren, scheiterten wegen des Untergangs des Kaiserreichs in der November-Revolution von 1918. Bei der Diskussion des Wahlrechts in der Weimarer Nationalversammlung war man sich einig, daß das Verhältniswahlsystem gegenüber dem Mehrheitswahlsystem politisch gerechter sei und im Kaiserreich der Wählerwille durch das Mehrheitswahlsystem verfälscht worden sei (was vor allem eine Benachteiligung der Sozialdemokratie bedeutete). Zudem gelangte man nunmehr zu der Auffassung, daß darüber hinaus die äußerst ungleiche Bevölkerungszahl in den einzelnen Wahlkreisen einer an der Idee der Gleichheit orientierten Repräsentation entgegengestand. Daher entschloß man sich unter Beibehaltung der überkommenen Wahlrechtsgrundsätze der allgemeinen, gleichen, geheimen und unmittelbaren Wahl zur Einführung eines Verhältniswahlsystems. Friedrich Naumanns Mahnung, daß ein Verhältniswahlsystem eine parlamentarische Regierungsbildung unmöglich mache, fand keine Beachtung.[18] In der Weimarer Verfassung von 1919 war neben dem Verhältniswahlsystem erstmals auch das aktive und passive Wahlrecht der Frauen vorgesehen. Damit ging eine Forderung in Erfüllung, die bereits seit der Revolution von 1848 erhoben und im Reichstag am Ende des 19. und zu Beginn des 20. Jahrhunderts diskutiert wurde.[19]

Das Verhältniswahlsystem der Weimarer Republik führte zu einer erheblichen Zersplitterung der politischen Landschaft. So beteiligten sich in den 20er Jahren 30 bis 40 politische Parteien an den Reichstagswahlen, und das System der Sitzverteilung führte dazu, daß 10 bis 15 von ihnen im Reichstag Mandate errangen. Insofern hat das Verhältniswahlsystem der Weimarer Republik die Bildung einer Regierung mit einer stabilen Parlamentsmehrheit erschwert. In einer Zeit erheblicher wirtschaftlicher Probleme, einer allgemeinen Identitätskrise und mangelnder Kompromißbereitschaft bei Parteien und Verbänden trug die Zersplitterung dazu bei, daß keine demokratisch legitimierte Parlamentsmehrheit der Bedrohung durch die radikalen politischen Kräfte entgegentreten konnte. Zu weitgehend ist allerdings die These, daß die durch das Verhältniswahlsystem verursachte Zersplitterung des Parteienspektrums zu einer Radikalisierung der Wählerschaft geführt und ein Mehrheitswahlsystem den Zusammenbruch der Weimarer Republik verhindert hätte.[20]

Im Dritten Reich

Als der Reichstag am 24. März 1933 das – später verlängerte – Ermächtigungsgesetz[21] billigte, das der Regierung und damit Hitler auf vier Jahre die Vollmacht verlieh, entgegen dem Verfahren und den Prinzipien der Weimarer Verfassung Gesetze zu erlassen, war das von der Weimarer Verfassung geregelte System einer repräsentativen Demokratie zerstört. Am 22. Juni 1933 ließ Hitler die Sozialdemokratische Partei verbieten; im Juni und Juli 1933 lösten sich die bürgerlichen Parteien auf. Das »Gesetz zur Sicherung der Einheit von Partei und Staat« vom 1. Dezember 1933 legalisierte die Monopolstellung der NSDAP. Zum Reichstag fanden zwar weiterhin Wahlen am 12. November 1933, 29. März 1936 und 10. April 1938 statt. Kandidiert wurde wegen des Gesetzes gegen die Neubildung von Parteien vom 14. Juli 1933 aber nur von Abgeordneten der NSDAP. Der Reichstag geriet zu einem Instrument der Akklamation, hatte aber keine politischen Kompetenzen mehr.[22]

In der Bundesrepublik

Anders als die Weimarer Verfassung, die vom Kaiserreich zu einer Präsidialdemokratie führte, regelt das Grundgesetz eine parlamentarische Demokratie. Der Bundeskanzler als Chef der Regierung wird vom Deutschen Bundestag gewählt (Art. 63 Abs. 1 GG) und ist vom Vertrauen des Parlaments abhängig.

Das Grundgesetz regelt nicht, ob ein Mehrheits- oder Verhältniswahlsystem gelten soll. Der Wahlgesetzgeber entschied sich für ein Verhältniswahlsystem mit Elementen des Mehrheitswahlsystems. Jeder Wähler hat zwei Stimmen. Mit der ersten Stimme wird im Wahlkreis derjenige Abgeordnete gewählt, der die meisten Stimmen (relative Mehrheit) auf sich vereinigt, mit der Zweitstimme die andere Hälfte der Abgeordneten über Landeslisten nach den Grundsätzen des Verhältniswahlrechts. Wie der Bundestag politisch zusammengesetzt ist, bestimmt sich nach den für die Landeslisten abgegebenen Zweitstimmen. Mit seiner Zweitstimme entscheidet der Wähler darüber, welche Zahl von Abgeordneten im Bundestag auf jede Partei entfällt. Dieses

Wahlsystem verbindet die Merkmale der Mehrheitswahl, die auf die Person des Wahlbewerbers abstellt, mit denen der Verhältniswahl, die die politische Zusammensetzung des Bundestags danach bestimmt, wie sich das politische Kräfteverhältnis anläßlich der Bundestagswahl darstellt (sog. personalisierte Verhältniswahl)[23].
Die innenpolitische Stabilität ist durch die Bildung parlamentarischer Mehrheiten bedingt, die in der Regel während einer Legislaturperiode konstant bleiben. Dem dient die Fünf-Prozent-Klausel; sie verhindert, daß Splitterparteien im Bundestag der Bildung politischer Mehrheiten im Wege stehen.[24] Die Entwicklung einer stabilen parteienstaatlichen Demokratie wurde zudem durch die beiden großen Parteienverbotsverfahren in den Jahren 1952 gegen die Sozialistische Reichspartei (SRP) und 1956 gegen die Kommunistische Partei Deutschlands (KPD) erheblich gefördert.[25] In diesen »System-Entscheidungen« grenzte das Bundesverfassungsgericht die linken und rechten verfassungsfeindlichen Parteien aus dem demokratischen Wettbewerb um politische Macht aus.

Die Entwicklung der plebiszitären Elemente im Verfassungsrecht

Während die Entwicklung der repräsentativen Elemente im Verfassungsrecht seit Beginn des 19. Jahrhunderts relativ geradlinig verlief und kaum zu größeren Kontroversen Anlaß gab, erscheinen die plebiszitären Elemente in einem anderen Licht. Sie wurden erstmals in der Weimarer Reichsverfassung (WRV) vom 11. August 1919 in das System einer repräsentativen Demokratie integriert, sind aus dem Grundgesetz weitestgehend verbannt und geben zu kontroverser Diskussion ihrer Vorzugswürdigkeit Anlaß.

In der Weimarer Verfassung

Die Aufnahme plebiszitärer Elemente in die Weimarer Verfassung folgte historischen Vorbildern und politischen Forderungen seit dem ausgehenden 19. Jahrhundert. Anknüpfungspunkt war u.a. die Verfassungsentwicklung in den Vereinigten Staaten von Amerika, wo seit der Wende zum 20. Jahrhundert zunehmend plebiszitäre Elemente in die Verfassungen der Einzelstaaten aufgenommen wurden[26]; außerdem war die Möglichkeit zu Volksabstimmungen über Gesetze 1874 in der Schweizer Bundesverfassung geregelt worden[27]. Der (vermeintlichen) Gefahr eines Parlamentsabsolutismus, d.h. des Regierens einer Parlamentsmehrheit gegen den Willen und die politischen Hoffnungen der Bevölkerung, setzte man plebiszitäre Entscheidungsverfahren entgegen, die dem Volk politische Einflußnahmen eröffnen sollten. Eine Diskrepanz zwischen dem im Parlament repräsentierten und dem »wahren« Volkswillen

sollte Anlaß zur Parlamentsauflösung sein können. Abgesehen davon wurde seitens der Sozialdemokratie seit Mitte des 19. Jahrhunderts die Einführung von Elementen der direkten Demokratie befürwortet. Beeinflußt durch die plebiszitäre und antiparlamentarische Demokratiekonzeption des Sozialisten Moritz Rittinghausen[28] fand sich im Eisenacher Programm von 1869, im Gothaer Programm von 1875 und im Erfurter Programm von 1891 die Forderung nach einer direktdemokratischen Willensbildung.
In folgenden Bereichen sah die Weimarer Verfassung einen Rückgriff auf Volksabstimmungen vor:

1. Gebietsänderungen

Ähnlich wie auch das Grundgesetz sah Art. 18 WRV vor, daß bei der Neugliederung des Reichsgebiets auf den Willen der Bevölkerung Rücksicht zu nehmen sei. Zur Änderung des Gebiets von Ländern und Neubildung von Ländern innerhalb des Reichs bedurfte es eines verfassungsändernden Reichsgesetzes (Art. 18 Abs. 1 Satz 2 WRV). Es war allerdings lediglich ein einfaches Reichsgesetz erforderlich, wenn die unmittelbar beteiligten Länder der Neugliederung zustimmten (Art. 18 Abs. 2 WRV). Ein einfaches Reichsgesetz genügte auch dann, wenn, ohne daß eines der beteiligten Länder zugestimmt hätte, die Gebietsänderung durch den Willen der Bevölkerung gefordert wird und für die Gebietsänderung überdies ein überwiegendes Reichsinteresse spricht (Art. 18 Abs. 3 WRV). »Der Wille der Bevölkerung ist durch Abstimmung festzustellen. Die Reichsregierung ordnet die Abstimmung an, wenn ein Drittel der zum Reichstag wahlberechtigten Einwohner des abzutrennenden Gebiets es verlangt« (Art. 18 Abs. 4 WRV). Mit solchen Plebisziten konnte die von Gebietsänderungen betroffene Bevölkerung ihr Selbstbestimmungsrecht verwirklichen.
In der auf die »Zerschlagung Preußens« gerichteten Politik kam es am 3. September 1922 zu einer Abstimmung über die Abtrennung der Provinz Oberschlesien von Preußen sowie am 18. Mai 1924 zu einer über die Abtrennung der Provinz Hannover von Preußen.[29] Diese einzigen Fälle einer Abstimmung nach Art. 18 WRV scheiterten jeweils. Demgegenüber erfolgten zahlreiche Neugliederungen durch Reichsgesetz ohne Volksabstimmung; so etwa die Bildung des Landes Thüringen durch Reichsgesetz vom 30. April 1920 oder die Vereinigung des Gebiets von Coburg mit dem Bayerns durch Reichsgesetz vom selben Tag.[30]

2. Plebiszitäre Legitimation des Reichspräsidenten

In der Weimarer Präsidialdemokratie war der Reichspräsident mit weitreichenden Befugnissen ausgestattet. Er vertrat das Reich völkerrechtlich (Art. 45 WRV), hatte den Oberbefehl über die Wehrmacht (Art. 47), konnte die er-

forderlichen Maßnahmen zur Wiederherstellung der öffentlichen Sicherheit und Ordnung treffen (Art. 48 Abs. 2 WRV)[31], ernannte den Reichskanzler und auf dessen Vorschlag die Reichsminister (Art. 53 WRV) und konnte ein vom Reichstag beschlossenes Gesetz vor seiner Verkündung zum Volksentscheid bringen (Art. 73 WRV). Die Befugnis, nach Art. 25 WRV den Reichstag aufzulösen, ermöglichte es, »in politischen Entscheidungen gegen den Reichstag an das Volk zu appellieren und damit die Wahl des Reichstags mit Zügen plebiszitärer Sachentscheidung zu versehen«[32]. Nach der Konzeption des plebiszitären Reichspräsidenten, wie sie Hugo Preuß und Max Weber verfochten[33], wurde der Reichspräsident vom ganzen Volk gewählt (Art. 41 WRV). Für seine Politik konnte er sich als staatsrechtliches Gegengewicht gegen eine entscheidungsschwache, zu sehr interessengeleitete Parteien- oder Parlamentsherrschaft auf eine unmittelbare plebiszitäre Legitimation berufen.
Seine Amtszeit betrug sieben Jahre (Art. 43 Abs. 1 Satz 1 WRV); eine Wiederwahl war zulässig (Art. 43 Abs. 1 Satz 2 WRV). Der erste Reichspräsident wurde nicht vom Volk, sondern gemäß Art. 180 Satz 2 WRV von der Weimarer Nationalversammlung gewählt. Aus den Präsidentenwahlen des Frühjahrs 1925 und des Frühjahrs 1932 ging jeweils Hindenburg als Wahlsieger hervor. Vor Ablauf seiner Amtszeit konnte der Reichspräsident auf Antrag des Reichstags durch Volksabstimmung abgesetzt werden (Art. 43 Abs. 2 Satz 1 WRV). Dieser Beschluß des Reichstags mußte mit Zwei-Drittel-Mehrheit getroffen werden (Art. 43 Abs. 2 Satz 2 WRV); diese Regelung kam allerdings nicht zur Anwendung.

3. Teilnahme des Volkes an der Gesetzgebung

Die Weimarer Verfassung sah folgende Möglichkeiten für einen Volksentscheid vor:

- Volksbegehren und Volksentscheid nach Art. 73 Abs. 3 WRV

Nach Art. 73 Abs. 3 WRV war ein Volksentscheid herbeizuführen, wenn ein Zehntel der Stimmberechtigten das Begehren nach Verabschiedung eines aus der Bevölkerung eingebrachten Gesetzesentwurfs äußerte. Er mußte freilich nicht stattfinden, wenn der von der Bevölkerung begehrte und ausgearbeitete Gesetzentwurf im Reichstag unverändert angenommen worden ist. Diese Möglichkeit eines Volksentscheides wurde bei den sog. ausgabewirksamen Gesetzen – Haushaltsplan, Abgabengesetze und Besoldungsordnungen – insofern wieder eingeschränkt, als in diesen Fällen nur der Reichspräsident einen Volksentscheid veranlassen konnte (Art. 73 Abs. 4 WRV).[34]

- Suspensives Veto des Reichspräsidenten mit Appell an das Volk nach Art. 73 Abs. 1 WRV

Über ein vom Reichstag beschlossenes Gesetz hatte vor seiner Verkündung ein Volksentscheid stattzufinden, wenn der Reichspräsident dies binnen eines Monats bestimmte.

- Minderheitsveto mit erleichtertem Quorum für ein Volksbegehren nach Art. 73 Abs. 2 WRV

Wenn die Verkündung eines Gesetzes auf Antrag von mindestens einem Drittel des Reichstags ausgesetzt worden war, fand über dieses Gesetz ein Volksentscheid statt, wenn ein Zwanzigstel der Stimmberechtigten dies beantragte.

- Volksentscheid zum Erlaß eines Gesetzes gegen den Einspruch des Reichsrats nach Art. 74 Abs. 3 Satz 2 u. 3 WRV

Legte der Reichsrat als Vertretung der Länder gegen ein vom Reichstag beschlossenes Gesetz Einspruch ein und kam im Einspruchsverfahren keine Übereinstimmung zwischen Reichstag und Reichsrat zustande, so konnte der Reichspräsident binnen drei Monaten über den Gegenstand der Meinungsverschiedenheit einen Volksentscheid anordnen, so daß ein Streit zwischen den Organen des Reichs plebiszitär gelöst wurde. Weiterhin war vorgesehen: »Hat der Reichstag mit Zwei-Drittel-Mehrheit entgegen dem Einspruch des Reichsrats beschlossen, so hat der Präsident das Gesetz binnen drei Monaten in der vom Reichstag beschlossenen Fassung zu verkünden oder einen Volksentscheid anzuordnen« (Art. 74 Abs. 3 Satz 4 WRV).

- Volksentscheid zur Ermöglichung einer Verfassungsänderung nach Art. 76 Abs. 2 WRV

Art. 76 Abs. 2 WRV räumte dem Reichsrat ein Initiativrecht zum Volksentscheid ein, wenn sich Reichstag und Reichsrat nicht über eine vom Reichstag beschlossene Verfassungsänderung einigen konnten.

Die plebiszitären Elemente spielten in der *Verfassungspraxis* der Weimarer Zeit eine beachtliche Rolle. In dem Maße, wie der Reichstag bei der politischen Richtungsbestimmung versagte, gewann die plebiszitär legitimierte Politik des Reichspräsidenten an Gewicht. Der Reichspräsident löste mehrmals den Reichstag auf (zweimal im Jahr 1924, einmal 1928 und 1930, zweimal 1932 und einmal 1933). Weder dieses Verfahren noch die Regierung des Reichspräsidenten kraft seines Notverordnungsrechts nach Art. 48 Abs. 2 WRV förderten den politischen Konsens.

Die in der Weimarer Verfassung geregelte Volksgesetzgebung war verfassungsrechtlich gesehen eine gleichwertige Form neben der Parlamentsgesetzgebung. Das nähere Verfahren der Volksgesetzgebung regelte das Gesetz über den Volksentscheid.[35] In der Verfassungspraxis fand kein einziger Volksentscheid auf Anordnung des Reichspräsidenten statt. In sieben Fällen wurde ein Volksbegehren eingeleitet, in drei Fällen das Volksbegehren vom Reichsinnenminister wegen Verstoßes gegen Art. 73 Abs. 4 WRV nicht zugelassen, in einem weiteren Fall von den Antragstellern nicht weiter verfolgt. Das Volksbegehren vom 3. bis 16. Oktober 1928 über den kommunistischen Antrag auf Verbot des Baus von Panzerkreuzern erreichte im Eintragungsverfahren nicht die erforderliche Unterstützung von einem Zehntel der Stimmberechtigten. Der Volksentscheid vom 20. Juni 1926 über den kommunistischen und sozialdemokratischen Antrag auf entschädigungslose Enteignung der ehemals regierenden deutschen Fürstenhäuser fand nicht die erforderliche Mehrheit, da sich weniger als die Hälfte der Stimmberechtigten an der Abstimmung beteiligten (zum Quorum: Art. 75 WRV). Aus gleichem Grund scheiterte 1929 der Volksentscheid über den Antrag der Rechtsparteien und rechter Organisationen gegen die Annahme des Young-Plans (»Freiheitsgesetz«).[36]

Die Bewertung der plebiszitären Elemente in der Weimarer Verfassung ist äußerst kontrovers. Vor allem in den 50er und 60er Jahren wurde vielfach von einem Übermaß dieser Elemente in der Weimarer Verfassung gesprochen.[37] Einigkeit herrschte darin, daß die plebiszitär legitimierte Politik des Reichspräsidenten weder zur innenpolitischen Stabilität noch zu einer Stärkung des demokratischen Bewußtseins beigetragen hat. Da die linke und rechte Opposition die plebiszitären Instrumente als Waffe benutzte, um ihre politischen Zielsetzungen gegen die Regierung und Parlamentsmehrheit durchzusetzen, ist die Meinung weit verbreitet, gerade die Möglichkeiten zur Volksgesetzgebung hätten das Regierungssystem destabilisiert. Hier wird zutreffend gesehen, daß die Referenden den antiparlamentarischen linken und rechten Parteien ein wirksames politisches Forum boten, das sie zur politischen Radikalisierung nutzten. Auf der anderen Seite zerbrach die Weimarer Republik sicherlich nicht vorrangig wegen der plebiszitären Elemente in der Verfassung.[38]

Es waren eben eher der fehlende demokratische Konsens, die Freiheit, die man den Feinden der Weimarer Verfassung ließ, die allgemeine politische Polarisierung und andere Gründe mehr, die zum Scheitern des Weimarer Parlamentarismus geführt haben.[39]

Nationalsozialistische Plebiszite

Aufgrund des bereits angesprochenen Ermächtigungsgesetzes konnte die Staatswillensbildung in Abweichung von der Weimarer Verfassung geregelt werden. Das am 14. Juli 1933 erlassene Gesetz über Volksabstimmungen[40] sah vor, daß die Reichsregierung das Volk befragen konnte, ob es einer von der Reichsregierung beabsichtigten Maßnahme zustimmt. Über die Bestätigung des Austritts aus dem Völkerbund (12. November 1933), über die Vereinigung der Ämter des Reichskanzlers und des Reichspräsidenten in der Person Hitlers (19. August 1934) und über den Anschluß Österreichs (10. April 1938) wurden jeweils zusammen mit Reichstagswahlen Volksbefragungen durchgeführt. Diese hatten lediglich eine akklamatorische bzw. demagogische Funktion und sollten die Einheit zwischen Volk und Staatsführung bezeugen. Die politischen Entscheidungen waren bereits gefällt und vollzogen; selbst negative Ergebnisse hätten gemäß der damaligen Ideologie vom Führerstaat keine politischen Folgen gehabt.[41]

Nach Art. 20 Abs. 2 Satz 2 GG wird die Staatsgewalt vom Volk in Wahlen und Abstimmungen und durch besondere Organe der Gesetzgebung, der vollziehenden Gewalt und der Rechtsprechung ausgeübt. Mit seinen teilweise recht detaillierten Regelungen der Wahlen (Art. 38, 39 GG), der Organe der Gesetzgebung (Art. 40 ff., Art. 50 ff. GG) und des Gesetzgebungsverfahrens (Art. 76 ff. GG) hat sich das Grundgesetz für eine strikt repräsentative Demokratie entschieden. Lediglich für den Bereich der Neugliederung des Bundesgebiets (Art. 29, 118, 118 a GG) sind Abstimmungen in Form von Volksentscheiden oder Volksbefragungen statthaft.

Die Erfahrungen mit den Elementen unmittelbarer Demokratie in der Weimarer Zeit und mit dem angesprochenen Mißbrauch der Plebiszite durch den Nationalsozialismus, die im Parlamentarischen Rat bei seinen Beratungen zum Grundgesetz 1948/49 präsent waren, prägten die verfassungsrechtliche Grundsatzentscheidung für eine repräsentative Demokratie. In einer großräumigen Demokratie und wegen der ebenso vielfältigen wie einseitigen Einflußmöglichkeiten auf die öffentliche Meinung schien Theodor Heuss, einem der entschiedenen Verfechter der repräsentativen Demokratie, die unmittelbare Demokratie eine »Prämie für jeden Demagogen«[42]. Diese Plebisphobie der Nachkriegsjahre erscheint aus heutiger Sicht allerdings nicht mehr überzeugend.[43] Die Weimarer Erfahrungen lassen sich nicht ohne weiteres verallgemeinern, weil Plebiszite in einem stabilen demokratischen System der Rückkoppelung von Entscheidungen der Repräsentanten an den Willen der Repräsentierten dienen, in Krisenzeiten jedoch antiparlamentarische und antidemokratische Tendenzen verfestigen können. Vielleicht verbindet sich gerade wegen dieser Janusköpfigkeit mit dem Plebiszit jenes verfassungspolitische Unbehagen, das ihm nach wie vor anhaftet.

Die Entscheidung des Grundgesetzes für eine repräsentative Demokratie kann nicht durch den einfachen Gesetzgeber, etwa durch ein Referendums- bzw. Volksbefragungsgesetz, unterlaufen werden. Soweit das verfassungsrechtlich geregelte Gesetzgebungsverfahren durch die Möglichkeit einer Volksgesetzgebung oder der verfassungsrechtlich geregelte Prozeß der politischen Willensbildung (etwa durch die Möglichkeit konsultativer Referenden) geändert werden soll, bedarf es einer Grundgesetzänderung mit der in Art. 79 Abs. 2 GG vorgesehenen Zwei-Drittel-Mehrheit.[44]

Eine andere Frage ist, ob Art. 79 Abs. 3 GG einer Einfügung plebiszitärer Elemente in das Grundgesetz entgegensteht. Hiernach bleibt eine Grundgesetzänderung, die u.a. die in Art. 20 GG niedergelegten Grundsätze berührt, unzulässig. Sicherlich wird die bei der Verfassunggebung getroffene einseitige Entscheidung zugunsten der repräsentativen Demokratie nicht durch das Änderungsverbot des Art. 79 Abs. 3 GG umfaßt, weil das Grundgesetz mit dem Begriff »Abstimmungen« die Möglichkeit einer Einführung von Referenden in

Ergänzung der repräsentativen Demokratie offenhält. Dies folgt auch daraus, daß der Antrag im Parlamentarischen Rat, die Worte »und Abstimmungen« in Art. 20 Abs. 2 Satz 2 GG zu streichen, keine Mehrheit fand.[45] Wegen der grundsätzlichen Entscheidung des Grundgesetzes für eine repräsentative Demokratie dürfen plebiszitäre Elemente durch Verfassungsänderung lediglich ergänzend eingeführt werden.[46]
In der verfassungspolitischen Diskussion ist immer wieder nachdrücklich die Einfügung plebiszitärer Elemente in das Grundgesetz gefordert worden. Gleichwohl hat die Gemeinsame Verfassungskommission von Bundestag und Bundesrat in ihrem Bericht vom 28. Oktober 1993 strikt an der repräsentativen Demokratie festgehalten.[47] Man wollte das bewährte System der parlamentarisch-repräsentativen Demokratie nicht durch plebiszitäre Verfahren schwächen und vor allem bei umstrittenen Fragen nicht dem Parlament die Flucht aus der Verantwortung durch Plebiszite ermöglichen. Auch fragte man sich, ob die Bürger nicht bei komplizierten Sachverhalten überfordert werden und ob das erforderliche Aushandeln von politischen Kompromissen bei Plebisziten möglich sei, da nur mit einem Ja oder Nein entschieden werden könne. Eine rationale Konfliktlösung kann zudem durch eine emotionsgeladene Berichterstattung der Medien verhindert werden. Nicht zuletzt besteht in einer Referendumsdemokratie aller Erfahrung nach die Gefahr, daß Innovationen sich nur schwer durchsetzen lassen und ein struktureller Konservatismus die Modernisierung der Gesellschaft beeinträchtigt. Der Zeitpunkt der Einführung des Frauenwahlrechts in der Schweiz ist hierfür ein markantes Beispiel. Der insgesamt gesehen durchaus begründeten Partizipationsskepsis der Gemeinsamen Verfassungskommission wurde entgegengehalten, daß die positiven Erfahrungen im Ausland[48] und teilweise auch in den Bundesländern für eine behutsame Erweiterung der unmittelbaren Beteiligung der Bürger am Prozeß der demokratischen Willensbildung sprechen würden.[49] Daß sich Bundes- und Landesebene wegen ihres unterschiedlichen Zuschnitts und ihrer unterschiedlichen politischen Kompetenzen keinesfalls vergleichen lassen, wird bei dieser Kritik nicht hinreichend berücksichtigt.

Plebiszitäre Elemente in den Landesverfassungen

1. Die Bereiche plebiszitären Einflusses

Seit der Weimarer Zeit finden sich in den Verfassungen der Bundesländer in teilweise erheblichem Umfang plebiszitäre Entscheidungsformen. Folgende Bereiche lassen sich unterscheiden:

- Volksinitiativen bzw. Bürgeranträge als politische Kommunikation zwischen Repräsentanten und Repräsentierten

In einer responsiven, d.h. auf Rückkoppelung angelegten Demokratie[50] haben sich die Repräsentanten auch an den politischen Hoffnungen und Wünschen der Bevölkerung auszurichten. Gesetze und andere politische Entscheidungen sollten nach einem konsensschaffenden Dialog ergehen, ohne daß freilich den wechselhaften Stimmungen in der öffentlichen Meinung zwingend gefolgt werden müßte. Hier kann mit dem Bürgerantrag bzw. der Volksinitiative ein Gesetzentwurf oder auch eine andere politische Frage dem Parlament zur Diskussion unterbreitet werden.

– Die Volksgesetzgebung

Im demokratischen Rechtsstaat ist das Gesetz das zentrale Steuerungselement. Neben dem Parlament kann ergänzend auch dem Volk die Gesetzgebungskompetenz zustehen. Die Volksgesetzgebung erfolgt in aller Regel in einem zweistufigen Verfahren. Zunächst wird aus der Mitte der Bevölkerung ein Gesetzentwurf durch ein Volksbegehren in den Landtag eingebracht. Wenn der Landtag diesen Gesetzentwurf nicht beschließt, findet ein Volksentscheid statt. Hier ist der Landtag in aller Regel berechtigt, neben dem aus dem Volk eingebrachten Gesetzentwurf seinerseits einen eigenen Gesetzentwurf zur Abstimmung zu stellen.

Volksbegehren und Volksentscheide über das Haushaltsgesetz, über Dienst- und Versorgungsbezüge sowie über Abgaben sind in aller Regel unzulässig. Diese in den meisten Verfassungen anzutreffende Regelung ist insofern inkonsequent, als sie offenbar davon ausgeht, daß die politische Mündigkeit des Bürgers bei finanzpolitischen Fragen nicht gegeben sei. Außerdem sind nur wenige Gesetzentwürfe denkbar, die ihrerseits keine Auswirkungen auf die Haushaltsgesetzgebung oder auf die Abgabenerhebung haben.

– Verfassungsänderung durch Volksentscheid

In aller Regel ist es Aufgabe des Parlaments, mit qualifizierter Mehrheit über Verfassungsänderungen zu beschließen. Kumulativ kann vorgesehen werden, daß ein Referendum über die vom Parlament beschlossene Verfassungsänderung stattfinden muß. Häufiger findet sich die Regelung, daß konkurrierend zum Parlament eine Verfassungsänderung auch aufgrund eines Volksbegehrens durch Volksentscheid zustande kommen kann.

– Volksentscheid auf Initiative der Regierung oder des Parlaments

Findet eine Gesetzesinitiative der Regierung im Parlament nicht die erforderliche Mehrheit, so kann vorgesehen werden, daß die Regierung oder das Parlament über den Gesetzentwurf einen Volksentscheid herbeiführt. Hier kommt dem Volk eine Schiedsrichterfunktion bei Konflikten zwischen Regierung und Parlament zu. Es besteht aber auch die Möglichkeit, einer Minderheit im Landtag das Recht einzuräumen, über ein vom Landtag beschlossenes, aber noch nicht verkündetes Gesetz einen Volksentscheid zu veranlassen. Wenn nicht ergänzend ein Volksbegehren oder eine Regierungsinitiative hinzutritt, besteht freilich die Gefahr, daß Plebiszite zu Instrumenten oppositioneller Politik degradiert werden.

– Landtagsauflösung durch Plebiszit

Um eine zu große Diskrepanz zwischen der Politik der Repräsentanten und den politischen Wünschen und Hoffnungen der Repräsentierten zu verhindern, kann der Bevölkerung das Recht eingeräumt werden, durch Plebiszit den Landtag abzuwählen.

– Konsultative Referenden

Bei konsultativen Referenden wird die Bevölkerung nach einer öffentlichen Diskussion (dies im Unterschied zu bloßen Meinungsumfragen der Meinungsforschungsinstitute) zu ihrer Meinung über ein Gesetz oder eine zu treffende politische Entscheidung gefragt (sog. Volksbefragung). Das Ergebnis des konsultativen Referendums ist für die zuständigen Gesetzgebungsorgane nicht verbindlich, hat aber de facto starke Bindungswirkungen. Da diese Referenden den Kernbereich staatlicher Willensbildung und politischer Legitimation berühren, müssen sie verfassungsrechtlich geregelt sein. Die Möglichkeit zu konsultativen Referenden ist bislang verfassungsrechtlich noch nicht vorgesehen worden.[51] Sie sind verfassungspolitisch auch höchst bedenklich: wenn der Souverän spricht, soll er auch entscheiden.

2. In der Weimarer Zeit

In fast allen Landesverfassungen der Weimarer Republik wurde die repräsentative Demokratie in Anlehnung an die Weimarer Verfassung durch plebiszitäre Entscheidungsformen ergänzt.[52] In der Verfassungspraxis richteten sich Volksbegehren und Volksentscheide vor allem auf die Auflösung von Landtagen.

3. Die Landesverfassungen vor dem Inkrafttreten des Grundgesetzes

Die Landesverfassungen, die vor dem Inkrafttreten des Grundgesetzes erlassen wurden, regeln eine parlamentarische Demokratie. Nach dem Vorbild der Art. 73 ff. WRV kann aber ergänzend eine Volksgesetzgebung stattfinden.[53] Außerdem sehen die Verfassungen von Baden, Bayern und Württemberg-Baden die Möglichkeit einer Auflösung des Landtags durch Volksentscheid vor.[54]

Die bayerischen Regelungen seien kurz skizziert, da sich in Bayern eine durchaus beachtliche plebiszitäre Praxis entfaltet hat. Nach Art. 74 Abs. 1 BayVerf. kann von einem Zehntel der Stimmberechtigten ein Volksbegehren über einen ausgearbeiteten Gesetzentwurf veranlaßt werden.[55] Lehnt das Parlament den Gesetzentwurf ab, erfolgt ein Volksentscheid, wobei das Parlament einen eigenen Gesetzentwurf vorlegen kann (Art. 74 Abs. 4 BayVerf.). Über den Volksentscheid entscheidet die einfache Mehrheit; ein Mindestbeteiligungs- oder Zustimmungsquorum besteht nicht. Über den Staatshaushalt findet kein Volksentscheid statt (Art. 73 BayVerf.).[56]

Über Verfassungsänderungen findet obligatorisch ein Verfassungsreferendum statt. Verfassungsänderungen sind zunächst vom Landtag mit Zwei-Drittel-Mehrheit zu beschließen (Art. 75 Abs. 2 Satz 2 BayVerf.). Für das Referendum reicht wie beim Gesetzesreferendum die einfache Mehrheit der Abstimmenden.
Art. 18 Abs. 3 BayVerf. regelt eine plebiszitäre Parlamentsauflösung. Über die Abberufung des Landtages findet ein Volksentscheid statt, wenn dies mindestens eine Million wahlberechtigter Bürger verlangt (zur Zeit ca. zwölf Prozent der Stimmberechtigten).
In Bremen treffen wir auf die Besonderheit, daß das Parlament durch Mehrheitsbeschluß über einen Gesetzentwurf oder eine andere politische Frage ein Referendum stattfinden lassen kann. Da ein Mehrheitsbeschluß des Parlaments erforderlich ist, handelt es sich nicht um ein Instrument der Opposition, sondern eher um die Möglichkeit einer Integration von repräsentativer und plebiszitärer Willensbildung.
In Anlehnung an die Art. 72 und 73 Abs. 2 WRV findet in Rheinland-Pfalz ein Referendum über ein Gesetz statt, wenn dessen Verkündung auf Antrag von einem Drittel des Landtags ausgesetzt ist und ein Zwanzigstel der Stimmberechtigten den Volksentscheid beantragt (Art. 115 Rh-PfVerf.). Hier kann das Referendum zum Instrument oppositioneller Politik werden; allerdings hat der Ministerpräsident nach Art. 114 Satz 2 Rh-PfVerf. die Möglichkeit, ein vom Landtag für dringlich erklärtes Gesetz trotz des Aussetzungsantrags zu verkünden und damit gemeinsam mit der Landtagsmehrheit das Referendum zu vereiteln.

4. Die Landesverfassungen nach dem Inkrafttreten des Grundgesetzes

Die Landesverfassungen, die nach dem Inkrafttreten des Grundgesetzes erlassen wurden, verzichteten zunächst nach dem Vorbild des plebiszitfeindlichen Grundgesetzes auf Elemente unmittelbarer Demokratie. Allein die 1950 in Kraft getretene Verfassung von Nordrhein-Westfalen sieht eine Volksgesetzgebung vor; diese Verfassung wurde aber bereits vor Erlaß des Grundgesetzes konzipiert und ist nur im Hinblick auf eine vorsorgliche Anpassung an das Grundgesetz zu dem späteren Zeitpunkt in Kraft gesetzt worden.[57]
Erst als mit dem auf Demokratisierung drängenden Zeitgeist der beginnenden 70er Jahre zugleich auch die Einschätzung plebiszitärer Elemente in Landesverfassungen positiver wurde, fand eine Ergänzung fast aller Landesverfassungen um direktdemokratische Elemente statt. Volksbegehren und Volksentscheid wurden 1974 in Baden-Württemberg[58], 1979 im Saarland[59] sowie ergänzt um die Volksinitiative 1990 in Schleswig-Holstein[60] und 1993 in Niedersachsen[61] eingeführt. Hier können auch Verfassungsänderungen durch Volksentscheid erfolgen.

Nach Art. 60 Abs. 2 Bad-WürttVerf. kann ein vom Landtag beschlossenes Gesetz vor seiner Verkündung von der Landesregierung zur Volksabstimmung gebracht werden, wenn ein Drittel der Landtagsmitglieder dies beantragt. Hier hat die Landesregierung im Zusammenwirken mit einer Landtagsminderheit die Möglichkeit, ein Gesetz durch Referendum zu Fall zu bringen, das nicht auf ihrer politischen Linie liegt. Umgekehrt kann die Regierung nach Art. 60 Abs. 3 Bad-WürttVerf. über ein vom Landtag abgelehntes Gesetz ein Referendum herbeiführen, wenn dies von einem Drittel des Landtags beantragt wird. In beiden Fällen dient der Regierung das Instrument des Referendums dazu, sich auch dann durchzusetzen, wenn ihr die Parlamentsmehrheit nicht folgt.

Nicht zuletzt ist in Baden-Württemberg[62] eine plebiszitäre Parlamentsauflösung statthaft.

5. In den neuen Bundesländern

Die Streitfrage, ob plebiszitäre Elemente in die Verfassung eingeführt werden sollen, spielte in den neuen Bundesländern bei den Verfassungsberatungen keine Rolle.[63] Es bestand nach den Erfolgen der Bürgerbewegung mit ihrem Ruf »Wir sind das Volk« und zur weiteren Förderung der Bereitschaft zu unmittelbarer politischer Gestaltung Einigkeit über die Ermöglichung einer plebiszitären Mitwirkung des Volkes an der politischen Willensbildung. Umstritten waren lediglich Verfahren und Quoren von Plebisziten.

Blicken wir auf die Verfassung von Thüringen[64]: Durch einen Bürgerantrag (in anderen Verfassungen Volksinitiative genannt) nach Art. 68 ThürVerf. können dem Landtag Gesetzentwürfe und andere Gegenstände der politischen Willensbildung unterbreitet werden. Bürgeranträge müssen landesweit von mindestens sechs vom Hundert der Stimmberechtigten unterzeichnet sein. Dieses Quorum verhindert einen Mißbrauch des Bürgerantrags durch kleine oppositionelle Gruppierungen oder die Durchsetzung eines bloß regionalen Interesses.[65] Ist das Quorum erreicht, muß der Bürgerantrag im Landtag behandelt werden. Der Landtag ist zu keiner bestimmten Beschlußfassung verpflichtet; auch stimmt das Volk nicht über den Bürgerantrag ab. Seinem Charakter nach entspricht er daher eher eine Massenpetition als einem Plebiszit.[66]

Einem Volksbegehren[67], mit dem ausgearbeitete Gesetzentwürfe in den Landtag eingebracht werden können, müssen innerhalb von vier Monaten mindesten 14 Prozent der Stimmberechtigten zugestimmt haben.[68] Auch hier garantiert das Quorum, daß der eingebrachte Gesetzentwurf von einem gewichtigen Teil der Öffentlichkeit getragen wird. Entspricht der Landtag dem Volksbegehren nicht, so findet über den Gesetzentwurf, der Gegenstand des Volksbegehrens war, ein Volksentscheid statt.[69] Um zu verhindern, daß bei einer geringen Beteiligung am Volksentscheid Minoritäten Politik machen können, ist der Gesetzentwurf nur beschlossen, wenn ihm neben der Mehrheit der abgegebenen Stimmen mehr als ein Drittel der Stimmberechtigten[70] zustimmt. Höhere Quoren sind vorgesehen, wenn die Verfassung durch Volksentscheid geändert werden soll.[71]

6. Die Verfassungspraxis

Bislang haben nur in Bayern (wegen der geringen Quoren) und in Nordrhein-Westfalen in nennenswertem Umfang Volksbegehren und Volksentscheide über Gesetze stattgefunden.[72] Dabei konnte vor allem in Bayern die Volksgesetzgebung Einfluß auf die Landespolitik nehmen. Auch ohne daß ein Volksbegehren oder ein Volksentscheid durchgeführt werden muß, zeigte bisweilen schon die »Befürchtung«, es könne zu einem plebiszitären Verfahren kommen, ihre Wirkung auf die Politik von Parlamentsmehrheit und Regierung und verbesserte die Responsivität repräsentativer Entscheidungsfindung.[73]
Eine Volksgesetzgebung auf Landesebene begegnet nicht den gleichen verfassungspolitischen Bedenken wie auf Bundesebene.[74] Im überschaubaren Bereich eines Landes ist – auch wegen der beschränkten und vielfach politisch nicht brisanten Landesgesetzgebungskompetenz – eine sachliche Diskussion zu erwarten. Gerade die kultur- und bildungspolitischen Plebiszite auf Landesebene haben eine langfristig konsensfähige Landespolitik sehr gefördert.
Die in den Verfassungen der meisten alten Bundesländer und in der Verfassung Thüringens geregelten Quoren für die Volksgesetzgebung – in den anderen neuen Bundesländern sind sie niedriger – mögen recht hoch erscheinen. Sie sind jedoch erforderlich, um die bekannten Einwände gegen plebiszitäre Elemente in einer repräsentativen Demokratie zu zerstreuen. Plebiszitäre Elemente in einer Landesverfassung dürfen nicht lokalen Interessen oder minoritären Randgruppen zu einer unangemessenen Einflußnahme auf die Politik verhelfen und die repräsentative Demokratie nicht zu einer Minderheitendemokratie denaturieren.[75]

Anmerkungen

1 Thomas Würtenberger: Zeitgeist und Recht, 2. Auflage, Tübingen 1991, S. 110 ff.
2 Allgemein zur repräsentativen Demokratie sowie zur Wahl und Bindung der Repräsentanten: Reinhold Zippelius: Allgemeine Staatslehre, 12. Auflage, München 1994, §§ 23, 24.
3 Michael Stolleis: Geschichte des öffentlichen Rechts in Deutschland, Bd. 2, München 1992, S. 102 ff., 109 ff.
4 Vgl. Art. VII § 2 der Bayerischen Verfassung von 1818: »Ohne den Beyrath und die Zustimmung der Stände des Königreichs kann kein allgemeines neues Gesetz, welches die Freiheit der Person oder das Eigentum des Staatsangehörigen betrifft, er-

lassen, noch [. . .] abgeändert, authentisch erläutert oder aufgehoben werden.« Dies ist eine klassische Formulierung der Lehre vom Vorbehalt des Gesetzes, wonach nur durch oder aufgrund parlamentsbeschlossener Gesetze Eingriffe in Eigentum und Freiheit zulässig sind.

5 Hierzu und zur Rolle der Stände in der konstitutionellen Monarchie des Vormärz vgl. Hans Boldt: Zwischen Patrimonialismus und Parlamentarismus. In: Gerhard A. Ritter (Hrsg.): Gesellschaft, Parlament und Regierung, Düsseldorf 1974, S. 77, 92 (zur Demission der Regierung bei fehlendem Vertrauen der Ständeversammlung), S. 93 ff. (zu Versuchen eines Übergangs zu einem parlamentarischen System der Minister- und Regierungsverantwortung gegenüber der Ständeversammlung).

6 Vgl. Art. VII § 25 der Bayerischen Verfassung von 1818: »Jedes Mitglied der Ständeversammlung hat folgenden Eid zu leisten: Ich schwöre [. . .] in der Ständeversammlung nur des ganzen Landes allgemeines Wohl und Beste ohne Rücksicht auf besondere Stände oder Klassen nach meiner inneren Überzeugung zu beraten.«

7 Jacques Droz: Liberale Anschauungen zur Wahlrechtsfrage und das preußische Drei-Klassenwahlrecht. In: Ernst-Wolfgang Böckenförde (Hrsg.): Moderne deutsche Verfassungsgeschichte (1815–1914), 2. Auflage, Königstein/Ts. 1981, S. 232.

8 Theodore S. Hamerow: Die Wahlen zum Frankfurter Parlament. In: Böckenförde (Hrsg.): Moderne deutsche Verfassungsgeschichte (wie Anm. 7), S. 252.

9 Manfred Botzenhart: Die Parlamentarismusmodelle der deutschen Parteien 1848/49. In: Ritter (Hrsg.): Gesellschaft, Parlament und Regierung (wie Anm. 5), S. 121, 142 f.

10 Jörg-Detlef Kühne: Die Reichsverfassung der Paulskirche, Frankfurt/M. 1985, S. 417 ff.; Ernst Rudolf Huber: Deutsche Verfassungsgeschichte seit 1789, Bd. 2, 3. Auflage, Stuttgart 1988, S. 787 ff.

11 Abgedruckt bei Ernst Rudolf Huber: Dokumente zur deutschen Verfassungsgeschichte, Bd. 1, 3. Auflage 1978, S. 396 ff.

12 Ernst Rudolf Huber: Dokumente zur deutschen Verfassungsgeschichte, Bd. 2, 3. Auflage, Stuttgart 1986, S. 224.

13 Text ebd., S. 270 f. – In England setzte sich ein gleiches Wahlrecht erst nach dem Ersten Weltkrieg durch. Vgl. Hans Setzer: Wahlsystem und Parteienentwicklung in England, Frankfurt/M. 1973, S. 35 ff., 71 ff.; Taswell-Langmead's English Constitutional History, 11. Auflage, Oxford 1960, S. 572 ff.

14 Thomas Nipperdey: Deutsche Geschichte, Bd. 2: Machtstaat vor der Demokratie, München 1992, S. 497 ff.

15 Gerhard A. Ritter: Sozialversicherung in Deutschland und England, München 1983, S. 49, 97.

16 Dietmar Willoweit: Deutsche Verfassungsgeschichte, 2. Auflage, München 1992, § 35 IV.

17 Nipperdey: Deutsche Geschichte, Bd. 2 (wie Anm. 14), S. 491 ff.; Konrad von Zwehl: Zum Verhältnis von Regierung und Reichstag im Kaiserreich (1871-1918). In: Gerhard A. Ritter (Hrsg.): Regierung, Bürokratie und Parlament in Preußen und Deutschland von 1848 bis zur Gegenwart, Düsseldorf 1983, S. 90 ff.

18 Eckhard Jesse: Wahlrecht zwischen Kontinuität und Reform, Düsseldorf 1985, S. 54. Vgl. die umfassende Darstellung von Eberhard Schanbacher: Parlamentarische Wahlen und Wahlsysteme in der Weimarer Republik, Düsseldorf 1982.

19 Kathrin Heepe: Zur Geschichte des Frauenwahlrechts. In: Jura 1989, S. 232 ff.; zur endgültigen Durchsetzung des Frauenwahlrechts in England im Jahr 1928: Taswell-Langmead's English Constitutional History (wie Anm. 13), S. 577.

20 Jesse: Wahlrecht zwischen Kontinuität und Reform (wie Anm. 18), S. 75 ff.; Eberhard Kolb: Die Weimarer Republik, 3. Auflage, München 1993, S. 172 ff.; Reinhold Zippelius: Kleine deutsche Verfassungsgeschichte, München 1994, S. 133 f.; anders Schanbacher: Parlamentarische Wahlen und Wahlsysteme (wie Anm. 18), S. 228 ff.

21 Friedrich Ebel: Rechtsgeschichte, Bd. 2, Heidelberg 1993, RN 842 ff.; Elmar Wadle: Das Ermächtigungsgesetz. In: Juristische Schulung (Ju S) 1983, S. 170.
22 Otto Kimminich: Deutsche Verfassungsgeschichte, 2. Auflage, Baden-Baden 1987, S. 570 f.
23 Zum Wahlsystem vgl. Wolfgang Schreiber: Handbuch des Wahlrechts zum Deutschen Bundestag, 5. Auflage, Köln 1994, § 1 WahlG RN 29 ff.
24 Bundesverfassungsgerichtsentscheidungen (BVerfGE) 1, S. 208, 256; 24, S. 300, 341; 51, S. 222, 236 f.; 58, S. 233, 250.
25 BVerfGE 2, S. 1; 5, S. 85.
26 Hermann K. Heussner: Volksgesetzgebung in den USA und in Deutschland, Köln 1994, S. 43 ff.
27 Thomas Wolff: Unmittelbare Gesetzgebung durch Volksbegehren und Volksentscheid in den Verfassungen der Bundesrepublik Deutschland, Bochum 1993, S. 14.
28 Ernst Fraenkel: Deutschland und die westlichen Demokratien, 2. Auflage, Stuttgart 1964, S. 98 f.
29 Ernst Rudolf Huber: Deutsche Verfassungsgeschichte seit 1789, Bd. 7, Stuttgart 1984, S. 249; Reinhard Schiffers: Elemente direkter Demokratie im Weimarer Regierungssystem, Düseldorf 1971, S. 239.
30 Ernst Rudolf Huber: Dokumente zur deutschen Verfassungsgeschichte, Bd. 4, 3. Auflage, Stuttgart 1992, S. 219 ff.
31 Zur Ausdehnung dieses Notverordnungsrechts vgl. Willoweit: Deutsche Verfassungsgeschichte (wie Anm. 16), §§ 37 IV, 38.
32 Peter Krause. In: Josef Isensee/Paul Kirchhof (Hrsg.): Handbuch des Staatsrechts der Bundesrepublik Deutschland, Bd. 2, Heidelberg 1987, § 39 RN 7.
33 Vgl. Kolb: Die Weimarer Republik (wie Anm. 20), S. 170. Zur Diskussion von Max Webers Vorstellung einer plebiszitären Führerdemokratie vgl. Wolfgang Mommsen: Max Weber. Gesellschaft, Politik und Geschichte, Frankfurt/M. 1974, S. 44 ff.; Rainer Lepsius: Interessen, Ideen und Institutionen, Opladen 1990, S. 25 f.
34 Aus der zeitgenössischen Literatur vgl. Carl Schmitt: Volksentscheid und Volksbegehren. Ein Beitrag zur Auslegung der Weimarer Verfassung und zur Lehre von der unmittelbaren Demokratie, Berlin 1927.
35 Vom 27. Juni 1921, Reichsgesetzblatt (RGBl.) 1921 II, S. 790, geändert durch Art. III des Gesetzes vom 31. Dezember 1923, RGBl. 1924 I, S. 4.
36 Nachweise bei Huber: Dokumente zur deutschen Verfassungsgeschichte, Bd. 4 (wie Anm. 30), S. 447 f.
37 Fraenkel: Deutschland und die westlichen Demokratien (wie Anm. 28), S. 106 f. (»Hypertrophie der plebiszitären Komponente« und »Diskreditierung der politischen Parteien«); Konrad Kruis: Mehr Demokratie durch Volksentscheid? In: Politische Studien, Sonderheft 2/1991, S. 40, 44 ff.
38 Ulrich Schüren: Der Volksentscheid zur Fürstenenteignung, Düsseldorf 1978, S. 280 ff.; Karsten Bugiel: Volkswille und repräsentative Entscheidung. Zulässigkeit und Zweckmäßigkeit von Volksabstimmungen nach dem Grundgesetz, Baden-Baden 1991, S. 200 ff., 239 ff.; Wolfgang Luthardt: Direkte Demokratie. Ein Vergleich in Westeuropa, Baden-Baden 1994, S. 106 f.; zu einseitig allerdings Otmar Jung: Direkte Demokratie in der Weimarer Republik, Frankfurt/M. 1989.
39 Gerhard A. Ritter: Deutscher und britischer Parlamentarismus, Tübingen 1962, S. 32.
40 RGBl. 1933 I, S. 479; Bugiel: Volkswille und repräsentative Entscheidung (wie Anm. 38), S. 247 ff.
41 Ernst Rudolf Huber: Verfassungsrecht des Großdeutschen Reichs, 2. Auflage, Hamburg 1939, S. 199 f.; Bugiel: Volkswille und repräsentative Entscheidung (wie Anm. 38), S. 255 ff.
42 Theodor Heuss. In: Jahrbuch des öffentlichen Rechts der Gegenwart (JöR) 1 (1951), S. 620.

43 Jürgen Fijalkowski: Neuer Konsens durch plebiszitäre Öffnung. In: Albrecht Randelzhofer/Werner Süß (Hrsg.): Konsens und Konflikt. 35 Jahre Grundgesetz, Berlin 1986, S. 236, 254 ff., 264 ff.; Albert Bleckmann: Die Zulässigkeit des Volksentscheids nach dem Grundgesetz, Juristenzeitung (JZ) 1978, S. 217.

44 Klaus Stern: Das Staatsrecht der Bundesrepublik Deutschland, Bd. 2, München 1980, § 25 II 1 b; Krause (wie Anm. 32), RN 16 ff.; Gunther Jürgens: Direkte Demokratie in den Bundesländern, Stuttgart 1993, S. 326 f.; differenzierend Bleckmann: Die Zulässigkeit des Volksentscheids nach dem Grundgesetz (wie Anm. 43), S. 217, 221, 223.

45 Otmar Jung: Grundgesetz und Volksentscheid. Gründe und Reichweite der Entscheidungen des Parlamentarischen Rats gegen Formen direkter Demokratie, Opladen 1994, S. 316 ff.

46 Hans D. Jarass/Bodo Pieroth: Grundgesetz für die Bundesrepublik Deutschland, 3. Auflage, München 1995, Art. 20 GG RN 5; Friedrich E. Schnapp. In: Ingo von Münch/Philip Kunig (Hrsg.): Grundgesetzkommentar, Bd. 1, 4. Auflage, München 1992, Art. 20 GG RN 31; Klaus Stern: Das Staatsrecht der Bundesrepublik Deutschland, Bd. 1, 2. Auflage, München 1984, § 18 II 5 a, b.

47 Bericht der Gemeinsamen Verfassungskommission: Zur Sache. Themen parlamentarischer Beratung, 5/93, S. 168 ff.; zustimmend Josef Isensee: Mit blauem Auge davongekommen. Das Grundgesetz. In: Neue Juristische Wochenschrift (NJW) 1993, S. 2583, 2585 (mit der kritischen Frage, ob ein Volksentscheid in Fragen der Asylpolitik den politisch ausgehandelten Asylkompromiß bestätigen oder weiter einschränken würde); Rupert Scholz: Grundgesetz zwischen Reform und Bewahrung, Berlin 1993, S. 29 ff.

48 Kritisch zu diesem Begründungsversuch Jürgen Gebhard: Direkt-demokratische Institutionen und repräsentative Demokratie im Verfassungsstaat. In: Aus Politik und Zeitgeschichte 1991, B 23, S. 16, 23; Fijalkowski: Neuer Konsens durch plebiszitäre Öffnung (wie Anm. 43), S. 258.

49 Michael Kloepfer: Verfassungsänderung statt Verfassungsreform, Berlin – Baden-Baden 1995, S. 88 f. m.Nw.; Hans-Peter Schneider. In: NJW 1994, S. 558, 560 f.

50 Vgl. hierzu Würtenberger: Zeitgeist und Recht (wie Anm. 1), S. 205 ff.; Ernst-Wolfgang Böckenförde: Demokratie und Repräsentation, Hannover 1983, S. 24 ff.

51 Überzeugende verfassungspolitische Kritik bei Ulrich Rommelfanger: Das konsultative Referendum, Berlin 1988, S. 288 ff., mit Hinweis auf die problematischen Erfahrungen im Ausland.

52 Georg Kaisenberg: Die formelle Ordnung des Volksbegehrens und Volksentscheids in Reich und Ländern. In: Gerhard Anschütz/Richard Thoma: Handbuch des Deutschen Staatsrechts, Bd. 2, Tübingen 1932, S. 218 ff.; Karl Hernekamp: Formen und Verfahren direkter Demokratie, Frankfurt/M. 1979, S. 238 ff.

53 Art. 93 BadVerf.; Art. 74 BayVerf.; Art. 69 ff. BremVerf.; Art. 109 Rh-PfVerf.; Art. 83 ff. Württ-BadVerf.; Art. 71 Württ-HohVerf.; zum folgenden Jürgens: Direkte Demokratie in den Bundesländern (wie Anm. 44), S. 49 ff.; Christian Pestalozza: Der Popularvorbehalt. Direkte Demokratie in Deutschland, Berlin – New York 1981, S. 15 ff.

54 Art. 63 BadVerf.; Art. 18 BayVerf.; Art. 58 Württ-BadVerf.

55 Ein Fünftel der Stimmberechtigten in Bremen (Art. 70 Abs. 1 lit. c Satz 1 BremVerf.) und in Rheinland-Pfalz (Art. 109 Abs. 3 Satz 1 Rh-PfVerf.).

56 Ähnlich Art. 70 Abs. 2 BremVerf.; Art. 109 Abs. 3 Satz 2 Rh-PfVerf.

57 Jürgens: Direkte Demokratie in den Bundesländern (wie Anm. 44), S. 96.

58 Quorum für das Volksbegehren: ein Sechstel (Art. 59 Abs. 2 Satz 2 Bad-WürttVerf.); für den Volksentscheid wird die Mehrheit der abgegebenen Stimmen, mindestens aber ein Drittel der Stimmberechtigten gefordert (Art. 59 Abs. 5 Bad-WürttVerf.).

59 Quorum für das Volksbegehren: ein Fünftel (Art. 99 Abs. 2 Satz 3 SaarlVerf.); beim

Volksentscheid muß dem Gesetz mehr als die Hälfte der Stimmberechtigten zustimmen (Art. 100 Abs. 3 SaarlVerf.).

60 Nach einer Volksinitiative (Quorum: 20 000 Stimmberechtigte: Art. 41 Abs. 1 Satz 3 Schl-HolVerf.) bedarf es für ein erfolgreiches Volksbegehren fünf Prozent der Stimmberechtigten (Art. 42 Abs. 1 Satz 3 Schl-HolVerf.). Der Volksentscheid ist erfolgreich, wenn die Mehrheit der abgegebenen Stimmen, mindestens aber ein Viertel der Stimmberechtigten zugestimmt hat (Art. 42 Abs. 2 Satz 4 Schl-HolVerf.).

61 Eine Volksinitiative muß von 70 000 Wahlberechtigten (Art. 47 NdsVerf.), ein Volksbegehren von zehn Prozent der Wahlberechtigten (Art. 48 NdsVerf.) unterstützt sein (Einzelheiten bei Christian Starck: Die neue Niedersächsische Verfassung. In: NdsVBl. 1994, S. 2, 5 f.).

62 Quorum ein Sechstel und die Mehrheit der Stimmberechtigten (Art. 43 Abs. 2 Bad-WürttVerf.).

63 Zum Einfluß der neuen Verfassung von Schleswig-Holstein auf die Diskussion in den neuen Bundesländern vgl. Otmar Jung: Jüngste plebiszitäre Entwicklungstendenzen in Deutschland auf Landesebene. In: JöR NF 41 (1993), S. 29 ff., hier: S. 32 ff.

64 Ähnlich Art. 75 ff. BrandVerf.; Art. 59 ff. Meckl-VorpVerf.; Art. 77 ff. Sachs-AnhVerf.; Art. 70 ff. SächsVerf.

65 Zu den wesentlich niedrigeren Quoren in den Verfassungen der anderen neuen Bundesländer (z.B. lediglich 15 000 Wahlberechtigte: Art. 59 Abs. 2 Meckl-VorpVerf.; 20 000 Einwohner: Art. 76 Abs. 1 BrandVerf.) vgl. Hans von Mangoldt: Die Verfassungen der neuen Bundesländer, Berlin 1992, S. 52 f.

66 Jürgens: Direkte Demokratie in den Bundesländern (wie Anm. 44), S. 242.

67 Art. 82 ThürVerf.

68 Auch hier sind die Quoren in Brandenburg (Art. 77 Abs. 3 Satz 1: 80 000 Stimmberechtigte, also ca. vier Prozent), Sachsen (Art. 72 Abs. 2: 450 000 Stimmberechtigte, also ca. zwölf Prozent) und Sachsen-Anhalt (Art. 84 Abs. 1 Satz 4: 250 000 Wahlberechtigte, also ca. elf Prozent) niedriger.

69 Art. 82 Abs. 6 ThürVerf.; Art. 60 Abs. 4 Satz 1 Meckl.-VorpVerf.

70 Art. 82 Abs. 6 Satz 2 HS 2 Thür.Verf.; Art. 60 Abs. 4 Satz 1 Meckl-VorpVerf.; in Brandenburg (Art. 78 Abs. 2) und Sachsen-Anhalt (Art. 81 Abs. 3 Satz 2) wird neben der Mehrheit ein Viertel der Stimmen der Stimmberechtigten gefordert.

71 Art. 60 Abs. 4 Satz 2 Meckl-VorpVerf.: Zustimmung von zwei Dritteln der Abstimmenden und mindestens der Hälfte der Wahlberechtigten; Art. 83 Abs. 2 Satz 2 ThürVerf.: Zustimmung der Mehrheit der Stimmberechtigten.

72 Überblick bei Jürgens: Direkte Demokratie in den Bundesländern (wie Anm. 44), S. 199 ff.

73 So für die Landesebene Klaus G. Troitzsch: Volksbegehren und Volksentscheid, Meisenheim/Glan 1979, S. 97, 121 ff.

74 Zusammenfassend Krause (wie Anm. 32), RN 25 ff.; Christoph Degenhart: Direkte Demokratie in den Ländern. Impulse für das Grundgesetz? In: Der Staat 31 (1992), S. 77, 97.

75 Rupert Scholz: Die Pflicht der Länder zur Bundestreue. In: CDU/CSU-Bundestagsfraktion (Hrsg.): Die Zukunft des Grundgesetzes, Bonn 1992, S. 15 ff., 18 mit verfassungsrechtlichen Bedenken gegen zu niedrige Quoren.

Adolf Kimmel

Plebiszitäre Elemente im französischen und italienischen Regierungssystem

Wenn schon repräsentative und direktdemokratische Institutionen nicht mehr als unvereinbare Strukturelemente gelten, sondern pragmatisch über ihre Verbindung in der Demokratie nachgedacht werden kann, dann ist es geboten, empirische Fälle von plebiszitären[1] Beimischungen in repräsentativen Demokratien zur Kenntnis zu nehmen. Da die Schweizer Referendumsdemokratie als ein historischer Sonderfall und als Kleinstaat nicht als Modell für eine eventuelle Einfügung direktdemokratischer Institutionen in das deutsche Verfassungssystem dienen kann, empfiehlt es sich, den Blick auf repräsentative Demokratien zu richten, die der deutschen Demokratie auf Bundesebene eher vergleichbar scheinen. Frankreich und Italien bieten sich dafür an, denn beide kennen über die Wahlen der Repräsentanten hinaus direkte Mitwirkungsrechte der Bürger in verschiedenen Formen.

Frankreich

Das Referendum in der französischen Verfassungsgeschichte (1791-1958)

Seit der Begründung der Republik in der Revolution von 1789 wird in Frankreich die Auseinandersetzung um das Verhältnis von repräsentativer und direkter Demokratie geführt. Bereits die Erklärung der Menschen- und Bürgerrechte aus demselben Jahr erkennt an, daß alle Bürger das Recht haben, »persönlich oder durch ihre Repräsentanten« am Gesetz als »Ausdruck des allgemeinen Willens« mitzuwirken (Art. 6). Daraus kann man schließen, daß direktdemokratische Verfahren mit einer repräsentativen Demokratie nicht für grundsätzlich unvereinbar gehalten wurden. Eine Bevorzugung einer der beiden Formen ist aus der Formulierung nicht zu entnehmen.
Frankreichs erste geschriebene Verfassung (1791) sieht eine konstitutionelle Monarchie vor, die keine Mitwirkungsrechte der Bürger über die Wahl ihrer Repräsentanten hinaus enthält. Vielmehr wird ausdrücklich betont (Art. 2), daß die Nation die Souveränität nur durch Delegation ausüben kann, und ein-

schränkend präzisiert, daß die Verfassung repräsentativ ist. Die Verfassung von 1793 kann man dann auch als eine Reaktion auf die Konfiszierung der Volkssouveränität durch die – nicht nach allgemeinem, sondern durch Besitz und Einkommen eingeschränktem Wahlrecht gewählten – Repräsentanten, auf den »repräsentativen Despotismus« (Jean-Jacques Rousseau), verstehen. Im ersten Referendum der französischen Geschichte (24. Juni 1793) wird diese Verfassung angenommen. Die Bürger in ihrer Gesamtheit werden in eventuelle Verfassungsänderungen einbezogen (Art. 28 der neuen vorangestellten Erklärung der Menschen- und Bürgerrechte und Art. 115 des Verfassungstextes). Diese Verfassung räumt dem »souveränen Volk« direkte Mitwirkungsrechte bei der Gesetzgebung ein (Art. 10), stattet die von den Bürgern gebildeten »Urversammlungen« (*Assemblées primaires*) sogar mit einem Vetorecht aus (Art. 59) und enthält ein uneingeschränktes Petitionsrecht (Art. 32 der Erklärung der Menschen- und Bürgerrechte und Art. 122 der Verfassung). Da zudem die Legislaturperiode auf ein Jahr beschränkt war, gilt diese Verfassung den Anhängern von großzügigen direktdemokratischen Mitwirkungsmöglichkeiten geradezu als Modell. Sie trat allerdings infolge der revolutionären Ereignisse nie in Kraft und wirkte nicht traditionsbildend. Vielmehr begann eine Entwicklung, die in die entgegengesetzte Richtung führte.

Die Erfahrungen mit der politischen Aktivität »des Volkes« während der Schreckensherrschaft führten in der wieder strikt repräsentativen Direktorialverfassung (1795) zur Reduzierung der direktdemokratischen Elemente auf die Verfassungsrevision (Art. 26 und Art. 346). Nachdem die geringe Beteiligung bei den Referenden der Revolutionszeit[2] schon Skepsis gegenüber diesem Instrumentarium hervorgerufen hatte, wurde es in der Folge durch die napoleonischen Plebiszite des Ersten und des Zweiten Kaiserreiches[3] nachhaltig diskreditiert. Das Volk war hier nicht zu freien Entscheidungen aufgerufen, sondern zur scheindemokratischen Legitimation von Staatsstreichen und einer autoritären Herrschaftspraxis. Das Referendum galt als eine Waffe der Diktatoren gegen das repräsentativ-parlamentarische Regime, gegen die republikanische Bewegung.[4] So ist es nicht verwunderlich, daß die nach der Niederlage und dem Ende des Zweiten Kaiserreichs begründete III. Republik weder ein konstitutionelles noch ein legislatives Referendum vorsah.

Erst das ruhmlose Ende dieses rein repräsentativen Regimes[5] im Jahre 1940 und die politische Rolle General Charles de Gaulles nach der Befreiung Frankreichs beendeten die Verbannung des Referendums aus der Republik. So wurde in drei Referenden 1945 und 1946 die Wiedererrichtung der III. Republik abgelehnt und die Verfassung der IV. Republik beschlossen. Allerdings erwiesen sich diese Referenden als Episode, denn die Verfassung der IV. Republik enthielt lediglich das verfassungsändernde Referendum, das noch dazu vermieden werden konnte (Art. 90). Folglich gab es auch während der IV. Republik kein Referendum; die repräsentative und antiplebiszitäre republikanische Tradition setzte sich fort. Erst die Rückkehr General de Gaulles an die Macht im Jahr 1958 brachte eine entscheidende Veränderung.

Das Referendum in der Verfassung der V. Republik von 1958

General de Gaulle war als Berufsoffizier die Tradition des französischen Parlamentarismus mit seinem ausgeprägten Mißtrauen gegen direktdemokratische Institutionen fremd. Die Erfahrungen, die er schon seit den 30er Jahren mit Parlament und Parteien gemacht hatte, brachten ihn zu der Überzeugung, bei der Erneuerung der französischen Demokratie mit dieser Tradition zu brechen. In der von ihm angestrebten Präsidialdemokratie sollte das Volk in Form einer leichten Auflösung des Parlaments oder durch ein Referendum Konflikte lösen und besonders wichtige Fragen direkt entscheiden. In der neuen Verfassung, die die V. gaullistische Republik begründete, war folglich für das Referendum ein wichtiger Platz vorgesehen. In einem Vorentwurf des späteren Referendumsartikels hatte es geheißen, der Präsident der Republik müsse auf Vorschlag des – von ihm ernannten! – Premierministers dem Referendum jeden vom Parlament abgelehnten Gesetzentwurf sowie jede für das Leben der Nation grundlegend wichtige Frage unterbreiten können.[6] Ein solches Referendum mit einem scharfen antiparlamentarischen Akzent, das vom ohnehin mit starken Befugnissen ausgestatteten Staatschef beinahe jederzeit eingesetzt werden konnte, »roch« stark nach dem bonapartistischen *appel au peuple* und alarmierte die politische Klasse. De Gaulle war gezwungen, auf diese Kritik Rücksicht zu nehmen und seine ursprünglichen Absichten deutlich zu modifizieren. Die Ausgestaltung des Referendums im Verfassungstext ist ein Ergebnis dieses Kompromisses. Dennoch kennt die V. Republik drei Formen des Referendums: das verfassungsändernde (Art. 89), das territoriale (Art. 53) und das legislative (Art. 11).
Daß dann auch noch ein verfassunggebendes Referendum vorgesehen war und die neue Verfassung, wie schon die der IV. Republik 1946, in einer Volksabstimmung angenommen wurde, verstand sich von selbst.
Das verfassungsändernde Referendum war ebenfalls nicht umstritten, zumal es fakultativ ist und vermieden werden kann, wenn die Verfassungsänderung von der Nationalversammlung und vom Senat in gleicher Fassung beschlossen und anschließend vom Kongreß, den die beiden Kammern gemeinsam bilden, mit einer Drei-Fünftel-Mehrheit angenommen wird. Die Entscheidung, die Verfassungsänderung dem Kongreß vorzulegen, trifft allein der Präsident.
Auch die Einführung des obligatorischen Referendums bei Gebietsveränderungen, an dem sich nur die betroffene Bevölkerung beteiligt, löste keine Kontroversen aus. Letzteres zielt auf das Unabhängigwerden von Gebieten, die zum ehemaligen französischen Kolonialreich gehören.

Die Innovation der Verfassung von 1958 liegt im Art. 11, der erstmals seit der – nie angewandten – Verfassung von 1793 die Möglichkeit eines legislativen Referendums eröffnet. Die Gefahr, das Referendum gegen das Parlament einzusetzen und somit das Fundament der repräsentativen Demokratie zu untergraben, ist hier besonders groß. Deshalb hat sich der Widerstand der Parlamentarier bei den Verfassungsberatungen insbesondere gegen diese Form des Referendums gerichtet. De Gaulle wurde gezwungen, sich mit einem sehr eng gefaßten Anwendungsbereich zufriedenzugeben. Nach Art. 11 ist das Referendum nur auf Veranlassung des Staatspräsidenten möglich über einen Gesetzentwurf, der »die Organisation der öffentlichen Gewalt« betrifft, »die Billigung eines Gemeinschaftsabkommens enthält«[7] oder »auf die Ratifizierung eines Vertrages abzielt, der, ohne gegen die Verfassung zu verstoßen, Auswirkungen auf das Funktionieren der Institutionen hätte«. Auch bei einer – von de Gaulle praktizierten – weiten Auslegung der nicht eindeutigen Formulierungen müssen die Anwendungsmöglichkeiten beschränkt bleiben. Vor allem sind die den Bürger am stärksten interessierenden Probleme der Gesellschafts- und Wirtschaftspolitik (Umwelt, Kernenergie, Verkehr, Erziehungswesen, Medien usw.) oder moralische Fragen (Todesstrafe, Schwangerschaftsabbruch, Scheidung usw.) davon nicht erfaßt. Da nach der Präsidentschaft de Gaulles der Rekurs auf das Referendum fast völlig verschwand, andererseits die Umfragen die große Popularität des Referendums bei den Bürgern bestätigten, gab es schließlich auch von seiten der politischen Klasse zahlreiche Anregungen, den Anwendungsbereich breiter zu definieren. Eine Initiative Staatspräsident François Mitterrands aus dem Jahr 1984, die das Referendum auf die Garantien für die Grundfreiheiten[8] ausdehnen wollte, scheiterte am Widerstand des Senats (der bei Verfassungsänderungen nach Art. 89 ein absolutes Vetorecht besitzt). Unter dem neugewählten Staatspräsidenten Jacques Chirac, der sich ebenfalls für die Ausweitung des Referendums ausgesprochen hatte, fand 1995 eine Revision des Art. 11 statt. Künftig besteht auch hier die Möglichkeit eines Referendums »über Reformen der Wirtschafts- und Sozialpolitik der Nation und über die öffentlichen Dienste, die dazu beitragen«. Damit ist diesem in Frankreich mit Blick auf die Zukunft ein weites Anwendungsfeld eröffnet.

Die Praxis

Das Referendum sollte gemäß dem Wortlaut des Art. 89 wie auch nach Äußerungen Michel Debrés, des wichtigsten Architekten der Verfassung, der Normalfall bei der Verfassungsrevision sein. Die Praxis entspricht allerdings nicht diesen Erwartungen, denn keine der bisher nach Art. 89 vorgenommenen acht Verfassungsänderungen erfolgte nach einem Referendum, sondern mit einer Drei-Fünftel-Mehrheit des Kongresses. Wenn diese Mehrheit nicht erreichbar schien, hat der Staatspräsident auf das Referendum verzichtet (1973 und 1974), entweder weil es ihm zu riskant erschien oder er die beabsichtigte Verfassungsänderung für nicht wichtig genug hielt, um dafür die Wähler zu bemühen. In der Tat kann man sagen, daß die Verfassungsänderungen nach Art. 89 – vielleicht mit Ausnahme der vom 4. August 1995, die eben den Referendumsartikel 11 und die Parlamentssession betrifft – von eher begrenzter Tragweite waren. Die wichtigsten Verfassungsänderungen wurden unter Umgehung des Parlaments allein per Referendum (Art. 11) beschlossen (Direktwahl des Staatschefs 1962) bzw. versucht zu beschließen (Regional- und Senatsreform 1969).

Tabelle 1: Volksentscheide in Frankreich seit 1945

		Wahlbeteiligung in (%)	Ja- Stimmen in (%)
21. Oktober 1945	1. Neue verfassunggebende Versammlung 2. Beschränkung der Befugnisse der Versammlung	79,9	96,4 66,3
5. Mai 1946	Neue Verfassung	80,7	47,0
13. Oktober 1946	Neue Verfassung der IV. Republik	68,8	53,5
28. September 1958	Verfassung der V. Republik	84,9	79,2
8. Januar 1961	Selbstbestimmung Algeriens	76,5	75,2
8. April 1962	Unabhängigkeit Algeriens	75,6	90,6
28. Oktober 1962	Direktwahl des Staatspräsidenten	77,3	61,7
27. April 1969	Regional- und Senatsreform	80,6	46,7
23. April 1972	EG- Erweiterung (Beitritt Großbritanniens, Irlands, Dänemarks)	60,5	67,7
6. November 1988	Statut für Neukaledonien	36,9	80,0
20. September 1992	Vertrag von Maastricht	69,7	51,0

Quellen: Jacques Chapsal: La vie politique en France de 1940 à 1958, Paris 1984 (Anhang, für 1945/46)

Hugues Portelli: La V`e République, Paris 1994 (Anhang, für die V. Republik)

Das Territorialreferendum kam hingegen schon mehrfach zur Anwendung.[9] Da es für die hier zu erörternde Problematik, nämlich das Verhältnis zur repräsentativen Demokratie, nicht von Bedeutung ist, wird darauf nicht näher eingegangen.
Ein Referendum nach Art. 11 gab es bisher sieben Mal: über die Algerienpolitik (1961 und 1962), die Direktwahl des Staatspräsidenten (1962), die Regional- und Senatsreform (1969), die erste EG-Erweiterung insbesondere durch den Beitritt Großbritanniens (1972), die weitere Entwicklung Neukaledoniens (1988) und über die Ratifizierung des Vertrags von Maastricht (1992). Läßt man die den französischen Durchschnittsbürger kaum interessierende Neukaledonien-Frage beiseite (nur 37 Prozent gaben hier ihre Stimme ab), so lag die Beteiligung zwischen 60 Prozent[10] und 81 Prozent. Die Franzosen erklären sich nicht nur als überzeugte Anhänger des Referendums; sie beteiligen sich auch in einem mit Präsidenten- oder Parlamentswahlen vergleichbaren Maß.
Sechs der sieben Referenden fanden eine Mehrheit, die äußerst knapp (51 Prozent beim Maastricht-Referendum) oder massiv (91 Prozent beim Referendum über die Unabhängigkeit Algeriens) sein konnte. Nur das Referendum über die Regional- und Senatsreform scheiterte (47 Prozent Ja-Stimmen). Eine so hohe Erfolgsquote ist nicht erstaunlich, denn der Staatspräsident wird kein Referendum anberaumen, wenn er sich nicht gute Erfolgschancen ausrechnen kann. Daß de Gaulle mit einem Referendum scheiterte (und daraufhin zurücktrat), zeigt den Unterschied zu den napoleonischen Plebisziten, die für den Initiator mit keinem Risiko des Scheiterns verbunden waren.
Umstritten blieb häufig die Verfassungsmäßigkeit des Referendums nach Art. 11, insbesondere wenn es, wie bei den beiden Referenden über die Direktwahl des Staatschefs und die Regional- und Senatsreform, direkt auf eine Verfassungsänderung zielte. Da sich aber der Verfassungsrat, der vom Senatspräsidenten 1962 angerufen worden war, für nicht zuständig erklärte für »Gesetze, die, vom Volk in einem Referendum angenommen, den direkten Ausdruck der nationalen Souveränität bilden« (Entscheidung vom 6. November 1962 und wieder vom 23. September 1992 zum Maastricht-Referendum), gibt es keine Möglichkeit, ein solches Referendum zu verhindern. Da sowohl Verfassungsrechtler wie Politiker (z.B. François Mitterrand) die Auffassung vertreten, es habe sich so etwas wie ein Verfassungsgewohnheitsrecht gebildet, wird man auch für die Zukunft solche Referenden nicht ausschließen können.

Das Referendum und das politische System

Das Referendum kann in Frankreich nur vom Präsidenten herbeigeführt werden. Die Notwendigkeit eines Vorschlags durch die Regierung (oder durch Nationalversammlung und Senat, den es bisher noch nicht gegeben hat) ist nur in einer Cohabitationssituation – also wenn parlamentarische Mehrheit und Regierungschef nicht dem politischen Lager des Präsidenten angehören – eine Einschränkung. Das Referendum dient also nicht primär einer stärkeren politischen Beteiligung der Bürger, sondern der Stärkung der Stellung des Staatschefs. Dazu muß er freilich die Chance haben, es zum »passenden« Zeitpunkt und mit einer geeigneten Frage einsetzen zu können. Die restriktive Formulierung des Art. 11 setzt ihm dabei enge Schranken.

De Gaulle machte mit seiner Referendumspraxis jedoch sehr bald klar, daß er die Einschränkung des Art. 11 sehr weit auszulegen gedachte. In großzügiger Interpretation der Verfassung erklärte er am 18. Oktober 1962, wenige Tage vor der Abstimmung über die Direktwahl des Staatschefs, das Referendum erlaube dem Präsidenten »alles, was wesentlich ist, direkt dem Volk vorzulegen«[11]. Zudem machte er aus jedem Referendum eine Vertrauensfrage für ihn selbst.

Das Referendum erfüllte in den ersten Jahren also vor allem den Zweck, die Legitimität des noch nicht direkt gewählten Staatspräsidenten zu erneuern und zu stärken. Insofern hat es zur Entwicklung einer präsidentialistischen Verfassungspraxis beigetragen. Der nun nach der Verfassungsänderung von 1995 häufiger mögliche Rekurs – etwa bei Reformvorhaben zur Wirtschafts- und Sozialpolitik – kann die präsidentialistische Praxis weiter stabilisieren und sie gegen eventuelle Anfechtungen behaupten.

In der Absicht de Gaulles lag es auch, durch das Referendum eventuell Parlament und Parteien auszuschalten oder zu überspielen. Um diese antiparlamentarische Spitze des Referendums zu entschärfen, wurde 1958 auf Wunsch der Parlamentarier hinzugefügt, ein Referendum dürfe nur während der Sitzungsperiode des Parlaments stattfinden, so daß es vom Präsidenten nicht völlig übergangen werden kann und wenigstens die Möglichkeit hat, sich in die Diskussion über den Inhalt des Referendums einzuschalten. Die Verfassungsänderung von 1995 hat die Position des Parlaments gegenüber der Regierung – und damit auch gegenüber dem Staatspräsidenten, der ja hinter dem Vorschlag der Regierung steht – insofern gestärkt, als diese vor einem von ihr vorgeschlagenen Referendum in jeder der beiden Kammern eine Erklärung abgeben muß, an die sich eine Debatte anschließt. Eine Abstimmung darf allerdings nicht stattfinden. Während der eng gezogene Anwendungsbereich es bisher verhindert hat, daß – von ganz wenigen Ausnahmen abgesehen – das Referendum in die legislative Domäne des Parlaments eingebrochen ist, kann ihm nun nach der Verfassungsrevision eher die Rolle eines Konkurrenten des Parlaments bei der Gesetzgebung zufallen. Zwar werden die Fälle immer noch relativ selten sein, aber besonders wichtige Fragen betreffen. Hat das Referendum bisher durch die Stärkung der präsidentialistischen Verfassungspraxis das ohnehin im Institutionengefüge schon schwache Parlament noch weiter zurückgedrängt, so zeichnet sich nunmehr ein Bedeutungsverlust auch bei der Gesetzgebung ab.

Das Referendum hat innovativ dann gewirkt, wenn eine parlamentarische Entscheidung nur schwer oder gar nicht herbeizuführen war. Das gilt namentlich für die Algerienpolitik und die Direktwahl des Staatschefs; bei der Regional- und Senatsreform ist es bei einem Innovationsversuch geblieben. Auch hier bleibt abzuwarten, wie das »neue Referendum« die Erwartungen erfüllen wird.

Schließlich bleibt noch zu erwähnen, daß eine Referendumsentscheidung in Frankreich als stärker legitimierend angesehen wird als eine parlamentarische. Die Entscheidungen des Verfassungsrats von 1962 und 1992 lassen sich auch in diesem Sinn verstehen. Es ist berechtigt, die Frage zu stellen, ob die lange Zeit sehr umstrittene Selbstbestimmung und Unabhängigkeit Algeriens oder die Direktwahl des Staatschefs auch so rasch eine Akzeptanz gefunden hätten, wenn sie »nur« vom Parlament beschlossen worden wären. Ob dieser legitimierende und befriedende Effekt nach dem Maastricht-Referendum ebenso für die Europapolitik zutrifft, ist freilich ungewiß.

Auch nach der Verfassungsrevision von 1995 bleibt das Referendum in Frankreich ein Instrument in den Händen des Präsidenten, hat einen »pro-hegemonialen« Effekt. Es soll ihm zur Verfügung stehen, um seine herausragende Stellung im politischen Prozeß gegenüber Parlament und Parteien zu behaupten und zu festigen. Mit diesem Argument wurden 1995 alle Vorschläge abgelehnt, den Verfassungsrat als Kontrollorgan einzuschalten, das präventiv über die Verfassungsmäßigkeit der Referendumsfrage entscheiden sollte.[12] Da der Staatschef also weiterhin keiner Kontrolle unterliegt, besteht nach wie vor die Gefahr einer starken Personalisierung des Referendums. Zwar wird die Grenze zum napoleonischen Plebiszit nicht überschritten, da die Entscheidung frei bleibt, aber der Staatschef kann in einer bestimmten Situation (z.B. de Gaulle während des noch andauernden Algerienkrieges) den Wähler stark unter Druck setzen, ihn in eine Zwangslage bringen.[13] Eine solche Praxis könnte geeignet sein, das sehr populäre Referendum in einen »schlechten Ruf« zu bringen.

Italien

Das Referendum in der italienischen Verfassungsgeschichte

Direktdemokratische Institutionen können in Italien auf keine lange Geschichte zurückblicken. Weder das *Statuto Albertino* von 1848 noch das daraus hervorgegangene parlamentarische Regime enthielten plebiszitäre Elemente. Direktdemokratische Verfahren galten als unvereinbar mit einer Repräsentativverfassung. Die ersten und bis zur Begründung der neuen Republik

nach dem Zweiten Weltkrieg einzigen Volksabstimmungen waren die faschistischen Plebiszite von 1929 und 1934.
Erstaunlicherweise haben sie in Italien direktdemokratische Verfahren nicht so nachhaltig diskreditiert wie in Deutschland Volksbegehren und Volksentscheid in der Weimarer Republik, wo diese von den antidemokratischen Parteien, insbesondere der NSDAP, zu demagogischer Betätigung genutzt wurden. In der Verfassunggebenden Versammlung, die am 2. und 3. Juni 1946 gewählt wurde, war die Erinnerung an die oligarchischen Tendenzen und die Korruption des rein repräsentativen, vorfaschistischen Regimes, an die Unfähigkeit des Parlaments und der Parteien, die anstehenden Probleme zufriedenstellend zu lösen, offenbar lebendiger. Jedenfalls strebten die Verfassungsväter, dem Geist der Resistenza verpflichtet, nicht nur eine Neugründung, sondern auch eine Fortentwicklung der bürgerlich-liberalen, repräsentativen Demokratie an.

Das Referendum in der Verfassung und im Gesetz

Der entschieden demokratische Charakter der neuen Verfassung wird schon deutlich in der Formulierung des Art. 1, wonach die Souveränität ausschließlich beim Volk liegt, »das sie in den Formen und Grenzen der Verfassung ausübt«. Selbst wenn in der Sache kein Unterschied besteht, ist hier eine andere Vorstellung spürbar als z.B. im Art. 3 der französischen Verfassung von 1958, wonach das Volk seine Souveränität »durch seine Repräsentanten und durch das Referendum ausübt«. Die neue italienische Demokratie wollte eine Mischung sein zwischen einer repräsentativen und einer direkten, plebiszitären. Diese Leitvorstellung erfuhr allerdings während der Verfassungsberatungen eine Korrektur zugunsten der repräsentativen Komponente, da die Parteien und die politische Klasse eine deutliche Zurückhaltung hinsichtlich des Referendums an den Tag legten, wohl wissend, daß sie dieses Instrument allenfalls teilweise unter ihrer Kontrolle haben würden. Der gleichzeitig mit den Wahlen zur Konstituante durchgeführte Volksentscheid über die Staatsform (54,3 Prozent entschieden sich für die Republik) ließ schon erkennen, daß sich die Wähler keineswegs diszipliniert an die Empfehlungen »ihrer« Parteien hielten. Dennoch räumt von allen europäischen Demokratien die italienische Verfassung (mit Ausnahme der Schweiz und Liechtensteins) dem Referendum den breitesten Raum ein.
Die italienische Verfassung kennt fünf verschiedene direkte Mitwirkungsmöglichkeiten der Bürger:
1. Das verfassungsändernde Referendum (Art. 138), das vermieden werden kann, wenn die Verfassungsänderung in der zweiten Abstimmung von jeder der beiden Kammern mit einer Zwei-Drittel-Mehrheit angenommen worden ist. Gemäß Art. 138 der italienischen Verfassung müssen Verfassungsände-

rungen von jeder Kammer in zwei in einem Abstand von mindestens drei Monaten aufeinanderfolgenden Beratungen durch die absolute Mehrheit beider Kammern bei der zweiten Abstimmung angenommen werden. Danach findet über die Verfassungsänderung ein Volksentscheid statt. Wird bei der zweiten Abstimmung die Zwei-Drittel-Mehrheit erreicht, so ist der Volksentscheid nicht zulässig.

2. Die Gesetzesinitiative, die von 50.000 Wahlberechtigten ausgeübt werden kann (Art. 71). Folgt das Parlament dieser Anregung nicht, so bleibt die Initiative folgenlos.

3. Das abrogative Gesetzesreferendum (Art. 75), das parlamentarisch beschlossene Gesetze ganz oder teilweise aufheben kann. Nicht zulässig sind Entscheide über Steuer- und Haushaltsgesetze, über Amnestien und Strafnachlässe sowie über die Ratifizierung internationaler Verträge.

Das verfassungsändernde und das abrogative Referendum können durch 500.000 Unterschriften italienischer Wähler oder durch fünf Regionalräte in Gang gesetzt werden; das verfassungsändernde Referendum zusätzlich durch ein Fünftel der Mitglieder einer Kammer. Der dem Volksentscheid unterbreitete Vorschlag ist angenommen, wenn sich die Mehrheit der Stimmberechtigten beteiligt und die Mehrheit der abgegebenen gültigen Stimmen erreicht wird.

Neben diesen beiden Referenden und der Volksanregung auf gesamtstaatlicher Ebene sind auch Volksentscheide auf regionaler oder lokaler Ebene vorgesehen:

4. ein fakultatives Referendum über Gesetze und Verwaltungsanordnungen der Region (Art. 123);

5. ein obligatorisches Referendum (Art. 132) beim Zusammenschluß oder der Veränderung bestehender bzw. Schaffung neuer Regionen oder Gemeinden – eine Bestimmung, die an Art. 29 GG über die Neugliederung des Bundesgebiets in Deutschland erinnert und in ähnlicher Weise bisher keine Bedeutung erlangt hat.

Zu erwähnen ist noch die jederzeit bestehende Möglichkeit eines Konsultativreferendums, von der bisher erst einmal Gebrauch gemacht wurde (am 19. Juni 1980 über die Kompetenzen des Europaparlaments).

Vom erwähnten Referendum über die Staatsform abgesehen, fand indes erst am 12. Mai 1974 das erste Referendum statt.[14] Der Grund lag im fehlenden Ausführungsgesetz. Obwohl mehrere Anläufe unternommen wurden, kam infolge der nur geringen Referendumsbegeisterung der Parlamentarier und Parteien ein solches Gesetz erst 1970 zustande.[15] Es ergänzte die Verfassung durch einige restriktive Bestimmungen, die die Handhabung vor allem des abrogativen Referendums erschweren und einem möglichen Mißbrauch vorbeugen sollten: Während der fünfjährigen Legislaturperiode kann es als Folge verschiedener Einschränkungen nur in einem Zeitraum von zweieinhalb Jahren stattfinden; das Verfassungsgericht hat über die Zulässigkeit zu entscheiden und legt dabei strenge, über den Verfassungstext hinausgehende Maßstäbe an, wodurch mehrfach Begehren nicht zum Entscheid kamen. Schließlich vermag das Parlament ein Referendum zu verhindern, indem es das zur Diskussion stehende Gesetz selbst ganz oder teilweise aufhebt oder substantiell überarbeitet. Darüber hinaus kann die in Italien häufig praktizierte vorzeitige Parlamentsauflösung (oder auch das normale Ende der Legislaturperiode) ein Referendum hinauszögern.[16]

Tabelle 2: Volksentscheide in Italien seit 1945

		Wahlbeteiligung in (%)	Ja-Stimmen in (%)
2. Juni 1946	Staatsform (Republik)	89,1	54,3
12. Mai 1974	Aufhebung des Scheidungsgesetzes	87,7	40,7
11. Juni 1978	1. Aufhebung des Anti-Terrorismus-Gesetzes	81,2	23,5
	2. Aufhebung des Gesetzes über die staatliche Parteienfinanzierung		43,6
17. Mai 1981	1. Aufhebung eines Gesetzes über die öffentliche Ordnung	79,4	14,9
	2. Aufhebung des Gesetzes über lebenslange Haft		22,6
	3. Aufhebung des Gesetzes über das Tragen von Waffen		14,1
	4. Aufhebung des Gesetzes über den Schwangerschaftsabbruch (Initiative der Radikalen)		11,6
	5. Aufhebung des Gesetzes über den Schwangerschaftsabbruch (Initiative der Bewegung für das Leben)		32,0
9. Juni 1985	Aufhebung des Gesetzes über den Teuerungsausgleich (scala mobile)	77,9	45,7
8. November 1987	1. Aufhebung des Gesetzes über die zivile Haftung der Richter	65,1	80,2
	2. Aufhebung des Gesetzes über ein parlamentarisches Sondergericht für Minister		85,0
	3. Aufhebung des Gesetzes über den Standort von Kernkraftwerken (Kompetenz der Regierung vor der Gemeinde)		80,6
	4. Aufhebung des Gesetzes über die Subvention für Gemeinden mit Kernkraftwerken		79,7
	5. Aufhebung des Gesetzes über Beteiligung der ENEL an Kernkraftwerken im Ausland		71,9

19. Juni 1989	Erweiterung der Kompetenz des EP (konsultatives Referendum)	81,5	88,0
3. Juni 1990	1. Aufhebung des Gesetzes über die Jagddisziplin	43,0	92,2
	2. Aufhebung des Jagdgesetzes (Zugang zu privat genutzten Flächen)	42,9	92,3
	3. Aufhebung des Gesetzes über die Verwendung von Pestiziden	43,1	93,5
9. Juni 1991	Teilweise Aufhebung des Wahlgesetzes (Reduzierung der Präferenzstimmen)	62,4	95,6
18. April 1993	1. Aufhebung des Gesetzes über die Umweltkompetenz der lokalen Gesundheitsbehörden	76,9	82,6
	2. Teilweise Aufhebung des Gesetzes über Strafen für Drogenabhängige		55,4
	3. Aufhebung des Gesetzes über staatliche Parteienfinanzierung		90,3
	4. Aufhebung des Gesetzes über die Kompetenz des Finanzministers, Sparkassendirektoren zu ernennen		89,8
	5. Aufhebung des Gesetzes über das Ministerium für Staatsbeteiligung (Abschaffung)		90,1
	6. Teilweise Aufhebung des Wahlgesetzes für Senatoren (Einführung eines Mehrheitswahlsystems)	77,0	82,7
	7. Aufhebung des Gesetzes über das Landwirtschafts- und Forstministerium (Abschaffung; Kompetenztransfer auf Regionen)		70,2
	8. Aufhebung des Gesetzes über das Tourismusministerium (Abschaffung)		82,3
11. Juni 1995	1. Aufhebung des Gesetzes über »repräsentative« Gewerkschaften	56,9	49,97
	2. Teilweise Aufhebung des Gesetzes über »repräsentative« Gewerkschaften (erleichterte Zulassung)	56,9	62,1
	3. Teilweise Aufhebung des Gesetzes über »repräsentative« Gewerkschaften (öffentlicher Dienst)	56,9	64,7
	4. Aufhebung des Gesetzes über die Sicherheitsverwahrung von angeklagten Mafia-Anhängern (erweiterte Kompetenz für den Staatsanwalt)	57,0	63,7
	5. Aufhebung des Gesetzes über den RAI-Status (Teilprivatisierung des staatlichen Fernsehens möglich)	57,2	54,9
	6. Aufhebung des Gesetzes über die Kompetenz der Gemeinden, Geschäftslizenzen zu vergeben	57,0	35,6

11. Juni 1995	7. Aufhebung des Gesetzes über den Einbehalt des Gewerkschaftsbeitrags	57,1	56,2
	8. Aufhebung des Gesetzes über die Gemeindewahlen	57,1	49,4
	9. Aufhebung des Gesetzes über die Ladenöffnungszeiten	57,1	37,5
	10. Aufhebung des Gesetzes über die Lizenzvergabe einer unbegrenzten Zahl von Fernsehkanälen	57,9	43,0
	11. Aufhebung des Gesetzes über Fernsehwerbung (Unterbrechung von Spielfilmen u.ä. bleibt erlaubt)	57,9	44,3
	12. Aufhebung des Gesetzes über Fernsehwerbung (eine Werbeagentur darf für mehr als zwei Sender tätig sein)	57,8	43,6

Quelle: Italienisches Innenministerium

Die Praxis

Paradoxerweise entfaltete aber gerade das abrogative Referendum, trotz aller Vorsichtsmaßnahmen eine ungeahnte Dynamik. Während von den anderen Referendumsmöglichkeiten bisher kein Gebrauch gemacht wurde, gab es seit 1970 bzw. 1974 neun Urnengänge mit insgesamt 38 abrogativen Referenden. Nimmt man die Schweiz und Liechtenstein aus, so steht damit Italien in Europa klar an der Spitze. Zwar kann man nicht sagen, das Referendum gehöre in Italien schon zum politischen Alltag, aber die Tendenz geht eindeutig in diese Richtung. So gab es im Jahrzehnt von 1970 bis 1979 lediglich drei Referenden, von 1980 bis 1989 schon 11, und von 1990 bis 1995 stieg ihre Zahl auf 24! Das recht große Interesse der Wähler zeigt sich darin, daß nur dreimal das erforderliche Quorum von 50 Prozent der Stimmberechtigten nicht erreicht wurde. Ansonsten lag die Beteiligung meist beachtlich hoch (zwischen 62 und 87 Prozent bis 1993), ging aber bei den Referenden 1995 deutlich zurück (im Schnitt 57 Prozent).
Während die ersten neun Referenden scheiterten, lag die Erfolgsquote danach immerhin bei zwei Drittel. Da der Anwendungsbereich trotz der verfassungsmäßigen und vom Verfassungsgericht verschärften Einschränkungen immer noch sehr groß ist, betrafen die Referenden die unterschiedlichsten Materien. Im Vordergrund standen gesellschaftlich-moralische Fragen, solche der öffentlichen Sicherheit und Ordnung, der Kernkraft, Umwelt und der Medien[17] sowie – in den letzten Jahren verstärkt – Probleme des politischen Systems (Wahlgesetze, Parteien, insbesondere ihre Finanzierung, Gewerkschaften). Vergleichsweise selten wurde über Wirtschaftsfragen abgestimmt (1985 über

die gleitende Lohnskala), während der Bereich Erziehung und Kultur – mit Ausnahme der Medien – völlig fehlt.

Das Referendum und das politische System

Wenn das abrogative Referendum trotz der Einhegung durch die Verfassung und vor allem das Ausführungsgesetz sowie der strengen Kontrolle durch das Verfassungsgericht in den letzten zehn Jahren eine solche Bedeutung gewonnen hat, so liegt es an seinem Charakter als Referendum »von unten«, das vom Parlament und den großen Parteien letztlich nicht kontrolliert werden kann. Es handelt sich um ein Referendum mit »anti-hegemonialem« Effekt.[18] Hinzu kommt, daß die Radikale Partei mit ihrem Führer Marco Pannella das Referendum systematisch für ihre weitreichenden, radikalliberalen, pazifistischen und ökologischen Ziele nicht nur gegen die Regierung, sondern auch das bestehende politische System einsetzte und noch einsetzt. Die unerwartete Bedeutung und Wirkung des Referendums wurde allerdings durch die Abschwächung ideologischer Konflikte am Ende des Ost-West-Konflikts sowie eine – auch in Deutschland zu beobachtende – Auflockerung, wenn nicht Auflösung der soziokulturellen Milieus begünstigt, wodurch es seine Autonomie gegenüber den Parteien gewinnen konnte.

Das Referendum wird vorzugsweise von politischen Minderheiten genutzt, die im Parlament gar nicht oder nur sehr schwach vertreten sind. Neben der Radikalen Partei ist hier insbesondere Mario Segnis »Pakt für die Reform« zu nennen, dessen Erfolg bei der Wahlrechtsreform ohne das Referendum kaum möglich gewesen wäre.[19]

Das Referendum hat bisher mehrere Funktionen erfüllt: Obwohl eigentlich abrogativ, wirkte es häufig wie eine Initiative, machte Parlament und Parteien auf einen bestehenden Handlungsbedarf aufmerksam, setzte sie unter Druck und zwang sie tätig zu werden (etwa bei der Wahlrechtsproblematik). Die bloß negative Abrogation wird so zur positiven Innovation. Auch wenn es mitunter zunächst zur Konfliktverschärfung beitrug, wirkte es langfristig doch befriedend, da offenbar die Legitimität einer direkt durch das Volk getroffenen Entscheidung im Unterschied zu mancher parlamentarischen Entscheidung nicht mehr angezweifelt oder angefochten wird.

Bietet das Referendum politischen Minderheiten ein Ventil und die Chance, ihre Interessen zu artikulieren und systemkonform zu kanalisieren, so kann andererseits die Möglichkeit des Mißbrauchs nicht übersehen werden. Auch die italienische Praxis bestätigt – jedenfalls teilweise – den Satz, daß das Referendum potentiell eine »Prämie für den Demagogen« darstellt. Für die Abschaffung der staatlichen Parteienfinanzierung oder das Verbot der friedlichen Nutzung der Kernkraft konnten auch in Italien mit Demagogie leicht Mehrheiten mobilisiert werden. Die Abschaffung des Landwirtschafts- und

des Tourismusministeriums (Referendum vom 18. April 1993)[20] zeigen, wie weit sich unzufriedene Minderheiten (bezogen auf die Wahlberechtigten) verführen lassen. Derartige Entscheidungen verheißen für die Zukunft wenig Gutes.[21] Ein Heraufsetzen der zur Initiierung des Referendums nötigen Unterschriftenzahl erscheint notwendig, dürfte aber nur schwer durchzusetzen sein und wäre natürlich auch nicht immer ein wirksames Mittel gegen demagogischen Mißbrauch.
Die wichtigste Rolle hat das Referendum bei der Reform des politischen Systems gespielt. Es wurde erfolgreich als »Vehikel der Öffnung des als verkrustet rezipierten politischen und institutionellen Systems herangezogen«[22]. Ausgehend vom Referendum vom 9. Juni 1991 über die Reduzierung der Präferenzstimmen[23], das der gesamten Staatsreformdiskussion eine erhebliche »Anschubwirkung«[24] verlieh, hat das Instrument des Referendums in entscheidender Weise dazu beigetragen, das bestehende parlamentarische System zwar zunächst zu destabilisieren, danach aber ebenso mitgeholfen, die »blockierte Demokratie« der absoluten Parteienherrschaft (*partitocrazia*) zu überwinden. Die Einführung des Mehrheitswahlrechts als Hebel für die als »authentisch revolutionär« (so der ehemalige Ministerpräsident Carlo Azeglio Ciampi) betrachtete Veränderung des politischen Systems konnte dem Parlament nur mit Hilfe des Referendums abgezwungen werden.

Das Referendum in der repräsentativen Demokratie: Reformüberlegungen

Die begrenzten Erfahrungen mit direktdemokratischen Institutionen in Frankreich und Italien können nicht als Beleg für ihre grundsätzliche Unvereinbarkeit mit der repräsentativen Demokratie gelten. Die Krise des parlamentarischen Systems in Italien hat andere Ursachen als das abrogative Referendum, und sie ist auch älter. Das Referendum trug zwar seit etwa zehn Jahren zur Zuspitzung der Krise bei, half aber vor allem entscheidend dabei mit, das alte, nicht mehr regenerationsfähige System zu überwinden. Auch wenn die »neue Demokratie« in Italien noch nicht etabliert und ein abschließendes Urteil deshalb noch nicht möglich ist, wird man die Bilanz des Referendums doch als positiv einschätzen können. Allerdings zeigt die Praxis auch, daß Reformen nötig sind, um seinen Mißbrauch zu erschweren.
Die Schwächung des Parlaments in der V. französischen Republik ist von den Verfassungsgebern gewollt worden. Das nur sehr eingeschränkt anwendbare legislative Referendum spielte dabei lediglich eine untergeordnete Rolle. Immerhin begünstigte es die Entwicklung einer präsidentialistischen Verfassungspraxis. Die Nachfolger de Gaulles konnten diese Praxis auch ohne den Rekurs auf das Referendum fortführen. Einem möglichen Mißbrauch durch den Staatschef, der allein über das Referendum verfügt, wäre durch eine viel-

fach empfohlene[25], bei der Verfassungsrevision 1995 allerdings abgelehnte verstärkte Kontrolle durch den Verfassungsrat zu begegnen. Durch eine präventive Überprüfung der Referendumsfrage auf ihre Verfassungsmäßigkeit könnte, analog der Überprüfung eines von der parlamentarischen Mehrheit beschlossenen Gesetzes, sichergestellt werden, daß Freiheit und Menschenrechte durch eine Referendumsmehrheit keine Gefährdung erfahren. Vor allem müßte das präsidentielle Referendum, das ein Herrschafts- und Führungsinstrument darstellt, durch eine verschiedentlich geforderte Volksinitiative ergänzt werden, um es auch zu einer Möglichkeit erweiterter demokratischer Beteiligung zu entwickeln.

Der Bericht des Beratenden Ausschusses zur Verfassungsrevision enthält einen Vorschlag[26], der geeignet ist, Mißbräuche, wie sie in Italien zu beobachten sind, zu vermeiden. Einmal soll der Anwendungsbereich zwar über den Art. 11 (in der Fassung bis 1995) hinausgehen[27], aber deutlich enger eingegrenzt sein als in Italien. Zum anderen müssen der Auslösung des Referendums ein Fünftel der Parlamentarier und ein Zehntel der Wahlberechtigten zustimmen.[28] Schließlich kann ähnlich wie in Italien ein Referendum vermieden werden, wenn das Parlament innerhalb von vier Monaten den vorgelegten Gesetzesvorschlag selbst beschließt. Sinnvoll wäre auch die Übernahme der Bestimmung des abrogativen Referendums, wonach eine Beteiligung von 50 Prozent der Wahlberechtigten erforderlich ist. Das Referendum böte so einer Minderheit immer noch die Möglichkeit, sich politisch zu artikulieren, wäre aber einigermaßen gegen demagogischen Mißbrauch geschützt.

Ohne daß man im Referendum eine Art demokratische Wunderdroge sehen darf, scheint es doch geeignet zu sein, der um sich greifenden Politikverdrossenheit entgegenzuwirken. Vor allem könnte ein in vorsichtiger Dosis dem repräsentativen System beigemischtes plebiszitäres Element die von Ernst Fraenkel[29] geäußerte Sorge zerstreuen, daß auch das repräsentative System »in seiner reinen Form [. . .] den Keim der Selbstvernichtung« in sich trägt (wofür Frankreich und Italien Anschauungsunterricht bieten). Das Postulat, das Ernst Fraenkel aus seinen Analysen zog, »beide Prinzipien zu Komponenten eines gemischten plebiszitär-repräsentativen demokratischen Regierungssystems auszugestalten«, bleibt weiterhin gültig, wobei das repräsentative Prinzip immer überwiegen, das plebiszitäre lediglich ergänzend hinzukommen sollte.

Anmerkungen

1 Im folgenden wird unterschieden zwischen dem Plebiszit als einer scheindemokratischen Legitimation einer autoritären und personalisierten Herrschaftspraxis und dem Referendum als einer freien Sachentscheidung der Bürger, die allerdings – wie auch die Wahl einer politischen Partei – häufig personalisiert ist. Wenn gleichwohl – im Anschluß an den Sprachgebrauch – von »plebiszitären Elementen« u.ä. gespro-

chen wird, so sind damit Volksbegehren und Volksentscheid bzw. Referendum gemeint.

2 Außer dem Referendum von 1793 fanden solche noch im September 1795 über die Annahme der Verfassung des Jahres III (Direktorialverfassung) sowie über die Zusammensetzung der Versammlungen statt.

3 Zu nennen sind hier die Plebiszite von 1800, 1802, 1804 und 1815; 1851, 1852 und 1870. Eine knappe Zusammenstellung aller Referenden bzw. Plebiszite bei Christian Bigaut: La révision constitutionnelle du 4 août 1995. In: Regards sur l'actualité, Nr. 214 (Sept./Okt. 1995), S. 4-7.

4 Ein repräsentativ-parlamentarisches Regime kann sowohl nichtdemokratisch (wie die Julimonarchie 1830-1848) als auch demokratisch (wie die III. Republik) sein. Das gilt auch für die Entwicklung in Italien (siehe S. 125), wo das parlamentarische Regime aus dem *Statuto Albertino* entstand, zunächst nichtdemokratisch war und erst durch die Einführung des allgemeinen Wahlrechts (1912 zunächst nur für Männer) demokratisiert wurde.

5 Der Staatschef wurde nicht direkt, sondern von den Parlamentariern gewählt; das Auflösungsrecht kam seit seinem »antirepublikanischen« Gebrauch von 1877 durch den monarchistischen Marschall Mac-Mahon nicht mehr zur Anwendung.

6 Die Verfassungsberatungen sind breit dokumentiert in: Documents pour servir l'Histoire de l'élaboration de la Constitution du 4 octobre 1958, 3 Bde., Paris 1987-1991, hier: Bd. 1, S. 266.

7 Gemeint ist das ehemalige französische Kolonialreich, das für kurze Zeit zur *communauté* (Gemeinschaft) umgewandelt wurde. Da sie nicht mehr existiert, strich man diesen Passus 1995.

8 Also auch auf die Freiheit der Erziehung und Schule, um welche die Auseinandersetzung damals ging.

9 Bigaut: La révision constitutionnelle (wie Anm. 3) nennt sieben Fälle (S. 8, Anm. 4).

10 Das Referendum von 1972 über die EG-Erweiterung. Da das Referendum Staatschef Georges Pompidou auch als innenpolitisches Manöver diente, wurde es von einem Teil der Linksopposition boykottiert.

11 Discours et Messages, Bd. 4, Paris 1970, S. 36 (Taschenbuchausgabe).

12 Bisher wacht er lediglich darüber, daß es bei der Durchführung »mit rechten Dingen« zugeht (Art. 60).

13 So mußte ein Wähler, der es im Herbst 1962 für absolut notwendig hielt, daß de Gaulle weiterhin an der Spitze des Staates blieb, beim Referendum mit Ja stimmen, selbst wenn er die Direktwahl des Staatschefs ablehnte und das Referendum für verfassungswidrig hielt.

14 Es betraf die Aufhebung des Scheidungsgesetzes und scheiterte mit 40,7 Prozent Ja-Stimmen.

15 Nicht aufgrund eines Gesinnungswechsels, sondern einer taktisch-opportunistischen Überlegung der Democrazia Cristiana (DC), die damit das von der laizistischen Parlamentsmehrheit verabschiedete Scheidungsgesetz zu annullieren hoffte. Die wichtigsten Bestimmungen des Gesetzes sind zusammengefaßt und erörtert von Pierre Ferrari: Italie: L'évolution du droit public italien en 1970. In: Revue du droit public et de la science politique en France et à l'étranger (RDP) 87 (1971), S. 1374-1393.

16 So konnte z.B. das Referendum über das Scheidungsgesetz erst drei Jahre nach der Initiative stattfinden.

17 Bei den Referenden vom 11. Juni 1995 ging es mit Blick auf Silvio Berlusconi u.a. um die Fragen, ob eine Person mehr als einen Fernsehsender besitzen darf und ob eine Werbeagentur für mehr als zwei nationale Fernsehsender arbeiten darf. Silvio Berlusconis Fininvest-Unternehmen besitzt drei Sender, und die Agentur Publitalia arbeitet für Fininvest, also für alle drei Sender. Beide Fragen wurden im Volksentscheid abschlägig beschieden, d.h., Berlusconis Macht blieb ungeschmälert.

18 Der Begriff bei Jürgen Gebhardt (im Anschluß an Gordon Smith): Direktdemokratische Institutionen und repräsentative Demokratie im Verfassungsstaat. In: Aus Politik und Zeitgeschichte 1991, B 23, S. 21 f.

19 Dank der Initiative von Segnis »Pakt für die Reform« wurde das bisher gültige reine Verhältniswahlsystem durch ein Mischsystem ersetzt: Drei Viertel der Abgeordneten und Senatoren werden nach der Mehrheitswahl bestimmt, ein Viertel über Listen nach der Verhältniswahl.

20 Hier kommt ein Protest gegen Mißstände der (zentral)staatlichen Verwaltung und der Staatswirtschaft zum Ausdruck. Hinter der Abschaffung des Landwirtschafts- und des Tourismusministeriums standen vor allem die Regionen – sie waren auch die Initiatoren –, die mehr Kompetenzen in diesen Bereichen beanspruchten und durch das Ergebnis des Referendums auch erhielten.

21 Vgl. den ironischen Kommentar »Volksbegehren« in: Frankfurter Allgemeine Zeitung, 24. Januar 1996, über zwölf neue Referendumsbegehren Marco Pannellas und der Radikalen Partei.

22 Wolfgang Luthardt: Direkte Demokratie. Ein Vergleich in Westeuropa, Baden-Baden 1994, S. 69.

23 Bei den Wahlen zur Abgeordnetenkammer hatte der Wähler neben der Stimme für die Partei/Liste zusätzlich die Möglichkeit, auf der Liste bis zu vier Kandidatennamen als Präferenzen anzukreuzen (vergleichbar dem Kumulieren, »Häufeln« bei den Kommunalwahlen in Bayern). Letztlich bestimmte also der Wähler über die Reihenfolge der Kandidaten auf der Liste. Da sich die Parteiführungen aber nicht die Aufstellung der Listen aus der Hand nehmen lassen wollten, setzten sie diese sehr demokratisch anmutende Möglichkeit durch ausgeklügelte Praktiken faktisch außer Kraft bzw. nutzten (oder mißbrauchten) sie zur Stärkung der eigenen Position. Eine Reduzierung der Präferenzstimmen richtete sich also gegen die Parteiführungen, allgemein gegen die *partitocrazia*.

24 Luthardt: Direkte Demokratie (wie Anm. 22), S. 74.

25 Z.B. François Mitterrand in Pouvoirs, Nr. 45, Paris 1988, S. 138; der Bericht des Beratenden Ausschusses für die Verfassungsänderung – zu der es nicht kam – vom 15. Februar 1993 (rapport Vedel), S. 78, 90.

26 Ebd., S. 79, 90.

27 Der Bericht schlägt allerdings eine andere Ausweitung vor als die 1995 beschlossene: Statt der Wirtschafts- und Sozialpolitik werden Garantien für die Grundfreiheiten (»les garanties fondamentales des libertés publiques«) hinzugefügt.

28 Die 500 000 Unterschriften zum Ingangsetzen des abrogativen Referendums entsprechen nur etwa einem Prozent der Wahlberechtigten!

29 Ernst Fraenkel: Die repräsentative und die plebiszitäre Komponente im demokratischen Verfassungsstaat. In: ders.: Deutschland und die westlichen Demokratien, erweiterte Ausgabe, Frankfurt/M. 1991, S. 159.

Wolfgang Rudzio

Parteiendemokratie und Repräsentation

Selbstverständnis und Kritik der Parteiendemokratie

Parlamentarische Regierung bzw. Demokratie sind möglich auch ohne organisierte Parteien oder eine bedeutende Rolle von Parteien: so in England zumindest bis 1870, den USA und in Deutschland zur Zeit des Paulskirchen-Parlaments 1848/49. Politik wird in diesem Fall primär von Abgeordneten und Amtsinhabern gemacht, die nach dem Repräsentationsprinzip

- verbindlich für das Volk entscheiden (Parlamentssouveränität);
- an keinerlei Weisungen gebunden sind (freies Mandat) und
- in Anspruch nehmen, Vertreter nicht von Teilinteressen, sondern des ganzen Landes zu sein (Gemeinwohlorientierung).

Erst dieses Repräsentationsprinzip ermöglicht Parlamentsherrschaft und steht daher in engstem Zusammenhang mit dem Aufstieg von Parlamenten und verfaßter Demokratie.[1] Für politische Parteien bleibt in diesem Rahmen allerdings kaum ein Platz, der über ihre Rolle als Vertreter geistiger Strömungen oder Wahlhilfeorganisation hinausreichen würde.

Tatsächlich aber wuchs die Bedeutung von Parteien im politischen Prozeß, vor allem in parlamentarischen Demokratien, weit über diesen Status hinaus. Sie beeinflussen fortlaufend die politischen Entscheidungen, strukturieren die politischen Fronten, wirken als politische Hauptakteure. Man spricht von »Parteiendemokratie«, wenn die Parteien als wichtigste politische Handlungseinheiten fungieren und Regierungen tragen. Seit dem Aufkommen einer Parteiendemokratie wird allerdings die Frage diskutiert, wie sie sich zum Prinzip der Repräsentation verhält und ihrem demokratischen Anspruch gerecht wird.

Bereits auf der theoretischen Ebene kommt man hier zu zwiespältigen Ergebnissen. Auf der einen Seite gilt Parteiendemokratie als besondere Ausprägung repräsentativer Demokratie, da das freie Mandat der Abgeordneten fortbesteht. Angesichts einer Wahl primär von Parteien könnte man dabei von einer individual- und zugleich parteibezogenen, kollektiven Repräsentation sprechen. Der Abgeordnete als Teil der gewählten Partei wird dabei nicht durch ein organisatorisches Kollektiv »Partei« ersetzt.

Andererseits ist Parteiendemokratie bereits während der Weimarer Republik als Herrschaft der Parteiorganisationen über die Abgeordneten und Ausdruck unmittelbarer Demokratie gedeutet worden. So formulierte Carl Schmitt (1888-1985) in seiner Verfassungslehre von 1928: »Sobald ständige Parteiorganisationen als immer vorhandene, feste Größen das Parlament beherrschen, ist dieses den Konsequenzen der unmittelbaren Demokratie unterlegen und nicht mehr Repräsentant.«[2] In der Bundesrepublik Deutschland wurde der Staatsrechtler und Bundesverfassungsrichter Gerhard Leibholz (1901-1982) zum bedeutendsten Vertreter dieser Sicht. Nach seiner Parteienstaatslehre sind Wahlen im modernen demokratischen Parteienstaat ein plebiszitäres Bekenntnis zu Parteien, d.h. inhaltliche, an Parteien gebundene Richtungsentscheidungen. Den Abgeordneten fehle es daher an Legitimität, bei wichtigen Fragen von ihren Parteien abzuweichen. Aber auch die Parteien fungieren nur als »Sprachrohr, deren sich das organisierte Volk bedient«. Der Parteienstaat sei daher letztlich als *»rationalisierte Erscheinungsform der plebiszitären Demokratie«* zu verstehen.[3]

In der Kritik an der Parteiendemokratie wird an erster Stelle das komplexe Verhältnis zwischen Parteiendemokratie, Repräsentation und demokratischem Anspruch thematisiert. Zusammenfassend kann man *drei Linien der Kritik* unterscheiden:

1. Die partikulare Ausrichtung der Parteien mache eine auf das ganze Volk orientierte Repräsentation unmöglich *(fehlende Gemeinwohlorientierung).*

Diese Kritik hat vor allem in der Weimarer Republik eine Rolle gespielt, als Schmitt dem »pluralistischen Parteienstaat« die Fähigkeit absprach, zu einer »Einheit des politischen Willens« zu gelangen.[4] Sie klingt aber auch in der Bundesrepublik an, wenn der Staatsrechtler Hans Herbert von Arnim eine »Macht- und Interessenorientierung« der Parteien »im Gegensatz zum rein sachlichen und gemeinwohlorientierten Denkstil« sieht und ihnen vorwirft, allgemeine Interessen wie die der Konsumenten oder Steuerzahler zu übergehen.[5]

2. Gegen die parteienstaatliche Konzeption von Leibholz wird eingewandt, daß sie das repräsentative Prinzip aufgebe. Dieses aber sei unabdingbar, um Parlamente handlungsfähig zu machen und eine Qualität politischer Entscheidungen zu gewährleisten *(repräsentationsorientierte Parteienstaatskritik).*

Diese Argumentation wurde vor allem Ende der 60er und in den 70er Jahren von Autoren wie Wilhelm Hennis, Werner Kaltefleiter, Peter Haungs und anderen vorgetragen, als Tendenzen zu imperativen Bindungen in der SPD hervortraten. Normativ standen sich die Verfechter einer repräsentativen und diejenigen einer mehr plebiszitär verstandenen Demokratie gegenüber.[6] Auch wenn zuweilen heute nach mehr parlamentarischen Abstimmungen quer über Parteigrenzen hinweg gerufen und eine Steuerung durch Parteigremien beklagt wird[7], so ist diese Auseinandersetzung doch in den Hintergrund getreten.

3. Der Parteiendemokratie als repräsentativ verfaßter Demokratie begegnet der Vorwurf, sie bringe den Volkswillen nicht zum Ausdruck, verwirkliche Demokratie nicht *(plebiszitäre Parteienkritik)*.

Diese Kritik findet heute besondere Resonanz und verbindet sich vielfach mit dem Ruf nach Volksentscheiden. Beispielhaft seien hier zwei der einflußreichsten Exponenten plebiszitärer Parteienkritik genannt: erstens der renommierte Existenzphilosoph Karl Jaspers (1883-1969), der 1966 in einer aufsehenerregenden Schrift »Wohin treibt die Bundesrepublik?« das Volk wegen fehlender Volksentscheide in »Unmündigkeit« gehalten sah; in der Bundesrepublik entwickle sich, so sein Verdikt, eine Parteienoligarchie geradezu zum »Feind der Demokratie«.[8] Zum zweiten sei auf den Staatsrechtler Hans Herbert von Arnim verwiesen, der angesichts fehlender plebiszitärer Möglichkeiten von einer »Entmündigung« des Volkes spricht. Erst Volksentscheide ermöglichen nach seiner Auffassung eine effektive Mitwirkung der Bürger; die Wahl von Parteien hingegen enthalte einen »Paket-Effekt« insofern, als man nicht über die einzelnen Sachfragen, sondern nur über Bündel von Lösungen, zusammengeschnürt von den Parteien, entscheiden könne.[9]

Wenden wir uns, bevor auf diese Kritik zurückzukommen ist, der politischen Praxis in der Bundesrepublik Deutschland mit der Frage zu, ob sie eher dem Modell der repräsentativ verfaßten Parteiendemokratie oder dem des plebiszitären Parteienstaates entspricht.

Wahlen als Anvertrauung oder Plebiszit?

Dieser Fragestellung sei zunächst im Hinblick auf die Wahlen nachgegangen: Inwieweit stellen Wahlen in der Bundesrepublik einen »Akt der Anvertrauung« an Personen dar, die dann Herrschaft auf Zeit ausüben[10] – oder inwieweit sind sie als inhaltlich-plebiszitäre Entscheidungen zu verstehen?

Gewählt werden in der Bundesrepublik Deutschland primär Parteien, daneben noch einzelne bekannte Spitzenpolitiker, kaum aber die einzelnen Abgeordneten als solche. So zeigen Umfragen den geringen Bekanntheitsgrad der örtlichen Kandidaten. Auch die geringen Differenzen zwischen Erst- und Zweitstimmen sprechen für diese Sicht, zumal sie noch überwiegend als Wahl einer Koalitionspräferenz durch die Anhänger kleinerer Parteien zu interpretieren sind. Der Vergleich zwischen Kanzlerpräferenz und tatsächlicher Wahlentscheidung weist darauf hin, daß selbst Spitzenkandidaten nur in nachrangiger Weise das Wahlverhalten bestimmen.[11] Das deutsche Verhältniswahlrecht unterstützt die Wahl von Parteien.

Schwieriger läßt sich die Frage – Wahlen als inhaltliche Entscheidung oder »Akt der Anvertrauung«? – klären. Wohl ist ein sachplebiszitäres Wahlverständnis verbreitet, verschaffen Wahlprogramme und Wahlreden für die Entscheidung der Wähler eine inhaltliche Grundlage. Man könnte daher von Wahlen als globalen (d.h. paketförmigen) Richtungsentscheidungen sprechen. Wesentlich ist aber, daß entscheidende Weichenstellungen in der Geschichte der Bundesrepublik durch parlamentarische Mehrheiten vollzogen wurden, ohne zuvor Gegenstand eines Wahlkampfes gewesen zu sein: so bei der Wendung zur Sozialen Marktwirtschaft 1948 (noch im Wirtschaftsrat der Bizone), der Entscheidung für einen deutschen Wehrbeitrag (EVG-Vertragsratifizierung 1952), den Ostverträgen von 1970 bis 1972, der »Wende« von 1982 und der Wiedervereinigung 1990. Erst im Nachhinein, bei der jeweils folgenden Bundestagswahl, erfolgte dann eine quasi-plebiszitäre Akklamation durch das Volk. Wäre eine solche versagt worden, hätte dies an der Bindungswirkung der vorangegangenen Entscheidung, zumindest nach außen, kaum etwas ändern können. Wenn jede dieser genannten Entscheidungen zuvor einer Volksabstimmung zu unterwerfen gewesen wäre, hätte man angesichts der Stimmungslagen kaum den Weg zur Sozialen Marktwirtschaft, zur Integration in die westliche Verteidigung, vielleicht auch nicht zur raschen Wiedervereinigung gehen können.

Einer Wahl als inhaltlicher Entscheidung wirkt darüber hinaus die Notwendigkeit der Koalitionsbildung entgegen. Neben dem Wahlergebnis entscheidet die Koalitionsbildung über den tatsächlichen Inhalt einer Regierungspolitik.

Und schließlich: Einem sachplebiszitären Wahlverständnis steht im Wege, daß im Laufe einer Wahlperiode immer wieder unerwartete Fragen zur Entscheidung stehen bzw. veränderte Umstände die Versprechungen der Parteien relativieren. Wer Wahlen als konkrete inhaltliche Entscheidung versteht, wird daher immer wieder und notwendigerweise enttäuscht. Ihm bleibt nur Klagen über einen angeblichen »Wahlbetrug« oder den »Verrat« seitens der Regierenden oder – im Extremfall – die Verzweiflung am politischen System im Ganzen.

Inwieweit aber läßt sich in der Parteiendemokratie der Bundesrepublik eine Responsivität in dem Sinne feststellen, daß die Politik auf die Vorstellungen der Bürger reagiert, eingeht und im Ergebnis ein »den Einstellungen der Bevölkerung entsprechende(s) Handeln der Abgeordneten und der Regierung«[12] erfolgt?

Systematisch hat neuerdings Brettschneider diesen Zusammenhang zwischen Bevölkerungsmeinung und politischen Entscheidungen anhand von 94 Fällen des Meinungswandels zu 72 Themen während der Jahre 1949 bis 1990 untersucht. Mehr Fälle eines Meinungswandels bei Themen, die in den Zuständigkeitsbereich des Bundestages fallen, waren dem Archiv des Instituts für Demoskopie Allensbach nicht zu entnehmen. Sein Ergebnis: Es besteht eine weitgehende Übereinstimmung. 70 Prozent der parlamentarischen Handlungen stimmten mit der Meinung der Bevölkerungsmehrheit überein, insbesondere bei Gesetzesbeschlüssen. Die Übereinstimmungsquote hat sich im Laufe der Zeit nicht relevant verändert, sie »ist in der Regel dann am größten, wenn es sich um ein bedeutendes Thema handelt«, und überdurchschnittlich jeweils in den beiden letzten Jahren vor Wahlen. Bemerkenswerter noch scheinen die Ergebnisse zu der Frage, wer wem im Falle eines Meinungswandels folgt: »Zwischen öffentlicher Meinung und parlamentarischen Aktivitäten besteht daher ein Verhältnis wechselseitiger Beeinflussung [. . .]. *Parlamentarisches Handeln führt eher zu einem Meinungswandel*, als daß die Veränderung der Bevölkerungspräferenzen dem parlamentarischen Handeln vorausgeht.«[13]

Strukturelle Grenzen der Responsivität

Neben einem hohen Grad an Übereinstimmung lassen diese Untersuchungen aber auch Grenzen der Responsivität erkennen. Soweit sie bei Entscheidungen in großem Abstand zur nächsten Wahl sichtbar werden, liegt die Erklärung offenbar in deren geringerem Gewicht für die Wahlentscheidung; die Orientierung auf die Wähler ist dann schwächer. Eine Ausrichtung auf Wählermeinungen stößt aber auch auf prinzipielle Grenzen.

Zunächst stellt sich für Abgeordnete und Regierungsmitglieder die Frage: Wem gegenüber sollen sie responsiv sein? Oder anders ausgedrückt: Wie stellt man die Volksmeinung fest? Hier konkurieren mehrere Alternativen:

– Man kann sich auf die »öffentliche Meinung« im Sinne der vorherrschenden Medienmeinung berufen. Diese deckt sich jedoch nicht immer mit der Volksmeinung.

– Vorschläge, »das Parlament als Pufferzone zwischen Elektorat und Regierung auszubauen und seine Abgeordneten wieder stärker in die Aufgaben von Seismographen politischer Stimmungsschwankungen einzuführen«, scheinen zwar diskutabel für englische kommunale Ratsmitglieder[14], weniger geeignet aber (angesichts der selektiven Abgeordnetenkommunikation) für den Deutschen Bundestag.

– Eine Orientierung auf politisch Aktive – von Parteimitgliedern bis zu Demonstranten und Leserbriefschreibern – würde seinen Sinn verfehlen, da politische Beteiligung nicht gleichmäßig streut, sondern jüngere mit hohem Bildungsgrad und hohem sozioökonomischen Status überdurchschnittlich partizipieren.

– Wahlergebnisse als Orientierung kommen zu spät und sind schwer zu deuten, da der Wahleffekt der einzelnen Sachfragen meist nicht zu bestimmen ist. Wie der Zusammenhang zwischen dominierenden Themen und Wahlerfolg, der Wähleraustausch zwischen SPD und Bündnis 90/Die Grünen bzw. Unionsparteien entsprechend der jeweiligen SPD-Politik[15] sowie die Republikaner-Erfolge entsprechend der Rolle des Themas Zuwanderung/Ausländerpolitik zeigen, gibt es aber durchaus auch zuordnungsfähige Effekte.

– Als geeignetster Indikator erscheinen daher Umfrageergebnisse. Probleme bestehen aber auch bei ihnen: in der Güte der möglichen Fragestellungen (welche die Sachproblematik nicht voll erfassen) und in ungefestigten Antworten ohne vorangegangene Diskussion (in »schnell Dahergeredetem«[16]). Umfrageergebnissen einfach zu folgen, wäre daher verfehlt. Helmut Kohl, der angemessener als andere Politiker mit Umfragen umzugehen vermag, machte dies in einer Äußerung von 1981 deutlich: »Umfragen sind ein wichtiges Mittel, um [. . .] Widerstände rechtzeitig zu erkennen, Meinungsströmungen als Chancen für die Thematisierung und Akzentuierung der eigenen Politik zu benutzen und so die Verwirklichung des eigenen politischen Wollens zu erleichtern.«[17]

Alles in allem gibt es also keine sichere Orientierungsmöglichkeit für eine Politik der Übereinstimmung mit der Volksmeinung. Im Vergleich läßt sich nur feststellen, daß eine solche Übereinstimmung eher durch Umfrage- und Wahlorientierungen als durch Medien- und Aktivistenorientierungen gefördert wird.

Ein zweites Problem einer auf Übereinstimmung ausgerichteten Politik besteht darin, daß sie Minderheiten prinzipiell übergeht. Nicht berücksichtigt wird, daß Positionen mit ungleicher Intensität bezogen werden. Das Votum, das der eine Bürger am Rande der Gleichgültigkeit in einer für ihn ganz nachrangigen Frage abgibt, ist nicht mit dem eines anderen gleichzusetzen, der seines in tiefster Überzeugung in einer für ihn zentralen Frage äußert. Da sich diese ungleiche Intensität auf die Wahlentscheidung auswirkt, suchen konkurrierende Parteien auch engagierte Minderheiten zu berücksichtigen. Anthony Downs hat sogar die Möglichkeit diskutiert, daß eine Koalition von intensiven Minderheiten unter Umständen mehrheitsfähig sein könnte. Dieser Fall hat sogar eine gewisse Wahrscheinlichkeit für sich, wenn seine Beobachtung zutrifft, »die Menschen vertreten ihre Minoritätsansichten mit größerer Leidenschaft als die Ansichten, die sie mit einer Mehrheit teilen«[18].

Ein drittes allgemeines Problem ergibt sich schließlich aus der Notwendigkeit, parlamentarische Mehrheiten zu bilden. Die komplexe Gemengelage von zahlreichen Themen, jeweiligen Mehrheiten und engagierten Minderheiten läßt unter den Bedingungen eines Verhältniswahlrechts ein Mehrparteiensystem zu, in dem die Integrationsfähigkeit großer Parteien und der Zusammenhalt von Koalitionsregierungen in Frage gestellt werden können. Die Volksparteien laufen immer wieder Gefahr, Teile ihrer Anhängerschaft oder ihres Anhängerpotentials an profiliertere kleinere Konkurrenten zu verlieren, die sich auf engagierte Minderheiten ausgerichtet haben. Die Integrationskraft einer Volkspartei wird insbesondere dann leicht überfordert, wenn sie über einen längeren Zeitraum hinweg die Bundesregierung führt und dabei unpopuläre Entscheidungen treffen bzw. ärgerliche Koalitionskompromisse eingehen muß. Im Ergebnis finden in Koalitionen wie in Volksparteien auch Positionen engagierter Minderheiten Berücksichtigung, gehen in Kompromisse ein oder

können sich durchsetzen. Ein Beispiel hierfür ist die engagierte Minderheit der Abtreibungsgegner und die Haltung der Unionsparteien.
Zusammenfassend läßt sich feststellen, daß eine in allen Fragen an der Mehrheit orientierte Politik in der Parteiendemokratie schwer zu realisieren ist. Das Intensitätsproblem wirft darüber hinaus die Frage auf, ob eine solche Politik überhaupt wünschenswert und als tatsächlich volksorientiert zu bezeichnen wäre. Abweichungen von Mehrheits- zugunsten engagierter Minderheitspositionen müssen nicht notwendigerweise als Übereinstimmungsdefizite gewertet werden. Ein echtes Responsivitätsdefizit liegt erst dann vor, wenn Volksmehrheit und Parlamentsmehrheit in einer zentralen Frage über einen längeren Zeitraum differieren. Das gleiche gilt, falls bei einer solchen Frage die Position einer Volksmehrheit (oder starken Minderheit) keine Vertretung im Parlament bzw. bei den Partcien findet.
Derartige Defizite können auch in einer Demokratie wie der Bundesrepublik auftreten. Ein relativ gut dokumentiertes Beispiel stellt das Thema der Zuwanderung und des Asyls dar, bei dem sich über eine Reihe von Jahren die Auffassungen deutlicher Wählermehrheiten nicht durchsetzen konnten und keine deutliche Vertretung bei überregionalen Bundestagsparteien fanden – zumindest bis zum Asylkompromiß von 1993.[19] Zugleich führte nach Umfragen dieses Thema zeitweilig – vor dem Zusammenbruch der DDR 1989 und dann vom März 1991 bis zum März 1992 – die Hitliste der als vorrangig betrachteten Probleme an.[20] Einschränkend sei angemerkt, daß der Unterschied in der Meinung der Wählermehrheiten zur CDU-Position vielleicht nicht relevant war, angesichts der öffentlichen Zurückhaltung der Christlichen Demokraten aber erscheinen konnte. Wesentlich trug dies zu Ausbrüchen hin zu den Republikanern bei.
Als Ursachen für das Responsivitätsdefizit in Sachen Zuwanderung/Asyl sind wohl zwei Faktoren verantwortlich zu machen: die in diesem Falle erforderliche Zwei-Drittel-Mehrheit für Verfassungsänderungen (Änderung des Art. 16 GG), vor allem aber die vorherrschende, der Umfragemeinung der Volksmehrheit widersprechende Medienmeinung. Dieser Fall scheint ein Beispiel für die Sicht der Meinungsforscherin Elisabeth Noelle-Neumann gewesen zu sein: Wenn es »zu einer Kluft zwischen dem Medientenor und der Einstellung der Bevölkerung kommt [. . .], dann tendieren Politiker eher dazu, den Medientenor zu respektieren, als nach der Mehrheitsmeinung der Bevölkerung zu handeln«[21]. Die Medien können als intervenierende Störvariable wirken, welche Responsivität reduziert.

Responsivitäts- und Führungskomponente von Repräsentation

Das beachtliche Maß an Übereinstimmung zwischen Politik und Volk, das auf diese Weise im politischen Prozeß der Bundesrepublik Deutschland erkennbar wird, deutet jedoch nicht auf einen plebiszitären Parteienstaat im Sinne von Leibholz, denn plebiszitäre Demokratie heißt, eine aktuelle Übereinstimmung der Politik mit der jeweiligen Volksmehrheit herzustellen oder zumindest anzustreben. Als »Übereinstimmung« sind hier hingegen auch die Fälle eingeordnet worden, bei denen politische Vorentscheidungen und Entscheidungen getroffen wurden, denen die Volksmehrheit erst im Nachhinein gefolgt ist. Im Rahmen der Unterscheidung von Parteienstaat und Parteiendemokratie wird man daher (auch aus diesem Grunde) bei der Bundesrepublik Deutschland von »Parteiendemokratie« sprechen müssen.

Auf der anderen Seite ist der Begriff der Repräsentation nicht mit abgehobener Herrschaft auf Zeit gleichzusetzen. Vielmehr gehört zu ihm über eine Handlungsvollmacht hinaus ein ständiger Prozeß der Rückkoppelung an die Wählerschaft bzw. eine »antizipierte Reaktion« (Carl Joachim Friedrich) auf die Wähler. Dies geschieht im Hinblick auf die nächste Wahl, im älteren Repräsentationskonzept vermittelt durch Rückkoppelung an die »öffentliche Meinung« im Sinne der veröffentlichten Meinung, heute eher im Sinne der stabilisierten Umfragemeinung.

Rückkoppelung bzw. Responsivität heißt dabei aber nicht stets gehorsame Vollstreckung der aktuellen Volksmeinung. Dies deutet sich auch in der Definition der viel rezipierten Repräsentationstheoretikerin Hanna F. Pitkin an: »Representing [. . .] means acting in the interests of the represented, in a manner responsive to them.«[22] Sie unterscheidet dabei eine eigentliche »Responsivitätskomponente« und eine »Führungskomponente« von Repräsentation. Orientierung auf das Volk wie das Entscheidungsrecht der Repräsentanten machen zusammen Repräsentation aus. Letztere können auch gegen die Volksmeinung entscheiden, doch dürfen derartige Konflikte nicht häufig und tiefgreifend auftreten.

Totale Responsivität würde langfristig angelegte und kontinuierliche Politik ausschließen, ist auch mit divergierenden Interessen und der Berücksichtigung von Minderheiten nicht zu vereinbaren. Nach Amitai Etzioni sollte daher sowohl eine »under-reponsiveness« wie eine »over-responsiveness« vermieden werden.[23] Die repräsentative Verfaßtheit der Parteiendemokratie ermöglicht es, diesen Weg zu gehen. Ob bei von der Politik als unwichtig erachteten und deshalb öffentlich kaum diskutierten Themen aber Volksentscheide ein Heilmittel zugunsten größerer Responsivität darstellen könnten, läßt sich bezweifeln.

Fazit

Zurückkommend auf die Kritik der Parteiendemokratie läßt sich nun zusammenfassend feststellen:

1. Hinter der These einer fehlenden Gemeinwohlorientierung steht ein *fehlendes Vertrauen in die »invisible hand« des Parteienwettbewerbes* (analog zu der des Marktes bei Adam Smith), d.h. darauf, daß aus der Auseinandersetzung auch zwischen möglicherweise egoistischen Akteuren Gemeinwohl hervorgehen kann. Der Vorwurf, allgemeine Interessen würden unzureichend vertreten, übersieht, daß spezifischere Interessen häufig als wichtigere empfunden werden. Neben der zahlenmäßigen Verbreitung eines Interesses ist stets auch die *ungleiche Intensität*, mit der es von den Individuen vertreten wird, zu beachten.

2. Die im Zeichen des Repräsentationsprinzips am Parteienstaat angemeldete Kritik *trifft zwar die Parteienstaatslehre, nicht aber die Wirklichkeit* der Bundesrepublik. Diese ist eher unter dem Begriff der »Parteiendemokratie« im oben genannten Sinne zu fassen. Nicht zuletzt auch in der Rechtsprechung des Bundesverfassungsgerichts zu Zeiten von Leibholz, als es ein »Spannungsverhältnis« zwischen dem freien Mandat nach Art. 38 GG und der Rolle der Parteien nach Art. 21 GG konstatierte, spiegelt sich dies wider. Selbst bei einer Partei wie Bündnis 90/Die Grünen, die im Zeichen imperativer Bindungen ihrer Abgeordneten antrat, zeigen sich zunehmend Tendenzen zum Repräsentationsprinzip. Ein Schlaglicht warf hier 1995 der Vorgang, daß der Parteitag abweichenden Entscheidungen der Bundestagsfraktion in Sachen Bosnien-Intervention entgegensah und sie hinzunehmen bereit schien.

3. Die plebiszitäre Kritik der Parteiendemokratie verfehlt ihren Gegenstand, soweit sie eine abgehobene Herrschaft auf Zeit kritisiert. Sie hat sich vielmehr mit der Tatsache auseinanderzusetzen, daß die repräsentativ verfaßte Parteiendemokratie einen *hohen Grad von Responsivität auf Bürgermehrheiten mit*

- einer *Berücksichtigung von Minderheitsinteressen*;
- einer *konsistenten Gesamtpolitik* (die sich nicht in eine Anzahl voneinander isolierter Entscheidungen auflöst) und
- *mittelfristigen Politikkonzepten* (deren Erfolg, wie bei der Einführung der Sozialen Marktwirtschaft, nicht am gleichen Tage offenbar sein muß) *flexibel verbindet*. Es stellt sich die Frage, wieweit dies bei plebiszitären Entscheidungen und Orientierungen auf aktuelle Volksmeinungen möglich bliebe bzw. ob man auf diese Aspekte verzichten kann.

Anmerkungen

1 Vgl. Wolfgang Rudzio: Was bedeutet Repräsentation in einer parlamentarischen Demokratie? In: Zeitschrift zur politischen Bildung – Eichholz Brief 32 (1995), H. 2, S. 18 ff.
2 Carl Schmitt: Verfassungslehre, 3. Auflage, Berlin 1954, S. 219.
3 Gerhard Leibholz: Strukturprobleme der modernen Demokratie, Karlsruhe 1958, S. 76, 94, 93.
4 Carl Schmitt: Der Hüter der Verfassung, 3. Auflage, Berlin 1985, S. 71, 84 ff.

5 Hans Herbert von Arnim: Ist die Kritik an den politischen Parteien berechtigt? In: Aus Politik und Zeitgeschichte 1993, B 11, S. 14 ff., hier: S. 19; ders.: Staatslehre der Bundesrepublik Deutschland, München 1984, S. 304, 313.

6 Dokumentiert ist die Kontroverse in Bernd Guggenberger/Hans-Joachim Veen/ Albrecht Zunker (Hrsg.): Parteienstaat und Abgeordnetenfreiheit. Zur Diskussion um das imperative Mandat, München 1976.

7 Richard von Weizsäcker im Gespräch mit Gunter Hofmann und Werner A. Perger, Frankfurt/M. 1992, S. 145, 139, 158, 160.

8 Vgl. Wolfgang Rudzio: Gefährdungen der Freiheit. Karl Jaspers als politischer Schriftsteller. In: Rudolf Lengert (Hrsg.): Philosophie der Freiheit, Oldenburg 1983, S. 63 ff., hier: S. 69.

9 Hans Herbert von Arnim: Demokratie ohne Volk, München 1993, S. 387, 21.

10 Dolf Sternberger: Grund und Abgrund der Macht, Frankfurt/M. 1962, S. 185.

11 Wolfgang Rudzio: Das politische System der Bundesrepublik Deutschland, 3. Auflage, Opladen 1991, S. 170 f., 193.

12 Frank Brettschneider: Öffentliche Meinung und Politik, Opladen 1995, S. 16.

13 Ebd., S. 103-105, 223-225, 226 (Hervorhebung nicht im Original).

14 Herbert Uppendahl: Repräsentation und Responsivität. In: Zeitschrift für Parlamentsfragen 1981, H. 1, S. 123 ff., hier: S. 132.

15 Vgl. hierzu Wolfgang Rudzio: Die SPD nach der Wahl 1994. In: Gerhard Hirscher (Hrsg.): Parteiendemokratie zwischen Kontinuität und Wandel, München 1995, S. 198 ff., hier: S. 200 f., 207.

16 Wilhelm Hennis: Meinungsforschung und repräsentative Demokratie, Tübingen 1957, S. 35 ff.

17 Zit. nach Brettschneider: Öffentliche Meinung und Politik (wie Anm. 12), S. 23.

18 Anthony Downs: Ökonomische Theorie der Demokratie, Tübingen 1968, S. 55.

19 Vgl. etwa die jährlichen Untersuchungen von: institut für praxisorientierte sozialforschung: Einstellungen zu aktuellen Fragen der Innenpolitik, Mannheim.

20 Für 1991/92 siehe Forschungsgruppe Wahlen: Politische Einstellungen in Ost- und Westdeutschland seit der Bundestagswahl 1990, Mannheim 1992, Anhang Tabellen 1 und 2.

21 Zit. nach Brettschneider: Öffentliche Meinung und Politik (wie Anm. 12), S. 244.

22 Zit. nach Werner J. Patzelt: Abgeordnete und Repräsentation. Amtsverständnis und Wahlkreisarbeit, Passau 1993, S. 34.

23 Zit. nach Brettschneider: Öffentliche Meinung und Politik (wie Anm. 12), S. 18 f.; vgl. auch Uppendahl: Repräsentation und Responsivität (wie Anm. 14), S. 131.

Dritter Teil

Aktuelle Diskussion

Hans-Joachim Jentsch

Die Diskussion um das Grundgesetz nach der Wiedervereinigung

Formal gesehen liegt der Ausgangspunkt für die nach der Wiedervereinigung bis gegen Ende 1994[1] geführte Debatte um das Grundgesetz (GG) in Art. 5 des Einigungsvertrages (EV) vom 31. August 1990[2]. In Wirklichkeit war diese Vorschrift jedoch nur der willkommene Anlaß, langgehegte Änderungswünsche nun in einem gesetzgeberischen Prozeß verfolgen zu können.

Ein willkommener Anlaß

In Art. 5 EV empfehlen die Vertragsparteien des Einigungsvertrages – das sind die Bundesrepublik Deutschland und die Deutsche Demokratische Republik – »den gesetzgebenden Körperschaften des vereinten Deutschlands, sich innerhalb von zwei Jahren mit den im Zusammenhang mit der deutschen Einigung aufgeworfenen Fragen zur Abänderung oder Ergänzung des Grundgesetzes zu befassen«. Der Art. 5 EV führt in diesem Zusammenhang vier Felder auf, die »insbesondere« Gegenstand dieser Befassung sein sollten: das Verhältnis zwischen Bund und Ländern, die Möglichkeit einer Neugliederung für den Raum Berlin/Brandenburg, Überlegungen zur Aufnahme von Staatszielbestimmungen sowie die Fragen der Anwendung von Art. 146 GG einerseits und – in deren Rahmen – die Frage einer Volksabstimmung andererseits.
Der Auftrag des Art. 5 EV kam nicht von ungefähr. Er ist zum einen Ausfluß der Diskussion, die in der DDR spätestens dann entbrannte, als im Verlauf der friedlichen Revolution die Parole von »Wir sind *das* Volk!« in »Wir sind *ein* Volk!« wechselte, als der Traum von der Wiedervereinigung also plötzlich reale Züge annahm. Zum anderen kam er den Absichten derjenigen in der alten Bundesrepublik entgegen, die in der Vergangenheit immer wieder Änderungen des Grundgesetzes eingefordert hatten.
Bleiben wir zunächst bei der alten Bundesrepublik. Der nachhaltigste Vorstoß zur Überarbeitung des Grundgesetzes fällt in das Jahr 1973. Damals setzte der Deutsche Bundestag eine Enquete-Kommission »Verfassungsreform« ein.[3] Ihr wurde aufgegeben zu überprüfen, »ob und inwieweit es erforderlich ist, das Grundgesetz den gegenwärtigen und voraussehbaren zukünftigen Ereig-

nissen anzupassen«. Eine Totalrevision war – wie immer wieder versichert wurde – damit nicht beabsichtigt. Das Ergebnis blieb allerdings hinter den auch bescheidensten Erwartungen zurück, denn von den Empfehlungen im Abschlußbericht aus dem Jahr 1976[4] wurden nur wenige umgesetzt. Zu den auffälligsten gehörte die Verankerung des Petitionsausschusses in Art. 45c GG. Bis dahin hatte es schon gravierendere Änderungen gegeben, so die Einführung der Wehrverfassung (1956), die Notstandsverfassung (1968) und die Reform der Finanzverfassung (1969).

Trotz aller Änderungen und Änderungsbemühungen – es waren weniger als 40 bis zur Wiedervereinigung – kann jedoch festgestellt werden, daß sich die über 40 Jahre der alten Bundesrepublik durch einen weitgehenden Verfassungskonsens seiner Bürgerinnen und Bürger hinsichtlich des sogenannten Bonner Grundgesetzes auszeichnen. Das ist nicht zuletzt anläßlich der Feierlichkeiten zum 40jährigen Bestehen des Grundgesetzes im Mai 1989 deutlich geworden. »Wir haben eine gute Verfassung«, stellte Bundespräsident Richard von Weizsäcker beim Staatsakt am 24. Mai 1989 fest und drückte damit sicherlich die Überzeugung der überwältigenden Mehrheit aller Deutschen aus. Auch im Beitrittsgebiet, also im Gebiet der früheren DDR, hat die überwiegende Zahl der Deutschen diese positive Einschätzung des Grundgesetzes wohl geteilt. Wie anders wäre die überwältigende Zustimmung zur CDU und Bundeskanzler Kohl bei der ersten freien Volkskammerwahl am 18. März 1990 zu erklären? Helmut Kohl und die CDU hatten sich unmißverständlich für die Wiedervereinigung auf der Grundlage des Grundgesetzes ausgesprochen.

Der »dritte Weg« oder der Fortbestand der DDR

Die große Zustimmung zum Grundgesetz in beiden Teilen Deutschlands vor und nach dem 3. Oktober 1990 darf aber nicht darüber hinwegtäuschen, daß es seit jeher einflußreiche Minderheiten gibt, die sich eine andere Verfassungsordnung als die des Grundgesetzes wünschen. So war für so manchen im Beitrittsgebiet, natürlich zuvörderst für solche, die dem alten System anhingen und nachtrauerten, mit dem Beitritt zum Grundgesetz ein Weg in die völlig falsche Richtung gewählt worden. Aber nicht nur Anhänger des alten Regimes, sondern auch Gegner des SED-Staates, die ihm mutig widerstanden haben und ohne die die friedliche Revolution nicht stattgefunden hätte, wandten sich gegen den Beitritt zum Grundgesetz. Der als »Königsweg« bezeichnete Beitritt nach Art. 23 GG war für viele ein Weg in die Selbstaufgabe, ein Weg in die Kolonialisierung durch die Bundesrepublik. Bärbel Bohleys Bekenntnis vom November 1989 steht für dieses Denken: »Die Ausbeutung des Menschen und der Natur, wie im Westen betrieben, kann nicht unser Ziel sein. Die DDR hätte dann eine nationale Existenzberechtigung, wenn sie Fragen der Zukunft unabhängig von den beiden in Ost und West bestehenden Systemen beantworten könnte. Wir haben jetzt die Chance, diese Wertediskussion zu führen, die ein Gesellschaftssystem jenseits von Kapitalismus und real existierendem Sozialismus auf den Weg bringen könnte.«[5] Sechs Jahre später, im Oktober 1995, räumt sie jedoch ein: »Wir waren einfach zu schwach [diesen eigenständigen Weg zu gehen], und wir wollten uns irgendwo anlehnen.«[6] Andere beklagen noch heute, der Beitritt der freien DDR zum Grundgesetz sei in Wahrheit eine Kolonialisierung gewesen.

Der Verfassungsentwurf des »Runden Tisches«

Am Ziel, nicht den Beitritt zum Grundgesetz zu wählen, sondern einen »dritten Weg« zu gehen, orientiert sich insbesondere der Verfassungsentwurf des »Runden Tisches«. Er wird einmal für alle Wiedervereinigungsenttäuschten – das läßt sich schon heute voraussagen – als Beweisdokument für die Behauptung dienen, daß eine viel menschlichere Staatsorganisation hätte verwirklicht werden können.

Der »Runde Tisch« hatte sich am 7. Dezember 1989 in Berlin nach den Vorbildern in Warschau und Budapest konstituiert.[7] In seiner ersten Sitzung war sogleich eine Arbeitsgruppe »Neue Verfassung der DDR« eingesetzt worden, die den Entwurf einer neuen Verfassung für eine selbständige DDR erarbeiten sollte. Die Arbeitsgruppe legte diesen Entwurf am 12. März 1990 in der 16. und letzten Sitzung des Plenums des »Runden Tisches« vor.[8] Da es ihr nicht gelungen war, »einen in sich geschlossenen, vollständig ausformulierten Verfassungsentwurf zu präsentieren«[9], hatte sie auf eine intensive abschließende Beratung im Plenum des »Runden Tisches« gehofft. Dazu kam es nicht mehr, weil die Volkskammerwahl entgegen ursprünglicher Vorstellungen bereits am 18. März stattfand. Dennoch wurde der Entwurf, nachdem noch eine »Endredaktion« vorgenommen worden war, am 4. April 1990 der neugewählten Volkskammer zugeleitet.[10] Den Volksentscheid über den Entwurf führte die Volkskammer aber nicht herbei, obwohl sich die Teilnehmer des »Runden Tisches« bereits in ihrer konstituierenden Sitzung am 7. Dezember 1989 übereinstimmend dafür ausgesprochen[11] und sich im Beschluß vom 12. März 1990 erneut dazu bekannt hatten[12]. Im Beschluß vom März war sogar der 17. Juni 1990 als Termin für diesen Volksentscheid vorgeschlagen worden.

Als hätten die Initiatoren dieses Schicksal ihres Volksentscheidvorschlags geahnt, sahen sie im Beschluß vom 12. März 1990 in Punkt 5 weiterhin vor, was zum Vorhergehenden in einem gewissen Widerspruch steht: »Der Verfassungsentwurf des *Runden Tisches* ist in die Debatte um eine neue gesamtdeutsche Verfassung einzubeziehen, wie dies auch in der Präambel und im Artikel 146 des Grundgesetzes für die Bundesrepublik Deutschland vorgesehen ist.«[13] Diese Formulierung ist wohl Ausfluß der Erkenntnis, daß damals der Zug in Richtung Beitritt der DDR zum Grundgesetz bereits abgefahren war. Sie beweist Realitätssinn, indem sie über das Ziel der Erneuerung der DDR auf der Grundlage dauernder Zweistaatlichkeit hinausweist. Der Hinweis auf Art. 146 GG zeigt aber auch, daß der Einsicht in die Aussichtslosigkeit, den »dritten Weg« zu verwirklichen, nicht zwangsläufig die Bereitschaft folgte, sich dem erprobten und bewährten Grundgesetz zu unterstellen. Ins Blickfeld rückte vielmehr der sogenannte »zweite Weg«, der zu einer neuen, einer gesamtdeutschen Verfassung nach dem Motto: Wenn schon Einheit, dann aber bitte mit einer ganz neuen Verfassung für das vereinigte Deutschland! Die Vereinigung als »paritätischer Vorgang«, lautete das neue Ziel.[14]

Der »erste Weg«, der »Königsweg« des Art. 23 GG, blieb außerhalb des Blickfeldes des »Runden Tisches«. Zu ihm hieß es bei der Vorstellung des Verfassungsentwurfs: »Wer auf einen solchen Weg der Einheit Deutschlands strebt, verletzt das Selbstwertgefühl und damit die Würde dieses Volkes«[15], womit kurzerhand ein »Volk der DDR« fingiert wurde.

Der Verfassungsentwurf des »Runden Tisches« sollte aber nicht nur die Eigenständigkeit der DDR neben der Bundesrepublik sicherstellen, sondern auch in eine andere Republik führen, die sich grundlegend von der der Bundesrepublik des Grundgesetzes unterscheidet. Schließlich war diese in der DDR über 40 Jahre lang als kapitalistisch verteufelt worden. Folgerichtig atmet der Verfassungsentwurf des »Runden Tisches« einen anderen Geist als den des Grundgesetzes.[16]

Der »zweite Weg« oder die Ablösung des Grundgesetzes

Zu Zeiten der deutschen Zweistaatlichkeit, als die Wiedervereinigung, soweit überhaupt noch vorstellbar, in weite Ferne gerückt war, hatte die Vorschrift des Art. 23 GG mehr akademische Bedeutung. Sie sah in ihrer bis zum Einigungsvertrag geltenden Fassung vor, daß das Grundgesetz »in anderen Teilen Deutschlands [. . .] nach deren Beitritt in Kraft zu setzen [ist]«. Für einen solchen Beitritt der DDR zur Bundesrepublik Deutschland fehlte über Jahre weitgehend das Vorstellungsvermögen. Dachte man überhaupt an eine Wiedervereinigung der beiden deutschen Staaten, so wurde dafür eher die Vorschrift des Art. 146 GG ins Kalkül gezogen, »wonach dieses Grundgesetz seine Gültigkeit an dem Tage verliert, an dem eine Verfassung in Kraft tritt, die von dem deutschen Volk in freier Entscheidung beschlossen worden ist«. Die vorherrschende Meinung war, daß dieser »zweite Weg« zu einem wiedervereinigten Deutschland eher der Tatsache der Zweistaatlichkeit, dem Bestehen zweier gleichberechtigter Staaten gerecht werde, als der »Königsweg« des Beitritts des einen Staates zum anderen. Folgerichtig brachten ihn nach der friedlichen Revolution in der DDR erst recht diejenigen ins Gespräch, die lieber die Zweistaatlichkeit gewahrt gesehen hätten. Und es verwundert nicht, daß nach dem Verfassungsentwurf des »Runden Tisches« der »postsoziale Traum« (Isensee) von einer anderen Republik eine weitere Kodifikation fand, und zwar mit dem Verfassungsentwurf des »Kuratoriums für einen demokratisch verfaßten Bund deutscher Länder«.

Der Verfassungsentwurf des »Kuratoriums für einen demokratisch verfaßten Bund deutscher Länder«

»Die Vereinigung der beiden deutschen Staaten ist Anlaß, uns der zukünftigen Wege des gemeinschaftlichen Lebens und Wirtschaftens im eigenen Land und im Verhältnis zu anderen Staaten und Völkern bewußt zu werden und zu vergewissern. Verfassungsgebung ist ein Weg der vernünftigen Selbstwahrnehmung und Selbstbeschreibung der Gesellschaft. Die Diskussion vom Grundgesetz zur deutschen Verfassung ist Teil dieses Weges.« So heißt es in der Paulskirchen-Erklärung des »Kuratoriums für einen demokratisch verfaßten Bund deutscher Länder« vom 16. Juni 1991.
Als Beitrag zu dieser Diskussion wollte das »Kuratorium« seinen »Verfassungsentwurf für den Bund deutscher Länder vom 29. Juni 1991« verstanden wissen.[17] Dieser enthält einen modifizierten »zweiten Weg« zu einer Verfassung für das geeinte Deutschland. Sein Art. 146 sieht vor, daß nach Herstellung der Einheit auf dem Wege des Beitritts nach Art. 23 GG das Grundgesetz für eine Übergangszeit in ganz Deutschland gilt, daß aber alsbald nach der ersten gesamtdeutschen Wahl zum Bundestag ein Verfassungsrat errichtet wird. Diesem sollte aufgegeben sein, binnen zwei Jahren »in Anlehnung« an den Verfassungsentwurf des »Kuratoriums« und »unter Berücksichtigung« des Verfassungsentwurfs des »Runden Tisches« einen Entwurf für eine neue Verfassung zu erstellen. Über den Entwurf sollte dann ein Volksentscheid herbeigeführt werden. Auch hier war also eine neue, das Grundgesetz ablösende Verfassung das Ziel. Allerdings wurden die neu geschaffenen Realitäten berücksichtigt. Weil der Beitritt der DDR zum Grundgesetz bei Vorlage des Verfassungsentwurfs des »Kuratoriums« im Juni 1991 längst vollzogen war, mußte das Grundgesetz zunächst als gesamtdeutsche Verfassung hingenommen werden. Es konnte nur nachträglich über eine neue Verfassung abgelöst werden. Und hierfür bot sich den Kuratoren Art. 146 GG an.
Der Verfassungsentwurf des »Kuratoriums« verweist nicht nur auf den des »Runden Tisches«, er steht auch in dessen Tradition wie Isensee treffend darlegt: »Dem Grundgesetz stellt sich hier eine fundamentale Alternative gegenüber: Gespeist aus kulturrevolutionären Emanzipationstheorien und schlichter Philanthropie, aus Affekten gegen den Nationalstaat und aus Kosmopolitismus, aus Ideologien von multikultureller Gesellschaft, Demokratisierung, Sozialismus, Pazifismus, Ökologismus, Feminismus, aus Abwendung von her-

gebrachten Institutionen wie Ehe, Berufsbeamtentum, Staatskirchenrecht. Neuerungen sind etwa die staatsbürgerliche Gleichstellung von Staatsangehörigen und Ausländern; der Ausbau von Plebiszit, Bürgerpartizipation, parlamentarischem Minderheitenschutz; die Errichtung eines Ökologischen Rates als dritter Kammer; Staatsziele vom Umweltschutz bis zur Abrüstung; soziale Rechte und Kindesrechte; Gleichstellung und Verquotung der Geschlechter; Gleichheitsschutz für jede ›sexuelle Orientierung‹ und Grundrecht auf Abtreibung; ökologische Grundrechtsschranken; allgemeine Drittwirkung der Grundrechte und allgemeine Jakobiner-Grundpflicht: ›Jeder schuldet jedem die Anerkennung als Gleicher‹. Der Duktus der Verfassung wandelt sich vom Juridischen zum Appellativen, von der sektoralen Regelung des Staatlichen zur ganzheitlichen des gesellschaftlichen Lebens, vom Rechtsgesetz zum Volkskatechismus.«[18] Das Streitpotential, welches in den Verfassungsentwürfen des »Runden Tisches« und des »Kuratoriums« liegt, ist damit deutlich beschrieben.

Die das Grundgesetz stabilisierende Wirkung des Einigungsvertrages

Am Entwurf des »Kuratoriums für einen demokratisch verfaßten Bund deutscher Länder« wird bereits die das Grundgesetz sichernde Wirkung des Einigungsvertrages deutlich. Er hatte den Weg des Beitritts und die Geltung des Grundgesetzes für ganz Deutschland festgeschrieben und die Reform des Grundgesetzes in seinem Art. 5 den gesetzgebenden Körperschaften des vereinten Deutschlands zugewiesen. Damit stellte er unzweifelhaft klar, daß keine Bereitschaft bestand, die Verfassungsreform einem Verfassungsrat oder einer anderen unabhängigen Versammlung zu übertragen – und sei es auch nur zum Zwecke der Vorbereitung. Die durch den Einigungsvertrag erfolgte Ergänzung des Art. 146 GG bekräftigte dies. Sie bestätigte, daß das Grundgesetz »nach der Vollendung der Einheit und Freiheit Deutschlands für das gesamte Volk gilt«. Leider behielt die Vorschrift die bisherige Formulierung bei, »wonach das Grundgesetz seine Gültigkeit an dem Tage verliert, an dem eine Verfassung in Kraft tritt, die von dem deutschen Volke in freier Entscheidung beschlossen worden ist«. Daß es bei dieser »Vorläufigkeitsklausel« blieb, lag nicht am Verhandlungspartner DDR, sondern an den SPD-geführten Ländern der Bundesrepublik. So ist an Art. 146 GG zwar nicht die Geltung des Grundgesetzes für das wiedervereinigte Deutschland gescheitert, wie es so mancher gewünscht hatte, er ist aber auch nicht durch den Beitritt gegenstandslos geworden. Das bedeutet, daß das Grundgesetz keine immerwährende Geltung beansprucht, sondern eine Regelung für seine eigene Ablösung trifft. Der Kompromiß lautete also: Beitritt *plus* Änderung oder Ergänzung des Grundgesetzes *plus* Aufrechterhaltung der Option auf Ablösung des Grundgesetzes durch eine neue Verfassung.

Konfliktbewältigung durch die Gemeinsame Verfassungskommission

Der Bundesrat handelte am zügigsten. Er setzte bereits am 1. März 1991[19] – dem Auftrag aus Art. 5 des Einigungsvertrags nachkommend – eine »Kommission Verfassungsreform« mit je zwei Vertretern der 16 Länder ein. Sie legte ihren Bericht im Mai 1992 vor.[20] Die Überschrift »Stärkung des Föderalismus« macht die Zielrichtung der Änderungsbemühungen der Länder deutlich. Den Auftrag des Einigungsvertrages, das Verhältnis zwischen Bund und Ländern zu überprüfen, nahmen sie zum Anlaß, die Stärkung der Landeskompetenzen gegenüber dem Bund und im Gesetzgebungsverfahren des Bundes zu verfolgen. Zudem machten sie geltend, daß sie unter Berücksichtigung der Gewaltenteilung im föderalistischen Staat zwischen Bund und Ländern an der Vertretung der Bundesrepublik im Rahmen der Europäischen Union verstärkt beteiligt werden müßten. Alle diese Forderungen sind von den Ländern in der »Gemeinsamen Verfassungskommission« von Bundestag und Bundesrat weiterverfolgt und in beachtlichem Umfang auch durchgesetzt worden. Die »Kommission Verfassungsreform« des Bundesrates befaßte sich darüber hinaus mit den Themen, die auch in der »Gemeinsamen Verfassungskommission« wiederkehrten.

Die »Gemeinsame Verfassungskommission« aus 64 Mitgliedern – je 32 des Bundestages und des Bundesrates – nahm ihre Arbeit aufgrund der Beschlüsse auf, die Bundestag und Bundesrat im November 1991 gefaßt hatten.[21] Ihren Bericht legte sie am 5. November 1993 vor.[22] Nach etwa einjähriger Beratung der Ergebnisse in Bundestag und Bundesrat fand das Reformvorhaben durch die Grundgesetzänderung vom 27. Oktober 1994[23] seinen Abschluß. Die Beratungen zur Europäischen Union hatten bereits durch Gesetz vom 21. Dezember 1992[24] zur Änderung des Grundgesetzes geführt. Dabei war ein neuer Art. 23 geschaffen worden mit einer Staatszielbestimmung (»Zur Verwirklichung eines vereinten Europas wirkt die Bundesrepublik Deutschland bei der Entwicklung der Europäischen Union mit, [. . .].«) und einer Zuständigkeitsregelung (»In Angelegenheiten der Europäischen Union wirken der Bundestag und durch den Bundesrat die Länder mit.«).

Der Arbeit der »Gemeinsamen Verfassungskommission« ist zu Recht ein gutes Urteil ausgestellt worden. Die Öffentlichkeit nahm an den Beratungen allerdings wenig Anteil, eine Erfahrung, welche die neuen Länder bei ihrer Verfassunggebung gleichermaßen machen mußten. So bedauerlich das einerseits war, so hat es andererseits sicherlich die Sachlichkeit der Arbeit gefördert. Wer erwartet hatte, daß die Beratungen im Zeichen eines Gegensatzes zwischen »Ost und West«, zwischen den Vertretern der alten Bundesrepublik und der neuen Länder, stehen würde, sah sich getäuscht. Das hatte eine Reihe von Ursachen.

Zunächst lag es an der Dominanz der Fragestellungen, die sich in der alten Bundesrepublik in langjährigen Debatten angestaut hatten und nun vor einer

Neubewertung standen. Zu ihnen gehörten etwa die Schaffung neuer sozialer Grundrechte (Recht auf Wohnen, Recht auf Arbeit), die Verankerung von Grundrechten des Umwelt- und des Datenschutzes, die ausdrückliche Verpflichtung des Staates zur Förderung der »tatsächlichen Durchsetzung der Gleichberechtigung von Frauen und Männern«, die Verstärkung der unmittelbaren Demokratie auf Kosten der repräsentativen. Es war zu erwarten gewesen, daß beim Stichwort Verfassungsänderung alle diese Themen auf den Tisch gelegt würden. Hinzu kam, daß ein Großteil der Vertreter der neuen Länder, in Sonderheit auf der Bundesratsbank – nämlich vier der fünf Landesjustizminister –, aus dem Westen stammten. Doch nicht nur die Dominanz westdeutscher Verfassungserfahrung lenkte die Diskussion auf diese Themen. Eine Betrachtung der Diskussion um die Landesverfassungen in den neuen Ländern zeigt, daß sich die Themen ähnelten. Auch dort standen Plebiszite und soziale Grundrechte im Vordergrund.
Der besondere Beitrag der neuen Länder zur Änderung des Grundgesetzes ist ausgeblieben. Die Bewertung dieser Erkenntnis ist durchaus ambivalent. Zum einen stellte sich heraus, daß die Verfassungsdiskussion als angeblich notwendige Folge der Wiedervereinigung zu früh stattfand. Der »Königsweg« des Beitritts hätte dazu führen sollen, dem Grundgesetz im Beitrittsgebiet zunächst einmal eine Chance zu geben, es gleichsam zu erproben, um festzustellen, welche Änderungsnotwendigkeiten sich ergeben, wenn es auf Menschen trifft, die eine ganz andere Erfahrung mitbringen als diejenigen, die mit diesem Grundgesetz groß geworden sind. Zum anderen zeigte sich, daß das Grundgesetz aus Wiedervereinigungsgründen nicht einer umfassenden Revision unterzogen werden mußte, daß es sich vielmehr gerade in einer Zeit, in der die Schwierigkeiten des Zusammenwachsens deutlich geworden sind, als »einigendes Band« (Kriele) erweist. Die Länderneugliederung innerhalb Deutschlands bleibt als Aufgabe bestehen.

Ungewisse Zukunft des Grundgesetzes?

Die Verfassungsdiskussion ist vorerst mit einem Ergebnis abgeschlossen worden, welches das Grundgesetz bestätigt und stärkt. Die gelungene Abwehr der Ablösungsbestrebungen oder grundlegender Veränderungen läßt aber nur bedingt Schlüsse auf seine Akzeptanz in der Zukunft zu. Die Stärke, die es gegenüber allen Anfechtungen bewiesen hat, rechtfertigt sicherlich Vertrauen in seine Beständigkeit. Allerdings ist zusätzlicher Neuregelungsbedarf bereits ausgemacht. So steht die Neuordnung der Finanzverfassung bereits seit längerem auf der Tagesordnung. Sie muß gelöst werden, wenn die föderale Struktur unseres Staates nicht Schaden nehmen soll. Welche Herausforderungen es für das Grundgesetz bringen wird, wenn sich die Europäische Union in Richtung auf einen europäischen Staat weiterentwickeln sollte, ist durch das Maastricht-Urteil des Bundesverfassungsgerichts vom 12. Oktober 1993[25] deutlich geworden. Ob der Hang zur Politikbewältigung durch Grundgesetzänderung, der insbesondere in dem Verlangen nach Verankerung sozialer Grundrechte im Grundgesetz (Recht auf Wohnen, Recht auf Arbeit) deutlich wurde, sich verstärken oder aber nachlassen wird, ist ebenfalls nicht abzusehen. Dabei sollte doch feststehen: »Eine knappe – und zudem gute – Verfassung verbaut nicht Politik, sondern erhält ihr Spielräume und sichert ihr eher Respekt als ständige Änderungswünsche. Was die Politik nicht an Zielen und Werten zu formulieren und dem Bürger konkret vorzulegen vermag, gelingt auch nicht einem Text, der oberste Gebote enthält.«[26] Was für den Sport gilt, trifft auch auf die Politik zu: So wie eine schlecht spielende Mannschaft nur ausnahmsweise auf die Änderung der Spielregeln setzen wird, so sollten Bürger und Politiker bei schlechter Gestaltung des Gemeinwohls das Heil nicht zuvorderst in der Änderung grundlegender Verfassungsregeln suchen. Ist es im Sport die Mannschaftsleistung, die verbessert werden muß, so ist bei der Gestaltung des Gemeinwohls eine bessere Politik gefragt.

Je grundlegender jedoch die Staats- und Verfassungsordnung in Frage gestellt wird, desto nachhaltiger entstehen auch in Zukunft Forderungen nach einer Änderung oder gar Ablösung des Grundgesetzes. Die Phase der Wiedervereinigung muß hinsichtlich solcher Bemühungen durchaus kein singulärer Vorgang bleiben – sowohl hinsichtlich der Ablösungs- und Änderungsbemühungen als hoffentlich auch hinsichtlich ihrer Kraft, sich zu behaupten. Auch wenn die Erfolgsaussicht für einen zukünftigen Versuch zur Totalrevision aufgrund der jüngsten Erfahrungen gering erscheint, so darf nicht übersehen werden, daß Art. 146 wie ein Damoklesschwert über dem Grundgesetz schwebt. Gibt sich das deutsche Volk aber eine neue Verfassung, betätigt es sich also als *pouvoir constituant*, so ist es frei von den Beschränkungen, die das Grundgesetz normiert. Es muß weder die »Ewigkeitsgarantie« des Art. 79 III GG beachten, wonach bestimmte Vorschriften des Grundgesetzes überhaupt nicht änderbar sind, noch muß es seine Entscheidungen mit Zwei-Drittel-Mehrheit treffen – denn diese Regelungen des Grundgesetzes binden nur die verfaßte Gewalt, den *pouvoir constitué*, nicht jedoch den *pouvoir constituant*. Bemühungen, ihn den Regelungen des Grundgesetzes mit der Begründung zu unterwerfen, Art. 146 stehe eben in diesem Grundgesetz, überzeugen nicht. Somit bleibt festzuhalten, daß Art. 146 verfassungsrechtlich legitimiert, was sich sonst als Legitimitätsbruch darstellt.[27] In der abgeschlossenen, insgesamt gelungenen Runde der Verfassungsreform ist es deshalb mehr als ein Schönheitsfehler, daß Art. 146 nicht eliminiert wurde.

Bleibt zum Schluß gerade unter dem Eindruck der Gefahren aus der Fortgeltung des Art. 146 GG die Frage, ob es nicht sinnvoller gewesen wäre, das »angepaßte Grundgesetz« dem Volk zur Entscheidung vorzulegen, so wie es in den neuen Ländern mit der neuen Landesverfassung geschah. Art. 146 hätte

dann aus dem Grundgesetz gestrichen werden können, weil er durch diesen Volksentscheid als verbraucht anzusehen wäre.[28]
Wenn es im Gegensatz zu den neuen Länderverfassungen beim Grundgesetz nicht zu einer Volksbeteiligung gekommen ist, so liegt der entscheidende Grund im qualitativen Unterschied der Gesetzgebungsvorgänge im Bund und in den neuen Ländern: Im Bund wurde der Geltungsbereich einer erprobten Verfassung erweitert. 60 Millionen Bürgerinnen und Bürger hatten sich in einem über 40 Jahre währenden Zeitraum zu dieser Verfassung bekannt – eine Legitimierung, die mindestens so schwer wiegt wie ein einmaliger Volksentscheid. Und ca. 17 Millionen Bürgerinnen und Bürger der neuen Länder hatten gerade freiwillig ihren Beitritt zu der Verfassung erklärt. Mußte angesichts dieser Legitimationsakte nicht jeder zusätzliche Volksentscheid aus Anlaß einiger, sicherlich nicht gering zu schätzender Änderungen überflüssig erscheinen? Anders verhielt es sich in den neuen Ländern, die nach ihrer Abschaffung im Jahr 1952 nun neu begründet wurden und sich eine neue Verfassung gaben. Hier hatte der Volksentscheid eine ganz andere Funktion. Es ging um die Legitimierung der verfassungsrechtlichen Neuordnung des Landes. Zwar waren die Landtage befugt, als verfassunggebende Versammlung ohne Einschaltung des Volkes die Verfassung zu verabschieden, aber dessen Beteiligung hatte in diesem Stadium der Staatsneugründung zusätzliche integrative Wirkung.
Ein Volksentscheid über das »angepaßte Grundgesetz« hätte zwar das Einfalltor für eine neue Verfassung (Art. 146 GG) schließen können, aber ansonsten ein völlig falsches Zeichen gesetzt. Er hätte den Eindruck der Notwendigkeit einer neuen verfassungsrechtlichen Grundlegung des vereinten Deutschlands vermittelt, daß also gleichsam eine postgrundgesetzliche Zeit beginnt. Wie dargelegt, war nicht wenigen auch daran gelegen. Es stimmt sicher, daß in Deutschland nach seiner Vereinigung vieles nicht mehr so ist wie zuvor. Sichtbares Zeichen für die gravierenden Änderungen in Deutschland ist die Verlegung der Bundeshauptstadt von Bonn nach Berlin. Doch eines bleibt auch für das vereinigte Deutschland grundlegend: die freiheitlich demokratische Grundordnung des Grundgesetzes. Mit diesem Grundgesetz sind schließlich Freiheit und Wiedervereinigung errungen worden. Es muß nicht zur Disposition gestellt werden, auch nicht durch eine Volksabstimmung.

Anmerkungen

1 Durch Gesetz vom 27. Oktober 1994 (Bundesgesetzblatt – BGBl. – I, S. 3146) fand die Arbeit der Gemeinsamen Verfassungskommission von Bundestag und Bundesrat ihren gesetzgeberischen Abschluß.
2 BGBl. II (1990), S. 889.
3 Bundestags-Drucksache (BT-Dr) 7/214 (neu).
4 BT-Dr 7/5924.

5 Frankfurter Rundschau, 9. November 1989.
6 Die Welt, 2. Oktober 1995.
7 Zur Geschichte des »Runden Tisches« vgl. Uwe Thaysen: Der Runde Tisch. Oder: Wo blieb das Volk? Der Weg der DDR in die Demokratie, Opladen 1990.
8 Abgedruckt in: Rudolf Schuster (Hrsg.): Deutsche Verfassungen, München 1994 (= Goldmann-Taschenbuch 12393), S. 425 ff.
9 Thaysen: Der Runde Tisch (wie Anm. 7), S. 143.
10 Ebd., S. 144.
11 Erklärung des Runden Tisches, Ziffer 3. In: Schuster (Hrsg.): Deutsche Verfassungen (wie Anm. 8), S. 479.
12 Beschluß des Runden Tisches. In: Schuster (Hrsg.): Deutsche Verfassungen (wie Anm. 8), S. 479 f.
13 Ebd., S. 480
14 Thaysen: Der Runde Tisch (wie Anm. 7), S. 146.
15 Ebd., S. 146.
16 Martin Kriele: Art. 146 GG: Brücke zu einer neuen Verfassung. In: Zeitschrift für Rechtspolitik (ZRP) 1991, S. 1 ff., hier: S. 3.
17 Bernd Guggenberger/Ulrich K. Preuß/Wolfgang Ullmann (Hrsg.): Eine Verfassung für Deutschland. Manifest, Text, Plädoyers, München – Wien 1991.
18 Josef Isensee: Mit blauem Auge davongekommen – das Grundgesetz. In: Neue Juristische Wochenschrift (NJW) 1993, S. 2583 ff., hier: S. 2584.
19 Bundesrats-Drucksache (BR-Dr) 103/91.
20 BR-Dr 360/92.
21 BT-Dr 12/1590 und 12/1670; BR-Dr 741/91.
22 BT-Dr 12/6000; BR-Dr 800/93.
23 BGBl. I (1994), S. 3146.
24 BGBl. I (1992), S. 2086.
25 2 BvR 2134/92; 2 BvR 2159/92; Leitsatz 4: »Vermitteln – wie gegenwärtig – die Staatsvölker über die nationalen Parlamente demokratische Legitimation, sind der Ausdehnung der Aufgaben und Befugnisse der Europäischen Gemeinschaften vom demokratischen Prinzip her Grenzen gesetzt.«
26 Volker Kröning: Kernfragen der Verfassungsreform. In: ZRP 1991, S. 161 ff., hier: S. 166.
27 Kriele: Art. 146 GG (wie Anm. 16), S. 1.
28 Ebd., S. 1 ff., hier: S. 5.

Werner Kaltefleiter

Die Wahl des Bundespräsidenten durch Plebiszit?

Das Amt des Bundespräsidenten gehört zu den Institutionen des deutschen Grundgesetzes, die kaum mehr Gegenstand der verfassungspolitischen Kontroversen sind. Dies wurde besonders deutlich, als in der durch den Einigungsvertrag zwischen der Bundesrepublik und der DDR eingerichteten gemeinsamen Kommission von Bundestag und Bundesrat zur Überprüfung des Grundgesetzes es – von einer Nebenbemerkung abgesehen – keinerlei Auseinandersetzung über eine Neugestaltung dieses Amtes gab.[1] Dennoch wird vor den Wahlen des Bundespräsidenten, so auch zum letzten Mal 1994, immer wieder über die Frage: »Direktwahl durch das Volk – Ja oder Nein?« öffentlich diskutiert. Daß sich die Kontroverse um das erste Amt im Staat auf das Wahlverfahren konzentriert, ist auch insofern bemerkenswert, als in den Beratungen des Parlamentarischen Rats 1948/49 seine Ausgestaltung noch zu heftigen Diskussionen Anlaß gab. Die Erfahrungen mit den Reichspräsidenten in der Weimarer Verfassung wurden damals sehr unterschiedlich bewertet, aber die aus den Weimarer Erfahrungen gezogenen Konsequenzen haben zu einem Staatsoberhaupt von völlig neuem verfassungspolitischen Zuschnitt und in dieser Frage zu einem weitgehenden Verfassungsfrieden geführt.[2]
Die gegenwärtige Regelung, daß der Bundespräsident durch die Bundesversammlung, die aus den Mitgliedern des Bundestages und einer gleich großen Anzahl von Vertretern der Landtage besteht, gewählt wird (Art. 54), gehört zu den in Frage gestellten Vorschriften. Dies geschieht zumeist im Zusammenhang mit anderen Forderungen nach mehr plebiszitären Elementen in der deutschen Politik. Dazu gehört dann auch die Anregung, den Bundespräsidenten direkt zu wählen. Die damit aufgeworfene Problematik kann deshalb nicht isoliert, sondern nur im Zusammenhang mit der Stellung des Bundespräsidenten im politischen System der Bundesrepublik Deutschland erörtert werden.

Das Amt des Bundespräsidenten in der Verfassungswirklichkeit

Zu dem weitgehenden Verfassungsfrieden über die Stellung des Bundespräsidenten hat die Amtsführung der bisherigen Präsidenten[3] wesentlich beigetragen.[4] Theodor Heuss gelang es nach kürzester Zeit, eine breite überparteiliche Zustimmung zu finden, obwohl er 1949 als Teil der Koalitionsabsprachen zwischen CDU/CSU und FDP in sein Amt gelangt war. Seine Wiederwahl 1954 kam einer Akklamation gleich. Die Zustimmung zu seiner Amtsführung ging soweit, daß man 1959 eine Grundgesetzänderung erwog, um ihm eine dritte Amtszeit zu ermöglichen. Aber Heuss lehnte dies kategorisch mit dem Hinweis ab, man dürfe Verfassungsregeln nicht personenzugeschnitten neu formulieren. Damit war diese Diskussion zumindest bis zum heutigen Tag beendet.

Eine erste tiefergreifende Kontroverse gab es, als die Suche nach Heuss' Nachfolger von Teilen der CDU-Führung genutzt wurde, um zunächst Adenauers möglichen Nachfolger, nämlich Ludwig Erhard, in dieses Amt zu loben, um ihn dadurch von der potentiellen Kanzlerschaft fernzuhalten. Aber Erhard lehnte ab; er wollte weiterhin Politik gestalten.[5] Andere versuchten, das Problem einer Nachfolge Adenauers dadurch zu lösen, daß man dem Kanzler die Präsidentschaft antrug. Dieser nahm zunächst mit Hinweisen auf die bislang nicht ausgeschöpften Möglichkeiten des Amtes an[6], lehnte dann aber nach eingehendem Studium der Kompetenzen das Angebot wieder ab.[7] Dieser Vorgang ist als die sogenannte Präsidialkrise in die deutsche Zeitgeschichte eingegangen, bedeutete jedoch zugleich einen Präzedenzfall über die verfassungspolitischen Möglichkeiten dieses Amts. Erhard wie Adenauer lehnten die Präsidentschaft ab, weil sie erkannten, daß man aus diesem Amt heraus Politik wohl beeinflussen, aber nicht bestimmen kann.

Mit den Entscheidungen von Heuss, Erhard und Adenauer waren zehn Jahre nach Gründung der Bundesrepublik jenseits aller verfassungsrechtlichen Fragen die verfassungspolitischen Möglichkeiten des deutschen Bundespräsidenten geklärt. Er ist Staatsoberhaupt im parlamentarischen System, in seiner Stellung der englischen Königin vergleichbarer als manchem republikanischen Staatsoberhaupt auf dem europäischen Kontinent.[8]

Nach dieser Klärung gab es nur noch eine kleine Kontroverse, als der Nachfolger von Heuss, Heinrich Lübke, den verfassungsrechtlichen Spielraum des Präsidenten bei der Regierungsbildung auszuloten versuchte.

Art. 63 des Grundgesetzes sieht vor, daß der Bundespräsident dem Bundestag für den ersten Wahlgang einen Kandidaten vorschlägt. Um diese verfassungsrechtliche Möglichkeit ausschöpfen zu können, schrieb Lübke – ein erklärter Gegner Erhards und der von ihm geführten CDU/CSU/FDP-Koalition – vor der Bundestagswahl 1965 Briefe an die Parteivorsitzenden und bat sie, sich nicht nach der Wahl sofort auf einen Kanzlerkandidaten festzulegen. Doch die Wähler überrollten Lübkes Ambitionen. Das Wahlergebnis war ein überwältigendes Vertrauensvotum für Erhard und seine Koalition, so daß es für den Bundespräsidenten keinen Spielraum gab. Seitdem hat kein Präsident bei einer Regierungsbildung versucht, nach außen erkennbar Einfluß auszuüben.

Die folgenden Präsidentschaften von Gustav Heinemann, Walter Scheel, Karl Carstens und Richard von Weizsäcker sind frei von jeder verfassungspolitischen Krise über die Ausgestaltung des Amtes. Die Präsidenten machten von ihrem Recht der formellen und materiellen Prüfung von Gesetzen Gebrauch, und die jeweiligen Regierungen akzeptierten dies – in der Regel aus der Einsicht heraus, daß die vom Präsidenten beanstandeten Gesetze, die aus parteipolitischen Kompromissen hervorgegangen waren, einer späteren Prüfung durch das Bundesverfassungsgericht ohnehin nicht standgehalten hätten. Der bislang letzte wichtige Präzedenzfall, der dann mit Hilfe des Bundesverfassungsgerichtes entschieden wurde, datiert aus dem Jahr 1983, als es um die Auflösung des Deutschen Bundestages nach Art. 68 ging. Dieser Artikel war zuvor erst einmal angewandt worden, nämlich 1972, als es nach der Erosion der von Brandt begründeten SPD/FDP-Koalition zu einer Pattsituation im Deutschen Bundestag und über die Parteigrenzen hinweg zu Einigkeit über die Notwendigkeit von Neuwahlen gekommen war. Brandt bediente sich dazu des Art. 68; die SPD führte die vom Grundgesetz geforderte parlamentarische Niederlage bei der Vertrauensfrage durch entsprechende Abwesenheit im Bundestag herbei. Brandt schlug die Auflösung vor, die Heinemann dann auch vollzog. Das ganze Procedere war parteipolitisch unumstritten und insofern kein verfassungspolitischer Präzedenzfall.[9]
Anders war die Situation 1982/83. Bereits in den Koalitionsverhandlungen im September 1982 zwischen CDU/CSU und FDP, die der Wahl Helmut Kohls zum Deutschen Bundeskanzler – erstmalig in der Geschichte der Bundesrepublik Deutschland durch die Anwendung des Mißtrauensvotums nach Art. 67 – vorausgingen, hatte man sich auf vorgezogene Neuwahlen im März 1983 geeinigt. In den ersten zweieinhalb Monaten verabschiedete die von Kohl geführte Koalition zahlreiche Gesetze zur Sanierung des Bundeshaushaltes, die zum Teil tiefgreifende sozialpolitische Einschnitte bedeuteten.
Die Koalition bewies damit ihre Handlungsfähigkeit. Als dann Helmut Kohl wie Brandt 1972 die Vertrauensfrage stellte, um die Voraussetzung für die Auflösung des Bundestages zu schaffen, wurde diese zwar erneut durch die Abwesenheit zahlreicher Koalitionsabgeordneter herbeigeführt, aber es war offensichtlich, daß es sich hier um eine organisierte Abstimmungsniederlage handelte. Das warf die Frage auf, ob damit die Zielsetzung des Art. 68, der die Auflösung als Instrument zur Überwindung einer parlamentarischen Paralyse beinhaltet – wie das 1972 der Fall war –, nicht pervertiert worden sei. Als dennoch Karl Carstens dem Auflösungsbegehren von Bundeskanzler Kohl folgte, klagten dagegen einige Abgeordnete.[10]
Das Bundesverfassungsgericht bestätigte die Entscheidung des Bundespräsidenten. Von der umfangreichen Urteilsbegründung[11] ist verfassungspolitisch die Feststellung am wichtigsten, daß es nicht Aufgabe des Bundespräsidenten sein könne, über Motive des Abstimmungsverhaltens zu spekulieren. Er habe den Tatbestand der gescheiterten Vertrauensfrage, wie er vom Grundgesetz

als Voraussetzung für die Auflösung durch Art. 68 vorgesehen ist, zu prüfen. Stelle er fest, daß diese Voraussetzung gegeben ist, sei die folgende Auflösung verfassungskonform.
Diese Entscheidung des Gerichts wirft natürlich die Frage auf, ob es überhaupt einen Grund geben kann, mit dessen Hilfe ein Bundespräsident dem Auflösungsbegehren des Bundeskanzlers widersprechen kann. Auch wenn man der politischen Phantasie weiten Raum läßt, wird man dafür keinen überzeugenden Grund finden. Das Ergebnis der Kontroverse von 1983 ist somit de facto eine Auslegung, die im Gegensatz zu aller vorausgegangenen juristischen Literatur Art. 68 in Übereinstimmung mit den Anforderungen des parlamentarischen Systems interpretiert:[12] Das Recht zur Parlamentsauflösung kann nach den Spielregeln des parlamentarischen Systems nur in der Hand des Bundeskanzlers liegen. Der Wortlaut des Grundgesetzes ist durch die Ereignisse von 1983 in diesem Sinne geklärt worden.
Auch wenn die verfassungsrechtliche Literatur in dieser Frage noch immer ambivalent ist[13], kann für die Verfassungswirklichkeit nach 1983 festgehalten werden, daß es für die Rechte und Pflichten eines Bundespräsidenten keinen Verfassungsdisput mehr gibt. Trotzdem wird – wie schon erwähnt – in der Öffentlichkeit fast regelmäßig[14] aus Anlaß anstehender Neuwahlen eines Bundespräsidenten die Frage aufgeworfen, ob dieser – statt wie vom Grundgesetz vorgesehen durch die Bundesversammlung – direkt vom Volk gewählt werden sollte.

Zur direkten Wahl des Bundespräsidenten

Verknüpft ist die Frage der Direktwahl mit einer Diskussion darüber, ob es einen Zusammenhang zwischen dem Wahlmodus und den Kompetenzen gibt – oder anders ausgedrückt: Müßte ein direkt gewählter Bundespräsident auch über mehr Macht und Einfluß verfügen? In diesem Zusammenhang erfolgt zum Beispiel der Hinweis auf die Verfassung der durch Charles de Gaulle 1958 etablierten V. Republik in Frankreich, die dem Staatspräsidenten im politischen Willensbildungsprozeß eine dominierende Rolle zuweist. Schließlich wird auch gefragt, ob es nicht sinnvoller sei, die Wahl des Präsidenten auf sieben Jahre zu verlängern und die Möglichkeit einer Wiederwahl auszuschließen.[15]

Die Frage der Amtszeit

Gerade die letzte Frage läßt sich mit Hinblick auf die Erfahrungen in der Bundesrepublik Deutschland eindeutig beantworten. Bislang haben drei Präsidenten, nämlich Heuss, Lübke und von Weizsäcker, die verfassungsrechtliche

Möglichkeit einer zweiten Amtszeit ausgeschöpft. Alle drei wurden, obwohl beim ersten Mal nur von der jeweiligen Koalitionsmehrheit unterstützt, nach fünf Jahren mit einer parteiübergreifenden Mehrheit wiedergewählt. Drei Präsidenten, Heinemann, Scheel und Carstens, übten ihr Amt nur eine Periode aus. Während Carstens und Heinemann aus persönlichen Gründen auf die Möglichkeit einer Wiederwahl verzichteten, gab es für Scheel aufgrund der Bundestagswahl von 1976 und der darauf folgenden Landtagswahlen in der Bundesversammlung für eine Wiederwahl keine Mehrheit mehr.
Das Argument für eine Verlängerung der Wahlperiode und einen Verzicht der Wiederwahl ist, den Präsidenten freizuhalten von der Versuchung, sich während seiner ersten Amtsperiode bei seiner Amtsführung von taktischen Überlegungen leiten zu lassen, seine Wiederwahl durch parteiübergreifenden Konsens zu sichern.
Dieses Argument übersieht einerseits, daß die rechtlichen Möglichkeiten eines Präsidenten für derartiges Taktieren begrenzt sind und der Wunsch nach Wiederwahl in der Regel aufgrund einer als überzeugend empfundenen Amtsführung von außen an den Präsidenten herangetragen wird. »Überzeugend« bedeutet in diesem Zusammenhang, daß er der öffentlichen und veröffentlichten Meinung als Präsident aller Deutschen gilt, obwohl er – und daran wird sich auch in Zukunft nichts ändern – als Folge von Parteiabsprachen in sein Amt gelangt ist.
Andererseits kann das Argument für die Begrenzung auf eine Amtsperiode durch die Amtsführung Lübkes gestärkt werden kann. Auch wenn Lübkes Streben nach einer Großen Koalition von seinem durch die Erfahrungen mit der Weimarer Republik geprägten Verständnis begründet war, so konnte es doch dahingehend verstanden werden, als suchte er die Zustimmung der damaligen SPD-Opposition für seine Wiederwahl 1964, der er sich anschließend derart verpflichtet fühlte, daß er sich für eine Große Koalition aussprach. Wichtig ist nicht, ob dies ein tatsächliches Motiv von Heinrich Lübke war: Dem Amte des Präsidenten schadet es, wenn solche Motive auch nur diskutiert werden.
Darüber hinaus ist zu bedenken, daß – sieht man einmal von Walter Scheel ab – bislang stets Persönlichkeiten in das Amt des Präsidenten gewählt wurden, die bereits ein Alter erreicht hatten, das der üblichen Pensionsgrenze nahe ist. Gerade der öffentliche Druck, der von einer erfolgreichen Amtsführung für eine Wiederwahl ausgeht, kann zu einer Belastung werden, die fragen läßt, ob es nicht eher den Regeln der politischen Fairness entspräche, gerade einem erfolgreichen Präsidenten eine solche Bürde nicht zuzumuten.
Carstens und Heinemann haben diesem Druck widerstanden. Bundespräsident Roman Herzog hat durch die vorzeitige Ankündigung, daß er nur für eine Amtszeit zur Verfügung stehe, von vornherein versucht, dem Entstehen eines solchen Druckes entgegenzuwirken. Heuss und von Weizsäcker haben mit Erfolg eine zweite Amtszeit durchgestanden.

Wägt man diese Argumente gegeneinander ab, so scheint in der Tat der Vorschlag einer verlängerten einmaligen Amtszeit sinnvoll zu sein. Allerdings ist dabei auch festzuhalten, daß dies für die verfassungsrechtliche Ausgestaltung der Bundesrepublik Deutschland nur eine Marginalie bleibt.

Der Wahlmodus

Bleibt die Frage, ob die Veränderung des Wahlmodus für die Weiterentwicklung des politischen Systems in der Bundesrepublik Deutschland funktionsgerecht ist. Die Befürworter einer Direktwahl präsentieren drei Argumente:

1. die direkte Wahl erhöhe die Legitimität des Amtes,
2. die direkte Wahl sichere Präsidenten, die der Präferenz der Bevölkerung statt einem Koalitionskalkül erwüchsen, und
3. die Direktwahl ermögliche zusätzliche Partizipationschancen, die der Parteienverdrossenheit entgegenwirken könnten.

Das zweite Argument beruht auf einer statistischen Täuschung. Was als Präferenz der Mehrheit bezeichnet wird, ist in der Regel nichts anderes als ein Reflex des Bekanntheitsgrades. Dies wurde gerade bei der Neuwahl des Bundespräsidenten 1994 deutlich, als der Kandidat der Sozialdemokraten, NRW-Ministerpräsident Johannes Rau, in allen Meinungsumfragen deutlich führte.[16] Rau gehört seit über 20 Jahren zur Spitze sozialdemokratischer Politik und verfügt über einen Bekanntheitsgrad, der den 100 Prozent nahekommt. Um ihm diesen Rang abzulaufen, hätten die Koalitionsparteien den Bundeskanzler aufstellen müssen.

Wichtiger als diese statistische Spielerei bleibt jedoch die Frage, ob es wirklich sinnvoll ist, Persönlichkeiten in das Amt des Bundespräsidenten zu wählen, die zwar durch ihre langjährige Tätigkeit im Zentrum der politischen Auseinandersetzung – Rau war 1987 Kanzlerkandidat seiner Partei – einen hohen Bekanntheitsgrad erworben haben, die aber dadurch zunächst als Parteikandidaten identifiziert werden. Aufgrund dieser parteipolitischen Tätigkeit ist es für sie nach einer Wahl wesentlich schwerer, parteiübergreifenden Konsens zu finden. Die hypothetische Frage, wie die damalige Opposition nach 1959 auf einen Bundespräsidenten Adenauer reagiert hätte, mag dieses Problem verdeutlichen. Jeder Bundespräsident stellt notwendigerweise das Ergebnis innerparteilicher Willensbildungsprozesse dar, aber es erleichtert ihm seine Aufgabe, in sein Amt hineinzuwachsen, wenn er zuvor nicht in der vordersten Linie der parteipolitischen Auseinandersetzung gestanden hat.

Das letzte Argument der zusätzlichen Partizipationschancen ist ideologischer Art. Zunächst ist es eine offene Frage, ob es überhaupt Parteienverdrossenheit gibt, und wenn ja, welche Konsequenzen aus diesem Tatbestand zu ziehen sind. Im Zusammenhang mit der Direktwahl des Bundespräsidenten bietet sich die Hypothese an, daß ein häufiger Gang zu den Wahlurnen die Bindung der

Wähler an das politische System vergrößere. Es muß fraglich erscheinen, ob ein fünfter Wahlgang nach Kommunal-, Landtags-, Bundestags- und Europawahl innerhalb von fünf Jahren wirklich in diesem Sinne einen positiven Effekt haben würde. Hinzu kommt, daß das relative Gewicht der einzelnen Stimme um so geringer ist, je größer der Wahlkreis ausfällt. Dies bedeutet, daß das relative Gewicht der abgegebenen Stimme bei Kommunalwahlen am größten und bei Europawahlen am geringsten ist. Das Stimmengewicht bei einer Direktwahl des Bundespräsidenten wäre dementsprechend noch geringer. Nun weisen zudem Kommunal- und Europawahlen die geringste Wahlbeteiligung auf, während Bundestagswahlen die höchsten Werte erzielen, weil sie als die wichtigsten verstanden werden – was durchaus eine realistische Wahrnehmung ist. Eine Bundespräsidentenwahl wäre jedoch im Sinne der politischen Machtverteilung kaum wichtig, was geringe Wahlbeteiligungen erwarten läßt. Es erscheint aufgrund dieser Überlegungen fraglich, ob die Direktwahl eines Bundespräsidenten eine zusätzliche Systembindung bewirken könnte.

Auch das erste und wichtigste Argument[17] der erhöhten Legitimität ist nicht plausibel. Eine am demokratischen Verfahren orientierte Definition von Legitimation bedeutet, daß mit Mehrheit getroffene Entscheidungen auch von denen akzeptiert und befolgt werden, gegen deren möglicherweise erbittert vorgetragene Argumentation sie zustande gekommen sind. Demokratie kann nur funktionieren, wo diese Art von Legitimität den Entscheidungsträgern zuerkannt wird. Dies trifft für Deutschland zu. Über eine derartige Legitimität haben alle Regierungen und die sie tragenden Parlamentsmehrheiten seit 1949 verfügt. Auch das Bundesverfassungsgericht, obwohl nicht direkt gewählt, verfügt über eine solche Legitimität. Auch seine Entscheidungen werden häufig kritisiert, aber stets akzeptiert. Legitimation ist die notwendige Voraussetzung für die Durchsetzung politischer Entscheidungen in einer Demokratie.

An diese Feststellung schließt sich die Frage an, welche Entscheidungen der Bundespräsident zu treffen hat, die es durchzusetzen gilt. Hier ist zunächst auf die Stellung des Bundespräsidenten in der Verfassungswirklichkeit zu verweisen, die keine Entscheidungskompetenz entwickelt hat. Verfassungsrechtlich legt Art. 58 des Grundgesetzes in der Kontinuität demokratischer Tradition fest, daß alle Anordnungen und Verfügungen des Bundespräsidenten der Gegenzeichnung durch den Bundeskanzler oder das zuständige Mitglied der Bundesregierung bedürfen. Das bedeutet, daß alle Entscheidungen, die als solche des Bundespräsidenten erscheinen, von der jeweiligen Bundesregierung verantwortet und vertreten werden. Ihre Durchsetzbarkeit ist eine unmittelbare Funktion der Legitimität der Bundesregierung. Daran würde eine Direktwahl des Bundespräsidenten nichts ändern.

Von daher wird gelegentlich betont, daß die Veränderung des Wahlmodus mit einer Kompetenzausweitung verbunden sein müsse. Eine solche Argumentation ist konsistent, sie bedeutet aber in ihrer Substanz die Forderung nach

einer grundlegenden Veränderung des politischen Systems der Bundesrepublik Deutschland, in der Wirklichkeit eine Orientierung am Verfassungsmodell der V. Republik Frankreichs. Anders formuliert: Die mit dem Vorschlag der Direktwahl eines Bundespräsidenten mit erweiterten Kompetenzen verbundene Frage lautet, ob das Verfassungssystem der V. Republik dem der Bundesrepublik Deutschland vorzuziehen sei. Wenn sie bejaht wird, ist die Veränderung der Stellung des Bundespräsidenten eine logische Konsequenz, sie kann jedoch nicht isoliert diskutiert werden.
Das entscheidende Merkmal des politischen Systems der V. Republik ist die Aufspaltung der exekutiven Macht auf die Institutionen Präsident und Regierung.[18] Dabei zeigt die Verfassungswirklichkeit Frankreichs zwei Phasen: Die weitaus längste Zeit der V. Republik unter de Gaulle, Pompidou, Giscard – hier allerdings mit Einschränkungen – und der überwiegende Teil der Amtszeiten Mitterrands waren durch eine parteipolitische Deckungsgleichheit zwischen den Inhabern der beiden exekutiven Ämter gekennzeichnet. In dieser Situation diente der Präsident in der Verfassungswirklichkeit als Mehrheitsbeschaffer seiner parteipolitischen Gruppierungen in der Nationalversammlung. Dabei wurde ihm die Rolle des obersten Wahlkämpfers der Nation – das fast höfische Zeremoniell des Elysée verschleiert diese Realität mit großem Geschick – dadurch erleichtert, daß die Regierung unter dem jeweiligen Premierminister formal für die tägliche politische Kleinarbeit wie die durch sie unvermeidlich ausgelöste Unzufriedenheit zuständig ist und so den tagespolitischen Ärger von ihm fernhält. Dies eröffnete dem Präsidenten stets die Möglichkeit, für angehäufte Unzufriedenheit ein Ventil zu finden, indem er den Premierminister und seine Regierung auswechselt. Daß dieses Instrument keine Wunderwaffe darstellt, zeigte sich insbesondere gegen Ende der zweiten Amtszeit Mitterrands, als auch eine mehrfache Rochade im Amt des Premierministers den überwältigenden Wahlsieg der Opposition bei den Parlamentswahlen von 1994 nicht verhindern konnte.
Diesen Erfahrungen stehen die beiden kurzen Phasen der *cohabitation* gegenüber, in denen die parlamentarische Mehrheit jeweils einen Regierungschef – zunächst Chirac, später Balladur – erzwang, der nicht dem politischen Lager des Präsidenten angehörte. In dieser Situation erinnerte der Glanz des französischen Präsidenten an das Märchen von »Des Kaisers neue[n] Kleider[n]«. Seine verfassungsrechtlichen Kompetenzen, die auf den ersten Blick so weit zu gehen scheinen, vermochten nicht zu verhindern, daß die politischen Richtungsentscheidungen von den jeweiligen Premierministern aufgrund ihrer parlamentarischen Mehrheiten getroffen wurden. Mitterrand konnte vor allem Chirac, später kaum noch Balladur, ein wenig behindern, aber nicht hindern. Seine direkte Wahl half ihm im Machtkampf mit der oppositionellen Mehrheit im Parlament nicht. In diesen beiden kritischen Phasen zeigte sich, daß die Substanz demokratischer Regierungsweise auch in Frankreich in dem alleinigen Entscheidungsrecht der parlamentarischen Mehrheit besteht.

Reduziert man die V. Republik auf diesen politischen Kern, dann erübrigt sich die Frage, ob es Vorteile gegenüber einer homogenen Exekutive nach deutschem oder auch britischem Muster gibt. Auch in Deutschland hat es zwei Phasen der *cohabitation* gegeben: eine sehr kurze, als Heinemann schon Präsident, aber Kiesinger noch Bundeskanzler war; sie kann für die Fragestellung vernachlässigt werden. Wichtiger waren die drei Jahre von 1979 bis 1982, als Karl Carstens schon Präsident, aber Helmut Schmidt noch Bundeskanzler war. Es ist nicht ein einziger Konfliktfall in jener Phase an die Öffentlichkeit gedrungen.[19] Auch wenn man dies in großem Umfang den Persönlichkeiten der beiden Beteiligten zuordnet, die Konfliktfreiheit ist letztlich verfassungspolitisch begründet. Der Kanzler regiert, der Präsident hat das Recht und die Pflicht, ihn hinter verschlossenen Türen zu beraten, zu warnen, zu ermutigen, aber nach außen muß er das vertreten, was in der Politik parteipolitisch nicht strittig ist.[20] Dies schließt nicht aus, daß er öffentlich Fragen anspricht, die einer kritischen Erörterung bedürfen. Alle Präsidenten haben bisher so gehandelt.

Die Direktwahl eines Präsidenten hätte darüber hinaus erhebliche Nachteile, die gerade seine Fähigkeit, nach seiner Wahl »auch Präsident der Opposition zu sein«, beeinträchtigt. Schon die erbitterten Angriffe von Sozialdemokraten auf den Kandidaten Karl Carstens, die offensichtlich weniger der Person als dem Tatbestand galten, daß es für den damaligen Präsidenten der Koalition, Walter Scheel, keine Mehrheit mehr gab, vermitteln einen Vorgeschmack auf die Art der Auseinandersetzung, die einer direkten Wahl vorausgehen würde.[21] Die regelmäßigen Schlammschlachten in Österreich aus Anlaß der direkten Wahl des Bundespräsidenten vermitteln zusätzliches Anschauungsmaterial.[22] Ein direkt gewählter Bundespräsident hätte nach der Wahl große Mühe, sich der von seinen Anhängern erzeugten überzogenen Erwartungen zu entledigen und zugleich das Vertrauen jener zu gewinnen, die ihn zuvor im Wahlkampf heftig bekämpft haben.[23]

Verfassungsbasteleien

Edmund Burke hat einmal gesagt, konservative Politik bestehe darin, die Veränderungen durchzuführen, die notwendig sind, um eine Revolution zu verhindern. Der Begriff »konservativ« kennzeichnet in diesem Zusammenhang keine Parteiprogramme, sondern all jene Parteien, die die Verfassung tragen. An dem Wahlmodus des Bundespräsidenten etwas zu ändern, besteht nicht nur keine Notwendigkeit, eine Direktwahl wäre geradezu dysfunktional. Darauf abzielende Vorschläge können verfassungssystematisch nicht begründet werden; sie zu verfolgen, bedeutet Verfassungsbasteleien vorzunehmen. An einer Verfassung, die – wie das Grundgesetz – sich in ihren zentralen Elementen in über 40 Jahren bewährt hat, bastelt man nicht ohne Schaden herum. In

Verfassungsfragen kann auch Kontinuität ein Wert an sich sein. Mit Blick auf den Wahlmodus des Bundespräsidenten ist dies in Deutschland der Fall.

Anmerkungen

1 Gemeinsame Verfassungskommission: Stenographischer Bericht, 4. Öffentliche Anhörung, S. 10, sowie 9. Sitzung, 9. Juli 1992, S. 8.
2 Frommes Begriff von dem Grundgesetz als Anti-Verfassung trifft auf die Ausgestaltung des Präsidentenamtes zweifellos zu. Vgl. Friedrich Karl Fromme: Von der Weimarer Verfassung zum Bonner Grundgesetz, Tübingen 1960.
3 Zu ihren Biographien siehe Günther Scholz: Die Bundespräsidenten. Biographien eines Amtes, 2. Auflage, Heidelberg 1992.
4 Vgl. Werner Kaltefleiter: Die Funktionen des Staatsoberhauptes in der parlamentarischen Demokratie, Köln – Opladen 1970, S. 198 ff.
5 Vgl. Daniel Koerfer: Kampf ums Kanzleramt. Adenauer und Erhard, Stuttgart 1987, S. 233 ff.
6 Konrad Adenauer: Erinnerungen, Stuttgart 1965, S. 499 ff.
7 Vgl. Theodor Heuss/Konrad Adenauer: Unserem Vaterland zugute. Der Briefwechsel 1948-1963, Berlin 1992, S. 323.
8 So jüngst wieder Friedbert Pflüger: Der Bundespräsident ist mehr als ein Staatsnotar. In: Die neue Gesellschaft/Frankfurter Hefte 1994, H. 4, S. 312 ff., sowie Philip Kunig: Der Bundespräsident. In: Jura 1994, H. 4, S. 217 ff.
9 Vgl. Werner Kaltefleiter: Zwischen Konsens und Krise. Eine Analyse der Bundestagswahl 1972, Bonn 1973, S. 66 ff.
10 Karl Carstens: Erinnerungen und Erfahrungen, Bonn 1993, S. 551 ff.
11 Bundesverfassungsgerichtsentscheidungen 62, Nr. 1, S. 2 ff.
12 Vgl. Werner Kaltefleiter: Parlamentsauflösung in parlamentarischen Demokratien. In: Jahrbuch für Politik 1 (1991), 1. Halbband, S. 247 ff.
13 Vgl. Dieter C. Umbach: Parlamentsauflösung in Deutschland, Berlin – New York 1990.
14 Vgl. Hartmut Kladd: Wahlkörperschaft aus Bundes- und Ländervertretern. In: Das Parlament, Nr. 18-19, 6./13. Mai 1994, S. 11.
15 Vgl. Rupert Scholz: Der Präsident sollte nur einmal für sieben Jahre gewählt werden. In: Welt am Sonntag, 29. Mai 1994.
16 Vgl. Präsident ohne Volk. In: Der Spiegel, Nr. 20 (1994), S. 18 ff.
17 So schon Hans Dichgans: Überlegungen für eine Totalrevision des Grundgesetzes. In: Aus Politik und Zeitgeschichte 1970, B 7, S. 8 ff.
18 Vgl. zum Beispiel Adolf Kimmel: Parteiensystem, Wahlsystem und Regierungssystem in der V. französischen Republik. In: Jahrbuch für Politik 4 (1994), 2. Halbband, S. 295 ff.
19 Vgl. Carstens: Erinnerungen (wie Anm. 10), S. 539.
20 Vgl. Kaltefleiter: Die Funktionen des Staatsoberhauptes in der parlamentarischen Demokratie (wie Anm. 4), S. 57 ff., 274 ff.
21 Solche wahlkampfähnlichen Formen waren dann auch 1994 wieder zu beobachten. Vgl. Friedrich Karl Fromme: Als gäbe es eine Volkswahl. In: Frankfurter Allgemeine Zeitung, 5. Mai 1994.
22 Vgl. Anton Burghardt: Ein Vorschlag als Epilog. In: Die Furche, 5. Juli 1966.
23 Richard von Weizsäcker im Gespräch mit Gunter Hofmann und Werner A. Perger, Frankfurt/M. 1992, S. 163, formuliert: »Wenn es im Wahlkampf zu polemischen Konfrontationen kommt, kann es die überparteiliche Aufgabe des Wahlsiegers erschweren.«

Eckhard Jesse

Mehr plebiszitäre Elemente in der Parteiendemokratie?

Die Mitglieder des Parlamentarischen Rats haben sich nach dem Zweiten Weltkrieg in ihren Beratungen 1948/49 über die Gestalt der neuen Verfassung – des Grundgesetzes – für eine repräsentative Demokratie entschieden. Plebiszitären Elementen auf Bundesebene wurde eine strikte Absage erteilt (mit Ausnahme der Frage einer territorialen Neugliederung des Bundesgebiets). Die Abgeordneten handeln zwar im Namen des Volkes, jedoch ohne dessen bindenden Auftrag. Sie müssen also nicht notwendigerweise den jeweiligen Mehrheitswillen vollziehen. Die Einfügung direktdemokratischer Mechanismen in das politische Geschehen stand von daher lange nicht auf der Tagesordnung. Allerdings findet seit einiger Zeit ein bemerkenswerter Bewußtseinswandel statt – bedingt auch durch eine Unzufriedenheit mit den politischen Parteien.

Kritik an Auswüchsen der Parteiendemokratie

In den letzten Jahren hat sich eine Reihe von Kritikern an der Parteiendemokratie zu Wort gemeldet. Bemängelt wurde und wird »Parteibuchdenken«, das Allzuständigkeitsgehabe der Parteien, ihr Finanzgebaren, ihre »Staatszentriertheit«, Personalrekrutierung, Machtorientierung und mangelnde Transparenz. All dies ließ das Wort von der »Parteienverdrossenheit« aufkommen.[1] Manche sprachen gar von »Politikverdrossenheit«[2]. An Belegen mangelt es nicht: Die Parteienidentifikation mit etablierten Parteien ist zurückgegangen wie das Vertrauen der Bürger in die großen Parteien. Die gesunkene, im europäischen Maßstab allerdings immer noch auf einem beträchtlichen Niveau liegende Wahlbeteiligung gilt ebenso als ein Symptom für die kritische Haltung gegenüber Parteien wie die Erfolge von rechten und linken Flügelparteien. Vor allem die großen Parteien haben darüber hinaus erhebliche Rückgänge bei den Mitgliedern zu beklagen.
Bei aller Berechtigung der Kritik bedarf so mancher Einwand allerdings der Relativierung. Erstens steht es um die Parteien keineswegs derart schlecht wie vielfach behauptet. Manche Kritik an ihnen unter dem Stichwort »Selbstsüch-

tigkeit« erwächst keineswegs aus einer selbstlosen Haltung der Bürger, sondern ist vielmehr auch Ausdruck eines Antiparteienaffekts. Zweitens hat sich etwa bei den Bundestagswahlen des Jahres 1994 gezeigt: Die von vielen als unvermeidlich angesehene Zersplitterung des Parteiensystems fand nicht statt. Ihm wohnt offenbar eine größere Stabilität inne als angenommen.[3]
Wie auch immer das Maß an Parteienverdrossenheit einzuschätzen ist[4] – zumindest hat die Rede davon in allen Parteien Diskussionen über Reformen ausgelöst.[5] Die dabei ins Auge gefaßten Möglichkeiten sind vielfältig.[6] Den meisten von ihnen liegt kein übergreifendes Konzept zugrunde. Die einen wollen den Anteil von Frauen in der Politik erhöhen (mit oder ohne Quote), die anderen »Seiteneinsteigern« mehr Chancen geben, um nur zwei Beispiele aus der Fülle der Vorschläge zu erwähnen.
Die folgenden Ausführungen beziehen sich ausschließlich auf solche Reformüberlegungen, die eine Verstärkung der plebiszitären Elemente anstreben. Generell läßt sich dabei zwischen Personal- und Sachplebisziten unterscheiden. Die ersten beziehen sich auf die Wahl von Personen, die zweiten auf Entscheidungen über Sachfragen. Eine weitere Differenzierung ergibt sich aus der Unterscheidung zwischen »Parteibürgern« und den nicht parteipolitisch gebundenen »Wahlbürgern«. Es stehen also insgesamt vier Varianten zur Verfügung: erstens personalplebiszitäre und zweitens sachplebiszitäre Elemente jeweils für die »Parteibürger«, drittens personalplebiszitäre und viertens sachplebiszitäre Elemente jeweils für die »Wahlbürger«. Wer der Vielschichtigkeit der Problematik gerecht werden will, muß zwischen diesen Ebenen angemessen differenzieren.[7]

Stärkere Mitwirkungsrechte für die »Parteibürger«

Personalplebiszitäre Elemente

Die Nominierung der Kandidaten vollzog sich in der Vergangenheit vor allem durch Delegiertenversammlungen. Um dem Partizipationswillen der Bürger Rechnung zu tragen, wurde in jüngster Zeit vielfach für die Urwahl plädiert. Allerdings blieb der Wandel weitgehend nur Rhetorik. Nur in einigen Fällen fand diese Urwahl bei der Bestimmung der Wahlkreiskandidaten statt. Die Beteiligung der Parteimitglieder lag im Schnitt nicht höher als 20 Prozent. Im Jahre 1993 mußte sogar die Wahl zur Hamburger Bürgerschaft wiederholt werden, weil nach Auffassung des Hamburgischen Verfassungsgerichts bei der Kandidatenaufstellung der CDU gravierende Verstöße gegen Prinzipien innerparteilicher Demokratie vorgekommen sind.[8]
Die Enquete-Kommission »Verfassungsreform« des Deutschen Bundestages hatte 1976 für die Auswahl der Wahlkreiskandidaten bereits die Briefwahl al-

ler Parteimitglieder vorgeschlagen. Auf diese Weise soll der Kandidat eine breitere Legitimationsbasis erhalten; es spricht manches dafür, daß sich zudem eher gemäßigte Positionen durchsetzen, da die nicht so engagierten Mitglieder vermutlich stärker zur Mitte tendieren. Auch die Gemeinsame Verfassungskommission von Bundestag und Bundesrat nahm 1993 positiv auf die Möglichkeit der Urwahl von Wahlkreiskandidaten Bezug. Diese ließe sich durchaus auf die Wahl der Kandidaten für die Landeslisten erweitern, wenngleich dabei die Gefahr einer Überforderung der »Parteibürger« gegeben sei. Wunderdinge sollte man sich von der Wahl der Kandidaten durch alle Mitglieder nicht erwarten; vielleicht würde das innerparteiliche Leben reger.

Die Vorschläge nach einer Verstärkung der personalplebiszitären Elemente reichen jedoch weiter, beziehen sich nicht nur auf die Bewerber für die Parlamente: Personen für Spitzenämter in der Partei sollen von allen Mitgliedern gewählt werden, nicht mehr bloß von Delegierten. Das bekannteste Beispiel ist die Bestimmung des Vorsitzenden der SPD durch eine konsultative Mitgliederbefragung am 13. Juni 1993. Dabei setzte sich Rudolf Scharping (40,3 Prozent) gegen Gerhard Schröder (33,2 Prozent) und Heidemarie Wieczorek-Zeul (26,5 Prozent) unter großem Echo der Partei und der Öffentlichkeit durch.[9]

Ebenso hat die CDU ihren Spitzenkandidaten für die nordrhein-westfälische Landtagswahl 1995 durch Urwahl bestimmt (Helmut Linssen gewann bei einer Beteiligungsquote von gut 40 Prozent mit 59,6 Prozent der Stimmen gegen Norbert Lammert), ohne daß die Befürchtungen, es könne zu parteiinternen Auseinandersetzungen kommen, die die eigenen Energien binden, Wirklichkeit geworden sind. Ähnliches galt für die Wahl des Hamburger Landesvorsitzenden der SPD im Jahre 1994, des Berliner Spitzenkandidaten 1995 und des thüringischen Landesvorsitzenden 1996. Gleichwohl ist das folgende Urteil über die personalplebiszitäre Erweiterung der Mitwirkungsrechte vielleicht etwas zu euphorisch, denkt man daran, daß Rudolf Scharping von innerparteilichen Gegnern zunehmend demontiert und im Herbst 1995 auf dem Parteitag von den Delegierten durch Oskar Lafontaine abgewählt wurde: »Eine Mobilisierung fand statt, und die Mitgliederentscheidung über Kandidaturen oder Parteiämter stärkte die Position des Gewählten. Sie wirkte darüber hinaus durch ihre demokratische Legitimation integrierend auf die unterlegenen Bewerber und Gruppen. Der Ausbau der Kandidatenwahlen könnte auch frischen Wind in die vom Lokalismus blockierten Ortsverbände bringen.«[10] Daß dadurch Parteigremien an Bedeutung verlieren, liegt auf der Hand, muß aber kein Manko sein, wenn damit nicht ein Verlust an Sachverstand im politischen Handeln einhergeht. Ob auch die Wahl des Parteivorsitzenden von allen Mitgliedern vorgenommen werden soll, ist bei allen Parteien umstritten. »Zerreißproben« sind nicht auszuschließen. Mag sein, daß beim Wahlkampf die Anhänger des unterlegenen Kandidaten weniger mobilisierungsfähig sind, unter Umständen sogar »Sand ins Getriebe« streuen.

Wenn es stimmt, daß sich ein neuer Typus von Parteimitgliedern herausbildet, »dem es weniger um die soziale Einbindung als zunehmend darum geht, die gemeinsamen Überzeugungen politisch mitzugestalten, der die Mitgliederrechte stärken und sich politisch aktiv beteiligen möchte«[11], so kann dem sinnvollerweise am ehesten durch eine Stärkung der personalplebiszitären Elemente Rechnung getragen werden. Aber dies ist in den Parteien aus einer Reihe unterschiedlicher Gründe nur schwer durchzusetzen. Bei der CDU/CSU überwiegt wegen der Gefahr des Populismus und der Unkalkulierbarkeit des Ausgangs nach wie vor Skepsis gegenüber einer plebiszitären Öffnung auch in personellen Fragen. Auf dem Karlsruher Parteitag der CDU 1995 wurde beschlossen: Eine Mitgliederbefragung ist nur unter Zustimmung der absoluten Mehrheit des Bundesvorstandes möglich. Die Konsequenz liegt auf der Hand: Gegen die Führungsspitze »läuft nichts«. Die CSU lehnt Mitgliederbefragungen bisher ganz ab, wahrscheinlich nicht zuletzt deshalb, weil sie durch dieses Instrument ihre Geschlossenheit gefährdet sieht. Bei der SPD liegen die Gründe für das Beharrungsvermögen etwas anders: »Vor allem der linke Parteiflügel fürchtete um seine nach 1982 allmählich errungene Vormacht im Delegiertenkörper und lehnte alle innerparteilichen plebiszitären Elemente scharf als ›Amerikanisierung‹ ab.«[12]
Wer sich zur Mitgliederbefragung entschließt, kann nicht auf halbem Wege stehen bleiben. Es ist sinnlos, ihr einen konsultativen Charakter zu verleihen. Das Ergebnis muß bindend sein. Eine Partei, die sich über den Ausgang einer konsultativen Befragung hinwegsetzt, macht sich nicht nur unglaubwürdig, sondern lähmt auch ihre Entscheidungskraft. Bisher allerdings sind alle konsultativen Mitgliederentscheidungen entsprechend ihres Ausgangs umgesetzt worden.
Unter dem Strich ergibt sich, daß die personalplebiszitären Elemente überwiegend zu befürworten sind. Freilich sollten ihre Gefahren auch nicht verkannt werden, so z.B., wenn die politische Führung gleichsam cäsaristisch die Delegierten gegen das eigene Parteivolk ausspielt. Der Mitgliederbefragung bei der SPD 1993 im Hinblick auf den Parteivorsitz haftete ein solch bitterer Beigeschmack an. Gleichwohl gilt: »Der Ausbau der unmittelbaren Mitwirkung bei den Personalentscheidungen auf lokaler und regionaler Ebene ist das einzige Mittel, die hier bestehenden Verkrustungen des Parteienstaats aufzulösen.«[13]

Sachplebiszitäre Elemente

In der Vergangenheit konnten die Mitglieder von Parteien nicht über einzelne Sachfragen entscheiden. Lediglich das inzwischen abgeschwächte Basiskonzept der Grünen ließ sich so auslegen, als binde das Votum der Mitglieder die Parlamentarier in den eigenen Reihen. Doch mittlerweile fand bei SPD und

FDP ein Meinungswandel statt. Auf diese Weise glaubte man, dem Ruf von Parteimitgliedern nach stärkerer Mitbestimmung Rechnung zu tragen.
Die Parteien haben unterschiedliche Quoren für die Mitgliederbefragung getroffen. Bei der SPD genügen schon zehn Prozent der Mitglieder, ein Beschluß des Parteitages, eine Drei-Viertel-Mehrheit des Parteivorstandes oder zwei Fünftel der Bezirksvorstände. Die FDP führt einen Mitgliederentscheid durch auf Antrag des Parteivorstandes, von fünf Landesverbänden, einem Drittel der Kreisverbände oder von fünf Prozent der Mitglieder. Dagegen reichen bei Bündnis 90/Die Grünen zwei Landesverbände oder zehn Prozent der Mitglieder aus. Der Parteivorstand hat nicht die Möglichkeit, eine solche Befragung zu initiieren. CDU und CSU sehen einen Mitgliederentscheid bei Sachfragen als Konzession an den »Zeitgeist« und können ihm nichts Positives abgewinnen: Wer Richtungsentscheidungen an die – häufig überforderten – Mitglieder delegiere, schwäche die repräsentative Demokratie.
Ein markantes Beispiel ist die Mitgliederbefragung über den »großen Lauschangriff« bei der FDP gewesen. Im Dezember 1995 hatten die Mitglieder der FDP sich mit einer Zwei-Drittel-Mehrheit (exakt: 63,6 Prozent) für die Möglichkeit des elektronischen Abhörens von Wohnungen als Mittel zur Bekämpfung der organisierten Kriminalität ausgesprochen. Daraufhin gab die Bundesjustizministerin Sabine Leutheusser-Schnarrenberger ihr Amt auf. Mit der indirekt formulierten Ankündigung, sie werde bei einem ihr nicht genehmen Ausgang der Abstimmung zurücktreten, verquickte sie – systemwidrig – eine Sach- mit einer Personalfrage.
Wer Mitgliederentscheide zu Sachfragen durchführt, unterminiert den Führungswillen der Partei und fördert deren Verantwortungsscheu. Die Entscheidung über Sachfragen muß bei der Parteiführung und den Delegierten liegen. Andernfalls könnten Entscheidungen der Parteibasis, die unter Umständen mit der Materie nicht hinreichend vertraut sind, die politisch Verantwortlichen blockieren. Mitgliederentscheide in Sachfragen dürften die Parteien vor eine Zerreißprobe stellen. Es besteht zudem die Gefahr, daß die Partei sich mehr mit sich selbst befaßt als mit dem politischen Gegner und ihre Handlungsfähigkeit einbüßt. Für eine schwache Parteiführung erweist sich ein Mitgliederentscheid als verführerischer Ausweg. Aber dieser Ausweg ist ein Irrweg. »Jede Partei braucht ein Zentrum, in dem professionell und insiderhaft Strategien konzipiert, evaluiert und fortlaufend korrigiert werden können. Diese Aufgabe kann der Parteiführung niemand abnehmen – sie braucht dafür Autonomie.«[14]
Allerdings gibt es ein Gegenargument, das ernstgenommen zu werden verdient, wie nicht nur das Beispiel des »großen Lauschangriffs« zeigt. Die Position der Delegierten spiegelt häufig nicht annähernd die Mehrheitsstimmung in der Partei wider. Zweimal hatten die Delegierten von Bundesparteitagen der Einführung des »Lauschangriffs« eine Absage erteilt, obwohl die Bundestagsfraktion mehrheitlich anderer Auffassung war. Nur mittels eines Mitglie-

derentscheids konnten Parteiführung und die Masse der Parteimitglieder sich über das Votum der Delegierten hinwegsetzen. Für Kritiker entsteht so ein »präsidialer oder cäsaristischer Parteientypus«[15]. Es ließe sich aber auch umgekehrt argumentieren: Die Delegierten sehen mehr die Interessen der Partei, die politische Führung und die Mitglieder eher die der Wähler. Ein anderes Beispiel: Die Stimmung innerhalb der SPD gegen den NATO-Nachrüstungsbeschluß war unter den Delegierten weit ausgeprägter als in der politischen Führung und der Mitgliederschaft – wohl auch deshalb, weil die Parteiführung ihrer Überzeugungs- und Politikgestaltungsaufgabe nicht hinreichend gerecht geworden ist.
Insgesamt muß der Mitgliederentscheid bei sachplebiszitären Fragen negativ beurteilt werden. Bei häufiger Anwendung geraten sogar die Prinzipien der repräsentativen Demokratie in Gefahr, da eine Art imperatives Mandat entsteht. Mit gewisser Übertreibung läßt sich folgender paradoxer Vorgang konstatieren: Während das Bündnis 90/Die Grünen von manchen »basisdemokratischen« Vorstellungen Abschied nimmt (z.B. dem Rotationsprinzip), greifen andere Parteien diese nun in verwässerter Form auf.

Stärkere Mitwirkungsrechte für die »Wahlbürger«

Personalplebiszitäre Elemente

In der Vergangenheit begnügte sich der »Wahlbürger« vielfach damit, bei der Wahl sein Kreuzchen für die Partei zu machen, der er sich – am ehesten – verbunden fühlte. Durch die Zunahme unkonventioneller Partizipationsformen (etwa Bürgerinitiativen) macht sich jedoch seit einiger Zeit ein Wandel bemerkbar. Auch »Wahlbürger« fordern mehr Partizipationsrechte.
Einleuchtend ist der bereits von der Enquete-Kommission »Verfassungsreform« des Deutschen Bundestages unterbreitete Vorschlag, den Einfluß des Wählers am Auswahlprozeß der Kandidaten zu steigern – analog dem des Parteimitglieds. Sie hatte die Einführung der begrenzt-offenen Liste befürwortet. Der Wähler soll mit seiner Zweitstimme die Möglichkeit haben, die von den Parteien aufgestellte Reihenfolge der Kandidaten zu verändern. Obwohl seit dem Vorschlag der Enquete-Kommission mittlerweile zwei Jahrzehnte vergangen sind und langjährige Erfahrungen in Bayern keine negativen Effekte gezeitigt haben, blieb ihm bis heute die Verwirklichung versagt – leider. Dabei wurden gegen ihn keine substantiellen Einwände erhoben. Die Gemeinsame Verfassungskommission von Bundestag und Bundesrat wollte in ihrem Schlußbericht 1993 einer derartigen Reform allerdings auch keinen Verfassungsrang verleihen.
Eine »freie Liste« ist weder erwünscht – sie entläßt die Parteien aus der Verantwortung – noch bei Bundestags- und Landtagswahlen überhaupt praktika-

bel – die Wähler haben keinen angemessenen Überblick über geeignete Kandidaten. Vorwahlen nach amerikanischem Vorbild sind angesichts des festen Parteiengefüges ebenfalls kein geeignetes Modell für die Bundesrepublik Deutschland. Gänzlich abwegig ist auch der Vorschlag von Hans Herbert von Arnim, den Ministerpräsidenten eines Bundeslandes direkt durch die Bevölkerung wählen zu lassen.[16] Eine solche Praxis hebelte das parlamentarische System aus und wäre dysfunktional. Was soll etwa passieren, wenn der Kandidat der Partei X gewählt würde, die Partei Y aber die Mehrheit im Parlament erhielte? Nur in einem präsidentiellen Regierungssystem – wie z.B. in Frankreich und den USA – wäre die Direktwahl des Minsterpräsidenten sinnvoll, weil dieser mit der ihm zugestandenen Macht und Legitimation durchaus gegen die Parlamentsmehrheit, wenn auch nicht ohne Schwierigkeiten, Politik machen könnte. Das parlamentarische Gefüge in der Bundesrepublik basiert jedoch darauf, daß Regierung und parlamentarische Mehrheit gegenüber der parlamentarischen Opposition an einem Strang ziehen.

Wie steht es mit der vielfach geforderten Volkswahl des Bundespräsidenten? Das parlamentarische System wird zwar dadurch nicht gefährdet, aber gleichwohl ist ein solch direktdemokratisches Element wenig durchdacht. Nur drei Einwände: Erstens nimmt der Bundespräsident vornehmlich repräsentative Funktionen wahr, und es mutet seltsam an, ihn deswegen direkt durch das Volk wählen zu lassen. Der Eindruck würde sich einstellen, dem Bürger solle eine Ventilfunktion eingeräumt werden. Zweitens: Es ist eine der wichtigsten Aufgaben des Präsidenten, integrierend zu wirken. Durch eine Volkswahl ließe der »einigende« Effekt vermutlich nach. Drittens: Die Legitimationsbasis des Präsidenten wäre aufgrund der Direktwahl eine andere – dieser Umstand könnte eine unerwünschte Verschiebung der verfassungspolitischen Konstellationen nach sich ziehen.

Zu den Reformen der Parteien in den letzten Jahren gehört, daß sie sich Nichtmitgliedern »öffnen« – in welcher Form auch immer (z.B. durch Gastmitglieder für ein Jahr bei der CDU).[17] Beim Bündnis 90/Die Grünen können »freie Mitarbeiter« für die Partei kandidieren. Am Modell der Mitgliederpartei sollte jedoch nicht gerüttelt werden[18], da Wählerparteien gleichgerichtete Interessen nicht ausreichend bündeln und austarieren können.

Fazit: Die Beurteilung der personalplebiszitären Elemente fällt ganz unterschiedlich aus. Die Skala reicht von »sehr zu begrüßen« (begrenzt-offene Liste) über »bedenkenswert« (Gastmitglieder) und »bedenklich« (Volkswahl des Bundespräsidenten) bis »entschieden abzulehnen« (Direktwahl der Ministerpräsidenten).

Sachplebiszitäre Elemente

Eine lange Zeit lag der Ablehnung direktdemokratischer Elemente bei Sachentscheidungen ein breiter Konsens zugrunde. Die im Jahre 1970 vom Deutschen Bundestag eingesetzte Enquete-Kommission »Verfassungsreform« lehnte in ihrem Schlußbericht (1976) alle Formen unmittelbarer Beteiligung in Sachfragen ab. Auch die 1991 gebildete Gemeinsame Verfassungskommission von Bundestag und Bundesrat votierte gegen plebiszitäre Elemente (1993). Es gibt aber einen gewichtigen Unterschied zwischen 1976 und 1993: Herrschte seinerzeit in dieser Frage Konsens zwischen den tragenden politischen Gruppierungen, sprachen sich jetzt die Repräsentanten der SPD und von Bündnis 90/Die Grünen für die Aufnahme direktdemokratischer Mechanismen ins Grundgesetz aus.

Diese trügen dazu bei, der Entfremdung zwischen Wählern und Gewählten entgegenzuwirken. Die Demokratie werde so gefestigt und nicht unterminiert. Das Volk sei in der Lage, wie Beispiele aus anderen Ländern zeigten, auch komplexe Sachverhalte angemessen zu beurteilen, zumal die Bundesrepublik nach mehr als vier Jahrzehnten erfolgreicher Demokratie als stabil gelten könne. Mißbräuche, etwa die Durchsetzung von Sonderinteressen, ließen sich durch entsprechende Vorkehrungen leicht ausschließen (z.B. keine Abstimmung über Finanzfragen oder die Notwendigkeit eines Abstimmungsquorums). CDU/CSU und FDP zeigten sich von diesen Argumenten nicht beeindruckt: Das parlamentarische System würde durch die Einfügung direktdemokratischer Mechanismen in Mitleidenschaft gezogen. Bei Plebisziten habe der Bürger nur die Möglichkeit, sich zwischen Ja und Nein zu entscheiden. Zudem privilegierten sie aktive Minderheiten und könnten damit die Bürgerschaft bevormunden. Vor allem trügen sie nicht zu einer Überwindung der Parteienverdrossenheit bei. Faktisch hänge es von den Parteien ab, ob ein Volksentscheid zustandekommt und erfolgreich verläuft.[19] Sah die eine Seite in der Einfügung sachplebiszitärer Elemente eher Chancen, erkannte die andere darin mehr Gefahren.

Wer das Für und Wider abwägt, sollte anerkennen, daß die Beibehaltung der gegenwärtigen Praxis keineswegs automatisch eine »Verharzung« politischer Entscheidungsprozesse begünstigt und – umgekehrt – die Einführung plebiszitärer Elemente für die Wählerschaft das repräsentative System nicht schlechthin aus den Angeln hebt, wie die Praxis in den Bundesländern zeigt. Die Vermischung repräsentativer und plebiszitärer Mechanismen muß keineswegs systemwidrig sein.

Bis auf den Sonderfall von Hamburg sehen mittlerweile alle Landesverfassungen plebiszitäre Elemente vor, darunter auch die der neuen Bundesländer. Allerdings wurde von ihnen bisher eher spärlich Gebrauch gemacht, sei es, daß bestimmte Bereiche (Finanzen) einer Abstimmung entzogen sind, sei es, daß hohe Quoren vor einer Abstimmung überwunden werden müssen.[20] Die bisherigen Volksentscheide fielen unterschiedlich aus.[21] Nicht immer – wenngleich häufig – spiegelt sich bei dem Ausgang eines Volksentscheids die jeweilige parteipolitische Mehrheit des Landes wider. So mußte die CSU am 1. Oktober 1995 beim Volksentscheid über eine kommunale Bürgerbeteiligung eine deutliche Niederlage hinnehmen. Nur 38,7 Prozent sprachen sich für ihren Entwurf aus, 57,8 Prozent votierten für die Bürgeraktion »Mehr Demokratie in Bayern«, hinter der fast alle anderen Parteien standen (u.a. SPD, FDP, Bündnis 90/Die Grünen). Allerdings hatten nur etwa 37 Prozent der wahlberechtigten Bevölkerung daran teilgenommen – eine Quote, die in Bayern auch sonst nicht höher liegt. Was die territoriale Neugliederung der Bundesländer betrifft, so hatte eine Volksabstimmung im Jahre 1951 zu dem Bundesland Baden-Württemberg geführt (Zusammenschluß von Baden, Württemberg-Baden, Württemberg-Hohenzollern). Im Mai 1996 haben sich die Bürger der Bundesländer Berlin (hier kam allerdings eine Mehrheit zustande) und Brandenburg gegen eine Fusion ausgesprochen, obwohl Abstimmungsmehrheiten der Parlamente für eine Vereinigung bereits vorlagen.

Durch sachplebiszitäre Elemente würde der parlamentarische Betrieb also keineswegs lahmgelegt. Dem trägt auch die Organisation der Plebiszite in den Bundesländern Rechnung: Die *Volksinitiative* soll den Bürgern die Möglichkeit einräumen, dem Parlament einen Gesetzentwurf zu unterbreiten. Lehnt dieses ihn ab, findet ein *Volksbegehren* statt. Erst wenn eine genügend große Anzahl der Bevölkerung das Volksbegehren unterstützt, kommt eine *Volksabstimmung* über den Gesetzentwurf zustande. Stimmt die Mehrheit dafür (und ist ein entsprechendes Quorum der Beteiligung erreicht), gilt der Entwurf als angenommen.

Auch andere Einwände gegenüber der Einfügung plebiszitärer Elemente im Hinblick auf Sachentscheidungen sind nicht sonderlich stimmig. So ist das »historische Argument« wenig überzeugend. Die drei Volksabstimmungen im Dritten Reich[22] – 1933 (Austritt Deutschlands aus dem Völkerbund), 1934 (Personalunion von Reichskanzler und -präsident) und 1938 (»Anschluß« Österreichs) – können nicht als triftiger Beleg gegen plebiszitäre Elemente in einem demokratischen Verfassungsstaat herhalten. Der Parlamentarische Rat stand in der Tat unter einem Weimarer Trauma. Dabei führte keine der beiden Volksabstimmungen in der ersten deutschen Demokratie auf Reichsebene zu ihrem Ziel, weil das Quorum von mindestens 50 Prozent Ja-Stimmen der Wahlberechtigten verfehlt wurde. Immerhin kann aber nicht der demagogische Charakter der Initiativen verkannt werden. Dies gilt für das Scheitern der entschädigungslosen Enteignung der deutschen Fürstenvermögen (1926)[23] wie für die Ablehnung des Young-Plans (1929)[24], der – angeblich – zur Versklavung Deutschlands führe. Dadurch ist die ohnehin labile Weimarer Republik nicht stabilisiert worden.[25] Andere Versuche, sich der plebiszitären Elemente auf Reichsebene zu bedienen, scheiterten schon im Vorfeld des Zulassungs- oder des Eintragungsverfahrens (Volksbegehren).

Gleichwohl lassen sich bestimmte Argumente gegen die Einführung sachplebiszitärer Elemente nicht vom Tisch wischen.[26] Bereits jetzt bemängeln Kritiker zu Recht, das politische System habe sich in eine Art »Stimmungsdemokratie« gewandelt. Politische Führungsbereitschaft schwindet.

Soll man diese Entwicklung noch fördern? Zudem könnten politische Debatten durch Emotionalisierungen und Konfrontationen vergiftet werden – vor allem in einer politischen Krisensituation. Die Praxis anderer Staaten wie der Schweiz – *der* Staat des Plebiszits schlechthin – gibt zu übertriebenen Hoffnungen keinen Anlaß, wiewohl die Übertragbarkeit der schweizerischen Erfahrungen wegen des andersartigen Regierungssystems – dem Modell des »gütlichen Einvernehmens« – auf die parlamentarische Demokratie der Bundesrepublik Deutschland nur begrenzt möglich ist. Das politische Desinteresse scheint durch zahlreiche Urnengänge eher verstärkt worden zu sein. Neuerungen haben es schwer, akzeptiert zu werden.
Das wohl stärkste Argument gegen die Einführung sachplebiszitärer Elemente lautet wie folgt: Bei Wahlen können die politisch Verantwortlichen am Wahltag »belangt« werden, nicht aber bei Volksabstimmungen. Wie soll das Volk sich selbst zur Verantwortung ziehen? Zudem ist nicht auszuschließen, daß Politik einen stark populistischen Charakter annimmt und die Prinzipien der repräsentativen Demokratie – auch wenn nur wenige Abstimmungen stattfinden – ins Hintertreffen geraten, weil sich das Entscheidungsmuster der Politik nach plebiszitären Maßstäben ausrichtet.
Alles in allem verspricht die Einfügung sachplebiszitärer Elemente keinen Fortschritt für die Bundesebene. Sind erst einmal Mechanismen zur Erweiterung sachplebiszitärer Elemente geschaffen, lassen sie sich ohne Not schwerlich wieder rückgängig machen. Die Risiken überlagern die möglichen Vorteile.

Resümee

Gelegentlich wird mit Blick auf den Auf- und Umbruch in der DDR im Jahre 1989/90 die Einführung »Runder Tische« abseits der Parlamente empfohlen, um den mündigen Bürger stärker an der politischen Willensbildung zu beteiligen. Solche Parallelen gehen angesichts eines demokratisch legitimierten politischen Systems am Kern der Sache vorbei. Was für die Abschaffung einer Diktatur sinnvoll erschien, läßt sich nicht notwendigerweise für die Erneuerung des demokratischen Verfassungsstaates zunutze machen. Wer in der parlamentarischen Demokratie die Losung »Wir sind das Volk« ins Spiel bringt, trägt zu einer Schwächung der Parteien bei.
Anhänger und Kritiker der Einführung direktdemokratischer Elemente sollten sich von ihnen nicht zu viel versprechen – im Positiven wie im Negativen. Wenn das gesamte politische System massive Funktionsschwächen erkennen läßt – z.B. weil ein ausreichender Konsens zwischen den tragenden gesellschaftlichen Gruppierungen fehlt –, helfen auch keine plebiszitären Mechanismen.

Die Einführung personalplebiszitärer Elemente kann dazu beitragen, den »Parteibürger« und den »Wahlbürger« stärker politisch zu motivieren; hingegen dürfte die Aufnahme sachplebiszitärer Elemente kein angemessenes Mittel sein, den demokratischen Verfassungsstaat auf eine tragfähigere Basis zu stellen. Das gilt für die direktdemokratischen Elemente auf Wähler- und Parteienebene. Aus Gründen der Effizienz und der demokratischen Legitimität liegt es auf der Hand, daß »im überwiegenden Bereich der Politikentscheidungen eine erweiterte Mitwirkung nur über die Personalauswahl erfolgen kann«[27]. Die Verantwortungsscheu der Parteien und der Politiker wird bei einem Votum über Sachfragen eher gefördert, denn gehemmt. Parteien und Politiker sind es, die dem Wähler gegenüber mit klaren, überzeugenden und handlungsorientierten Konzeptionen aufwarten müssen. Auch deswegen wären sachplebiszitäre Reformen kontraproduktiv.

Anmerkungen

1 Vgl. etwa folgendes spektakuläre Interview: Richard von Weizsäcker im Gespräch mit Gunter Hofmann und Werner A. Perger, Frankfurt/M. 1992. Siehe hierzu Gunter Hofmann/Werner A. Perger (Hrsg.): Weizsäckers Parteienkritik in der Diskussion, Frankfurt/M. 1992; Hans Wallow (Hrsg.): Richard von Weizsäcker in der Diskussion. Die verdrossene Gesellschaft, Düsseldorf u.a. 1993. Ferner Jürgen Rüttgers: Dinosaurier der Demokratie. Wege aus der Parteienkrise und Politikverdrossenheit, Hamburg 1993; Frank Christian Starke: Krise ohne Ende? Parteiendemokratie vor neuen Herausforderungen, Köln 1993.

2 Vgl. Helmut Herles/Friedrich W. Husemann (Hrsg.): Politikverdrossenheit. Schlagwort oder Zeichen der Krise, München 1993.

3 Vgl. etwa Eckhard Jesse: Mehr Beständigkeit als Bruch. Das Parteiensystem vor und nach der Wiedervereinigung. In: Ralf Altenhof/Eckhard Jesse (Hrsg.): Das wiedervereinigte Deutschland. Zwischenbilanz und Perspektiven, Düsseldorf 1995, S. 45-68.

4 Vgl. etwa einerseits Hans Herbert von Arnim: Ist die Kritik an den politischen Parteien berechtigt? In: Aus Politik und Zeitgeschichte 1993, B 11, S. 11-23; andererseits Peter Lösche: Parteienverdrossenheit ohne Ende? Polemik gegen das Lamentieren deutscher Politiker, Journalisten, Politikwissenschaftler und Staatsrechtler. In: Zeitschrift für Parlamentsfragen (ZParl) 26 (1995), S. 149-159.

5 Vgl. Stefan Beil/Norbert Lepszy: Die Reformdiskussion in den Volksparteien (= Interne Studien der Konrad-Adenauer-Stiftung, Nr. 115), Sankt Augustin 1995; Thomas Leif: Hoffnung auf Reformen? Reformstau und Partizipationsblockaden in den Parteien. In: Aus Politik und Zeitgeschichte 1993, B 43, S. 24-33.

6 Vgl. etwa Karl-Heinz Blessing (Hrsg.): SPD 2000. Die Modernisierung der SPD, Bonn 1993; Rüttgers: Dinosaurier der Demokratie (wie Anm. 1), insbesondere S. 239-255.

7 Der Bereich der Kommunalpolitik bleibt an dieser Stelle ausgeklammert.

8 Vgl. für Einzelheiten Jörn Ipsen: Kandidatenaufstellung, innerparteiliche Demokratie und Wahlprüfungsrecht. Anmerkung zum Urteil des Hamburgischen Verfassungsge-

richts vom 4. Mai 1993 – HVerfG 3/93, und Christian Koenig: Mandatsrelevanz und Sanktionen im verfassungsrechtlichen Wahlbeschwerdeverfahren. Jeweils in: ZParl 25 (1994), S. 235-240, 241-253.

9 Der Modus der Abstimmung wies einen »Geburtsfehler« auf: Die relative Mehrheit genügte für den Sieger. Bei einem zweiten Wahlgang wäre vermutlich Gerhard Schröder gewählt geworden. Inzwischen lautet § 39b, Abs. 3 des Organisationsstatuts der SPD: »Gewählt ist, wer mehr als die Hälfte der abgegebenen gültigen Stimmen erhalten hat. Hat kein Kandidat/keine Kandidatin diese Mehrheit erhalten, so findet zwischen den beiden Bestplazierten eine Stichwahl statt. Gewählt ist dann, wer die meisten Stimmen auf sich vereinigt.«

10 Karlheinz Niclauß: Das Parteiensystem der Bundesrepublik Deutschland, Paderborn 1995, S. 195.

11 Hans-Joachim Veen/Viola Neu: Politische Beteiligung in der Volkspartei. Erste Ergebnisse einer repräsentativen Untersuchung unter CDU-Mitgliedern (= Interne Studien der Konrad-Adenauer-Stiftung, Nr. 113), Sankt Augustin 1995, S. 9.

12 Franz Walter: Die SPD nach der deutschen Vereinigung. Partei in der Krise oder bereit zur Regierungsübernahme? In: ZParl 26 (1995), S. 101.

13 Niclauß: Das Parteiensystem der Bundesrepublik Deutschland (wie Anm. 10), S. 181 f.

14 Joachim Raschke: Demokratie als Ausrede. In: Der Spiegel, Nr. 4 (1996), S. 53. Freilich unterscheidet Raschke unzureichend zwischen einem Personal- und einem Sachplebiszit.

15 So Peter Lösche: »Das zerreißt die Parteien«. In: Der Spiegel, Nr. 52 (1995), S. 17.

16 Vgl. Hans Herbert von Arnim: Staat ohne Diener. Was schert die Politiker das Wohl des Volkes?, München 1993, insbesondere S. 322-325.

17 Vgl. hierzu die vagen Überlegungen von Claus Leggewie (Die Kritik der Politischen Klasse und die Bürgergesellschaft. Muß die Bundesrepublik neugegründet werden?) und Warnfried Dettling (Parteien im eigenen Saft? Von der Krise zur Reform). Jeweils in: Aus Politik und Zeitgeschichte 1993, B 31, S. 7-13, 14-18.

18 Vgl. Peter Haungs: Plädoyer für eine erneuerte Mitgliederpartei. Anmerkungen zur aktuellen Diskussion über die Zukunft der Volksparteien. In: ZParl 25 (1994), S. 108-115.

19 Vgl. die knappe Zusammenfassung der beiderseitigen Argumente bei Wolfgang Fischer: Formen unmittelbarer Demokratie im Grundgesetz. In: Aus Politik und Zeitgeschichte 1993, B 52-53, S. 16-18.

20 Vgl. Claus Hoff/Antonio Kempf: Dokumentation zur plebiszitären Praxis und Verfassungsrechtslage in den Bundesländern. In: ZParl 24 (1993), S. 14-21.

21 Vgl. Otmar Jung: Daten zu Volksentscheiden in Deutschland auf Landesebene (1946-1992). In: ZParl 24 (1993), S. 5-13.

22 Vgl. Otmar Jung: Plebiszit und Diktatur. Die Volksabstimmungen der Nationalsozialisten, Tübingen 1995.

23 SPD und KPD wollten das Vermögen der Fürsten den Arbeitslosen zukommen lassen. Diese Volksabstimmung führte zu einer Mobilisierung und Polarisierung der Bevölkerung. Vor allem vergrößerte sich dadurch die Distanz zwischen der SPD und den bürgerlichen Parteien. 36,3 Prozent der Wahlberechtigten stimmten mit Ja.

24 Die »Nationale Opposition« (DNVP, NSDAP und Stahlhelm) suchte die Neuregelung der Reparationsfrage zu hintertreiben. Der berühmt-berüchtigte § 4 des Gesetzentwurfs sah die Bestrafung für Reichskanzler und Reichsminister vor. Trotzdem stimmten 13,8 Prozent der stimmberechtigten Bevölkerung für das Gesetz. Die Opposition gegen den Young-Plan bot der extremen Rechten hinreichend Möglichkeiten, gegen die Weimarer Republik zu agitieren.

25 Vgl. hierzu die umfassende Diskussion zwischen Stefan Meineke und Otmar Jung. In: Jahrbuch für Politik 2 (1992), S. 203-230; 3 (1993), S. 63-92; 4 (1994), S. 105-156; 5 (1995), S. 67-116.

26 Zur Diskussion vgl. u.a. Karsten Bugiel: Volkswille und repräsentative Entscheidung. Zulässigkeit und Zweckmäßigkeit von Volksabstimmungen nach dem Grundgesetz, Baden-Baden 1991.

27 Niclauß: Das Parteiensystem der Bundesrepublik Deutschland (wie Anm. 10), S. 191.

Werner J. Patzelt

Imperatives Mandat und plebiszitäre Elemente: Nötige Schranken der Abgeordnetenherrlichkeit?

Ein Abgeordneter habe »die Eigenschaften eines Herrn, nicht die eines Dieners«, bemerkte einst Gerhard Leibholz. Theodor Eschenburg ergänzte, ein Abgeordneter könne zwar nicht befehlen, doch »man kann ihm auch nicht befehlen«. Paßt eine solche Politikerrolle in eine Demokratie? Ist es nicht an der Zeit, Abgeordnetenherrlichkeit in die Schranken zu weisen – etwa durch das imperative Mandat und kontrollierende Elemente plebiszitärer Demokratie? Im Kern geht es um die Frage, ob und – wenn ja – in welcher Weise die repräsentative Demokratie einer grundlegenden Verbesserung bedarf. Darum muß die Antwort beginnen mit einer Betrachtung der Konstruktionsmerkmale von Repräsentativsystemen.

Eigentümlichkeit und Vorzüge parlamentarischer Repräsentation

Die Repräsentativität einer Vertretungskörperschaft bemißt sich keineswegs danach, in welchem Grad die Repräsentanten ein »verkleinertes Abbild« der Repräsentierten darstellen. Eine Repräsentationsbeziehung besteht vielmehr dann und nur dann, wenn dreierlei gegeben ist:

– Die Repräsentanten handeln im Interesse der Repräsentierten und responsiv[1] bezüglich ihrer Wünsche.

– Repräsentanten und Repräsentierte können unabhängig voneinander handeln, so daß es jederzeit zu Konflikten zwischen dem Volk und seinen Vertretern kommen kann.

– Die Repräsentanten schaffen es sowohl durch praktizierte Responsivität als auch durch tatkräftige politische Führung, solche Konflikte in halbwegs engen Grenzen und relativ selten zu halten, d.h.: jenes repräsentationskonstitutive Konfliktpotential dauerhaft zu befrieden.[2]

Zwei einander oft entgegengesetzte Vorstellungen von der Aufgabe eines Abgeordneten sind in einer so verstandenen Repräsentationsbeziehung aufgehoben.[3] Denn von Repräsentation ist einerseits nur dort zu sprechen, wo Repräsentanten ihr Amt – gemäß dem Leitgedanken des *imperativen* Mandats – *im Dienst* und *im Interesse* der Repräsentierten versehen. Andernfalls werden diese nämlich nicht vertreten, sondern bloß beherrscht. Repräsentation ist aber andererseits überhaupt nur dann möglich, wenn die Repräsentanten sich gemäß dem Leitgedanken des *freien* Mandats verhalten können, also *unabhängig* von Weisungen des Volkes sich mit diesem auch auf Konflikte einzulassen vermögen. Sonst sind sie nämlich nicht Repräsentanten, sondern Marionetten. Anders formuliert: Die Kernforderung des imperativen Mandats verlangt Repräsentanten Responsivität, die des freien Mandats eigenständig zu erbringende Anstrengungen politischer Führung ab. Auf die Kernforderungen des imperativen Mandats zu verzichten, degradierte die Repräsentierten zu Untertanen; und den Repräsentanten ihr freies Mandat zu nehmen, machte sie schlechterdings überflüssig. Im übrigen läßt sich zeigen, daß in ganz unstimmige und unhaltbare Argumentationen gerät, wer den Leitgedanken der einen oder anderen Mandatskonzeption zu Lasten der anderen übersteigert.[4] *Beide* Leitgedanken sind vielmehr richtig, und erst beider wohlbalancierte Verwirklichung, also die gelingende Paarung von Responsivität und Führungskraft, bringt Repräsentation als mögliche Leistung eines Institutionensystems hervor.

Letztlich ist Repräsentation eine besondere Form gesellschaftlicher *Arbeitsteilung*.[5] Sie macht es möglich, daß mit eigenem Handlungsspielraum ausgestattete (und genau darum zur Verantwortung und Rechenschaft zu ziehende Personen) sich ausdauernder und besser als andere mit hier und jetzt zu entscheidenden Fragen des Gemeinwesens befassen. Solchermaßen wird die Chance vergrößert, aus Oberflächlichkeit, Unkenntnis oder mangelndem Abwägen entstehende Fehlentscheidungen zu vermeiden. Diese Form gesellschaftlicher Arbeitsteilung ist durchaus vordemokratischen Ursprungs. In Europa entstand sie aus dem Ständewesen; erst seit dem 18. Jahrhundert und mit der Ausweitung des Wahlrechts im späten 19. und 20. Jahrhundert wurde sie mit dem Demokratieprinzip verbunden.[6] Auf der Grundlage demokratischer Repräsentativverfassungen entstanden dann ganz neue Typen äußerst leistungs- und legitimationsstarker politischer Systeme.

Deren wirkungsmächtiges Geheimnis ist die spezifische Weise, in der sie Repräsentations- und Demokratieprinzip verbinden durch die Vergabe von parlamentarischen Mandaten auf Zeit in periodischen freien Wahlen. Wer wiedergewählt werden will, kann nämlich trotz freien Mandats während dessen Ausübung nicht allzu oft bzw. allzu weit von dem abweichen, was die für seine Wiederwahl ausschlaggebenden Mitbürger hinnehmen wollen. Damit ist – gemäß dem Leitgedanken des imperativen Mandats – die Rückbindung der Repräsentanten an Nominierungsgremien und Wähler sichergestellt.[7] Eine besonders kunstvolle Art solcher Rückbindung und der Paarung von Führungskraft und Responsivität entsteht, wenn einesteils – etwa aufgrund eines Verhältniswahlrechts – Parteien die hauptsächlichen Adressaten der Wahlentscheidung werden, und wenn andernteils nur solche Kandidaten aussichtsreiche Plätze auf Parteilisten erhalten, die sich zunächst – meist als regionale

Parteiführer – in ihrer Partei durchgesetzt haben. Denn sofern ein Abgeordneter zugleich Parteiführer ist, trägt er nicht mehr nur für sich selbst und seine persönliche Wiederwahl Verantwortung, sondern auch für die Wahlaussichten seiner Partei. Werden nämlich parlamentarische Entscheidungen von Parteiführern getroffen, so prägt parlamentarisches Geschehen unausweichlich das Außenbild der Partei, deren Wahlchancen und somit auch die Karriereaussichten weiterer Parteimitglieder. Der Abgeordnete als Parteiführer haftet dann mit der Sicherheit seines parlamentarischen Mandats und mit den eigenen Karriereaussichten für sein Bemühen, politische Entscheidungen gemäß den Zielen und im Interesse seiner Partei zu treffen. Deutliche Hinweise auf den Erfolg solchen Bemühens sind in jedem Fall Art und Ausmaß von Veränderungen des Stimmenanteils einer Partei bei freien Wahlen. Trotz unzweifelhaft gegebener eigener Handlungsspielräume der Abgeordneten im Rahmen des freien Mandats[8] ist dadurch sichergestellt, daß sie responsiv sein und sich bemühen müssen, im Interesse ihrer Partei und deren potentieller Klientel zu handeln.

Möglicherweise führt die Ahnung vom vordemokratischen Charakter des Repräsentationsprinzips immer wieder zur Ablehnung repräsentativer Demokratie und zum Versuch, sie durch die Beimengung direktdemokratischer, vor allem plebiszitärer Elemente zu verbessern. Zweifellos befördert Kritik an der parteienstaatlichen Form der Verbindung von Demokratie- und Repräsentationsprinzip ebenfalls die Suche nach besseren Verwirklichungsmöglichkeiten des Demokratieprinzips. Trotzdem erweist sich schon anhand einfacher Überlegungen zur Konstruktion politischer Systeme die Annahme als falsch, repräsentative Demokratie sei nur eine zweitklassige, allenfalls mangels besserer Alternativen akzeptable Form von Demokratie. Denn ganz offensichtlich ist es so, daß erst sie es ermöglicht, alle Vorteile politischer Arbeitsteilung *gemeinsam* mit den Vorzügen einer effizienten Rückbindung der Regierenden an die Zustimmungsbereitschaft der Regierten zu nutzen. Im einzelnen sei auf *drei* hieraus entspringende *Vorteile* verwiesen.

Erstens läßt sich in einer repräsentativ ausgestalteten Demokratie, in der Abgeordnete eigene Entscheidungsspielräume haben, *persönlich zurechenbare Verantwortlichkeit* bewirken und nutzen. Denn gerade weil das Volk zwar Repräsentanten bestellt, um von diesen Gesetze beschließen und die Regierung kontrollieren zu lassen, doch darüber hinaus nichts selbst entscheidet, kann es stets diejenigen zur Rechenschaft ziehen und mit dem Verlust ihres politischen Einflusses bestrafen, die Entscheidungen mit nicht akzeptierten Folgen getroffen haben. Dies setzt Volksvertreter und Regierung unter besonderen Leistungsdruck und legt ihnen nahe, möglichst nur nach sorgfältiger Abwägung von Alternativen zu entscheiden.

Wie sehr diese Last drückt, zeigt sich an einer immer deutlicheren Fehlentwicklung der deutschen parlamentarischen Demokratie: unangenehme Entscheidungen werden in verfassungsrechtliche Streitfragen umgemünzt und dem – von niemandem zur Verantwortung zu ziehenden – Bundesverfassungsgericht zugeschoben. Wo dies, wie etwa in der Hauptstadtfrage, nicht möglich ist, bringt man regelmäßig den Vorschlag ins Spiel, ausnahmsweise mittels Volksabstimmung zu entscheiden. Der Verzicht auf die im Rahmen repräsentativer Demokratie mögliche Arbeits- und Dienstleistung von Abgeordneten brächte ein politisches System also um vielfältige Vorteile. Ähnliches gilt auch für Politiker, die eine durch Plebiszit festgelegte Politik durchführen: hier wie dort wird innerstaatliche Verantwortlichkeit und damit das wichtigste Mittel beseitigt, durch systeminterne Mechanismen zu politischer Sorgfalt zu zwingen.

Zweitens kann man innerhalb der politischen Arbeitsteilung einer repräsentativen Demokratie von Abgeordneten mit Fug und Recht verlangen, was Ernst Fraenkel die »Veredelung des empirisch vorfindbaren Volkswillens« genannt hat. Ihr freies Mandat haben Parlamentarier ja nicht zuletzt deswegen, um bis zum nächsten Wahltermin auch *gegen den Willen des Volkes handeln* zu können, falls sie dies im Blick auf dessen langfristiges Interesse für richtig erachten. Abgeordnete verweigern also ihre Pflicht, wenn sie bloß als Echo des artikulierten Volkswillens agieren. Vielmehr haben sie die Aufgabe, an der Bildung des Volkswillens aktiv mitzuwirken und sich die Rechnung dafür am Wahlabend präsentieren zu lassen. Sie müssen Treuhänder der Repräsentierten, nicht deren Sekretäre sein. Im übrigen ist die Vorstellung falsch, der empirisch vorfindbare Volkswille bedürfe in der Regel keiner »Veredelung«. Mehr noch: zu den meisten politischen Regelungsmaterien gibt es überhaupt keinen Volkswillen, der nur ausfindig zu machen und dann umzusetzen wäre. Beides durch einen Rückbau politischer Arbeitsteilung auf dem Wege der – unter demokratietheoretischen Prämissen – dann nötigen Zwangspolitisierung gewissermaßen korrigieren zu wollen, gründet auf leeren Hoffnungen: bloß weil die Abgeordneten den Bürgerinnen und Bürgern nicht länger die Sorge um die laufende Politik abnehmen, nehmen politische Bildung und politische Partizipation keineswegs zu.

Drittens ermöglicht es die parlamentarische Willensbildung durch mit eigenen Handlungsspielräumen ausgestattete Abgeordnete, flexibel mit Entscheidungsalternativen umzugehen, wechselseitige Zugeständnisse quer über eine Mehrzahl von Entscheidungen zu »verrechnen« und in einer vom Streben nach Kompromissen gekennzeichneten Parlamentskultur *Integration zu stiften*. Ein strikt imperatives Mandat unterbindet hingegen solche Flexibilität, und Plebiszite sind äußerst grobschlächtige Instrumente der Entscheidungsfindung, die eher spalten als zusammenführen.

Stellung, Rolle und Amtsverständnis der deutschen Abgeordneten

Rechtliche Stellung der Abgeordneten

Die rechtliche Stellung der Abgeordneten ist aus einer Vielzahl von Rechtsquellen zu erschließen: Grundgesetz und Landesverfassungen, Bundeswahlgesetz, Parteiengesetz, Abgeordnetengesetz, Geschäftsordnungen der Parlamente, Rechtsprechung des Bundesverfassungsgerichts zum Status des Abgeordnten.[9] Für die Rolle des Abgeordneten innerhalb eines Repräsentativsystems sind am wichtigsten die folgenden Regelungen:

Abgeordnete sind »Vertreter des ganzen Volkes« (Art. 38 Abs. 1 GG). Keine Gruppe – auch keine Partei – hat einen *Rechts*anspruch darauf, von einem Parlamentarier in besonderer Weise berücksichtigt zu werden. An die Stelle verordneter Loyalitätsbeziehungen treten darum solche, die der ständigen Neubegründung aus der politischen Praxis bedürfen. Die Aufrechterhaltung einer Repräsentationsbeziehung wird dergestalt zu einem für flexibles Geben und Nehmen offenen Prozeß. Dasselbe bewirkt die an gleicher Stelle des Grundgesetzes getroffene Festlegung, Abgeordnete seien an Aufträge und Weisungen nicht gebunden und nur ihrem Gewissen unterworfen. Diese in Deutschland seit der Paulskirchen-Verfassung von 1849 geltende Bestimmung geht über die belgische Verfassung von 1831 auf die erste französische Revolutionsverfassung von 1791 zurück, wo sie – entlang Rousseauscher Ideen – die parlamentarische Verwirklichung der *volonté générale* ermöglichen sollte. Die tatsächliche Funktion dieser Bestimmung ist es allerdings, den Abgeordneten von jeglicher *rechtlich* einzufordernden Gruppenloyalität freizustellen, so daß erneut fein austarierte *politische* Prozesse des wechselseitigen Gebens und Nehmens ins Werk gesetzt werden, um Mitwirkung und Stimme des Abgeordneten für die Mannschaft seiner Fraktion zu sichern. Am Ende steht dann oft die Integration von Minderheitswünschen in Mehrheitspositionen, stets aber die Berücksichtigung eines größeren Kreises von Interessen, als wenn man einen Abgeordneten juristisch zur Kooperation veranlassen könnte.

Auch die meisten übrigen Rechtsregeln zur Stellung des Abgeordneten dienen dazu, sein Handeln unerzwingbar zu machen. Zwar läuft es den Pflichten des Parlamentariers zuwider, wenn er »aus eigenem Entschluß auf nicht absehbare Zeit sein Amt nicht ausübt und weder in Ausschüssen noch in den Fraktionen noch im Plenum mitarbeitet«[10]. Trotzdem gilt: »Der Abgeordnete ›schuldet‹ rechtlich keine Dienste, sondern nimmt in Unabhängigkeit sein Mandat wahr.«[11] Verletzungen seiner in der Geschäftsordnung des Parlaments oder in den Arbeitsordnungen der Fraktionen niedergelegten Pflichten gefährden nie die weitere Ausübung des Mandats bis zur nächsten Wahl; und Privilegien wie Indemnität, Immunität und Zeugnisverweigerungsrecht stellen den Abgeordneten desgleichen von rechtlich begründeten Pressionsmöglichkeiten frei. Auf der wirkungsvollen Grundlage eines institutionell eingehegten *Eigen*interesses können darum allein praktische politische Überlegungen sowie ethische Grundentscheidungen das Agieren eines Parlamentariers prägen. Und ohne die Vorschützung irgendwelcher rechtlichen Zwangslagen vermag ein Abgeordneter die Verantwortung für sein Tun oder Lassen auch nicht mehr abzuschieben. Hierin wird die *Last* des freien Mandats kenntlich.

Daß eigenbrötlerischer Umgang mit dem freien Mandat die Renominierung und Wiederwahl kosten kann, beseitigt dessen Freiheit offenbar ebensowenig, wie das freie Agieren von Parteien dadurch in Frage gestellt wird, daß der Wähler sie durch Stimmenentzug bestrafen kann. Ein wichtiger Zweck des freien Mandats ist nämlich die *Personalisierung* von Verantwortlichkeit; dies ergäbe aber keinen Sinn, wenn sich an die Nutzung von Freiheit keine Sanktionen knüpfen könnten. Außerdem macht überhaupt erst die *faktische* – wenn auch nicht ohne Zutun des Abgeordneten mögliche – Rückbindung der Repräsentanten an die Unterstützungsbereitschaft der Repräsentierten das vordemokratische Repräsentativsystem unter demokratischen Prämissen akzeptabel.

Politische Abhängigkeiten der Parlamentarier

Die politischen Beziehungsgeflechte, die ein auf Fortsetzung seiner parlamentarischen Laufbahn ausgehender Abgeordneter ins Kalkül ziehen muß, sorgen somit nur dafür, daß demokratische Rückbindung nicht bloß dem guten Willen der Repräsentanten überlassen wird, sondern auch institutionell abgesichert ist: gemäß dem Demokratieprinzip wird dem Abgeordneten Responsivität unter Androhung von Folgen nahegelegt. Daß er solchen Drohungen nicht folgen *muß*, konstituiert hingegen das auch für die repräsentative Demokratie unverzichtbare *Konflikt*potential zwischen Repräsentanten und Repräsentierten. Die faktischen politischen Bindungen eines Abgeordneten sind somit nur auf der Grundlage von groben Mißverständnissen der Konstruktionsweise von Repräsentation als ein Widerspruch zur rechtlichen Statuierung des freien Mandats aufzufassen. In ihnen konkretisiert sich vielmehr der richtige und für Repräsentation *ebenfalls* konstitutive Leitgedanke des imperativen Mandats.

In Deutschland ergibt sich die erste politisch wichtige Bindung eines Abgeordneten daraus, daß er sein Mandat praktisch nicht als Unabhängiger, sondern nur als *Exponent einer Partei* erlangen und wiedergewinnen kann. Abgeordnete sind darum so gut wie immer Parteipolitiker. In dieser Rolle sind sie aber keineswegs Befehlsempfänger, sondern vielmehr die – zumindest regionalen – Führer ihrer Parteien. Gemäß Erhebungen des Verfassers waren 1994 elf Prozent der Bundestagsabgeordneten Mitglieder des Bundesvorstandes ihrer Parteien, 24 Prozent eines Landesvorstandes, 64 Prozent eines Kreisvorstandes und 28 Prozent sogar eines Ortsvorstandes. Darum geht es voll und ganz an der Natur der Sache vorbei, einen grundsätzlichen Gegensatz zwischen dem rechtlich freien Mandat des Abgeordneten und seiner Einbindung in die parlamentarische Mannschaft der von ihm mitgeführten Partei anzunehmen. Ebenso überzogen wäre es allerdings, mit Gerhard Leibholz (1966) den Abgeordneten nur als »technisch-organisatorisches Zwischenglied« bei einer bloßen Transformation der in Parteien getroffenen Entscheidungen in solche des Parlaments auszugeben. Denn auch die jedermann zugängliche Medienberichterstattung zeigt auf das deutlichste, daß Abgeordnete keineswegs in ihren Fraktionen nur Parteientscheidungen nachvollziehen, sondern ihrerseits – als zugleich Fraktionsmitglieder und Parteiführer – oft genug dafür sorgen, daß die Partei von der Fraktion erarbeitete Positionen, und zwar nicht selten unter großem Widerstreben, übernimmt.[12]

Die *Fraktion* ist das zweite zur Responsivität anhaltende Beziehungsgeflecht eines Abgeordneten: nur in und mit ihr hat er parlamentarische Gestaltungschancen. Große Bundestagsfraktionen, die an Mitgliederzahlen manches Parlament übertreffen, sind im übrigen extrem arbeitsteilig aufgebaut. Außerhalb seiner persönlichen politischen Arbeitsgebiete wird ein Parlamentarier sich darum, abgesehen von einer Überprüfung nach Kriterien des gesunden Menschenverstandes und anhand politischer Grundüberzeugungen, ebenso auf das Urteil seiner Fraktionskollegen verlassen müssen, wie er dasselbe von ihnen erwartet. Da alle Abgeordneten rechtlich gleichgestellt sind und die Besetzung der Fraktionsämter oft durch geheime Wahlen erfolgt, kann die hier entscheidungsrelevante Autorität auch nie eingefordert, sondern muß stets errungen und immer wieder neu begründet werden. Sich von ihr bei der persönlichen Willensbildung beeinflussen zu lassen, beruht deshalb auf erfahrungsbegründetem Vertrauen und nicht auf Zwang.

Eigene Positionen in der Fraktion durchzusetzen, erfordert Mehrheiten. Diese erwachsen unter rechtlich Gleichgestellten nur aus überzeugendem Argumentieren und aus der Bereitschaft, an anderer Stelle ebenso Entgegenkommen zu zeigen, wie man es in der eigenen Sache erwirken will. Für den parlamentarischen Aufstieg in Fraktionsämter gilt dies erst recht. Auch innerhalb der Fraktion muß also um den Abgeordneten stets geworben werden. Zumal bei knappen Mehrheitsverhältnissen stattet dies Fraktionsminderheiten – im Extremfall auch einzelne Parlamentarier – mit erheblicher Veto- und Pressionsmacht aus. Diese dann *kooperativ* einzusetzen, steigert ihre Wirkung; mit ihr destruktiv umzugehen, setzt ihren Nutzen bald herab.

Die an solchen Wirkungszusammenhängen kenntliche Funktionslogik der Fraktionsarbeit lehrt Abgeordnete rasch die Alternative, entweder einflußlos zu bleiben, gar zum Außenseiter zu werden[13], oder aber Mannschaftsgeist an den Tag zu legen. Für die parlamentarische Auseinandersetzung zwischen den Fraktionen ist letzteres ein in der Praxis gegebenenfalls rasch neu gelehrter Grundsatz. Fraktionssolidarität entsteht darum durch Binnenrationalität und

Außendruck ebenso »naturwüchsig« wie Fraktionsdisziplin. Beides in einen Gegensatz zur Freiheit der Mandatsausübung bringen zu wollen macht ebensoviel Sinn, wie des Torwarts fußballerische Freiheit dadurch beschnitten zu sehen, daß er nicht als Feldspieler agieren kann.[14] Fraktionszwang, rechtlich ebenso unzulässig wie in der Wirklichkeit undurchsetzbar und unnötig, ist darum als allenfalls populärer, doch ganz und gar irreführender Begriff aufzugeben.[15] Vielmehr geht es hier um die *Dialektik von Freiheit und Bindung*, um fein konstruierte Beeinflussungsstrukturen, die auch schon durch Antizipation wirken können und auf unscheinbare Weise große Wirkungen an Lernfähigkeit sowie Integration zeitigen.

Im übrigen sind Abgeordnete in vielfältige weitere Netzwerke eingebunden: dauerhafte Kontakte zu *Interessengruppen* auf den persönlichen politischen Arbeitsgebieten, vielfältige *gesellschaftliche Funktionen* in Gremien, Beiräten usw., enge Beziehungen mit *kommunalen Mandatsträgern* sowie *Ämtern und Behörden* im betreuten Wahlkreis, eine tiefgestaffelte Verankerung im dortigen *vorpolitischen Raum* und eine *intensive Wahlkreisarbeit* mit vielfältigen *Bürgerkontakten* kennzeichnen ihre Tätigkeit.[16] Völlig abwegig ist darum die Vorstellung, Abgeordnete wären von der gesellschaftlichen Wirklichkeit abgehoben, ihr kommunikatives Wurzelwerk sei ausgetrocknet und allein mittels imperativen Mandats ließen sie sich dazu bewegen, die Interessen und Sichtweisen der Bevölkerung zur Kenntnis und ernstzunehmen. Von den deutschen Abgeordneten meinten 1994 denn auch drei Viertel, die politischen Ansichten und Wünsche ihrer wichtigsten Kontaktpartner (sehr) gut zu kennen, und zwei Drittel sagen dasselbe hinsichtlich der Bevölkerung in ihrem Wahlkreis. Dem entsprechend stimmen auch nur 13 Prozent der These zu, Abgeordnete würden die Ansichten und Wünsche der Bevölkerung nicht kennen. Zweifellos *können* die Parlamentarier also responsiv sein.

Grundzüge des Amtsverständnisses

Im Amtsverständnis der deutschen Abgeordneten spiegeln sich alle diese Rollenbezüge. Abgeordnete meinen, sie sollten sich intensiv der parlamentarischen Kernaufgaben der Gesetzgebung und Regierungskontrolle annehmen (94 Prozent bzw. 98 Prozent der Befragten hielten dies 1994 für eine zutreffende Beschreibung ihrer Aufgabe). Sie glauben, sich intensiv mit Wahlkreis und Gesellschaft vernetzen (79 Prozent), von überall her politisch relevante Informationen aufnehmen (90 Prozent) und für Bürger, Kommunen und nahestehende Interessengruppen Dienstleistungsaufgaben übernehmen zu sollen (55 Prozent). Diese einesteils im Parlament, andernteils im Wahlkreis zu erfüllenden Aufgaben sehen sie vermittelt sowohl durch ihre Pflicht, sich responsiv auf herangetragene Interessen, Wünsche und Argumente einzulassen (90 Prozent), als auch durch ihre Aufgabe, politische Führung auszuüben (62

Prozent). Dergestalt spiegeln sich im Amtsverständnis der Abgeordneten die für Repräsentation konstitutive Paarung der Leitideen von freiem und imperativem Mandat und die Verschränkung von parlamentarischer und Wahlkreisarbeit. Wie Untersuchungen des Verfassers zeigen, entspricht auch das tatsächliche Arbeitsprofil von deutschen Abgeordneten weitgehend diesem Amtsverständnis.[17]

Im übrigen sehen sich 81 Prozent der deutschen Abgeordneten als Inhaber eines freien, aber nur ganze sechs Prozent als solche eines imperativen Mandats; und 90 Prozent sprechen sich das Recht zu, sich über auch ausdrücklich artikulierte Interessen der Repräsentierten dann hinwegzusetzen, wenn übergeordnete Gesichtspunkte dies nahelegen. Das heißt keineswegs, daß die Abgeordneten Bindungen ablehnen, die eine solche Freiheit des Mandats ausbalancieren: 65 Prozent halten es für die Aufgabe eines Abgeordneten, im Interesse der Repräsentierten und responsiv hinsichtlich ihrer Wünsche zu handeln; 77 bzw. 58 Prozent nennen Verbände und Interessengruppen eine wichtige Quelle von Informationen oder Impulsen für die politische Sacharbeit, wobei nur ein Viertel es für nötig erachtet, deren Einfluß zurückzudrängen. Vor allem aber bezeichnen 76 Prozent die Partei als ihre politische Heimat, die Loyalität verdiene. Obschon 40 Prozent Fraktionszwang für mit richtigem Parlamentarismus unvereinbar halten, erachten es ferner 48 Prozent für richtig, bei wichtigen Abstimmungen selbst dann Fraktionsdisziplin zu wahren, wenn dies im Wahlkreis Unterstützung kosten sollte. Dabei stimmen nur ganze 15 Prozent der These zu, die Partei enge die persönliche Entscheidungsfreiheit des Abgeordneten ein! Keineswegs erlebt also die große Mehrheit der deutschen Abgeordneten jene Spannung zwischen freiem Mandat und politischen Bindungen, welche die populäre Diskussion so sehr betont.

Dies kann durch weitere Zahlen belegt werden. 85 Prozent der deutschen Abgeordneten behaupten, sich in erster Linie als Vertreter des Gemeinwohls zu verstehen. Dem widerspricht nicht, daß zugleich 67 Prozent bekunden, vor allem Vertreter der Bürger ihrer Wahlkreise zu sein, 59 Prozent der Wähler ihrer Partei, 35 Prozent ihrer Partei und 14 Prozent von nahestehenden Interessengruppen. In keinem Fall gibt es nämlich einen negativen Zusammenhang zwischen der Intensität, mit der man sich als Vertreter des Gemeinwohls fühlt und gleichzeitig zu anderen Gruppen Loyalitätsbeziehungen hegt. Zwar hängt die Gemeinwohlorientierung nennenswert mit dem Selbstverständnis als Inhaber eines freien Mandats zusammen (gamma=0,33); doch die Zusammenhänge eines vom imperativen Mandat geprägten Selbstverständnisses mit demjenigen eines Bürger-, Wähler-, Partei- und Interessenvertreters sind recht schwach. Weder beeinträchtigt die Gemeinwohlorientierung also die Loyalität zu jenen Gruppen, von denen die weitere politische Laufbahn abhängt, noch steht das Selbstverständnis als Inhaber eines freien Mandats selbstgewählten politischen Bindungen und den aus ihnen entspringenden Solidaritätspflichten im Weg. Was eine stimmige Repräsentationstheorie zusammendenkt, bildet somit auch im Amtsverständnis der Abgeordneten eine Einheit.[18]

Imperatives Mandat und plebiszitäre Elemente: Wertvolle Bereicherungen repräsentativer Demokratie?

Bedarf es also der Einführung des imperativen Mandats oder plebiszitärer Elemente, um die Abgeordneten zur besseren Ausübung ihrer Verantwortung im Rahmen repräsentativer Demokratie anzuhalten?

Vom Unfug des imperativen Mandats

Hinsichtlich des imperativen Mandats fällt die Antwort leicht. Mag die Forderung nach ihm vor dem Hintergrund des Wunsches, Repräsentation mit Demokratie zu verbinden, verständlich sein, so ist sie gleichzeitig gegenstandslos, da jetzt schon die rechtlich mit einem freien Mandat ausgestatteten Abgeordneten dieses nur nach Maßgabe ihrer selbstgewählten politischen Bindungen ausüben. Bei Strafe des Mandatsverlusts können sie auch gar nicht anders verfahren. Imperatives Mandat und Abberufung des sich ihm nicht beugenden Abgeordneten fügten der bestehenden Praxis also nichts Konstruktives hinzu. Das Verlangen nach einem imperativen Mandat ist ferner unschlüssig, da zugleich die Forderung populär ist, wider allen ›Fraktionszwang‹ eben die Freiheit des Mandates zu stärken.[19]

Vor allem aber wäre die Einführung eines imperativen Mandats für die Machtstellung des Parlaments als Gegengewicht zu Regierung und Verwaltung kontraproduktiv. Parlamentarische Macht bedarf nämlich flexibler parlamentarischer Verhaltensweisen; diese sind jedoch nur auf der Grundlage eines freien Mandats möglich. Nicht nur der gesunde Menschenverstand zeigt, daß die für ein imperatives Mandat nötigen Rückkoppelungsprozesse mit dem – seinerseits nur sehr problematisch festzulegenden – Kreis der Mandatserteilenden es nachgerade verhindert, daß im Parlament von den Abgeordneten rasch und ergebnisorientiert gehandelt werden kann. Vielmehr belegen auch zeitgenössische und historische Beispiele, daß das imperative Mandat vor allem als Mittel zur Selbstentmachtung fungiert. In der jüngeren Vergangenheit machten »Basisdemokratie« erprobende politische Gruppierungen diese Erfahrung[20]; und im Mittelalter versanken die mit dem imperativen Mandat operierenden französischen Reichsstände in der Bedeutungslosigkeit, während die mit freiem Mandat ausgestatteten Mitglieder des britischen Ober- und Unterhauses aus ihrer Vertretungskörperschaft die Mutter aller neuzeitlichen Parlamente formten.[21] Letztlich stellte die Einführung des imperativen Mandats einen ebenso unnötigen wie unvorteilhaften Rückbau von gesellschaftlicher Arbeitsteilung und von Personalisierung politischer Verantwortung dar.

Vom zweifelhaften Nutzen plebiszitärer Elemente auf Bundesebene

Hinsichtlich *plebiszitärer Elemente*, hier allein bezogen auf Abstriche vom parlamentarischen Gesetzgebungsmonopol auf Bundesebene, ist die Antwort ebenfalls nicht schwer.[22] Auch das Verlangen nach Plebisziten entzündet sich nämlich oft an der vordemokratischen Herkunft von Repräsentation. Rousseau brachte dies auf die Formel, der Bürger habe seine Freiheit schon dann verloren, wenn er andere über sich entscheiden lasse. Besonders attraktiv wirken plebiszitäre Ergänzungen repräsentativer Demokratie dann, wenn man die letztere als unvollkommene Verwirklichung des Demokratieprinzips mißversteht. In diesem Fall geraten sogar die größten Nachteile plebiszitärer Elemente aus dem Blick:

- der Rückbau politischer Arbeitsteilung, denn jeder soll nun entscheiden;
- die Beseitigung personell zurechenbarer Verantwortung;
- die Verhinderung von – mit leistungsförderndem Risiko verbundenen – Versuchen, den empirisch vorfindbaren Volkswillen zu verbessern;
- die Ersetzung integrierender Kompromiß- und Paketlösungen durch spaltende und vergleichsweise leicht manipulierbare Alternativen.

Hinzu kommt die Schwierigkeit, Volksentscheide verfassungsgerichtlichen Korrekturen zugänglich zu halten.

Ein nur scheinbarer und äußerst fataler Ausweg wäre es, den Volksabstimmungen wegen solcher Probleme nicht Entscheidungskraft, sondern nur einen konsultativen Charakter zuzubilligen. Bloße Konsultation ist nämlich so gut wie immer unnötig: über Stimmungen und die Mehrheitsmeinung der Bevölkerung wissen Abgeordnete durch ihre Wahlkreisarbeit, aus ihren Kommunikationsnetzen und den Massenmedien sowie aufgrund demoskopischer Erhebungen ohnehin Bescheid. Der Ausgang selbst einer »nur« konsultativen Volksbefragung ist darum kein Sachstandsbericht, sondern eine politische und politisch zu beurteilende Tatsache.

In dieser letzteren Funktion wird eine konsultative Volksabstimmung wiederum zum subtilen Instrument, Verantwortung unbemerkt versickern zu lassen. Denn das abstimmende Volk kann bei ihr erwarten, daß das Parlament einen letztlich dem Gemeinwohl abträglichen, gegebenenfalls eher als Protestsignal zum Ausdruck gebrachten Volkswillen schon noch werde zu »veredeln« wissen. Darum müssen die Bürger ihre konsultative Abstimmung nicht übermäßig ernst nehmen. Die Parlamentarier hingegen können die Verantwortung für die Folgen ihrer dem konsultativen Volksentscheid entsprechenden Entscheidungen von sich weisen, da sie – wie Beamte im Verhältnis zu Ministern – doch nur den Willen der zur politischen Führung befugten Instanz ernstgenommen hätten. Hinzu kommt ein weiteres. Da die Fragestellung einer Volksabstimmung wie deren Ausgang Ergebnis politischen Gestaltens ist, kann Politik jetzt spielerischen Charakter annehmen: wie beim Poker läßt sich durch koordiniertes Bluffen und Passen viel erreichen. Dem Ziel, durch Personalisierung von über Wahlergebnisse einzufordernder Verantwortung Politiker an die Leine des gerade *längerfristig* Mehrheitsfähigen zu legen, kommt man also dergestalt nicht näher.

Im übrigen leidet die Diskussion um die Ergänzung repräsentativer Demokratie durch plebiszitäre Elemente daran, daß selten thematisiert wird, hinsichtlich welcher Materien man wohl meint, der Demokratie sei besser gedient, wenn nicht länger zur Rechenschaft zu ziehende Abgeordnete für Entscheidungen zuständig seien. Bei plebiszitären Elementen auf Bundesebene kann es sich natürlich nur um den Bundeshaushalt, den ausschließlichen Kompetenzbereich des Bundes (u.a. Außen- und Sicherheitspolitik, Staatsangehörigkeit und Einwanderung, Währungswesen und gewerblichen Rechtsschutz) sowie um die Bereiche der Rahmengesetzgebung bzw. konkurrierenden Gesetzgebung des Bundes laut Art. 71-75 GG handeln. Eine detaillierte Erörterung jener Materien dürfte schnell zeigen, daß man auch hier um der Sache willen nicht auf die »Veredelung des empirisch vorfindbaren Volkswillens« verzichten oder Abgeordneten Auswege aus ihrer politischen Verantwortung eröffnen sollte. Und wer sich von plebiszitären Elementen größeres politisches Interesse, bessere politische Bildung und verstärktes politisches Engagement der Bürger erhofft, der möge die Berechtigung solcher Hoffnungen zunächst mit Blick auf die Landes- und kommunale Ebene prüfen. Dort gibt es längst – in der Regel umfangreich ausgebaute – plebiszitäre Elemente. Trotzdem sind weder seitens der Bürger die Beschwerden über zu geringe Einflußmöglichkeiten verstummt noch seitens von Kommunalpolitikern und politischen Beobachtern Kritiken daran, die Bürger kümmerten sich normalerweise zu wenig um kommunalpolitische Belange und nutzten ihre entsprechenden Partizipationsmöglichkeiten nicht aus. Wo die Bürgerrolle auf kommunaler Ebene befriedigender ausgeübt wird als in bundespolitischen Dingen, liegt dies darum wohl weniger an den verfügbaren plebiszitären Elementen, als vielmehr daran, daß die Kommunalpolitik aufgrund der Natur der Sache bürgernäher ist als die Bundespolitik.

Befürwortet man plebiszitäre Elemente, um dem Volk größeren Einfluß auf parlamentarische Entscheidungen zu geben, so vertritt man außerdem eine durchaus unschlüssige und wenig überzeugende Forderung.[23] Sie unterstellt nämlich Parlamenten mangelhafte Responsivität; diese Unterstellung ist sachlich aber weitgehend unbegründet. Ausnahmen kommen natürlich vor, auch auf öffentlich breit diskutierten Politikfeldern. Beispielsweise wurde die Neuregelung des Asylrechts von Parlamentariern aus prinzipiellen Erwägungen jahrelang verschleppt, obwohl die Mehrheit der Bevölkerung längst eine Verringerung der Asylbewerberzahlen für nötig hielt. Erst als die Republikaner mit diesem Thema Wählerwirksamkeit gewannen, entstand zwingender Handlungsdruck zur Responsivität. Immerhin zeigt dieses Beispiel auch, daß Wahlen ein tatsächlich wirksames Mittel zur Sicherung der Responsivität von Parteien und Parlamenten sind. Im übrigen ist die Unterstellung grundsätzlich mangelhafter Responsivität von Parlamenten um so weniger überzeugend, als sie oft mit Klagen darüber einhergeht, Abgeordnete und Parteien verhielten sich populistisch, schielten nur auf den nächsten Wahltermin, entwickelten keine ihn überschreitenden Planungshorizonte und besäßen allzu wenig Führungswillen. Das alles sind nämlich Klagen über *zuviel* Responsivität, welch letztere man dann nicht auch noch durch zusätzliche plebiszitäre Elemente steigern sollte.

Außerdem findet die Klage einer zu geringen Responsivität der Parlamente auch keine Bestätigung im Amtsverständnis und in der durchschnittlichen Amtsausübung der Abgeordneten. Es stimmt zwar, daß Parteien, Parlamente und Regierungssysteme vielfach nur die Beweglichkeit eines Tankers haben. Doch sehr rasche Kurswechsel, wie man sie von Plebisziten als Korrektiv dessen erhoffen mag, dürften die Konstruktion des Staatsschiffes und seine sinnvolle Einordnung in den internationalen Geleitzug gefährden. Die Verzögerung, mit der nach Wahlsiegen oder Wahlniederlagen sich ein neuer Kurs ja auch im Repräsentativsystem festlegen läßt, ist deshalb einem abrupten, plebiszitär bewirkten Kurswechsel vorzuziehen.

Durch Wahlen herbeigeführte Kurswechsel haben überdies den Vorteil, daß gleichzeitig auch jene parlamentarische Mehrheit geschaffen wird, welche die nötige Gesetzgebung und Regierungskontrolle zu leisten vermag und die nach gewisser Zeit für die Folgen ihres Tuns zur Rechenschaft gezogen werden kann. Diese Überlegung ist um so wichtiger, als plebiszitäre Elemente meist von solchen politischen Kräften gewünscht werden, die nur geringe Aussicht auf eine parlamentarische Mehrheit haben und darum wünschen, über Volksabstimmungen der sich bei ihnen nicht artikulierenden Mehrheit ihre Minderheitsposition aufzwingen zu können. Die Erfahrungen der Schweiz sollten im übrigen vor der Hoffnung warnen, Volksabstimmungen eröffneten Spielräume vor allem für innovative Kräfte.

Plebiszitäre Elemente erweisen sich bei näherer Betrachtung darum als Mittel zur bloß *erhofften* Besserung eines solcher Behandlung kaum bedürfenden Zustands, die teils negative Nebenwirkungen haben, teils an sich schon kontraproduktiv sind. Im noch besten Fall dürften plebiszitäre Elemente auf Bundesebene ebenso ungenutzt bleiben wie überwiegend auf der Landesebene, im Fall ihrer Anwendung aber ebenso wie Wahlen entlang parteipolitischer Fronten entschieden werden. Und daß es so populär ist, sie als besonders wertvolle Innovationen auszugeben, dürfte ohnehin nur selten auf eine fachkundige Analyse tatsächlicher Reformnotwendigkeiten unseres politischen Systems zurückgehen. Triebkraft entsprechender Forderungen ist vielmehr ein inhaltlich zwar begrüßenswerter, doch analytisch recht hilfloser pro-demokratischer Affekt, der – aufgrund schlechter Information über die Funktionswirklichkeit parlamentarischer Demokratie[24] – das demokratische und responsive Potential unseres Repräsentativsystems maßlos unterschätzt.

Selbst Parlamentarier können sich dem Reiz plebiszitärer Denkschablonen nicht entziehen. Denn zwar stimmten 1994 nur drei Prozent der deutschen Abgeordneten der These zu, repräsentative Demokratie entmündige die Bürger (dagegen: 91 Prozent); acht Prozent der Behauptung, Repräsentation beruhe auf Mißtrauen gegenüber dem Volk (dagegen: 83 Prozent); und neun Prozent der Auffassung, Repräsentation sei nur ein notwendiges Übel, dem gegenüber direkte Demokratie vorzuziehen sei (dagegen: 77 Prozent). Aber trotzdem sprachen sich 39 Prozent der deutschen Abgeordneten für die Einführung plebiszitärer Elemente auf Bundesebene und 46 Prozent auf Landesebene aus.[25] Diese Zahlen sind wohl als Folgen inkonsistenten politischen Denkens, als Sehnsucht nach Fluchtwegen aus politischer Verantwortung sowie als Kotau vor dem Zeitgeist zu deuten. Dergestalt werden Abgeordnete freilich ihrer Verantwortung für die Aufrechterhaltung unserer repräsentativen Demokratie und für die Sicherung ihrer eigenen Rolle nicht gerecht. Schon gar nicht ist das der Fall, wenn parlamentarisch unterlegene Minderheiten der rein parlamentarischen Entscheidung ihre Legitimität absprechen und politisch folgenreich glaubhaft machen wollen, erst ein um die entsprechende Sach- oder Machtfrage geführter Wahlkampf legitimiere als faktisches Sach- oder Personalplebiszit eine bindende Entscheidung des Parlaments. Glücklicherweise waren solche Anfechtungen repräsentativer Demokratie aus ihrer Mitte heraus in der Bundesrepublik in Deutschland aber bisher selten.[26]

Die Verantwortung der Abgeordneten für ihre politische Rolle

Keinesfalls können allein Publizisten und Wissenschaftler unser repräsentatives System vor bloß gut gemeinten Verbesserungsversuchen bewahren. Hier liegt vielmehr gar nicht wenig in der unmittelbaren Verantwortung von Parlamentariern. Zum einen ist es ihre nie endende Pflicht, durch politische Leistungen zu zeigen, daß die Konstruktion unseres Systems durchaus in Ordnung ist. Hierzu gehört neben effizienter Regierungskontrolle und solider Gesetzgebungsarbeit vor allem eine enge gesellschaftliche Verankerung, ebenso praktizierte wie demonstrierte Responsivität und tatkräftige, unpopuläre Konflikte durchaus nicht vermeidende politische Führung. Verbesserungen parteiinterner Willensbildung und der Rekrutierungsleistung der Parteien sind ebenso nötig wie bessere Sorge darum, daß das Volk auch vor der Persönlichkeit und den Biographien seiner Vertreter Respekt haben kann. Der Anspruch, den demoskopisch nachweisbaren Volkswillen parlamentarisch »veredeln« zu können, muß nämlich auch *glaubwürdig* sein.[27] Gerade darum reicht es nicht aus, wenn ein Parlament einfach ein verkleinertes Abbild des Volkes – und zumal seiner Schwächen – wäre.
Um hier zu Verbesserungen zu gelangen, ist zunächst ein Rückbau der Karrierisierung jener Parteilaufbahnen angebracht, die aus Funktionen in den Jugendorganisationen der Parteien nachgerade als Leistungsnorm in die Parla-

mente führen. Seitenstück dessen wäre die Neuverbreitung der Selbstverständlichkeit, daß es für parlamentarische Mandate vor allem solche Bürger zu gewinnen gilt, deren persönliche Existenzsicherung gelungen ist, die Berufs- und Lebenserfahrung gewonnen haben und welche nun in einer »zweiten Karriere« zur professionellen politischen Tätigkeit bereit wären. *Nicht in größeren Veränderungen von Institutionen und Verfahren, sondern vor allem in den Bedingungen der Rekrutierung und Sozialisation politischen Personals liegt somit der zentrale Reformbedarf unserer Demokratie.* Im übrigen kann man mit der parlamentarischen Arbeitsleistung der deutschen Abgeordneten, zumal im internationalen Vergleich, durchaus zufrieden sein.

Viel weniger gilt das hinsichtlich ihrer zweiten Aufgabe, dem Volk sein politisches System und die Rolle der Volksvertreter darin zu erläutern. Diese Aufgabe läßt sich nämlich nur eingeschränkt dem Medien- und Bildungssystem zuweisen, da die Gegenäußerung auch nur eines Praktikers meist ausreicht, in der Öffentlichkeit Zweifel an den Aussagen von Politikwissenschaft und politischer Bildung zu nähren. Fatal wirkt sich das dort aus, wo Abgeordnete selbst kein rechtes Verständnis von der tatsächlichen Funktionsweise eines demokratischen Repräsentativsystems haben, sich aber mit – ihnen aufgrund ihres Amtes zugeschriebener – Autorität zu ihr äußern. Sie verhalten sich dann wie jemand, der nur seiner Gesundheit oder Krankheit wegen meint, ärztliche Ratschläge geben zu können. Untersuchungen zum Wissen der Abgeordneten über die nichtalltagspraktischen Aspekte ihres Amtes, etwa zu ihrem Repräsentations- und Systemverständnis, zeigen in der Tat, daß sich die Kenntnisse der Parlamentarier hier nur sehr eingeschränkt vom wenig kohärenten, recht unstimmigen politischen Wissen der Bevölkerung unterscheiden.[28] Politische Publikationen von Parlamentariern zu Fragen des freien Mandats, zu plebiszitären Elementen oder zu sonstigen Veränderungsmöglichkeiten unserer politischen Ordnung widersprechen jenen Befunden oft durchaus nicht.[29]

Wenn aber Parlamentarier selbst Kernfragen der institutionellen Ausgestaltung freiheitlicher Demokratien öffentlich so erörtern, als handele es sich dabei um Glaubensfragen oder um die rein dezisionistisch zu beendende Konkurrenz bloßer Vermutungen, dann wird das Volk von seinen Vertretern in verantwortungsloser Weise und schlimmstenfalls gar noch ohne besseres Wissen desinformiert. Gerade die politisch Interessierten hält man nämlich solchermaßen davon ab, wenigstens ein erstes Verständnis dafür zu entwikkeln, daß es *unhintergehbare funktionslogische Zusammenhänge* bei der Konstruktion politischer Systeme sowie praktische Erfahrungswerte gibt, die man nur zum eigenen Nachteil unberücksichtigt lassen kann. Hier fehlt es häufig an der notwendigen Bescheidenheit von Abgeordneten als Teilnehmer institutioneller Reformdiskussionen: nicht nur das Volk, sondern auch seine Vertreter leben mit ihren auf Verwirklichung drängenden Gestaltungswünschen oft über den Verhältnissen ihrer politischen Bildung.

Anmerkungen

1 Responsivität meint hier die Ansprechbarkeit, Empfänglichkeit, Anregbarkeit, Sensibilität, Antwortbereitschaft, Reagibilität, Reaktionsfähigkeit, Reaktionswilligkeit von Abgeordneten und Parlamenten. Vgl. dazu Herbert Uppendahl: Repräsentation und Responsivität. Bausteine einer Theorie responsiver Demokratie. In: Zeitschrift für Parlamentsfragen (Zparl) 12 (1981), S. 123-134.

2 Vgl. Hanna F. Pitkin: The Concept of Representation, Berkeley – Los Angeles 1967; Werner J. Patzelt: Abgeordnete und Repräsentation. Amtsverständnis und Wahlkreisarbeit, Passau 1993, S. 34-55.

3 In des Wortes dreifacher Bedeutung: »Aufheben« meint etwas beibehalten (*conservare*); etwas auf ein höheres Niveau, in einen größeren Zusammenhang bringen (*elevare*); und etwas in seiner unvollkommenen, bisherigen Ausprägung beseitigen (*tollere*).

4 Vgl. Pitkin: The Concept of Representation (wie Anm. 2); Patzelt: Abgeordnete und Repräsentation (wie Anm. 2), S. 27-33.

5 Vgl. Johannes Weiß: Stellvertretung. Überlegungen zu einer vernachlässigten soziologischen Kategorie. In: Kölner Zeitschrift für Soziologie und Sozialpsychologie 36 (1984), H. 1, S. 43-55.

6 Vgl. Ernst-Wolfgang Böckenförde: Demokratie und Repräsentation. Zur Kritik der heutigen Demokratiediskussion (= Grundfragen der Demokratie, Schriftenreihe der niedersächsischen Landeszentrale für politische Bildung, Folge 4), Hannover 1983; Benedikt Haller: Repräsentation. Ihr Bedeutungswandel von der hierarchischen Gesellschaft zum demokratischen Verfassungsstaat, Münster 1987; Ulrich Scheuner: Das repräsentative Prinzip in der modernen Demokratie. In: Verfassungsrecht und Verfassungswirklichkeit. Festschrift für Hans Huber zum 60. Geburtstag, Bern 1961, S. 222-246.

7 Vgl. zur einschlägigen Diskussion Bernd Guggenberger/Hans-Joachim Veen/Albrecht Zunker (Hrsg.): Parteienstaat und Abgeordnetenfreiheit. Zur Diskussion um das imperative Mandat, München 1976; Bernd Guggenberger: Zwischen freiem und imperativem Mandat. Die Stellung des Abgeordneten in der parlamentarischen Parteiendemokratie. In: Die »vergessenen« Institutionen (= Handbücher der Politischen Akademie Eichholz, Bd. 8), Melle 1979, S. 391-414; Paul Kevenhörster: Das imperative Mandat. Seine gesellschaftliche Bedeutung, Frankfurt/M. – New York 1975; Christoph Müller: Das imperative und freie Mandat. Überlegungen zur Lehre von der Repräsentation des Volkes, Leiden 1966; Heinz Rausch: Das freie Mandat des Abgeordneten. Zwölf Thesen. In: Guggenberger/Veen/Zunker (Hrsg.): Parteienstaat und Abgeordnetenfreiheit, S. 149-152.

8 Vgl. Jürgen Lückhoff: Das »freie Mandat« des Abgeordneten. In: Aus Politik und Zeitgeschichte 1989, B 5, S. 17-25.

9 Vgl. Klaus Stern: Das parlamentarische Regierungssystem. In: ders.: Das Staatsrecht der Bundesrepublik Deutschland, Bd. 1, 2. Auflage, München 1984, S. 1048-1078.

10 Bundesverfassungsgerichtsentscheidungen (BVerfGE) 56, S. 405 (24. März. 1981, Nr. 22, II).

11 BVerfGE 40, S. 316 (5. November 1975, Nr. 29, II).

12 Vgl. auch Gerhard Stuby: Die Macht des Abgeordneten und die innerparteiliche Demokratie. In: Guggenberger/Veen/Zunker (Hrsg.): Parteienstaat und Abgeordnetenfreiheit (wie Anm. 7), S. 169-200.

13 Vgl. Hans-Hermann Kasten: Möglichkeiten und Grenzen der Disziplinierung des Abgeordneten durch seine Fraktion: Fraktionsdisziplin, Fraktionszwang und Fraktionsausschluß. In: ZParl 16 (1985), S. 475-484; Carl Christoph Schweitzer: Der Abgeordnete im parlamentarischen Regierungssystem der Bundesrepublik, Opladen 1979.

14 Zur Diskussion siehe schon Klemens Kremer: Der Abgeordnete – zwischen Entscheidungsfreiheit und Parteidisziplin, 2. Auflage, München 1956; Karl-Heinz Lohmann: Fraktionszwang und Artikel 38 des Grundgesetzes für die Bundesrepublik Deutschland, Diss., Würzburg 1957; Marco Vasella: Die Partei- und Fraktionsdisziplin als staatsrechtliches Problem, Winterthur 1956; sowie Alfons Pawelczyk: Die Fraktionsdisziplin, Hamburg 1967; Eberhard Schütt-Wetschky: Parlamentsreform: Meilenstein oder Sackgasse? Zur Interpretation der Artikel 38 und 20 des Grundgesetzes. In: Aus Politik und Zeitgeschichte 1987, B 48, S. 3-16; Winfried Steffani: Burke, Edmund: Zur Vereinbarkeit von freiem Mandat und Fraktionsdisziplin. In: ZParl 12 (1981), S. 109-122.

15 Auch die folgenden Befunde aus einer vom Verfasser im Frühjahr 1994 durchgeführten, von der Deutschen Forschungsgemeinschaft (DFG) geförderten schriftlichen Befragung aller rund 2 800 deutschen Landes-, Bundes- und Europaparlamentarier (Rücklauf n=856, also 30%) belegen dessen schimärenhaften Charakter. Damals gaben 25% der deutschen Abgeordneten an, in der *eigenen* Fraktion gäbe es Fraktionszwang, während dies 54% in Abrede stellten. Bei *anderen* Fraktionen meinten indessen 53% der Parlamentarier, Fraktionszwang zu erkennen, während ihn diesbezüglich ganze 15% in Abrede stellten. Das heißt: die Angaben von 28% bzw. 39% der deutschen Abgeordneten müssen auf *Fiktion und Unterstellung* beruhen, denn nur so sind die Differenzen zwischen der Selbst- und Fremdzuschreibung von Fraktionszwang reihum unter allen Parlamentariern zu erklären. Immerhin erkennt eher bei den anderen Fraktionen Fraktionszwang, wer ihn auch der eigenen zuschreibt: gamma=0,42. Das verweist darauf, daß Fraktionszwang hier auch als Synonym für die angemesseren Begriffe »Fraktionssolidarität«, »Fraktionsloyalität« und »Fraktionsdisziplin« benutzt wird. Hierauf weist ebenfalls hin, daß diese Begriffe – in der genannten Reihenfolge – von 81, 78 bzw. 40% der deutschen Abgeordneten für geeignete Beschreibungen jener Gründe gehalten werden, die zum geschlossenen Auftreten von Fraktionen im Parlament führen. Den Begriff »Fraktionszwang« hielten indessen nur 6% für angemessen.

16 Vgl. Dietrich Herzog/Hilke Rebenstorf/Bernhard Weßels (Hrsg.): Parlament und Gesellschaft. Eine Funktionsanalyse der repräsentativen Demokratie, Opladen 1993; Patzelt: Abgeordnete und Repräsentation (wie Anm. 2); Werner J. Patzelt: Abgeordnete und ihr Beruf. Interviews, Umfragen, Analysen. Mit einem Vorwort von Rita Süssmuth, Berlin 1995.

17 Vgl. Patzelt: Abgeordnete und Repräsentation (wie Anm. 2); Patzelt: Abgeordnete und ihr Beruf (wie Anm. 16).

18 Vgl. Werner J. Patzelt: Neuere Repräsentationstheorie und das Repräsentationsverständnis von Abgeordneten. In: Zeitschrift für Politik 38 (1991), S. 166-199.

19 Siehe Hildegard Hamm-Brücher: Der Politiker und sein Gewissen. Eine Streitschrift für mehr parlamentarische Demokratie, 2. Auflage, München 1987; Hildegard Hamm-Brücher: Der freie Volksvertreter – eine Legende? Erfahrungen mit parlamentarischer Macht und Ohnmacht, 2. Auflage, München 1991. Vom Verfasser durchgeführte Befragungen der deutschen Abgeordneten zeigen, daß sie sich mehrheitlich keineswegs von Fraktionszwang eingeengt sehen. Folglich kann dieser weder als eine Form des imperativen Mandats aufgefaßt werden, noch scheint hier echter Verbesserungsbedarf zu bestehen.

20 Vgl. dazu die Schilderungen in Wolfgang Sternstein: Grenzen der Regierbarkeit. Bürgerprotest und parlamantarische Demokratie. In: Heinrich Oberreuter (Hrsg.): Wahrheit statt Mehrheit? An den Grenzen der parlamentarischen Demokratie, München 1986, S. 125-145.

21 Vgl. vor allem den Beitrag von Robert Fawtier in Heinz Rausch (Hrsg.): Die geschichtlichen Grundlagen der modernen Volksvertretung. Die Entwicklung von den mittelalterlichen Korporationen zu den modernen Parlamenten, Bd. 1, Darmstadt 1980, S. 346-358.

22 Vgl. Jürgen Weber: Die plebiszitäre Herausforderung der parlamentarischen Demokratie. In: ders. (Hrsg.): Schwierigkeiten mit der Demokratie, München 1987, S. 9-40, und eine Vielzahl der Beiträge in Oberreuter (Hrsg.): Wahrheit statt Mehrheit? (wie Anm. 20).

23 Vgl. Ernst Fraenkel: Die repräsentative und die plebiszitäre Komponente im demokratischen Verfassungsstaat. In: ders.: Deutschland und die westlichen Demokratien, 5. Auflage, Stuttgart 1973, S. 113-151.

24 Dies belegen zwei ausschließlich dieser Thematik gewidmete repräsentative Bevölkerungsumfragen, die im Frühjahr 1995 – von der DFG gefördert – im Auftrag des Verfassers das Allensbacher Institut für Demoskopie durchführte; siehe Werner J. Patzelt: Ist der Souverän unaufgeklärt? Die Ansichten der Deutschen über Parlament und Abgeordnete. Forschungsbericht, Dresden 1996.

25 Dagegen: 45% bzw. 29%.

26 Verwiesen sei einerseits auf die Argumentationshaltung der SPD im Jahr 1951 in der Diskussion um den möglichen Wehrbeitrag der Bundesrepublik Deutschland: der 1949 gewählte Bundestag sei zur Entscheidung einer so wichtigen Frage nicht legitimiert, da sie nicht Gegenstand des Wahlkampfes und der ihn entscheidenden Willensbildung der Bevölkerung war (vgl. Heinz Rausch: Der Abgeordnete. Idee und Wirklichkeit, München 1973, S. 44). Erinnert sei andererseits an den Regierungswechsel durch das konstruktive Mißtrauensvotum von 1982, wegen dessen willentlich herbeigeredeter Legitimitätsschwäche ein den Sinn der einschlägigen Verfassungsregeln arg strapazierendes Verfahren zur Herbeiführung von quasi-plebiszitären Neuwahlen nötig wurde.

27 Renate Köcher: Wieviel Politikverachtung verträgt ein Staat? In: Frankfurter Allgemeine Zeitung, 11. Juni 1992, S. 5.

28 Vgl. Patzelt: Abgeordnete und Repräsentation (wie Anm. 2), S. 221-251.

29 So etwa Hamm-Brücher: Der Politiker und sein Gewissen (wie Anm. 19); Hamm-Brücher: Der freie Volksvertreter – eine Legende? (wie Anm. 19).

Everhard Holtmann

Zwischen Repräsentation und Plebiszit: Bürger und Parteien in der Kommunalpolitik

Kommunale Selbstverwaltung und die Vorstellung von gemeindebezogenen Rechten der Bürger, welche diese befähigen, an der Regelung der Angelegenheiten ihrer örtlichen Gemeinschaft *unmittelbar* teilzunehmen, sind schon im lateinisch entlehnten Begriff »Communis« miteinander verbunden. »Communis«, übersetzt als Gemeinwesen, enthält bereits die Vorstellung eines durch Örtlichkeit und Ortsbezug bestimmten Sozialverbandes, der zugleich politischer Zweckverband ist. Dieser hat in früheren Zeiten seine gemeinsamen Belange genossenschaftlich geregelt. Aber auch noch in seiner modernen Rechtsform als ein gebietskörperschaftlicher politisch-administrativer Verband wird diesem eine – gemessen an den Beziehungen zwischen Staat und Gesellschaft – relativ große Nähe zu und Vertrautheit mit der ihn sozial tragenden »örtlichen Gemeinschaft« zugesprochen.

Historischer Demokratisierungsprozeß

Die verfassungsrechtliche Zusammenführung von Sozialgemeinde und politischer Gemeinde erhält durch die Preußische Städteordnung des Freiherrn vom Stein (19. November 1808) eine neue Grundlage. Damit beginnt die moderne Tradition kommunaler Selbstverwaltung. Zu jener Zeit wurden die Aufgaben und Zuständigkeiten bürgerschaftlicher Selbstverwaltung allerdings noch gänzlich ohne Elemente einer unmittelbaren Volkswillensbildung konzipiert. Das Steinsche Reformwerk legte vielmehr, hierauf hat Ernst Fraenkel 1958 hingewiesen, in der Umschreibung der Aufgaben der Stadtverordneten »die klassische deutsche Definition« von gewählten Repräsentanten fest: »Das Gesetz und ihre Wahl sind ihre Vollmacht, ihre Überzeugung und ihre Ansicht vom gemeinen Besten der Stadt ihre Instruktion, ihr Gewissen aber die Behörde, der sie deshalb Rechenschaft zu geben haben« (§ 110 Städteordnung).[1]
Nun wird man im heutigen Demokratieverständnis die Legitimationskette zwischen Kommunalpolitik, kommunalen Repräsentativkörpern und Gemeindevolk nicht mehr aus Geist und Buchstaben der preußischen »Reformen von

oben« bruchlos herleiten wollen. Die instrumentelle, an Staatsinteressen orientierte Zwecksetzung der Steinschen Städtereform (sie sollte dem militärisch besiegten und in innerer Agonie erstarrten Staat der Monarchie durch Belebung bürgerschaftlicher Energien neue Kräfte zuführen), ihr undemokratisches Klassenwahlrecht, ihre eingebauten Vorkehrungen regierungsamtlicher Bevormundung sowie ihre staatsrechtliche Einstufung als eine aus der staatlichen Sphäre des Politischen ausgelagerte, vorgeblich *unpolitische* Einrichtung der Gesellschaft sind unübersehbare Hinweise dafür, daß diese ältere deutsche Selbstverwaltungstradition demokratischen Maßstäben noch nicht genügte. Erst mit der Demokratisierung des Kommunalwahlrechts in der Weimarer Republik und noch mehr seit Verabschiedung des Bonner Grundgesetzes, das der kommunalen Selbstverwaltung die – ihr in Art. 127 der Weimarer Reichsverfassung noch vorenthaltene – institutionelle Garantie zugesprochen hat, sprechen wir von einer demokratischen Gemeindepolitik im eigentlichen Sinn.

Nach 1945 tritt ein doppelter Wandel ein: In einer ersten Phase, etwa bis Ende der 70er Jahre, können die politischen *Parteien* sich auf kommunaler Ebene fest verankern, auch wenn (vor allem im Süden Deutschlands) parteifreie Formationen (Freie Wählergemeinschaften – FWG) in kreisangehörigen Gemeinden Bedeutung behalten. In der zweiten, noch nicht abgeschlossenen Phase seit den 80er Jahren werden die regionalen Gemeinde- und Kreisordnungen nacheinander um *unmittelbare* Bürgerbeteiligungsrechte erweitert. Als Ergebnis dieser jüngsten Kommunalverfassungsreformen hat das Repräsentationsprinzip ein (nur in Bayern und Baden-Württemberg zuvor schon aufgebrochenes) rechtliches Monopol auf die Organisation der Willensbildung innerhalb kommunaler politischer Institutionen eingebüßt. Der Legitimationskontrakt zwischen Gemeindebürgern und ihren *gewählten Vertretern*, welcher mit der Wahl von Parteienbewerbern in die Rathäuser jahrzehntelang gleichsam routinehaft erneuert worden ist, wird in dem Maße punktuell außer Kraft gesetzt, wie die Bürgerschaft die ihr eingeräumten plebiszitären Rechte tatsächlich einfordert.

Die unter Gemeindebürgern wachsende Bereitschaft, aus der passiven Rolle von Repräsentierten von Fall zu Fall herauszutreten und die gewählten kommunalen Vertreter plebiszitär zu übersteuern, hat verschiedene Ursachen: Im Gefolge der »partizipatorischen Revolution« (Max Kaase) der 70er Jahre ist die Aufgeschlossenheit für »unkonventionelle« Formen politischer Beteiligung gewachsen. Die Bindekraft von Großorganisationen, die ihrerseits ein die parlamentarische bzw. parteienstaatliche Interessenvertretung stützendes Element sozialer Repräsentation verkörpern, läßt nach. Umgekehrt sinkt bei Bürgern die Bereitschaft, sich mit einer Partei durch formale Mitgliedschaft ganz und dauerhaft zu identifizieren. Statt dessen finden eigenaktive Ad-hoc-Initiativgruppen und Ein-Punkt-Aktionen Anklang, mit deren Hilfe Anliegen und Probleme, die im engeren örtlichen Lebensumfeld entstehen, gegenüber

der »etablierten« Politik und Verwaltung geltend gemacht werden. Die vielbeklagte Politik- und Parteiverdrossenheit speist sich auch aus einem Unbehagen über die Anonymität und bürokratische Abgehobenheit kommunaler Politik und Verwaltung.
Der politische Einstellungswandel wurde auf Länderebene insoweit kommunalrechtlich nachvollzogen, als inzwischen fast alle Flächenländer der alten Bundesrepublik in ihre Gemeinde- und Kreisordnungen direktdemokratische Instrumente nachträglich aufgenommen haben. In den mittlerweile in Kraft getretenen eigenen Kommunalverfassungen der fünf neuen Länder wurden unmittelbare Anhörungs- und Beteiligungsrechte von vornherein verankert. Die Tragweite der plebiszitären Partizipation läßt sich jedoch besser einschätzen, wenn die Aufgaben und Kompetenzen der gewählten Gemeindeorgane in Grundzügen bekannt sind. Da sich ferner aus der Verteilung der Organkompetenzen die funktionale und demokratietheoretische Bedeutung des repräsentativen Elements für Kommunalpolitik erkennen lassen, werden im folgenden die Herkunfts- und Strukturmerkmale der verschiedenen deutschen Kommunalordnungen kurz erläutert.

Ursprung und Typologie der Kommunalverfassungen in der Bundesrepublik

Die gegenwärtige Typenvielfalt bundesdeutscher Gemeinde- und Kreisordnungen ist in wesentlichen Grundzügen seit dem frühen 19. Jahrhundert überliefert. Diese Kontinuität spiegelt den Fortbestand eigenständiger kommunalverfassungsrechtlicher Landestraditionen wider. Die unter dem nationalsozialistischen Regime zwangsweise verfügte Zentralisierung in der Deutschen Gemeindeordnung (DGO) von 1935 blieb eine vergleichsweise kurze Episode.
Im zentralistischen Staatsgefüge der DDR blieb für kommunale Selbstverwaltung ebenfalls kein Raum. Die Kommunen bildeten als »örtliche Organe der Staatsmacht« lediglich eine nachgeordnete Verwaltungsebene, die nach dem Grundsatz der zentralen Planung und Lenkung den Direktiven der übergeordneten Partei- und Staatsstellen unterstellt war.
Je nachdem, wie die Kompetenzen zwischen Ratsvertretung und (hauptamtlicher) Verwaltungsspitze verteilt sind, unterscheidet man *monistische* und *dualistische* Organisationsmodelle. Einer weiteren Klassifikation zufolge werden eine *monokratische* und *kollegiale* kommunale Verwaltungsführung sowie, als deren dritte Spielart, die »doppelte Spitze« unterschieden.
Der monistische Typus hebt auf die Allzuständigkeit des Rates ab. Hier sind die wichtigen Entscheidungsbefugnisse bei der gewählten Vertretungskörperschaft konzentriert. Die dualistische Verfassung überträgt neben dem Rat auch dem Gemeindeoberhaupt eigene, d.h. nicht aus der Ratskompetenz abge-

leitete Zuständigkeiten. Träger solcher Befugnisse ist entweder der Bürgermeister allein als Verwaltungschef und Repräsentant der Gemeinde oder ein Magistrat als Leitungskollegium. Als Unterscheidungskriterium gilt hierbei also die geteilte oder ungeteilte Verantwortlichkeit von bzw. zwischen Rat und Verwaltung. Die andere Typologie ordnet nach Art der Verwaltungsleitung: Diese erfolgt entweder *monokratisch* durch die eine Person des (Ober-) Bürgermeisters oder *kollegial* in Gestalt des Magistrats, dem außer dem Bürgermeister auch Dezernenten und ehrenamtliche Beigeordnete angehören, oder durch eine »Doppelspitze«, bei welcher der ehrenamtliche Bürgermeister und der hauptberuflich tätige Hauptgemeindebeamte (Oberstadtdirektor, Gemeindedirektor) ein »zweigleisiges« Führungsduo bilden. Sämtliche erwähnten Varianten (außer dem Magistratsmodell) sind in einer den Gemeindeordnungen angepaßten Version auch auf der höheren kommunalen Ebene der Kreisordnungen anzutreffen.
Entsprechend den Traditionen des jeweiligen Landes und je nach Weiterentwicklung der unterschiedlichen Vorgaben durch die westlichen Besatzungsmächte im Zuge der Neuordnung nach 1945, sind die genannten typusbildenden Merkmale in den derzeit geltenden Kommunalverfassungen der alten Flächenländer in wechselnder Form kombiniert (für die Stadtstaaten gelten auf Grund ihres doppelten Status als Land und Stadt besondere Bedingungen). Üblicherweise werden *vier Realtypen von Kommunalverfassung* unterschieden:

1. *Die unechte Magistratsverfassung:* Dieser Typus geht auf die Steinsche Städtereform von 1808 bzw. die Preußische Städteordnung von 1853 für die östlichen Provinzen zurück. Der Verfassungsgrundriß ist dualistisch und kollegial. Die Gemeindevertretung beschließt über die Angelegenheiten der Gemeinde. Leitendes Verwaltungsorgan ist der Magistrat als kollegialer Stadtvorstand, dem die von der Vertretung gewählten haupt- und ehrenamtlichen Beigeordneten sowie der direkt zu wählende Bürgermeister angehören. Die Magistratsverfassung gilt in Hessen, Bremerhaven und den größeren Städten von Rheinland-Pfalz. Kraft Kieler Landtagsbeschluß vom 5. Dezember 1995 wird die Magistratsverfassung in den Städten Schleswig-Holsteins ab 1996 abgeschafft. Ab 1998 werden auch in diesem nördlichen Bundesland die Bürgermeister volksunmittelbar gewählt.
2. *Die Bürgermeister-Verfassung:* Sie entspringt französischem Einfluß, der aus der Zeit der napoleonischen Besetzung der Rheinlande (bis 1815) datiert und zunächst in der sogenannten Mairie-Verfassung, später in der Rheinischen Städteordnung von 1856 seinen Niederschlag fand. Diese Konstruktion ist dualistisch und monokratisch. Oberstes Beschlußorgan ist auch hier die gewählte Gemeindevertretung. Der Bürgermeister ist alleiniger Verwaltungschef und Repräsentant der Gemeinde nach außen. Ihm kann der Gemeinderat weitere Entscheidungsbefugnisse übertragen. Der Geltungsbereich er-

streckt sich auf kleinere Gemeinden und Städte in Rheinland-Pfalz, ferner auf kreisangehörige Gemeinden in Schleswig-Holstein und auf das Saarland.

3. *Die norddeutsche Ratsverfassung (auch Direktorialverfassung):* Sie wurde nach dem Zweiten Weltkrieg in den Ländern der britischen Besatzungszone eingeführt. Nach dem britischen Vorbild des *local government* wird zwischen dem politischen Mandat der gewählten Räte und einer »nichtpolitischen« Verwaltung als Vollzugsorgan idealtypisch eine deutliche Trennlinie gezogen. Dieses Verfassungsmodell ist monistisch und mit einer Doppelspitze bestückt. Die Ratsvertretung beschließt über wichtige Gemeindeangelegenheiten, soweit gesetzlich nichts anderes festgelegt ist. Diese Ratsverfassung galt in Nordrhein-Westfalen bis zum 16. Oktober 1994 und in abgewandelter Form in Niedersachsen bis zur Umsetzung des Landtagsbeschlusses vom 6. März 1996, welcher die »Doppelspitze« abschafft. Eigene Entscheidungsbefugnisse besitzen in NRW auch der (obligatorische) Hauptausschuß und in Niedersachsen der Verwaltungsausschuß (der hier kein Untergremium der Ratsvertretung ist, sondern ein eigenständiges Organ).

In Niedersachsen galt bis dahin die englisch inspirierte Direktorialverfassung mit doppelter Spitze, d. h., der vom Rat gewählte, ehrenamtliche (Ober-)Bürgermeister ist als Ratsvorsitzender politischer Repräsentant der Gemeinde. Er verfügt, in dieser Funktion sowie als Vorsitzender des Haupt- bzw. Verwaltungsausschusses, über Kompetenzen, die in anderen Ländern dem Verwaltungschef obliegen (z. B. ein Eilentscheidungsrecht). Die Gemeindeverwaltung wird durch den Stadt- bzw. Gemeindedirektor als dem Hauptverwaltungsbeamten monokratisch geleitet. Bis 1994 wurde dieses Verwaltungsführungsmodell auch in Nordhein-Westfalen praktiziert. Seither kann dort der Rat für eine Übergangszeit entscheiden, ob er an der Doppelspitze einstweilen noch festhalten oder dem Bürgermeister schon jetzt zusätzlich die Funktion des Hauptverwaltungsbeamten übertragen will (ab 1999 wird das Gemeindeoberhaupt landeseinheitlich direkt gewählt).

4. *Die süddeutsche Ratsverfassung:* Sie schreibt ältere Traditionen der Gemeindeordnungen Bayerns (1827) und Baden-Württembergs (1930) fort. Das Grundmuster ist hier dualistisch und monokratisch. Neben den gewählten Gemeinderat, dem das Beschlußrecht über wichtige Gemeindeangelegenheiten bleibt, tritt als zweites Hauptgemeindeorgan der von der Bürgerschaft direkt gewählte Bürgermeister. Dieser ist stimmberechtigter Vorsitzender des Rates, Verwaltungschef und politischer Repräsentant der Gemeinde in einer Person. Die Kernlande dieses Verfassungstypus sind Bayern und Baden-Württemberg. Daß hier die Volkswahl der Bürgermeister (und Landräte in Bayern) schon früh eingeführt wurde, geht auf Einflüsse der US-amerikanischen Besatzungsmacht zurück, die diesen Wahlmodus aus Übersee mitbrachte.

In den neuen Bundesländern erfolgte die demokratische Umformung der Gemeinde- und Kreisordnungen in zwei Stufen. Mit Volkskammerbeschluß vom 17. Mai 1990 wurde die alte DDR-Gemeindeordnung von 1985 von undemokratischen Bestimmungen bereinigt. Die so erneuerte Kommunalordnung der DDR, welche Elemente sowohl der Magistrats- als auch Ratsverfassungen aufnahm, galt vorerst einheitlich für das gesamte Beitrittsgebiet. Nachdem im Oktober 1990 in Ostdeutschland wieder Länder entstanden waren, wurden von den Landtagen neue Kommunalverfassungen verabschiedet, die mittlerweile sämtlich in Kraft getreten sind. Die seit 1993/94 geltenden ostdeutschen Gemeinde- und Landkreisordnungen lassen sich alle als monokratisch und dualistisch einstufen.[2] Nach durchgängiger Regelung sind lediglich der – generell allzuständige – Gemeinderat und der Bürgermeister, welcher die Verwaltungsgeschäfte führt und die Gemeinde nach außen repräsentiert, mit eigenen Organkompetenzen ausgestattet.

Die Neuordnung der ostdeutschen Kommunalverfassungen ist dem Vorbild der süddeutschen Ratsverfassung erkennbar gefolgt. Diese dominiert somit im Gesamtbild der föderativ-staatlichen deutschen Kommunalverfassungslandschaft. Dieses Übergewicht hat sich auch im Westen der Bundesrepublik verstärkt, weil mit Einführung der Direktwahl der Bürgermeister in Rheinland-Pfalz (und demnächst wohl auch in Schleswig-Holstein) die Bürgermeister-Verfassung sowie mit der Bürgermeisterdirektwahl in Nordrhein-Westfalen sowie künftig in Niedersachsen auch die norddeutsche Ratsverfassung dem süddeutschen Typus schrittweise angeglichen wird.

Fassen wir zusammen: Die Gemeindeselbstverwaltung fußt auf der Grundidee, daß Demokratie »von unten« erlernt und praktiziert wird. Der erstmals in der Steinschen Städteordnung institutionell verankerte Grundsatz, den Bürgern eine »tätige Einwirkung« auf die Verwaltung des örtlichen Gemeinwesens zu ermöglichen, bildet den Ausgangspunkt eines unter obrigkeitsstaatlichen Vorzeichen beginnenden historischen Demokratisierungsprozesses der kommunalen Ebene. Diese Entwicklung wurde in Deutschland durch diktatorische Regime unterbrochen. Die demokratische Idee der Selbstverwaltung verbindet sich traditionell mit dem Organisationsprinzip der repräsentativen Demokratie. Demgemäß ist für Grundentscheidungen der Gemeindepolitik in letzter Instanz die frei gewählte Vertretungskörperschaft, die sich zumindest in großen und mittleren Städten zu einer lokalen Domäne des Parteienstaates entwickelt hat, zuständig und verantwortlich. Indem sie die Einrichtung einer gewählten Vertretungskörperschaft als Regelfall (zu Ausnahmen siehe S. 211) verbindlich festlegen, folgen die Kommunalverfassungen dem in Art. 28 Abs. 1 Grundgesetz (GG) festgelegten Homogenitätsgebot. Dieses bedeutet nicht Uniformität, verpflichtet aber die für die rechtliche Ausgestaltung des Kommunalwesens zuständigen Länder grundsätzlich dazu, die Strukturvorgabe des Grundgesetzes für Gemeinde- und Kreisordnungen zu übernehmen. Hierzu zählt laut herrschender Verfassungsrechtslehre auch das im genannten Art. 28 (GG) verankerte Prinzip der mittelbaren repräsentativen Demokratie.[3]

In allen Gemeinde- und Kreisordnungen bleiben denn auch der gewählten Vertretung wichtige Organbefugnisse vorbehalten, so z. B. die Organisations-,

Finanz- und Satzungshoheit. Derlei Kernbefugnisse sind auch durch Ratsbeschluß nicht auf andere Gemeindeorgane übertragbar. Gleichwohl ist es dem Landesgesetzgeber nicht untersagt, auch Elemente direkter Demokratie in das Verfassungswerk mit einzubauen. So haben im Laufe der 80er und 90er Jahre die alten Flächenländer sukzessive nachträglich und die neuen ostdeutschen Länder von vornherein von der Möglichkeit Gebrauch gemacht, im Wege der Kommunalreform unmittelbare Wahl- und Beteiligungsrechte der Gemeindebürger entweder neu einzuführen oder aber solche Instrumente, sofern sie bereits Bestandteil der Kommunalverfassung waren, auszuweiten (siehe S. 212). Kommunale Personalentscheidungen wie die Bürgermeister- und Landratswahl sowie, auf Antrag, auch bestimmte Sachentscheidungen werden mithin durch unmittelbare Bekundung des gemeindlichen Bürgerwillens getroffen.

Wahl des Bürgermeisters und des Landrats

Über die Besetzung des *hauptamtlichen* Bürgermeisterpostens wird in fast allen Bundesländern bereits jetzt oder ab einem schon festgelegten zukünftigen Zeitpunkt in unmittelbarer Volkswahl entschieden (1998 in Schleswig-Holstein, 1999 in Mecklenburg-Vorpommern, wahlweise bis 1999 in Nordrhein-Westfalen). Einzig das Land Niedersachsen hielt bisher noch an der indirekten Bürgermeisterwahl durch die gewählte Vertretung fest. Aber auch hier hat der Landtag eine Reform beschlossen, die eine Direktwahl der Stadtoberhäupter und Landräte vorsieht. An der Ratswahl der *ehrenamtlichen* Bürgermeister hingegen hält – neben Rheinland-Pfalz und Mecklenburg-Vorpommern – auch Schleswig-Holstein nach dem jüngsten Kommunalreformgesetz vom Dezember 1995 fest. Der Wahlmodus für die Wahl des Landrats ist den entsprechenden Gemeindeordnungsbestimmungen für die Bürgermeisterwahl durchgehend angepaßt.
Regional differenzierter sind nach derzeitigem Rechtsstand die Regelungen über die *Abwahl* der Bürgermeister und Landräte ausgestaltet. Die Gemeinde- und Kreisordnungen der neuen Länder eröffnen (vorerst noch mit Ausnahme Mecklenburg-Vorpommerns) den Weg für eine direkte Abberufung durch die Bürgerschaft der Gemeinde bzw. des Kreises. Sie knüpfen den Erfolg eines solchen Mißtrauensvotums jedoch an ein relativ hohes Quorum (die Mehrheit der Abstimmenden muß mindestens 30 oder 50 Prozent der wahlberechtigten Bürger erreichen) und an ein vorangegangenes Bürgerbegehren (Sachsen) oder ein Mehrheitsvotum des Gemeinderats bzw. Kreistags (Thüringen: einfache Mehrheit, Sachsen und Sachsen-Anhalt: Drei-Viertel-Mehrheit). Ähnlich setzt in jenen alten Ländern, die inzwischen die unmittelbare Abwahl der Gemeinde- und Kreisspitze in die Kommunalverfassungen aufgenommen haben, die Realisierung dieses Schritts einen Antrag der gewählten Vertretung voraus

(so in Nordrhein-Westfalen und Rheinland-Pfalz; in Hessen kann die vorzeitige Abwahl des Landrats alternativ durch die Bürger oder eine Zwei-Drittel-Mehrheit des Kreistags erfolgen).

Mit der Möglichkeit, den Bürgermeister oder Landrat auch volksunmittelbar abzuwählen, wird eine neue Qualität plebiszitärer Willensbildung kommunalrechtlich festgeschrieben. Diese Regelung ist durchweg das Ergebnis eines jüngeren Stadiums kommunaler Reform. Ersichtlich folgte der Landesgesetzgeber hiermit einer inzwischen verbreiteten plebiszitfreundlichen öffentlichen Grundstimmung.[4] Daran gemessen, muten die Gemeinde- und Kreisordnungen Bayerns und Baden-Württembergs, die jahrzehntelang hinsichtlich der Direktwahl von Bürgermeistern und (in Bayern) Landräten alleinige Vorreiter waren, aber eine vorzeitige Abwahl bis heute nicht kennen, nachgerade strukturkonservativ an.

Im kommunalen Alltag wird die unmittelbare Abwahl des Bürgermeisters oder Landrats gleichwohl die Ausnahme bilden (obgleich es die eine und andere spektakuläre »Strafaktion« gegenüber Gemeindeoberhäuptern in den neuen Ländern schon gegeben hat).[5] Politisch bedeutsamer ist die Frage, ob die Direktwahl des obersten Repräsentanten einen *besonderen Typus* von Bürgermeistern und Landräten hervorbringt.

Hans-Georg Wehling beschreibt beispielsweise die direkt gewählten Bürgermeister in Baden-Württemberg als »eine ausgesprochen junge und professionelle Elite« gelernter Verwaltungsfachleute.[6] Ihr Amtsstil sei »auf Ausgleich, Entpolitisierung, auf verwaltungsmäßige Behandlung von Kommunalpolitik« hin ausgelegt, ihr Verhältnis zu den politischen Parteien (denen in Baden-Württemberg etwa jeder zweite Amtsinhaber nicht angehört) deutlich distanziert. Diese betont unabhängige und eben auch gegenüber örtlicher Parteipolitik auf Abstand haltende Amtsführung korrespondiert mit verbreiteten Überzeugungen der Bürger, die, so Wehling, »vom Rathaus in erster Linie eine gut funktionierende, sachorientierte, unabhängige Verwaltung« erwarten.[7] Vor solchem Erwartungshorizont erscheint kommunale Parteipolitik wie ein Fremdkörper.

Unter Bedingungen der unmittelbaren Volkswahl seien Bürgermeister im Südwesten, dank der Rückenstärkung durch direktes Wählervotum, »durchweg durchsetzungsfähiger«, zumal sie über erhebliche eigene Organkompetenzen verfügen.[8] Diese Einschätzung deckt sich mit der These Gerhard Banners, derzufolge Kommunen mit ratsgewähltem Bürgermeister in der Ausübung dieses Führungsamtes Steuerungsschwächen zeigen, die insbesondere eine sparsame Haushaltsführung erschweren.[9] Auf Grund seiner stärkeren Einbindung in die Fraktionen, die ihrerseits die parteipolitische Aufladung kommunaler Entscheidungen erhöhen, sei das ratsgewählte Gemeindeoberhaupt nur unzureichend imstande, »überzogenes Ausgabeverhalten«, das von einflußreichen »Basis-Fach-Koalitionen« in Ratsausschüssen vorgegeben werde, abzuwehren. Ratsseitige Abhängigkeit des Bürgermeisters, so Banners pointierte These, begünstigt an der Stadtspitze eine »Neigung zum Führungszerfall«.[10]

Folgt man diesen Thesen, so legitimiert sich der volksgewählte Bürgermeister einmal durch effiziente Amtsführung, zum anderen aber auch durch einen höheren Grad von Übereinstimmung mit dem Bürgerwillen: Das direkte Mandat durch das Gemeindevolk verlange nach ständiger Rückkoppelung mit dem Bürger. Da der Amtsinhaber seine Chance auf Wiederwahl wahren wolle, sei er permanent bestrebt, »sich glaubhaft als der ›Bürgermeister aller Bürger‹ zu präsentieren«.[11] Das alte demokratische Wunschbild einer Identität von Regierenden und Regierten scheint auf Gemeindeebene somit näherungsweise einlösbar – freilich zu Lasten der Gemeinderäte und der dort vertretenen politischen Parteien.

Der Gemeinderat erfüllt aber nun gerade in seiner doppelten Gestalt als repräsentatives Vertretungsorgan und als ein parteipolitisch zusammengesetzter Wahlkörper gestaltende und kontrollierende Funktionen, die für demokratische Gemeindepolitik unverzichtbar sind. Hierfür lassen sich drei Argumente anführen.

Erstens: Ratsparteien bringen ihrerseits ein *allgemeines* Gemeindeinteresse zur Geltung, indem sie eine Vielzahl unterschiedlicher, teils gegensätzlicher Gruppen-, Teil- und Sonderinteressen – nicht zuletzt auch solche von Minderheiten, die aus eigener Kraft schwerer durchsetzungsfähig sind – mit einem in der Regel erheblichen Kraft- und Diskussionsaufwand innerparteilich zusammenführen. Diese versuchen sie dann fraktionsintern auszutarieren (unter Berücksichtigung von Sachzwängen, die vorrangig in Gestalt haushaltsbedingter Restriktionen aufscheinen) und, gemäß der von den Wählern bestimmten Kräfteverteilung, in kommunale Entscheidungen umzusetzen. Dieses Beziehungsgeflecht von vorpolitischen Organisationen, sozialen Bewegungen, Ortsparteien und dem politisch-administrativen Sektor der Gemeinde – welches lokale Interessen aufnimmt und mit allgemeinen Gütern (wie z.B. der Bewahrung natürlicher Lebensgrundlagen) abgleicht, das ferner spezialisierten externen Sachverstand mit einbezieht und nicht nur institutionell verankert ist, sondern auch informell mit Leben erfüllt wird (man mag es als Netzwerk, Verhandlungssystem oder Klientelgefüge betrachten) – erbringt, trotz eingebauter Fehlleistungen (z.B. Patronage), nach wie vor wichtige Koordinations- und Transferleistungen zwischen Bürgerschaft und Gemeindepolitik. Gerade weil Parteien, Volksparteien zumal, in ihrer sozialen Vielgestaltigkeit die örtlich zunehmend differenzierte Gesellschaft zu erfassen suchen, können sie am ehesten die selbstbezogenen Interessenlagen und getrennt verwalteten lokalen Politikfelder mit dem kommunalen Gesamtinteresse vermitteln und auch entsprechende »Entscheidungspakete« schnüren.[12]

Die hier skizzierte Komplexität ortsgesellschaftlicher Interessenlagen und Interessenvermittlung ist in einem direkten Austausch zwischen Bürgerschaft und Bürgermeister nicht gleichrangig vermittelbar. Vielmehr wird in Kontakten und Informationskreisen, die auf die *Person* des Bürgermeisters zugeschnitten sind, Komplexität zwangsläufig reduziert oder verwaltungsintern nach den von der politischen Verwaltungsleitung gemachten Vorgaben selektiv berücksichtigt. In dem Maße, wie sich etwa im Geltungsbereich der süddeutschen Ratsverfassung plebiszitäre Legitimation und ausgedehnte Organkompetenzen des Bürgermeisters in einer starken Führungspersönlichkeit vereinen, vergrößert sich die Möglichkeit einer Steuerung der Kommunalpolitik von oben.

Die damit einhergehenden Gefahren geben ein zweites Argument für die ungeschmälerte Einflußstärke der gewählten Gemeindevertretung ab. Sie ist als ein konkurrenzdemokratisch handelndes Korrektiv gegenüber der städtischen Verwaltung, welche de facto die *politische* Funktion der Programmformulierung übernommen hat (90 bis 95 Prozent der dem Rat vorgelegten Beschlußvorlagen werden von der Kommunalverwaltung initiiert), unverzichtbar. Weil die gewählten Gemeindevertreter über ihre Arbeitskontakte in Fachausschüssen des Rates in die entscheidungsvorbereitenden Verwaltungsabläufe frühzeitig eingebunden werden, gewinnen sie auf *informellem* Wege ein Stück legislatorischer Führung zurück (in den neuen Ländern scheint diese informelle Einbindung der Ausschußmitglieder in die Verwaltungsarbeit zur Zeit noch geringer ausgebildet zu sein).[13] Und weil der Rat unterschiedliche örtliche Interessen und Parteirichtungen repräsentiert, ist seine kontrollierende und korrigierende Tätigkeit gegenüber der politisch geführten Verwaltung immer auch pluralistisch, also von konkurrierenden Einflußwünschen geleitet.

Drittens schließlich bleibt dann, wenn die Ratsmehrheit und der volksgewählte Bürgermeister verschiedene Parteirichtungen verkörpern, in Gestalt der Oppositionsfraktionen des Rates die jeweilige kommunalpolitische Alternative zur amtierenden Stadtregierung sichtbar und dauerhaft präsent.

Die Machtanordnung von Ratsvertretung und volksgewähltem Bürgermeister ist dem präsidentiellen Regierungssystem der USA in einem wesentlichen Punkt ähnlich: Die formal strikte Gewalten*trennung* zwischen Parlament und Exekutive wird, weil es den Zwang zu gemeinsamer Entscheidungsfindung gibt, durch informelle Gewalten*verschränkung* überlagert. Die wechselseitige Vernetzung über informelle Kanäle beschneidet die Eigenmacht einer mit plebiszitärem Führungsauftrag ausgestatteten Verwaltung. Dieses Verhältnis von *checks and balances* begegnet uns auf deutschem kommunalem Boden im Gegenüber von direkt gewähltem Gemeindeoberhaupt und ebenfalls direkt gewählter Vertretung wieder. Während der Bürgermeister seine persönlichen Richtungsentscheidungen in ein überparteilich eingekleidetes, dem Wohl der ganzen Stadt verpflichtetes Verwaltungsgrundsätzehandeln mit hierarchischer Machtfülle und populären Effekten übersetzen kann, kommt in der Tätigkeit der in den Rat gewählten und mit informellen Querverbindungen in die Gemeindeverwaltung hinein ausgestatteten Deputierten das Prinzip des Parteienwettbewerbs zur Geltung. So betrachtet, repräsentieren Bürgermeister und Ratsvertretung zwei Arten kommunaler Politiksteuerung, die sich wechselseitig beeinflussen, kontrollieren und ergänzen.

Kommunale Formen direkter Bürgerbeteiligung

Art. 28 GG läßt, wie oben erwähnt, in kleinen Gemeinden anstelle einer gewählten Vertretung das Zusammentreten einer »Gemeindeversammlung« der stimmberechtigten Gemeindebürger als Alternative ausdrücklich zu. Eine entsprechende direktdemokratische Öffnungsklausel haben zwar einige Länder in ihre Landesverfassungen übernommen (Niedersachsen, Saarland, Sachsen-Anhalt); aber sie wurde nur in Brandenburg und Schleswig-Holstein (in Gemeinden unter 100 bzw. mit bis zu 70 Einwohnern) auch in den Gemeindeordnungen verankert.
Neben der direkten Wahl (und unter bestimmten Voraussetzungen möglichen Abwahl) von Bürgermeistern und Landräten zählen die Gemeinderats- und Kreistagswahlen zum Kernbereich unmittelbarer Bürgerbeteiligung auf beiden kommunalen Ebenen. Wo die Wählenden, wie in Baden-Württemberg, Bayern, Rheinland-Pfalz und Niedersachsen, die Möglichkeit haben, die Reihenfolge der Kandidaten durch *Kumulieren* (»Häufeln«) zu verändern sowie die Wahlstimme auf Bewerber konkurrierender Listen aufzuteilen (*Panaschieren*), wird die personelle Zusammensetzung der gewählten Vertretungen durch die Stimmbürger unmittelbar beeinflußt.
Außerhalb von Kommunalwahlen sehen die Kommunalverfassungen in unterschiedlicher Kombination unmittelbare *Informationsrechte* (Anhörung, Unterrichtung), *Initiativrechte* (Anregungen, Beschwerden, Anträge) und *Entscheidungsrechte* (Bürgerentscheid) vor (die länderspezifischen Regelungen sind aus der Tabelle erkennbar). Zum *Informationsrecht* der Gemeindebewohner zählt, daß diese – in der Regel auf Bürger- bzw. Einwohnerversammlungen – über »allgemein bedeutsame« Angelegenheiten der Gemeinde durch Bürgermeister und Gemeinderat unterrichtet werden.
Vielfältiger sind die *Initiativrechte* ausgestaltet. Hierzu gehören:

- auf Einwohner- oder Bürgerversammlungen gemachte Vorschläge und Anregungen, die innerhalb einer bestimmten Frist von den zuständigen Gemeindeorganen behandelt werden müssen;
- individuelle Anregungen und Beschwerden, die entweder schriftlich oder auch im Rahmen einer
- Einwohnerfragestunde des Gemeinderats mündlich vorgebracht werden (einige Gemeindeordnungen der neuen Länder haben auch Kindern und Jugendlichen das Rederecht für Fragestunden eingeräumt);
- Bürger- bzw. Einwohneranträge, die den Gemeinderat aufgefordern, eine bestimmte Angelegenheit des gemeindlichen Wirkungskreises zu behan-

Tabelle: Formen unmittelbarer kommunaler Bürgerbeteiligung in deutschen Flächenländern (Stand: Dezember 1995)

Bundesland	Anhörung/ Unterrichtung (mit EwV)		Vorschlagsrechte der EwV/BüV		Anregung, Beschwerde an		Ew-Fragestunde		Ew/Bü-Antrag an		BüB		BüE	
	Gde	LKr	Gde	LKr	GR	KT	GR	KT	GR	KT	Gde	LKr	Gde (auch GR)	LKr (auch KT)
Baden-Württemberg	x (x)		x						x		x		x (x)	x (x)
Brandenburg	x (x)	x	x		x	x	x	x	x	x	x	x	x (x^2)	x (x^3)
Bayern	x (x)	x	x								x	x	x (x)	x (x)
Hessen	x (x)										x		x	
Mecklenburg-Vorpommern	x (x)	x				x	x	x	x	x	x		x (x)	(x)
Niedersachsen									x		x^1		x^1	
Nordrhein-Westfalen	x (x)				x	x			x	x	x	x	x (x^3)	x (x^3)
Rheinland-Pfalz	x (x)	x			x	x	x	x	x	x	x	x	x	x
Saarland	x (x)								x					
Sachsen	x (x)	x	x		x	x			x	x	x	x	x (x)	x (x)
Sachsen-Anhalt	x (x)	x					x	x	x	x	x	x	x (x)	x (x)
Schleswig-Holstein	x (x)	x	x		x	x	x	x	x	x	x	x	x (x)	x (x)
Thüringen	x (x)						x		x		x		x	

Bü = Bürger; BüE = Bürgerentscheid; BüB = Bürgerbegehren; BüV = Bürgerversammlung; Ew = Einwohner; EwV = Einwohnerversammlung; Gde = Gemeinde; GR = Gemeinderat; KT = Kreistag; LKr = Landkreis

x^1: BüB/BE im Beschluß vorgesehen; x^2: GR-Antragsrecht bei Gde-Zusammenschlüssen; x^3: GR/KT-Antragsrecht bei Änderung früherer BüE

Angaben nach: Schmidt-Eichstaedt/Stade/Borchmann: Die Gemeindeordnungen und die Kreisordnungen in der Bundesrepublik Deutschland, Stuttgart u.a. 1994; diverse Presseberichte.

deln. Solche Anträge müssen schriftlich formuliert und inhaltlich hinreichend präzisiert sein, eine Begründung enthalten sowie von einer Mindestanzahl von Bürgern (überwiegend mindestens 15 Prozent bzw. nach Gemeindegröße gestaffelt) unterzeichnet sein. Über die Zulässigkeit des Antrags entscheidet der Gemeinderat oder die Kommunalaufsichtsbehörde.

Das *Bürgerbegehren* zählt zwar rechtssystematisch zu den Initiativrechten, steht aber mit dem direktdemokratischen Instrument des *Bürgerentscheids* in einem rechtlich wie sachlogisch engen Zusammenhang. Mittels Bürgerbegehren können Bürger beantragen, anstelle des Gemeinderates über eine »wichtige« gemeindliche Angelegenheit selbst zu entscheiden (Bürgerentscheid). Jene Angelegenheiten, die *nicht* Gegenstand eines Bürgerentscheids sein dürfen, wie z. B. der Haushaltsplan, Personalfragen oder Gemeindesteuern und -abgaben, sind in den Gemeindeordnungen aufgeführt. Es muß schriftlich eingereicht und inhaltlich begründet sowie (außer in Bayern) mit einem Kostendeckungsvorschlag versehen sein. Das Begehren ist erfolgreich, wenn eine Mindestzahl von Bürgern es unterzeichnet. Dieses Quorum beträgt mindestens 10 bis 15 Prozent (Thüringen: 20 Prozent), in größeren Gemeinden liegt es zumeist, nach Größenklassen abnehmend gestaffelt, etwas niedriger. Über die Zulässigkeit des eingereichten Begehrens entscheidet der Rat oder die Kommunalaufsichtsbehörde. Bei einem dem Bürgerbegehren entsprechenden Beschluß des Rates unterbleibt das Begehren; ansonsten muß binnen drei Monaten ein Bürgerentscheid stattfinden. Hierbei kann nur mit »Ja« oder »Nein« abgestimmt werden. Erfolgreich verläuft das Begehren als Bürgerentscheid dann, wenn es von der abstimmenden Mehrheit, die ihrerseits mindestens 25 bis 30 Prozent der stimmberechtigten Bürger ausmachen muß (nur Bayern kennt dieses erweiterte Zustimmungsquorum nicht), bejaht wird. Dieser hat die Wirkung eines Ratsbeschlusses und kann erst nach ein bis drei Jahren entweder durch Initiative des Rates oder einen neuerlichen Bürgerentscheid abgeändert werden. Etliche Gemeindeordnungen übertragen auch der Gemeindevertretung das Recht, der Bürgerschaft eine Beschlußsache zur unmittelbaren Entscheidung vorzulegen.

Erfahrungswerte und Beurteilung direkter Bürgerbeteiligung

Erfahrungswerte, die eine Einschätzung der praktischen Anwendung der Instrumente »Bürgerbegehren« und »Bürgerentscheid« erlauben, liegen bislang nur für Baden-Württemberg und Schleswig-Holstein vor. Nach Auswertung der baden-württembergischen Bürgerbegehren und Bürgerentscheide für das Jahrzehnt von 1977 bis 1987 stellte Richard Seeger folgende Merkmale fest: Verglichen mit dem Zeitraum 1956 bis 1976, hatte sich die Gesamtzahl der Fälle erhöht. Zugleich war aber nach der Streitphase der kommunalen Gebietsreform der Anteil *ratsinitiierter* Bürgerentscheide zurückgegangen. Deren Erfolgsquote (unter 30 Prozent) lag nicht höher als bei durch Bürgerbegehren veranlaßten Entscheiden. Etwa jede achte von rund 1100 Gemeinden war zwischen 1977 und 1987 Schauplatz eines Bürgerentscheids. Hauptsächlich handelte es sich um Gemeinden mittlerer Größe; in großen Städten war das Quorum offenbar schwerer zu erfüllen. Unter den Initiatoren fanden sich häufig auch politische Parteien. Es überwog jedoch »die Zahl der Einzelpersonen und der spontan gebildeten kleinen Gruppen«. Thematische Schwerpunkte lagen bei Planungsvorhaben, Umweltschutzbelangen und öffentlichen Einrichtungen. Mit Blick auf die Gemeindegröße lasse sich, so Seeger, folgern, »daß der Bürgerentscheid in Großstädten ergebnislos, in kleinen Gemeinden aber bedeutungslos ist«.[14]

In Schleswig-Holstein, wo 1990 die bürgerschaftlichen Direktbeteiligungsrechte eingeführt worden sind, lautet die Bilanz Mitte Oktober 1995 wie folgt: Von insgesamt 118 eingeleiteten Bürgerbegehren mündete knapp die Hälfte (56) in einem Bürgerentscheid. 39 waren für unzulässig erklärt, neun weitere durch Ratsbeschluß und vier weitere durch Rücknahme gegenstandslos geworden (bei 10 stand die Entscheidung noch aus). Die insgesamt 64 Bürgerentscheide (einschließlich der ratsinitiierten) wurden mehrheitlich angenommen (29) bzw. durch Ratsbeschluß erledigt (7), in 33 Fällen hingegen abgelehnt, bei zwei weiteren stand die Entscheidung noch aus. 16 scheiterten bereits am Quorum.[15] Gegenstand der Bürgerbegehren und -entscheide waren hier u. a. öffentliche Einrichtungen und Infrastrukturmaßnahmen, Verkehrsberuhigungen, Tourismus, Ortsnamen und Schulfragen.[16] Die Landesregierung beurteilt die bisherigen Erfahrungen positiv. Die eingeführten Instrumente der direkten Demokratie hätten zu einer »deutlichen Belebung« der Kommunalpolitik geführt. Auch ein aus Sicht der antragstellenden Bürger erfolgloser Bürgerentscheid diene »in jedem Fall der unmittelbaren Demokratie auf kommunaler Ebene«.[17]

Wohl wahr: Die Einführung von Bürgerbegehren und Bürgerentscheiden ist grundsätzlich geeignet, bei mehr Bürgerinnen und Bürgern Interesse für Gemeindeangelegenheiten zu wecken, und sie bietet einen Anreiz zur Aktivierung zusätzlicher Beteiligungspotentiale auf örtlicher Ebene. Dabei sind Befürchtungen, es könnte eine inflationäre Welle von direktdemokratischen Initiativen über die Gemeinden hereinbrechen, angesichts der genannten, insgesamt bescheidenen Größenordnung eingeleiteter Bürgerentscheide offenbar grundlos. Schließlich mag auch beruhigend sein, daß die rechtliche Ausgestaltung der einschlägigen Kommunalverfassungsregelungen, welche den Anwendungsbereich in den meisten Ländern auf »wichtige« Gemeindeangelegenheiten beschränken und hierfür dem Gemeinderat ein Prüfungsrecht zubilligen, sowie die geltenden Quoren und Sperrwirkungen für volksunmittelbare Sachentscheidungen eine hohe Hürde setzen.

Andererseits ist unzweifelhaft, daß die Stellung und Einflußmacht der gewählten Vertretungen im kommunalpolitischen Entscheidungsprozeß, nach der inzwischen fast flächendeckenden Einführung der Volkswahl von Bürgermeistern und Landräten, durch die Instrumente Bürgerbegehren und Bürgerentscheid abermals beschnitten werden. Damit sind indes grundlegende Funktionsweisen und demokratietheoretische Prämissen einer auf dem Repräsentationsprinzip aufbauenden kommunalen Selbstverwaltung im Kern berührt.

Nicht zufällig hatte die Stuttgarter Landesregierung Anfang der 80er Jahre die Beschränkung einer unmittelbaren Bürgerentscheidung auf »bedeutsame« Gemeindeangelegenheiten damit begründet, daß das Verfassungsprinzip kommunaler repräsentativer Demokratie nicht in Frage gestellt, vielmehr die »grundsätzliche kommunalpolitische Verantwortung der Gemeindeorgane« erhalten bleiben müsse.[18]
Eben diese Verantwortung hängt aber am repräsentativen Prinzip. Die Wahl und Wiederwahl oder Abwahlmöglichkeit von gewählten Vertretern überträgt diesen für einen begrenzten Zeitraum die Vollmacht und Verantwortung für kommunalpolitische Entscheidungen. Dadurch wird eine Verantwortlichkeit der Mandatsträger begründet, die personal klar zurechenbar ist. Plebiszitäre Sachentscheidungen weichen diese Leitlinie verantwortlichen Handelns tendenziell in doppelter Weise auf: Einmal treten die direkt abstimmenden Gemeindebürger hernach in die Anonymität des »Gemeindevolkes« zurück – Bürger stimmen ab, Deputierte aber diskutieren und entscheiden dann nach Abwägung aller vorgebrachten Argumente. Auch bleibt es überdies wieder dem Gemeinderat überlassen, eventuelle nichtintendierte Folgen des Plebiszits (z.B. für mittelfristige Finanzplanungen) aufzufangen. Zum anderen könnte auch ein Gemeinderat versucht sein, unpopuläre Beschlüsse an den Souverän zurückzuüberweisen. In beiden Fällen wandert die Verantwortung für die Folgen allgemeinverbindlicher Entscheidungen aus der gewählten Vertretung stillschweigend aus.
Die Verantwortlichkeit der gewählten Vertretung ist materiell auf das *Gemeininteresse* der örtlichen Gemeinschaft hin ausgerichtet. Hier knüpft ein weiteres prinzipielles Bedenken gegen die jetzt rechtskräftige Ausweitung direktdemokratischer Beteiligungsrechte an: Kommunale Plebiszite über Sachfragen sind stets *Einzelfall*entscheidungen. Selbst wenn sie das Zulassungskriterium einer »wichtigen« Gemeindeangelegenheit erfüllen, bringen sie typischerweise örtliche *Sonder*interessen zur Geltung. Gewiß haben auch diese in jedem konkreten Einzelfall ein Anrecht auf die Vermutung, gemeinwohl*fähig* zu sein. Tatsache aber ist, daß sie sich dem normalen parlamentarischen Test auf ihre Mehrheitsfähigkeit im Wettbewerb mit *konkurrierenden* Ansprüchen und Interessenlagen nicht aussetzen müssen. Sie überspringen gleichsam diesen langen Marsch über den Aushandlungsparcours kommunaler Organe. Schon Jean-Jacques Rousseau hat jedoch angemerkt, daß das Gemeinwohl nicht aus bloßer Addition der erfolgreich durchgesetzten privaten Interessen der vielen hervorgeht. Gewiß werden auch Bürgerbegehren politisch aufbereitet und öffentlich kontrovers diskutiert. Doch die Zuspitzung der Entscheidungsalternativen beim Bürgerentscheid, die nur eine Annahme oder Ablehnung erlauben, schließt einen Kompromiß in der Sache aus, der im verhandelnden Rat als Ergebnis des Abgleichs gegensätzlicher Meinungen und Interessenlagen herausgefiltert werden kann und auf diesem Weg den Status eines *allgemeinen* Interesses erwirkt.

Schaden nehmen könnte zudem das Ansehen des Gemeinderats und seine Akzeptanz als oberstes kommunalpolitisches Beschlußorgan – dann nämlich, wenn eine im Rat unterlegene Minderheit Bürgerbegehren und Bürgerentscheid als Mittel entdeckt, um ein Mehrheitsvotum der Gemeindevertretung nachträglich auszuhebeln bzw. umzukehren. Auf diese Weise würde ein bei Wahlen der Gemeinderatsmehrheit demokratisch erteiltes allgemeines politisches Mandat auf dem Nebenweg direktdemokratischer Volkswillensbildung stückweise wieder zurückgeholt. Die generelle Handlungsvollmacht der gewählten Ratsdeputierten träte so in direkte Konkurrenz mit einem speziellen Handlungsauftrag selbst abstimmender Bürger. Daß aus einer solchen öffentlichen Kraftprobe zweier demokratischer Legitimationsmuster das Gemeindeparlament als symbolischer Verlierer hervorgeht, ist wahrscheinlich und seiner Reputation abträglich.

Lokales Parteiensystem und direkte Bürgerbeteiligung

Die Stimmen- und Mandatsverteilung in den gewählten kommunalen Vertretungen bildet die Konturen des nationalen Parteiensystems in unterschiedlicher Ausprägung ab. In kreisangehörigen kleinen Gemeinden und auch in vielen Kreistagen haben sogenannte Freie Wählergemeinschaften (FWG) – mit einem regionalen Schwerpunkt im Südwesten – immer noch eine starke Position. Bei Gemeinderatswahlen 1989 in Baden-Württemberg erreichten Freie Wähler einen Stimmenanteil von 40,7 Prozent. Bei den bayerischen Kommunalwahlen 1990 erzielten parteifreie Wählergruppen landesweit zwar nur 11,9 Prozent (1996: 15,3 Prozent), stellten aber mit über 12.000 von insgesamt rund 31.000 Stadt- und Gemeinderatsmandaten das zahlenmäßig größte Kontingent. In den Kreistagen Bayerns hielten die FWG jeden achten Sitz, in den Stadträten der kreisfreien Städte waren es nur 6,4 Prozent. In Mittel- und Großstädten hingegen dominieren auch nach den März-Wahlen 1996 eindeutig die Fraktionen der politischen Parteien.
Die gespaltene kommunale Repräsentanz von Parteifreien einerseits und Ortsparteien andererseits erklärt sich aus einer unterschiedlichen Wahrnehmung von Gemeindepolitik. Die in Deutschland seit jeher verbreitete Anschauung, kommunale Angelegenheiten seien ihrer Natur nach unpolitisch, rein sachlich lösbar und folglich ohne Einschaltung ideologisch aufgeladener Parteistandpunkte zu regeln, hat sich im vergleichsweise überschaubaren Lebensumfeld kleiner Orte am besten halten können. Dies ist der Boden, auf dem Freie Wählergruppen traditionell gedeihen. Ihre besonders starke Verankerung in Baden-Württemberg und Bayern erklärt sich auch mit dem dortigen Kommunalwahlrecht, das den Faktor der Persönlichkeitswahl besonders begünstigt.
Trotz der Sonderstellung Freier Wähler hat sich das Wählerverhalten auf den unterschiedlichen politischen Ebenen zunehmend angeglichen. Infolgedessen

wurde der Parteienstaat auch auf kommunaler Ebene solide verankert, alsbald freilich auch gestützt durch die gleichsam selbsttragende Personaldecke einer ausgedehnten Amtspatronage. Doch liegen die Ursachen für die parteipolitische Durchdringung der Kommunalpolitik vornehmlich in der Struktur des deutschen politischen Systems: Staats- und Selbstverwaltungsaufgaben sind miteinander verzahnt. Bundesgesetze haben für die Kommunen zum Teil gravierende finanzwirksame Effekte. Die kommunale Planungshoheit wird durch staatliche Entwicklungs- und Fachplanungen in wachsendem Maße überlagert. Städte, Gemeinden und Kreise sind im Wege des kommunalen Finanzausgleichs auf staatliche Zuweisungen angewiesen. Ihrerseits bündeln sie im lokalen Wirkungsbereich die Umsetzung sektoraler Programme des Bundes und der Länder.

Auf Grund dieser Verschränkung von Staat und Kommunen ist die Vormachtstellung politischer Parteien in den Rathäusern folgerichtig. Parteien sind dank ihrer ebenenübergreifenden Organisation noch am ehesten in der Lage, unter den Bedingungen vertikaler Politikverflechtung kommunale Interessen auf höherer Ebene zu Gehör zu bringen. Daß deshalb z.B. im bayerischen Landesverband der Freien Wähler immer mehr Kreisverbände eine Kandidatur auch bei Landtagswahlen fordern, erscheint daher nur folgerichtig.[19]

Andererseits ist die kommunalpolitische Machtbasis der Parteien in letzter Zeit brüchig geworden. Der Problemdruck und die sozialen Spannungen in einzelnen kritischen Politikfeldern – vom Wohnungssektor bis zum Arbeitsmarkt – sind auf lokaler Ebene besonders spürbar und haben hier eine neuerliche Politisierung ausgelöst, die sich teils als individueller Protest äußert, teils in autonomen sozialen Bewegungen kurzzeitig formiert.[20] Hiervon profitieren in einem bestimmten Ausmaß Freie Wählergemeinschaften neuen Typs, kaum aber die etablierten politischen Parteien.

Eröffnen nun aber die neuen Instrumente des Bürgerbegehrens und -entscheids den Parteien neue Möglichkeiten, Anhänger direkt zu mobilisieren und ausgedünnte Bürgerkontakte neuerlich zu beleben? In Baden-Württemberg werden nachweislich viele Bürgerbegehren von politischen Parteien initiiert und unterstützt.[21] Auch in Bayern zeichnen sich, unmittelbar nach Einführung dieser Beteiligungsrechte zum 1. November 1995, parallele Strategien örtlicher Parteigliederungen ab. Dadurch mögen lokale parteipolitische Stimmenzuwächse durchaus erreichbar sein. Doch bleibt erstens festzuhalten, daß in solchen Fällen weniger »das Volk« unmittelbar eine Entscheidung beantragt, sondern Großverbände mit hohem Organisationsgrad die direktdemokratischen Mittel für parteipolitische Zwecke gezielt instrumentalisieren. Zweitens erhält der grundsätzliche Einwand Ernst Fraenkels, daß ein Plebiszit, welches zum Tummelplatz »außerparlamentarischen Parteiexerzierens« werde, das parlamentarische Geschäft erschwere, weil es die Austragung politischer Gegensätze mit Methoden gestatte, die den parlamentarischen Spielregeln nicht angemessen seien[22], unverhofft neue Aktualität. Die »plebiszitäre Wendung« der Ortsparteien mit dem Kalkül, eingetretene Vertrauensverluste zu kompensieren, könnte sich darum, wenn das repräsentative Element in der Gemeindepolitik beschädigt wird, als ein politischer Pyrrhussieg erweisen.

Anmerkungen

1 Zitiert nach Ernst Fraenkel: Deutschland und die westlichen Demokratien, erweiterte Ausgabe, Frankfurt/M. 1991, S. 188 f.
2 So z.B. die seit 1. Juli 1994 in Kraft getretene Gemeindeordnung für das Land Sachsen-Anhalt. Vgl. hierzu Uwe Lübking/Wolfgang Beck: Gemeindeordnung für das Land Sachsen-Anhalt. Ergänzbarer Kommentar mit weiterführenden Vorschriften, Berlin 1994.
3 Ebd., Kommentar der Gemeindeordnung, S. 11.
4 Vgl. Elisabeth Noelle-Neumann/Renate Köcher (Hrsg.): Allensbacher Jahrbuch der Demoskopie 1984-1992, München u.a. 1993, S. 563.
5 Mit Einzelbeispielen: »Wer nicht überzeugt, wird abgewählt. Brandenburgs Bürger erproben die Macht des Volksentscheides«. In: Frankfurter Allgemeine Zeitung, 27. Juni 1995.
6 Hans-Georg Wehling: Bürgermeister in Baden-Württemberg. In: Die öffentliche Verwaltung 1986, H. 24, S. 1050.
7 Ebd., S. 1051.
8 Ebd., S. 1052.
9 Gerhard Banner: Kommunale Steuerung zwischen Gemeindeordnung und Parteipolitik. In: Die öffentliche Verwaltung 1984, H. 9, S. 364-372.
10 Ebd., S. 364, 368 ff.
11 Wehling: Bürgermeister in Baden-Württemberg (wie Anm. 6), S. 1052.
12 Vgl. hierzu Adrienne Windhoff-Héritier: Policy-Analyse, Frankfurt/M. – New York 1987, S. 47; deutlich skeptischer Franz Lehner/Klaus Schubert: Parteiendemokratie in der Zwangsjacke der Verbändeherrschaft? In: Rudolf Wildenmann: Volksparteien: Ratlose Riesen, Baden-Baden 1989, S. 193-204.
13 Dirk Meisel: Kommunale Selbstverwaltung im Umbruch. Entscheidungsprozesse in einer ostdeutschen Stadt nach der Wende (= Kommunalpolitik in Stadt und Land, Bd. 5), Bornheim – Bonn u.a. 1995.
14 Richard Seeger: Bürgerbegehren und Bürgerentscheid in Baden-Württemberg. In: Zeitschrift für Parlamentsfragen 1988, H. 4, S. 516-535, hier: S. 528 f.
15 Statistik durchgeführter Bürgerbegehren und Bürgerentscheide in Schleswig-Holstein (schriftliche Mitteilung des Innenministeriums, November 1995).
16 Vgl. hierzu: Antwort der Landesregierung auf die kleine Anfrage der SPD (Landtag Schleswig-Holstein, 13. Wahlperiode, Drucksache 13/1702, 7. Februar 1994).
17 Ebd., S. 3.
18 Zitiert nach Seeger: Bürgerbegehren und Bürgerentscheid in Baden-Württemberg (wie Anm. 14), S. 524.
19 »Freie Wähler planen Sprung in den Landtag«. In: Süddeutsche Zeitung, 6. November 1995.
20 Vgl. Joachim Jens Hesse: Bürger und Parteien auf lokaler Ebene. Die Kommune als Ort der gesellschaftlichen und politischen Integration? In: Joachim Raschke (Hrsg.): Bürger und Parteien, Opladen 1982, S. 235-248, hier: S. 237 f.

21 Seeger: Bürgerbegehren und Bürgerentscheid in Baden-Württemberg (wie Anm. 14), S. 533.
22 Ernst Fraenkel: Die repräsentative und die plebiszitäre Komponente im demokratischen Verfassungsstaat. In: ders.: Deutschland und die westlichen Demokratien (wie Anm. 1), S. 198.

Vierter Teil

Perspektiven

Uwe Thaysen

Repräsentative Demokratie: Ist der Deutsche Bundestag dem zunehmenden gesellschaftlichen Pluralismus noch gewachsen?

Die Gesellschaft unserer Tage – Ulrich Beck charakterisiert sie als »Risikogesellschaft«[1] – ist zweifellos durch zunehmende Differenzierung der sozialen Gesamtheit wie ihrer Teile gekennzeichnet. Zurückgekehrte und gesteigerte, neue und deshalb besonders ängstigende Unsicherheiten und Mehrdeutigkeiten treffen auf zunehmende und fragmentierte – soll heißen: unverbundene, mindestens aber unzulänglich verbundene – Handlungseinheiten.
Daraus wird gefolgert: Bisherige Subsysteme – Gewerkschaften, Unternehmerverbände, Kirche oder Wissenschaft und neue »Bewegungen« der verschiedensten Art – verselbständigen sich, treten zum Teil sogar mit dem Anspruch der Ebenbürtigkeit neben die Politik. Politik gerät zu einem System unter anderen. Die gemeinsamen Schnittmengen dieser gleichrangigen Systeme werden immer geringer; gesellschaftliche Bündnisse, selbst solche zu den dringendsten Problemen unserer Zeit, wie ein »Bündnis für Arbeit«, sind immer schwieriger zu schmieden. Dem heute bereits zu erleidenden Entscheidungsstau drohe morgen der Entscheidungsinfarkt zu folgen. Kurzfristig gelte dieses Szenarium um so mehr, als neuerdings »Subpolitik« zur bisherigen etablierten »Politik« hinzugetreten sei: eine Art »plebiszitäre« Gesellschaftsgestaltung (von unten) schicke sich an, die Stelle der Repräsentation als bisheriger Methode der Entscheidungsfindung einzunehmen. Langfristig aber bleibe Hoffnung, denn Subpolitik werde die Politik wieder und umfassender freisetzen als je zuvor, indem sie die »gängigen Politikkoordinaten« verschiebe.
Diese »Erfindung des Politischen«, wie es Ulrich Beck auf den Nenner seines vielbeachteten Buches bringt, stellt die Wirklichkeit der gegenwärtigen Repräsentation und in mancherlei Hinsicht auch das Prinzip »Repräsentation« selbst in Frage. Sie tut dies aus gesellschaftsphilosophischer Perspektive. In anderen, vornehmlich empirischen Beiträgen geschieht dies eher und häufiger aus quantitativ-empirischer Sicht: Unter Hinweis auf soziale Ungleichgewichte zwischen dem Profil der Gesamtgesellschaft einerseits und dem des Deutschen Bundestages andererseits werden Praxis und Theorie der Repräsentation verworfen. Auf den Schienen ausschließlich quantitativer Argumentation – einem offenbar besonders leichtgängigen Geleis der Soziologie –

läuft die Diskussion um Repräsentation jedoch sehr bald ins Leere. Daher bedarf es vorab einiger grundsätzlicherer Überlegungen – gerade dann, wenn man sich den Zahlen der sozialen Gegebenheiten von Repräsentation nicht verschließen will: Zunächst ist das theoretische Fundament zu gründen, auf welches hernach die soziologischen Daten gestellt und auf dem sie eingeordnet werden können.

Fünf notwendige anthropologisch-philosophische Obersätze

1. Der Mensch ist frei geboren – so will es nicht nur der berühmte erste Satz im ersten Kapitel des Rousseauschen Gesellschaftsvertrages, sondern auch das Grundgesetz der Bundesrepublik Deutschland. Darin liegt seine besondere Würde. Daß nichts und niemand ihn seiner mit der Geburt zwar garantierten, jedoch stets und überall bedrohten Würde berauben kann, ist Grundsatz aller Repräsentation – nicht unbedingt nach dem Verständnis von Rousseau, wohl aber nach dem unverbrüchlichen Verständnis der bundesdeutschen Verfassung – und zugleich Ursache aller Repräsentations«probleme«.
2. Der Mensch ist freiheitsfähig. Darin liegt seine besondere Verantwortung. Daß er selbstverantwortlich zu sein vermag, daß er also imstande ist, nicht nur als Exponent seiner Sozialdaten zu handeln, wird in allen Repräsentationstheorien, die diesen Namen verdienen, vorausgesetzt. Hier liegt aber auch die Quelle wiederkehrender und notwendiger Urteilsdifferenzen über sein Handeln.
3. Der Mensch ist unausweichlich aufgerufen, für andere zu entscheiden. Darin liegt die Berufung eines jeden zur Repräsentation. Daß Erwachsene Gewalt über ungeborenes Leben und über die Erziehung von Kindern sowie das Schicksal von Entmündigten haben, macht allein schon Repräsentation zu einem Prinzip menschlichen Seins.[2] Die gegenwärtig Erwachsenen sind es, die das Geschick künftiger Generationen mitprägen. Das gilt heute, mit Blick auf das rasant zunehmende menschliche Zerstörungsvermögen, mehr denn je zuvor. Mindestens so bedeutsam ist, daß hier und jetzt allenthalben Entscheidungen (auch) für andere getroffen werden: z.B. für weniger gesunde, weniger leistungsfähige, politisch weniger engagierte Zeitgenossen.
4. Der Mensch ist fähig zur Repräsentation. Darin liegen Würde und Leistungsfähigkeit hochprofessionalisierter Gesellschaften gleichermaßen begründet. Daß und wie einzelne für andere (mit)entscheiden, bestimmt das Maß der in einer Gesellschaft waltenden Solidarität und damit auch den Grad ihrer Humanität.
5. Der Mensch ist leistungsfähig erst durch Repräsentation. Die Praxis der Arbeitsteilung ermöglichenden, Arbeitsteilung aber auch überbrückenden Repräsentation definiert den Rahmen seiner Entfaltungsmöglichkeiten. Daß die

durch Repräsentation geschaffene Arbeitsteilung Potentiale zugleich von der Politik und für die Politik freisetzt, steigert die Leistungsfähigkeit moderner Gemeinwesen insgesamt.
Aus diesen anthropologisch-philosophischen Obersätzen ergibt sich die Allgegenwart von Repräsentation – nicht nur in Flächenstaaten, sondern auch auf kleinstem Raum. Strikt plebiszitäre Herrschaft kann es danach – auch theoretisch – gar nicht geben; von ihrer Wünschbarkeit ganz zu schweigen. Aus diesen Obersätzen ergibt sich aber ebenfalls, daß Repräsentation stets umstritten ist oder doch umstritten sein müßte. Die Auseinandersetzung, ja der Streit um die (bestmögliche) Einlösung von Repräsentation ist kein Symptom der »Krise des Repräsentationssystems«, schon gar nicht der »Krise des Repräsentationsgedankens«. Diese Herrschaftsform ist vielmehr erst dann und dort bedroht, wenn und wo diese Auseinandersetzung verstummt. Einigen der insoweit ewigen Streitpunkte der Repräsentation soll im Blick auf die Institution des Deutschen Bundestages nachgegangen werden.

Fünf definitorische Annäherungen: Ist die Gesellschaft heute noch im Bundestag repräsentierbar?

Nach mehreren Anläufen[3] zur Definition und Verdeutlichung der Komplexität von Repräsentation sei diese als eine »Kunst des beinahe Unmöglichen« charakterisiert. Eben deshalb ist Repräsentation nur annäherungsweise zu definieren und fast so unmöglich meßbar wie die Kunst. Hanna F. Pitkin ist die wahrscheinlich größte unter den Repräsentationstheoretikern der Gegenwart. Für den deutschen Sprachraum wurde ihr grundlegendes Werk[4] von Winfried Steffani entdeckt und erschlossen[5]. Zwar ging Pitkin davon aus, daß Repräsentation keine vage, inhaltlich im wesentlichen sich noch wandelnde Angelegenheit, sondern ein in den Grundfesten bereits seit dem 17. Jahrhundert erstelltes Gedankengebäude ist. Gleichzeitig aber betonte sie immer wieder, daß Repräsentation ein ungemein komplexes Gedankenkonstrukt zur friedlichen Ausübung von Herrschaft darstellt. Die Komplexität dieses Konstrukts läßt sich nicht in einem einzigen Satz oder auch nur in wenigen Sätzen einer einzigen Definition fassen. Repräsentation meint als *complexio oppositorum* im einzelnen das jeweilige Inbeziehungsetzen – nicht: die Vereinigung oder Auflösung – folgender Gegensätzlichkeiten eines innerparlamentarischen Entscheidungsprozesses sowie einer Urteils-, Mißtrauens- oder Vertrauensfindung zwischen Parlament und Öffentlichkeit:

1. Repräsentation ist die Berechtigung der Gewählten, insbesondere der gewählten Mehrheit, für die Gesamtheit des Volkes, in unserem Falle des deutschen Volkes, verbindlich zu entscheiden. Nach unseren Obersätzen kann sie dieses und ist dafür auch verantwortungsfähig. Bezogen auf die Repräsentativität des hier in Rede stehenden Deutschen Bundestages heißt dies, daß die gewählte Mehrheit sämtliche Funktionen des Parlaments auf der Bundesebene wahrzunehmen hat. Sie teilt diese Funktionen allerdings auf unterschiedliche Art mit der Opposition, die demgemäß auf ihre Weise ebenfalls das deutsche Volk repräsentiert. Die jeweils aktuelle Repräsentationsleistung der Gewählten läßt sich daran messen, wie diese ihre in der Regel auf fünf reduzierten klassischen Parlamentsfunktionen wahrnehmen:

- die Wahlfunktion
- die Artikulationsfunktion
- die Initiativ- und Erziehungsfunktion
- die Kontrollfunktion
- die Gesetzgebungsfunktion.

Zuweilen besteht kein Bedarf an der Wahrnehmung einer Parlamentsfunktion: Warum sollte sich etwa die Regierungskoalition zur Aktualisierung ihrer Kontrollfunktion herausgefordert sehen, solange »ihre« Regierung gut oder gar optimal agiert? Zuweilen werden gleich mehrere Funktionen in einer wahrgenommen: wenn zum Beispiel die Opposition lauthals die Initiative zur öffentlichen Kontrolle der Regierung ergreift. Deshalb bedarf es um so weniger Erläuterungen zu der jeweiligen Einzelfunktion, je mehr Einzelfunktionen zuvor erörtert wurden. Niemand wird erwarten, daß die mehr als 500 Akteure des Deutschen Bundestages alle Parlamentsfunktionen über bald 50 Jahre immer auf optimaler Höhe wahrnehmen.

2. Repräsentation ist die Vergegenwärtigung von Nichtanwesenden beziehungsweise Nichtanwesendem durch Anwesende beziehungsweise Anwesendes (wie staatliche Symbole) – zum Beispiel der gewerkschaftlich organisierten oder nicht organisierten Arbeiter durch nicht gewerkschaftlich oder gewerkschaftlich organisierte Bundestagsabgeordnete oder der erwähnten Ungeborenen und Kinder durch erwachsene Abgeordnete.

3. Repräsentation ist die Entscheidung über das nicht nur räumlich, sondern auch zeitlich jeweils Auseinanderliegende. Heute wird über die Zukunft und weit vom Ort der Entscheidung entfernt liegende Regionen beschlossen.

4. Repräsentation ist die Entscheidung von inhaltlich Ungleichem, die Entscheidung des gegeneinander nicht in einem gemeinsamen Medium, also letztlich nicht wissenschaftlich rational Abgleichbaren. Solche Entscheidungen stehen an, wenn es für das Aufeinandertreffen unterschiedlicher Ansprüche keinen gemeinsamen Kalkulator, gemeinsamen Nenner oder Verrechnungsbezug gibt. Entscheidungen dieser Art sind zum Beispiel zu treffen bei Konflikten zwischen Wahrheit und Kunst, Freiheit und Humanität, Ethik und Wirtschaft. Die Frage etwa, ob Häfen oder Hochschulen ausgebaut werden sollen, ist nur zum Teil nach Maßgabe und damit in einem gemeinsamen Medium, nämlich der ökonomischen Ergiebigkeit, zu entscheiden – ein besonders einleuchtendes Beispiel dafür stellt etwa der Ausbau von wirtschaftswis-

senschaftlichen Fachbereichen dar. Für andere Gebiete der Hochschulen, erwähnt seien große Teile der Geisteswissenschaften, fehlt ein solches vergleichbares Medium.

5. Repräsentation ist durch Mangel gekennzeichnet. An einem Beispiel zur Initiativ- und Erziehungsfunktion des Deutschen Bundestages sei exemplifiziert, daß die hier gelisteten Strukturspannungen durch Repräsentation nicht aufzulösen sind. Einem berühmten, aber leider nicht hinreichend belegten Diktum aus der Zeit der Französischen Revolution zufolge soll ein Deputierter der Jakobiner gefleht haben: »Sagt mir, wo mein Volk ist! Ich bin sein Führer, ich muß ihm folgen.« Dieser Satz verdeutlicht, daß Abgeordnete sehr wohl wissen, daß sie »ihrem« Volk sowohl Führung als auch Gefolgschaft schulden. Beides zugleich ist offensichtlich schwierig einzulösen. Keiner aber kann dem Abgeordneten sagen, wann er führen, wann er folgen soll. Führt er nur, so eilt er den Wählern offensichtlich voraus; es entsteht die Gefahr einer zunehmenden Distanz zwischen ihm und »seinem« Volk. Marschiert er nur im demoskopischen Gleichschritt mit »seinem« Volk, so ergibt sich ein wachsendes Defizit an Führung. Wie er es auch anstellt, es bleibt ein Mangel. Mangel macht Repräsentation zugleich unumgänglich und produktiv. Der Zusammenhang läßt sich mit der Notwendigkeit des Ein- und Ausatmens vergleichen: Kein Mensch befindet sich schon deshalb in einer »Krise«, weil er, der Luft auf unterschiedliche Weise gerade ermangelnd, ein- bzw. ausatmet. Von der Repräsentation aber wird bei Mangelerscheinungen in die eine oder andere Richtung immer wieder vorschnell deren »Krise« diagnostiziert. Ein solcher Maßstab wird der Produktivkraft Repräsentation nicht gerecht. Entsprechende Auflösungs- und Harmonisierungsbedürfnisse ebnen antidemokratischem Denken den Weg.

Stellt man dagegen alle hier genannten Strukturspannungen nicht bedauernd, sondern begrüßend als Lebenselixier pluralistischer Gesellschaften in Rechnung, so läßt sich die Frage zumindest theoretisch positiv beantworten, ob die Gesellschaft der Bundesrepublik noch repräsentierbar ist. Schon aus der festgehaltenen Tatsache der faktischen Unmöglichkeit rein plebiszitärer Herrschaftssysteme ergibt sich die Alternativlosigkeit der Repräsentation. Das »Primat der Repräsentation«[6] auf Bundesbene ist in der Tat theoretisch wohlbegründbar.

Dieser Feststellung muß sofort hinzugefügt werden, daß sie um so mehr gilt, als Repräsentation – wie gezeigt – selbstverständlich auch die beständige Rückkoppelung des Tuns der Gewählten verlangt.

Wer – mit Ulrich Beck und anderen – zudem die beständig zunehmende Fragmentierung und den extrem sich steigernden Komplexitätsgrad moderner pluralistischer Gesellschaften bedenkt, wird – abweichend von Beck und anderen – in der Repräsentation erst recht das angemessene Entscheidungsverfahren erblicken, sowohl sozialverträgliche als auch leistungsstarke Antworten zu finden. Die Professionalisierung der Politik – und das heißt: die Professionalisierung der Repräsentation – ist so unausweichlich wie die beständig wachsende Professionalisierung der pluralistischen Gesellschaft.

Der empirische Befund: Die Repräsentationsleistungen des Deutschen Bundestages

Nachfolgend ist zu untersuchen, inwieweit die empirischen Befunde mit diesen theoretischen Überlegungen in Einklang zu bringen sind. Die dargelegte zeitliche Dimension von Repräsentation legt es nahe, die Periode der gesamten Existenz der Bundesrepublik zugrunde zu legen.[7] Allein diese weite Untersuchungsspanne – so ist lakonisch vorweg festzustellen – spricht bereits für die Bestandskraft dieses Systems der Repräsentation.

Die Wahlfunktion des Deutschen Bundestages: Garant handlungsfähiger Regierungen?

Der Bundestag kommt durch Wahlen zustande und ist selbst ein Wahlorgan. Seine wichtigste Wahlfunktion besteht in seiner Verantwortung für handlungsfähige Regierungen. Als handlungsfähig erweisen sich diese Regierungen nicht zuletzt in dem Maße, wie die Wähler den von Abgeordneten getroffenenen Entscheidungen zu folgen bereit sind. Zwischen 1949 und 1995 fanden insgesamt 13 Wahlen zum Bundestag statt. Aus diesen 13, jeweils neu beginnenden Bundestagen heraus wurden bislang sechs verschiedene Kanzler gewählt, die wiederum 17 verschiedene Regierungen bildeten. Im Vergleich insbesondere mit der kurzlebigen Weimarer Republik, aber auch mit anderen europäischen Demokratien der Zeit nach dem Zweiten Weltkrieg zeugt dies von einer historisch und international bemerkenswerten Stabilität, die nicht nur dem deutschen Volk gut zu bekommen scheint, sondern auch von seinen Nachbarn begrüßt wurde. Hatte Max Weber zum Ende des Ersten Weltkriegs wahrlich noch Grund zur Klage darüber, daß das System im Deutschland seiner Tage keine politische Führung ermöglichte, so sieht das Ergebnis nach dem Zweiten Weltkrieg weitaus günstiger aus: Von den insgesamt nur sechs Kanzlern wird obendrein im allgemeinen mindestens dreien »historisches Format« zugesprochen.

Führung in demokratisch wohllegitimierter Form, nämlich in der Gewährleistung handlungsfähiger Regierungen, ist der Bundestag im großen und ganzen bislang also keineswegs schuldig geblieben. Diese Feststellung besagt aber umgekehrt auch, daß die dem deutschen Volk geschuldete politische Führung nicht immer auf überzeugendem Niveau stattgefunden hat. Es gab in der Geschichte der Bundesrepublik bislang allerdings auch nur einen einzigen Tag (den 28. April 1972), an dem die Gesetzgebungsmehrheit, in diesem Falle die

aktuell erforderliche Budgetmehrheit, nicht vorhanden war. Der empirische Beweis für die mangelnde Leistungsfähigkeit der Regierung ist deren Ablösung durch den Bundestag selbst. Diese wurde immerhin viermal (1963, 1966, 1974 und 1982) erforderlich. Wichtig zu erwähnen ist, daß in allen vier Fällen der Wähler der Entscheidung des Bundestages bei erster sich bietender Gelegenheit, nämlich bei der jeweils nächsten Wahl, durchaus folgte.
In der Ausübung der Wahlfunktion wird der oben geschilderte Zusammenhang beständiger – wenn es gut geht, produktiver – Spannungen in der aktuellen Wahrnehmung von Repräsentation deutlich. Seit einiger Zeit werden als Indizien für die Schwächung der Wahlfunktion vor allem wahrgenommen: die allgemeine Rückläufigkeit der Wahlbeteiligung, der Ansehensverlust der Parteien und deren Mitgliederschwund sowie die größeren Probleme einer durch sechs Parteien im Bundestag hervorgerufenen und einer zwischen Bundestag und Bundesrat erschwerten Koalitionsarithmetik. An die Stelle demokratisch (verhältnismäßig) klar legitimierter Entscheidungen treten von außen nur schwer durchschaubare Verhandlungsergebnisse.
Bisher aber und in der Summe hat sich der Deutsche Bundestag in den ersten fast 50 Jahren der Bundesrepublik zweifellos als Garant handlungsfähiger Regierungen bewährt.

Die Artikulationsfunktion des Deutschen Bundestages: Spiegel- oder Zerrbild der Bevölkerungsinteressen?

Nicht einmal die Parlamente von Stadtstaaten, geschweige denn diejenigen der Flächenstaaten, können die Vielfalt heutiger Gesellschaften strikt spiegelbildlich reproduzieren. Versuche in diese Richtung – etwa mit Hilfe wahlrechtlicher Verteilerschlüssel für die im Parlament verfügbaren Mandate – würden auf die Wiederherstellung ständestaatlicher Strukturen hinauslaufen. Nicht nur, daß diese (normativ) nicht wünschenswert sind, auch führt (faktisch) kein Weg zu ihnen zurück. Dieses festzustellen, bedeutet nun aber auch nicht, die Abweichungen des Sozialprofils der Gesamtbevölkerung einerseits von demjenigen des Bundestages andererseits für belanglos zu erklären. Sie müssen vielmehr erstens transparent gemacht werden, um an die ermittelten Diskrepanzen zweitens sofort die entscheidende Frage anzuschließen, ob und wie der Bundestag die Interessen der Bevölkerung der Bundesrepublik bislang artikulierte, d.h. nachzuforschen, zu wessen Gunsten der Bundestag entschieden hat.

1. Bilanz der Berufsstruktur des Deutschen Bundestages

Im Laufe der ersten Wahlperioden hat sich ein relativ konstantes Sozialprofil des Deutschen Bundestages herausgebildet. Die in den beiden letzten Jahrzehnten davon jeweils zu verzeichnenden aktuellen Abweichungen eines jeden neuen Bundestages finden verständlicherweise weniger Aufmerksamkeit als die grundsätzlichen Divergenzen zum Sozialprofil der deutschen Bevölkerung.

Zutreffend wurde der Deutsche Bundestag als ein »Parlament der berufstätigen Bevölkerung«[8] bezeichnet. Dieser Feststellung aus dem Jahre 1988 kommt 1996 um so größere Bedeutung zu, als die Arbeitslosigkeit im Zeitraum zwischen diesen beiden genannten Jahren auf bedrohliche Weise anstieg und heute von den meisten Jugendlichen und Erwachsenen als eines der wichtigsten Probleme, wenn nicht als das wichtigste Problem gewertet wird. Weiter unten wird eine Antwort zu geben sein auf die unausweichliche Frage, ob das Parlament aus Berufstätigen ein Parlament zur Vertretung der Interessen nur der Berufstätigen oder auch der Berufs- und Arbeitslosen ist.

Der Deutsche Bundestag ist darüber hinaus das Parlament nicht irgendwelcher Berufstätiger. Vielmehr sind in diesem Parlament die gehobenen Berufe und die in diesen gehobenen Professionen wiederum avancierten Professionellen besonders häufig anzutreffen. Der Deutsche Bundestag ist also kein Parlament der Arbeiter und einfachen Angestellten, sondern ein »Parlament der Funktionseliten«. Unter diesen übertrifft die Elite der öffentlichen Bediensteten (Beamte wie Angestellte des Staates) und der Juristen prozentual bei weitem ihren Anteil an der deutschen Gesamtbevölkerung.

> »Voraussetzung und Verstärker der Professionalisierung sind die erhebliche Konstanz der gesellschaftlich bedingten Selektionsmechanismen und die vornehmlich von den politischen Parteien gewährleisteten Selektionsmechanismen. Die Kalkulierbarkeit dieser Muster und Mechanismen fördert eine relativ stabile, hochprofessionalisierte Funktionselite von weitgehend homogener politischer Sozialisation und beachtlicher interner Komplexität.«[9]

Von den Verbandsvertretern sammelten sich bislang Unternehmer und Landwirte vornehmlich bei CDU und CSU, alter und neuer Mittelstand vorzugsweise bei der FDP, Gewerkschafter, Lehrer und Dozenten meist bei der SPD. Die für den 13. Bundestag, also seit 1994 gültigen Daten sind den Tabellen und den zugehörigen Schaubildern (S. 232 ff.) zu entnehmen.

Die Zahlen der 12. unterscheiden sich von denen der 13. Wahlperiode vor allem durch einen hohen Anstieg der naturwissenschaftlich-technischen Berufe. Gab es vor 25 Jahren nur fünf Naturwissenschaftler im Parlament, so sind es heute 28. Von ihnen kommen 16 (Mathematiker, Physiker und Chemiker) aus den östlichen Bundesländern – bei einem Anteil von insgesamt 133 Bundestagsabgeordneten im Vergleich zu 539 aus dem Westen. Hinzuzuzählen sind 54 Diplomingenieure sowie 14 Ärzte und Apotheker (fünf Ost, neun West). Die naturwissenschaftlich-technischen Berufe sind im 13. Bundestag insoweit in historischer Rekordzahl vertreten.[10]

Besonders auffällig sind einige Disproportionen, die sich noch nicht einmal aus dem Vergleich der Zahlen zur Berufsstatistik des Deutschen Bundestages einerseits mit den Zahlen zur Berufsstatistik der Gesamtgesellschaft andererseits ergeben. Man bedenke nur die in den Tabellen und den zugehörigen Schaubildern als einer Berufsstatistik nicht gesondert ausgewiesene, weil demographische Zahl von lediglich 27 Prozent weiblicher Abgeordneter im Verhältnis zu dem tatsächlich über 50 Prozent liegenden Anteil der Frauen an der Bevölkerung der Bundesrepublik. Und was heißt es umgekehrt, wenn 44 Prozent (ehemalige) Staatsdiener – Beamte und Angestellte des öffentlichen Dienstes zusammengenommen – im Parlament sitzen? Vertraten Konrad Adenauer oder Helmut Schmidt etwa nur oder hauptsächlich Beamteninteressen? Stimmten Gewerkschafter immer im Sinne von Gewerkschaftsinteressen? Sieht man von den männlichen Abgeordneten einmal von vornherein ab: Sind weibliche Abgeordnete sich einig in der Definition von Fraueninteressen?
Wenn aus solchen Fragen der zutreffende Schluß gezogen wird, daß soziale Präsenz im Bundestag keineswegs mit sozialer Repräsentation im und durch den Bundestag gleichzusetzen ist, dann muß weiter gefragt werden, zu wessen Gunsten denn die wie auch immer zusammengesetzten Bundestage entschieden haben.

2. Sozialbilanz der Gesetzgebung des Deutschen Bundestages

Zunächst bleibt festzuhalten daß dieses Parlament seinen nicht unerheblichen Teil dazu beigetragen hat, daß der äußere Friede erhalten blieb. Das war und ist beileibe keine Selbstverständlichkeit. Auch die Tatsache, daß der innere Friede gewahrt werden konnte, bedeutet mehr als ein nur beiläufig zu nennender Befund.
Jenseits ausgebliebener gewaltsamer, also kriegs- oder bürgerkriegsähnlicher Konflikte beginnen aber die notwendigen weiteren Fragen nach den Bevorzugungen beziehungsweise Benachteiligungen bestimmter Bevölkerungsgruppen. So steht außer Zweifel, daß die ökonomischen Programme und Strategien zum Wiederaufbau der Wirtschaft in den westlichen, seit 1990 aber auch in den östlichen Bundesländern die über Kapital Verfügenden oder dieses Besitzenden privilegierten. Nach dem Zweiten Weltkrieg, dem grausamen Gleichmacher, blieb Chancengleichheit trotz wiederholter Korrekturen unerreicht. Die immer wieder zu Recht gestellte Frage lautet(e): Stellt die Privilegierung der Wenigen den Preis beziehungsweise die Voraussetzung für den vergleichsweisen Wohlstand der Vielen dar? Ist sie das zwar schwer zu ertragende, aber kleinere Übel zu allen Alternativen, das unvermeidliche Merkmal moderner pluralistischer Gesellschaften?
Arbeitslosigkeit und »neue« Armut sind in den vergangenen beiden Jahrzehnten beständig gewachsen. Dennoch hat der Deutsche Bundestag – darin vor

Tabelle 1: Berufsstatistik des 13. Deutschen Bundestages
(Stand: 1. Januar 1995)

Abgeordnete	**CDU/ CSU**	**SPD**	**FDP**	**Bündnis 90/ Die Grünen**	**PDS**	**Gesamt**	**Prozent**
	294	252	47	49	30	672	100
Die Berufsgruppen	**CDU/ CSU**	**SPD**	**FDP**	**Bündnis 90/ Die Grünen**	**PDS**	**Gesamt**	**Prozent**
1. Beamte							
A. Verwaltung und Justiz sowie Berufssoldaten	64	40	7	3	0	114	16,96%
B. Professoren und andere Wissenschaftler sowie Lehrer	37	59	8	5	6	115	17,11%
Beamte zusammen	101	99	15	8	6	229	34,08%
2. Angestellte des öffentlichen Dienstes	27	35	2	8	0	72	10,71%
3. Bedienstete der EG	2	0	0	0	0	2	0,30%
4. (Ev.) Pfarrer u. Diakone	3	5	0	0	1	9	1,34%
5. Angestellte von politischen und gesellschaftlichen Organisationen (Parteien, Gewerkschaften und sonstige Organisationen)	26	38	4	14	7	89	13,24%
6. Angestellte in der Wirtschaft	35	26	5	2	1	69	10,27%
7. Selbständige							
A. In Industrie, Handel, Handwerk usw.	25	5	7	0	0	37	5,51%
B. In Land- und Forstwirtschaft	17	0	2	0	0	19	2,83%
Selbständige zusammen	42	5	9	0	0	56	8,33%
8. Angehörige freier Berufe							
A. Rechtsanwälte und Notare	22	8	3	1	2	36	5,36%
B. Anghörige anderer freier Berufe	9	7	4	0	3	23	3,42%
Freiberufler zusammen	31	15	7	1	5	59	8,78%
9. Hausfrauen	9	6	3	0	0	18	2,68%
10. Arbeiter	1	6	0	0	3	10	1,49%
11. Sonstige	7	5	1	9	3	25	3,72%
12. Nicht verwendbare Angaben	10	12	1	7	4	34	5,06%

Quelle: Adalbert Hess: Sozialstruktur des 13. Deutschen Bundestages: Berufliche und fachliche Entwicklungslinien. In: Zeitschrift für Parlamentsfragen (ZParl) 26 (1995), H. 4, S. 579/580.
Die Tabelle wurde für diesen Beitrag nur leicht in der redaktionellen Gestalt, nicht jedoch in den Zahlen verändert.

Siehe dort unbedigt auch die nähere Spezifizierung der benutzten Berufskategorien.

Tabelle 2: Berufsstatistik des 13. Deutschen Bundestages im Vergleich zur Berufsstatistik der Gesamtbevölkerung der Bundesrepublik Deutschland

	Bundestag 1995		BR Deutschland 1994[1]	
Die Berufsgruppen	Gesamt	Prozent	Gesamt	Prozent
1. Beamte	229	34,08%	2.184.175	4,60%
2. Angestellte des öffentlichen Dienstes	72	10,71%	2.402.150	5,06%
3. Bedienstete der EG	2	0,30%	113.247	0,24%
4. Ev. Pfarrer und Diakone	9	1,34%	53.000	0,11%
5. Angestellte von politischen und gesellschaftlichen Organisationen (Parteien, Gewerkschaften und sonstigen Organisationen	89	13,24%	–	–[2]
6. Angestellte in der Wirtschaft	69	10,27%	16.214.000	34,13%
7. Selbständige	56	8,33%	3.288.000	6,92%
8. Angehörige freier Berufe	59	8,78%	2.977.000	6,27%
9. Hausfrauen	18	2,68%	7.995.000	16,83%
10. Arbeiter	10	1,49%	12.274.000	25,84%
11. Sonstige	25	3,72%	0	0%
12. Nicht verwendbare Angaben	34	5,06%	0	0%
Summe	**672**	**100,00%**	**47.500.572**	**100,00%**

1 Alle Angaben für 1994 mit Ausnahme des Anteils der Angehörigen freier Berufe; diese Angaben beziehen sich auf 1993.
2 In der allgemeinen Berufsstatistik gibt es diese Kategorie nicht.

Quelle: Mikrozensus 1994; Statistisches Jahrbuch für die Bundesrepublik Deutschland 1995.

Schaubild 1

Beamte in den Parteien des 13. Deutschen Bundestages

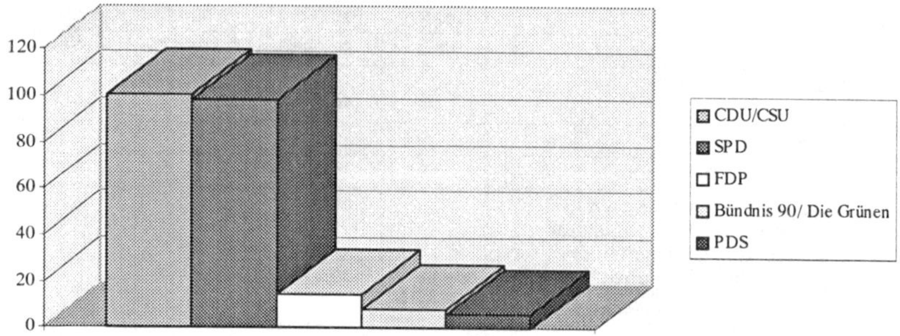

Schaubild 2

Angestellte des öffentlichen Dienstes in den Parteien des 13. Deutschen Bundestages

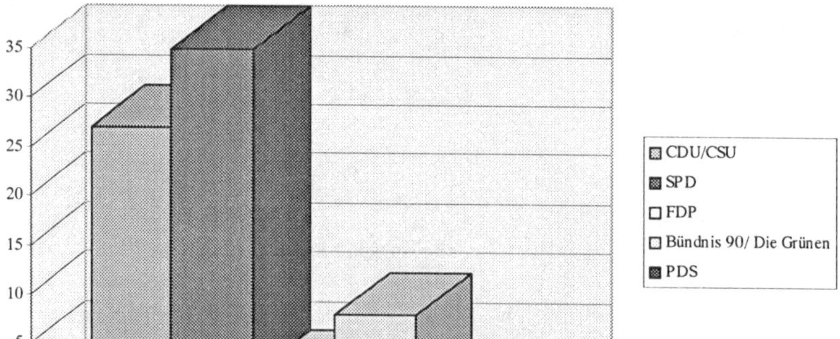

Schaubild 3

Angestellte politischer und gesellschaftlicher Organisationen
in den Parteien des 13. Deutschen Bundestages

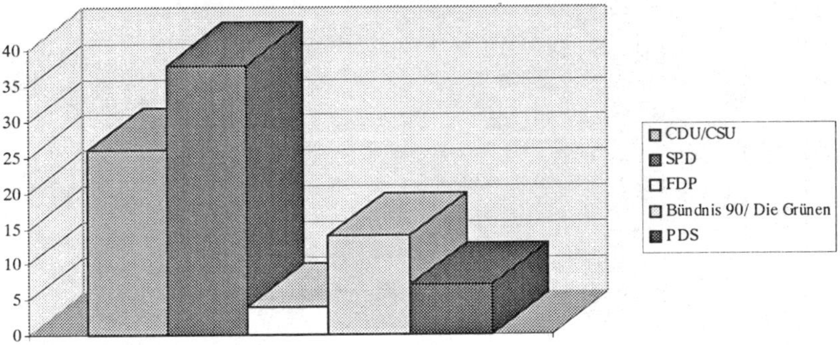

Schaubild 4

Angestellte aus der Wirtschaft
in den Parteien des 13. Deutschen Bundestages

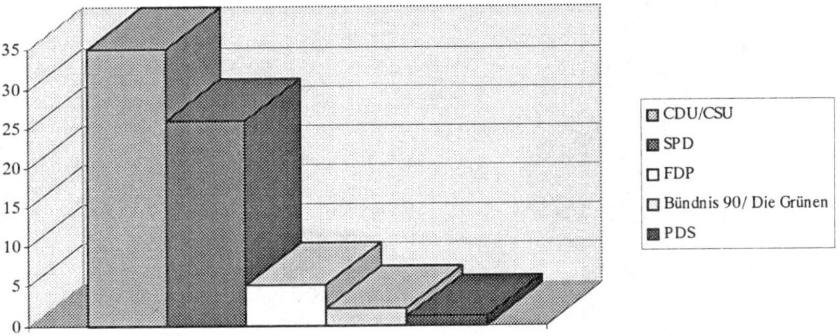

Schaubild 5

Selbständige in den Parteien des 13. Deutschen Bundestages

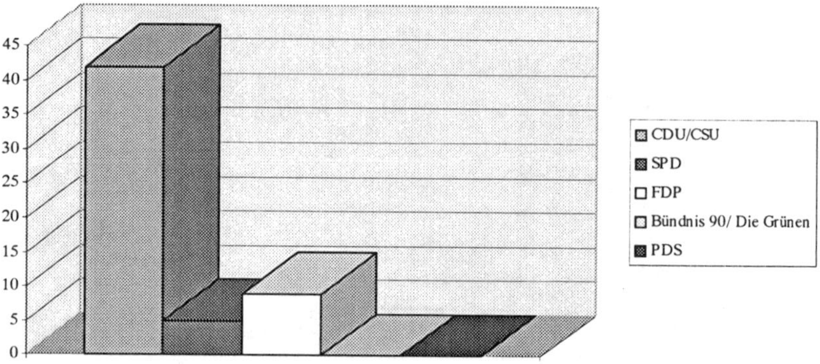

Schaubild 6

Angehörige freier Berufe
in den Parteien des 13. Deutschen Bundestages

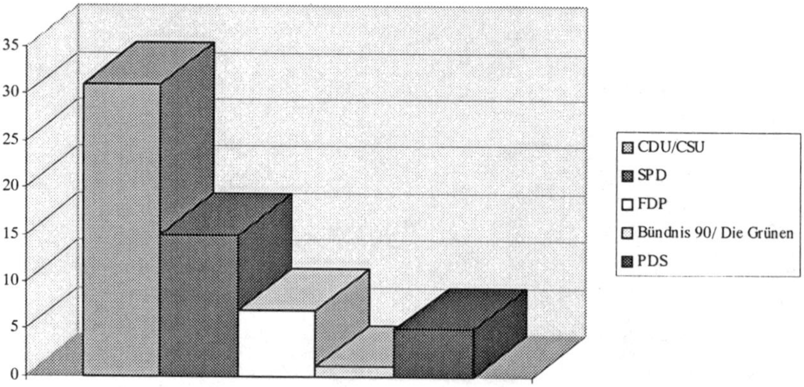

allem die beiden großen Volksparteien – mit seiner Gesetzgebung seinen Teil dazu beigesteuert, daß diese Entwicklung in Deutschland weniger drastisch als in anderen Ländern der Europäischen Union verlief. Dies blieb um so bemerkenswerter, als bislang die Solidaritätsleistungen zum Aufbau der östlichen Bundesländer – noch – vergleichsweise klaglos aufgebracht wurden beziehungsweise werden. Trotz gleichzeitiger Globalisierung der Wirtschaft und Individualisierung der Gesellschaft ist der soziale Zusammenhalt der Deutschen in ihrem Sozialstaat – noch – hervorzuheben. Diese Solidarität stellt ein hohes immaterielles Gut von massiver materieller Bedeutung dar. Es scheint jedoch mit jedem Tag weniger gesichert. Das Selbstbewußtsein jener wirtschaftlich Kräftigen, die dieses Gut aufs Spiel zu setzen bereit sind, nimmt gewaltig zu, obschon gleichzeitig gerade an dessen Berechtigung mehr denn je Zweifel angebracht sind.
Beobachtungen wie diese verweisen darauf, daß der Bundestag keineswegs im luftleeren Raum agiert. Er kann keine anderen Gesetze machen als jene, für die letztlich doch Konsens und Folgebereitschaft in der Öffentlichkeit entweder bereits vorhanden oder – maßgeblich – durch seine Überzeugungsarbeit zu schaffen möglich sind. Analysen der Gesetzgebungstätigkeit des Bundestages erlauben den Schluß, daß er bislang weit vor der Schmerzgrenze der Gefährdung des sozialen Friedens für gesellschaftlichen Ausgleich zu sorgen imstande war. Erwähnt sei hier nur die Wiedereingliederung von nicht weniger als zwölf Millionen Flüchtlingen nach dem Zweiten Weltkrieg im Wege des »Lastenausgleiches« – eine Leistung, die beispielhaft in Erinnerung zu rufen man sich angesichts der Auseinandersetzungen um den Solidaritätszuschlag genötigt sieht. Ähnliches gilt für die Dynamisierung der Rente seit 1957 – ein Prinzip, das sich allerdings in letzter Zeit Kritik ausgesetzt sieht.
So wenig ein Parlament dazu jemals in der Lage ist, so wenig hat gewiß auch der Bundestag die soziale Struktur der deutschen Gesellschaft spiegelbildlich wiedergegeben. Sehr viel eher reflektierte er ihre Machtstrukturen. Die Sozialanalyse seiner Gesetzgebung erlaubt aber nicht den Schluß, die Interessen bestimmter im Bundestag proportional unterpräsenter Bevölkerungsteile seien von diesem Parlament deshalb von vornherein und zwangsläufig zu wenig oder nicht beachtet worden.

Die Initiativ- und Erziehungsfunktion des Deutschen Bundestages: Beweger oder Bremser der Politik?

In einer bemerkenswerten Studie wurde jüngst auf völlig neue Art der »Responsivität« des Deutschen Bundestages nachgespürt. Der Autor, Frank Brettschneider, stellte wissenschaftlich überzeugende Ermittlungen darüber an, wie es um die Rückkoppelung des Bundesparlaments an die öffentliche Meinung – die nicht unbedingt mit der Meinung der Wähler übereinstimmen muß – bestellt ist. Er suchte nach Antworten auf die Frage, ob die demoskopisch ermittelte öffentliche Meinung in der Zeit von 1949 bis 1990 die einschlägigen politischen Themen auf die Tagesordnung des Parlamentes setzte, oder ob umgekehrt der Bundestag die Stichworte für die Medienberichterstattung vorgab.[11] Sein Ergebnis versetzt manchen Skeptiker in Verwunderung: Die Bundestagsabgeordneten sind zwar sehr wohl bedacht, die Ergebnisse der Demoskopie zur Kenntnis zu nehmen. Ganz offensichtlich gelang es ihnen bislang ja auch, die Folgebereitschaft der Wähler sicherzustellen. Erstaunlich aber ist der Befund dieser Studie, daß in der wechselseitigen Beeinflussung von Parlament und Öffentlichkeit die »Führungskomponente« überwiegt – d. h.: »Parlamentarisches Handeln führt eher zu einem Meinungswandel, als daß die Veränderung der Bevölkerungspräferenzen dem parlamentarischen Handeln vorausgeht.« Man kann aus diesen Ergebnissen ableiten, daß der Deutsche Bundestag durchaus noch selbst jene Funktion wahrnimmt, die von dem Klassiker der parlamentarischen Funktionenlehre, Walter Bagehot, schon 1867 als »Erziehungsfunktion« des Parlaments bezeichnet wurde: nämlich, die öffentliche Meinung zu erleuchten und von seinem Willen zu überzeugen.

Ulrich Beck nimmt an, daß alle »Zukunftsthemen [. . .] nicht der Weitsichtigkeit der Regierenden oder dem Ringen im Parlament entsprungen sind«[12]. Frank Brettschneider konnte dagegen empirisch überzeugend zeigen, daß der Bundestag auf keinen geringeren Gebieten als denen der Außen- und Sicherheits- sowie der Wirtschaftspolitik wortführend war. Selbst bei Themen, die uns als äußerst kontrovers in Erinnerung sind – wie der Volkszählung 1987 –, ermittelte er den Bundestag als Wortführer. Die unerschöpfliche Komplexität von Repräsentation läßt sich des weiteren am Beispiel der (Kern-)Energiepolitik verdeutlichen: In der Diskussion um die Kern-/Atompolitik wurde nämlich erkennbar, daß zusätzlich zur Wortführerschaft auf die Entscheidungsführerschaft zu achten ist. Es war eine Enquete-Kommission des Deutschen Bundestages, die (1979) jene alternativen »Energiepfade« der »zukünftigen Energiepolitik« herausarbeitete, welche heute noch die Diskussion bestimmen. Die Grünen – auch als eine Fraktion des Deutschen Bundestages existent und insofern nicht von vornherein gegen die Institution Parlament auszuspielen – haben dann in den 80er Jahren, insbesondere nach Tschernobyl (1986), in der Energiepolitik das medial meistbeachtete Wort geführt. Diese Wortführerschaft sehr wohl registrierend, haben Bundestag und Bundesregierung sich aber die Entscheidungsführerschaft stets zu erhalten gewußt – nicht zuletzt dadurch, daß sie sich angesichts der Umweltschädigung durch fossile Energien die Optionen für die Kernenergie offenhielten. Heute wagen sogar Politiker der Grünen (wieder) die öffentliche Güterabwägung atomarer gegen fossile Energie.

Die naheliegende Frage, ob der Deutsche Bundestag sich bei den »richtigen« Themen bewegt, ob er bei den »falschen« Themen gebremst habe, ist ebenso attraktiv wie demokratisch zweifelhaft. Wer soll dies und nach welchen Maßstäben entscheiden? Die Selbstgewißheit mancher akademischen Antworten kann da nur verwundern. Die jeweiligen Bundestage können jedenfalls so schlecht nicht überzeugt haben, wenn die Bürger der Bundesrepublik sie bislang 13mal mit vergleichsweise hoher Beteiligung als Institution bestätigten.

Die Kontrollfunktion des Deutschen Bundestages: Wachsamer Wächter oder paktierender Partner?

Wir haben die Wahlfunktion nicht zufällig an den Anfang der Parlamentsaufgaben gestellt. Sie ist die wichtigste, weil das Parlament mit der Wahl und Abwahl der Regierung das erste und das letzte Wort hat. Mit der Wahlfunktion kann das Parlament zugleich jede der anderen fünf Funktionen wahrnehmen: Es kann durch ein Mißtrauensvotum zum Beispiel die öffentliche Initiative zur Einleitung einer neuen Gesetzgebung ergreifen.

Weil die oben dargelegten Strukturspannungen konstitutiv sind und als konstruktiv gewertet wurden, kommt es darauf an, ihre jeweilige Austarierung möglichst präzise zu ermitteln – um, je nach Bedarf, entweder in die eine oder andere Richtung gegensteuern zu können. Darin liegt das Wesen demokratischer Kontrolle. Sie ist ein untrennbar mit Repräsentation verbundenes positives Medium der Demokratie. Die Kontrolle der Öffentlichkeit gegenüber dem Parlament bewährt sich also im Einklagen von Repräsentationsdefiziten der Abgeordneten in ihren vielfältigsten Aufgaben; diejenige des Parlaments gegenüber der Exekutive dient der Austarierung von Regierungs- und Verwaltungsdefiziten. Dazu wiederum ist Öffentlichkeit, also die prinzipielle Transparenz allen Parlamentshandelns, erforderlich. In Repräsentationssystemen liegt die Beweislast dem Grundsatz nach bei demjenigen, der Öffentlichkeit ausschließen will. Für den Ausschluß von Öffentlichkeit gibt es zum Beispiel den guten Grund des durch Datenschutz zu bewahrenden »informationellen Selbstbestimmungsrechts« des einzelnen.

So wie Kontrolle den unterschiedlichsten Zwecken dient, so gibt es auch unterschiedliche Akteure und vielfältige Formen der Kontrolle. Regierungsmehrheit und Opposition nehmen die Kontrollfunktion des Bundestages auf je eigene Weise wahr: Die Mehrheit kontrolliert die Exekutive mit dem Ziel, der Öffentlichkeit – solange dies auch nur irgend machbar erscheint – eine effektive Regierung präsentieren zu können; die Opposition ist – sobald sich ihr dazu auch nur Anzeichen bieten – um den Nachweis einer desolaten und deshalb abzulösenden Regierung bemüht. Die Mehrheit kontrolliert, um ihre Regierung und sich selbst besorgt, vorzugsweise in *camera caritatis*, im kleinen Kreis unter Ausschluß der Öffentlichkeit hinter zugezogener Gardine; die Opposition dagegen sucht, buchstäblich des Schadens froh, auf möglichst offenen und großen Bühnen ein möglichst grelles Licht auf die Fehler der Regie-

rung zu richten. Die Mehrheit mahnt leise; die Opposition klagt laut. Die Mehrheit hat – »Mehrheit ist Mehrheit« – das gesamte Arsenal der Kontrollmittel zu ihrer Verfügung und damit auch die besseren Erfolgsaussichten für die von ihr ergriffenen Sanktionen auf ihrer Seite; die Opposition läuft mit ihrer Kritik keineswegs immer, aber eben auch nicht gerade selten ins Leere, zuweilen spottet sie damit sogar nur ihrer eigenen Machtlosigkeit. Durch die Vielfalt der Kontrolleure, Kontrollformen und Kontrollziele erhält Repräsentation erst ihre zuvor in Wahlen verteilten umfassenden Chancen.
Man kann den Mehrheitsfraktionen des Deutschen Bundestages nicht nachsagen, sie seien »ihren« Regierungen die diesen geschuldete kritische Solidarität schuldig geblieben, die ihren Niederschlag im übrigen definitiv in der Fraktionsdisziplin findet. Allerdings geht auch der Vorwurf ins Leere, sie hätten nicht bis zu den schärfsten Kontrollmaßnahmen, nämlich der Ablösung einer amtierenden Regierung gegriffen – wie die oben im Kapitel »Wahlfunktion« angeführten Beispiele zeigen.
Im Unterschied zu den britischen Members of Parliament (MPs) ist den Mitgliedern des Deutschen Bundestags (MdBs) eine Neigung zu lediglich kooperativer im Unterschied zu kompetitiv-kämpferischer Opposition attestiert worden. Ihnen sei mehr an parlamentarischer Mitregierung, vor allem in den Parlamentsausschüssen, gelegen, denn daran, um nahezu jeden Preis und in allen Belangen die Alternative zur Regierung darzustellen.[13] Der Vorwurf bezeichnet eine tatsächliche Tendenz. Sie hat viele Ursachen und ist nicht zuletzt im föderalistischen Charakter der Bundesrepublik begründet.
Auch die Opposition hat sich als Beweger der westdeutschen Politik, wenngleich doch überwiegend als der »andere Beweger der Politik« (Carlo Schmid), erwiesen. Einmal nur – 1982 – gelang es der dominierenden Oppositionspartei, die dominierende Mehrheitspartei in der Regierung abzulösen. Kritiker führen dies auf strukturelle Verkrustungen des Parteiensystems der Bundesrepublik zurück. Wo solche tatsächlich bestehen, gefährden sie die Wirksamkeit von Kontrolle und damit auch die Wirksamkeit von Repräsentation. Daß diese ferner durch die immer noch weitgehende Nichtöffentlichkeit der Ausschußarbeit des Deutschen Bundestages eingeschränkt wird, ist eine nicht häufig genug zu wiederholende Kritik.

Die Gesetzgebungsfunktion: Der Bundestag – Gesetzesinitiator oder Zustimmungsautomat?

Nach allem, was bis zu dieser Stelle bereits über die Gesetzgebung ausgeführt wurde, müssen wir nicht mehr die dem Bundestag immer wieder vorgehaltene Kritik zurückweisen, er sei nur die notarielle Stempelstelle für anderwärts gemachte Gesetze. Diese Kritik geht aus zweierlei Gründen fehl: Erstens geht sie von der falschen Vorstellung aus, die Gesetze seien – auch im Regelfall –

vom Gesetzgeber selbst förmlich zu initiieren. Dem ist im parlamentarischen Regierungssystem aus vielerlei guten Gründen nicht so. Im parlamentarischen System wählt die Mehrheit eine Regierung, von welcher sie im Sinne ihrer Grundorientierung gesetzgeberische Alltagsarbeit, aber auch politische Innovationen in Form von Gesetzesinitiativen erwarten kann. Tatsächlich wurden etwa 60 Prozent der Bundesgesetze von der Regierung eingebracht.[14] Die Kritik, der Bundestag erfülle seine Gesetzgebungsfunktion nur mangelhaft, übersieht zweitens und vor allem, daß es die Parlamentsmehrheit ist, welche die von ihr gewollte Regierung und damit auch den von ihr gewollten Gesetzesinitiator ins Amt gewählt hat, und deshalb auch die Chance zu deren aktueller »Vorprogrammierung« nutzt. In der Geschichte der Bundesrepublik hat die Mehrheit – nicht zuletzt aufgrund öffentlichen Einspruchs – »ihre« Regierung durchaus zur Änderung, ja zum Fallenlassen von Gesetzesvorhaben gezwungen.

Resümee: Der Deutsche Bundestag – ein angemessener Repräsentant des Repräsentationsprinzips

Wir haben gezeigt, daß Repräsentation als das geradezu demonstrative Bekenntnis permanenten Mangels zu verstehen ist. Der Deutsche Bundestag wurde dem Repräsentationsprinzip bislang insofern gewiß auf ausgesprochen angemessene Weise gerecht, als dieses Prinzip keineswegs zu jedem Zeitpunkt die vollständige Einlösung aller seiner Möglichkeiten verlangt. Das Bonner Parlament hat seine Repräsentationsaufgaben im ganzen (aber) durchaus mit Erfolg getestet. Zu diesem Urteil führt insbesondere der historiographische Vergleich. 1949 wurde das Regierungssystem der Bundesrepublik Deutschland auf konsequent demokratische Repräsentationsprinzipien gestellt. Wer wagte zu jener Zeit vorherzusagen, daß sich dieses System der damals gesehenen Komplexität – wie in den darauf folgenden fast 50 Jahren – gewachsen erweisen würde? Die Komplexität der um das Jahr 2000 vor uns liegenden Tage scheint nicht wenigen Autoren, darunter Ulrich Beck, überwältigend. Ist sie wirklich größer als die der Ausgangssituation von 1949? Kann unter Berufung auf sie mit hinreichenden Gründen nach neuen Methoden der Politik verlangt werden? Ist Repräsentation nicht vielmehr die einzig mögliche und einzig erfolgversprechende Methode zur Bewältigung der Zukunftsprobleme?
Vorausgesetzt, der künftig an der Spree residierende Bundestag macht sich die Ergiebigkeit des Repräsentationsprinzips so zunutze wie das bisher am Rhein beheimatete Parlament, wird es denselben Anspruch auf faire Anerkennung erheben können wie die Vertretung des Deutschen Volkes der Jahre 1949-1996.

Anmerkungen

1 Ulrich Beck: Risikogesellschaft. Auf dem Weg in eine andere Moderne, Frankfurt/M. 1986.
2 Demokratische Herrschaftsausübung – und das heißt Repräsentation – hat insofern elementare Gemeinsamkeiten mit Erziehung, als diese wie jene den mündigen Partner letztlich immer schon voraussetzt, den es gleichwohl beständig neu hervorzubringen gilt. Es dürfte kein Zufall sein, daß zwei der größten Demokratietheoretiker – John Locke und Jean-Jacques Rousseau – zugleich Essays über Erziehung, Rousseau sogar einen bedeutenden Erziehungsroman, den »Émile«, verfaßt haben und daß sich ihre demokratietheoretischen Differenzen sehr wohl ableiten lassen aus den unterschiedlichen Antworten, die diese beiden Klassiker der Demokratietheorie auf grundsätzliche Erziehungsvoraussetzungen und daraus gefolgerte Erziehungsziele geben.
3 Siehe zuletzt ausführlicher Uwe Thaysen: Repräsentation in der Bundesrepublik Deutschland. In: Uwe Thaysen/Roger H. Davidson/Robert G. Livingston (Hrsg.): US-Kongreß und Deutscher Bundestag. Bestandsaufnahmen im Vergleich, Opladen 1988, S. 73-107; sowie Uwe Thaysen: Repräsentation. Die Kunst des Unmöglichen. In: Uwe Thaysen/Hans Michael Kloth (Hrsg.): Wandel durch Repräsentation – Repräsentation im Wandel. Entstehung und Ausformung der parlamentarischen Demokratie in Ungarn, Polen, der Tschechoslowakei und der ehemaligen DDR, Baden-Baden 1992, S. 9-17.
4 Hanna F. Pitkin: The Concept of Representation, Berkeley – Los Angeles 1967.
5 Vgl. Winfried Steffani: Abstimmungsverhalten im amerikanischen Kongreß, Berlin 1966. Siehe, darauf aufbauend, Steffanis des weiteren hervorzuhebende Arbeit zum Thema »Repräsentation« in den Literaturhinweisen zu diesem Beitrag im Anhang des Buches.
6 Stefan Przygode: Die deutsche Rechtsprechung zur unmittelbaren Demokratie. Ein Beitrag zur Praxis der Sachentscheide in Deutschland, Baden-Baden 1995, S. 41 f.
7 Siehe – vor allem wegen der auch hier zugrunde gelegten, dort aber erstmals entwickelten empirischen Bemessungskriterien und der theoretischen Erörterung des Beziehungszusammenhanges von Parlamentsfunktionen – meine zum 25jährigen Bestehen der Bundesrepublik vorgelegte Zwischenbilanz: Uwe Thaysen: Parlamentarisches Regierungssystem der Bundesrepublik Deutschland, 2. Auflage, Opladen 1976.
8 Vgl. Heino Kaack: Die soziale Zusammensetzung des Deutschen Bundestages. In: Thaysen/Davidson/Livingston (Hrsg.): US-Kongreß und Deutscher Bundestag (wie Anm. 3), dessen bündige Zusammenfassung, S. 148, hier im wesentlichen wiedergegeben ist.
9 Ebd.
10 Vgl. alle Zahlen bei Adalbert Hess: Sozialstruktur des 13. Deutschen Bundestages: Berufliche und fachliche Entwicklungslinien (vollständige Quellenangabe im Fuß der Tabelle auf S. 232), S. 568 ff.
11 Frank Brettschneider: Öffentliche Meinung und Politik. Eine empirische Studie zur Responsivität des Deutschen Bundestages zwischen 1949 und 1990, Opladen 1995; vgl. auch Brettschneiders zusammenfassenden Aufsatz in: Zeitschrift für Parlamentsfragen (ZParl) 27 (1996), H. 1, S. 108-127.
12 Ulrich Beck: Die Erfindung des Politischen, Frankfurt/M. 1993, S. 158.
13 Hans-Joachim Veen: Opposition im Bundestag. Ihre Funktionen, institutionellen Handlungsbedingungen und das Verhalten der CDU/CSU-Fraktion in der 6. Wahlperiode 1969-1972, Bonn 1976, hat diese Kategorien des Oppositionsverhaltens für die deutsche politologische Diskussion erschlossen und in dieser etabliert. Vgl. auf jüngerem Stande (Frankfurt/M. 1992) einschlägig zur »Thematisierungsfunktion der

Opposition« die gleichnamige Schrift von Martin Sebaldt. Der Untertitel der Studie von Sebaldt, »Die Parlamentarische Minderheit des Deutschen Bundestages als innovative Kraft im politischen System der Bundesrepublik Deutschland«, verdeutlicht einmal mehr die Produktivität der Dialektik des parlamentarischen Regierungssystems.

14 Vgl. die genauen Zahlen für den im Titel seines Beitrags genannten Zeitraum bei Peter Schindler: Deutscher Bundestag 1976-1994. Parlaments- und Wahlstatistik. In: ZParl 26 (1995), H. 4, S. 561.

Josef Klein

Plebiszite in der Mediendemokratie

In diesem Beitrag soll nicht die ganze Bandbreite der Argumente für oder gegen die Einführung plebiszitärer Elemente entfaltet werden. Wir wollen uns beschränken auf die Auswirkungen, die die vorhandenen und für die überschaubare Zukunft sich abzeichnenden massenmedialen Bedingungen auf plebiszitäre politische Entscheidungsprozesse (vor allem oberhalb der kommunalen oder regionalen Ebene) haben bzw. haben dürften.
Wer dieses Thema behandelt, steht vor dem methodischen Problem, daß er auf empirische Daten unmittelbar einschlägiger Art nicht zurückgreifen kann. Da es in der Bundesrepublik Deutschland auf gesamtstaatlicher Ebene keine plebiszitäre Praxis gibt, kann auch ein massenmedialer Einfluß auf eine solche Praxis nicht untersucht werden. Dennoch muß die Behandlung des Themas nicht rein spekulativ bleiben: Vorsichtige Analogieschlüsse lassen sich z.B. aus Forschungsergebnissen ziehen, die sich auf die Rolle der Massenmedien bei Volksabstimmungen auf Bundesebene in der Schweiz beziehen – wobei solche Analogieschlüsse um so zuverlässiger sind, je genauer bedacht wird, in welchen Hinsichten die Voraussetzungen für die herangezogenen Befunde mit denjenigen auf Bundesebene in Deutschland übereinstimmen und in welchen nicht. Zunächst aber ist es unverzichtbar, auf den vorhandenen Kenntnisstand über Rolle und Wirkung der Medien unter den gegenwärtigen Bedingungen der repräsentativen Demokratie in der Bundesrepublik zurückzugreifen.

Medien und Meinungsbildung in der repräsentativen Demokratie

Direkte Demokratien in der Antike waren Marktplatzdemokratien. Was es zu entscheiden gab, lag größtenteils in unmittelbarer Erfahrungsreichweite. Entscheidungsrelevante Informationen über ein Geschehen, das man nicht mit eigenen Augen gesehen hatte, etwa über einen Vertragsabschluß zwischen zwei anderen Stadtstaaten, erfuhr man personal, z.B. durch Botenberichte, nicht massenmedial. Im Bereich der Meinungsbildung galt nicht das Vier-Stufen-Modell heutiger Tage – 1. politisch-institutionelle Meinungsführer, 2. massenmediale Meinungstrendsetter, 3. Meinungsführer auf Kleingruppen- und Netzwerkebene, 4. Gros der Bürger –, sondern ein Zwei-Stufen-Modell von Meinungsführern und der Menge der Bürger.[1]

Erstmals hat Walter Lippmann in seinem bahnbrechenden Werk zur »Öffentlichen Meinung« 1922 die demgegenüber grundlegend andere Situation moderner Gesellschaften herausgearbeitet, in denen der Zugang zum politischen Geschehen immer indirekter und erfahrungsloser geworden ist (»The world that we have to deal with politically is out of reach, out of sight, out of mind. It was to be explored, reported, and imagined.«[2]). Indem die Massenmedien – zu Lippmanns Zeiten primär die Presse – den indirekten Zugang zur Welt der Politik schaffen, leisten sie zugleich gesellschaftliche Integration und ermöglichen politische Meinungsbildung. Damit war der Blick geöffnet für eine funktionale Sicht auf die Rolle der Massenmedien.

Die in den mit Massenmedien befaßten Wissenschaften immer noch mit Fleiß geführte Funktionendiskussion läßt sich entwirren, wenn man die Mehrdeutigkeit des Funktionsbegriffs beachtet. In normativer Sicht, wie sie etwa in einschlägigen Urteilen des Bundesverfassungsgerichts zum Ausdruck kommt, sind Funktionen Aufgaben, die sich für die Massenmedien aus dem in der Verfassung festgelegten Verständnis von Grundrechten sowie von staatlicher und gesellschaftlicher Ordnung ergeben. Dies sind für den politischen Bereich vor allem

- Information
- Förderung der freien Meinungsbildung
- Kontrolle

und außerhalb des politischen Bereichs

- Unterhaltung
- Erbauung.[3]

Versteht man Funktion als De-facto-Beitrag, den die Massenmedien in dem komplexen Wirkungsgefüge Öffentlichkeit konstitutiv, d.h. systembedingt und systembedingend zugleich, leisten, so ergeben sich vor allem:

– die *Thematisierungsfunktion* (auch *agenda-setting-function* genannt): Was in den Massenmedien als Thema dominiert, das beherrscht weitgehend die Kommunikation auch zwischen den Individuen, sofern deren Themen über den privaten oder subkulturellen Rahmen hinausgehen; man denke z.B. für das Jahr 1995 an die Ölbohrinsel »Brent Spar«, den O.J. Simpson-Prozeß, die Wahl Oskar Lafontaines zum SPD-Parteivorsitzenden. Die Massenmedien reduzieren durch Themenselektion nach dem Maßstab der sogenannten Nachrichtenkriterien die komplexe Fülle des Weltgeschehens auf eine mehr oder weniger überschaubare Zahl von Themen, die dann in hohem Maße die Tagesordnung (*agenda*) der gesellschaftsweiten Kommunikation bestimmen.

– die *Artikulationsfunktion*: Die Massenmedien präsentieren Informationen in einer überwiegend für ein Laienpublikum aufbereiteten Form. Sie liefern damit von der Wortebene (z.B. Schlagwörter, Fachausdrücke, stigmatisierende Wörter, Euphemismen) über die Ebene der rhetorischen Muster (z.B. Metaphern, Redensarten, Slogans) bis zur Argumentationsebene (z.B. Pro- und Contra-Kataloge) sprachliche und konzeptuelle Modelle, die es den Gesellschaftsmitgliedern erleichtern oder gar erst ermöglichen, sich zu dem Thema zu artikulieren.

– die *Integrationsfunktion*: In komplexen Massengesellschaften ist Gemeinsamkeit nur in geringem Maße vorgegeben. Massenhafte Aufmerksamkeit auf identische Ereignisse, Personen und Probleme schafft Gemeinsamkeit. Dieser Typus von Integrationsleistung wird in modernen Gesellschaften durch Massenmedien realisiert. (Ob die Massenmedien wie im 20. Jahrhundert auch in Zukunft die Integrationsfunktion erfüllen werden, bleibt umstritten. Es gibt Szenarien einer künftigen multimedial bestimmten Kommunikationsstruktur, in denen mit der Verhundertfachung des frei zugänglichen Medienangebots die Größe »Publikum« in so zahlreiche Teilpublika mit unterschiedlichsten Themeninteressen zerfällt, daß der Bestand gemeinsamer Aufmerksamkeit so gering wird, daß darüber Integration nicht mehr erfolgen kann.[4])

Im Hinblick auf die politisch relevanten Funktionen der Massenmedien divergieren die Positionen in der Forschung vor allem bei den Fragen,

1. was sie für eine qualifizierte öffentliche Meinungsbildung leisten bzw. leisten können;
2. wie stark ihre meinungssteuernden Einflüsse auf die Bevölkerung und deren politisches Verhalten sind.

Beides ist für die Überlegung, was man von den Massenmedien erwarten kann, wenn in das politische System der Bundesrepublik Deutschland plebiszitäre Elemente in nicht-marginaler Weise eingeführt werden, von erheblicher Bedeutung. Wenden wir uns zunächst der ersten Frage zu.

In der Öffentlichkeitssoziologie wird zwischen zwei Modellen der öffentlichen Meinungsbildung unterschieden. Neidhardt nennt sie »Diskursmodell« und »Spiegelmodell«.[5] Der (normative) Kern des auf Habermas[6] zurückgehenden Diskursmodells ist folgender: »Öffentlichkeitsakteure [z.B. Politiker, Journalisten; J.K.] sollen mit den Themen und Meinungen anderer diskursiv [d.h. argumentativ und fair; J.K.] umgehen und ihre eigenen Themen und Meinungen unter dem Druck der Argumente anderer gegebenenfalls revidieren. In dem Maße, in dem das Prinzip der Diskursivität beachtet wird, leistet öffentliche Kommunikation Validierungsfunktionen«[7], d.h., sie leistet eine ernst zu nehmende Überprüfung, ob die Geltungsansprüche für die jeweils erörterten politischen Positionen zu recht erhoben werden. Dem liegt die Annahme zugrunde, »daß durch Diskurs die Wahrscheinlichkeit erhöht werde, einen ›vernünftigen‹ Konsens zu erreichen«[8].

In dem von Luhmann[9] und Marcinkowski[10] inspirierten Spiegelmodell sind die Ansprüche an öffentliche Kommunikation bescheidener: »Die Gesellschaft spiegelt sich mit dem, was sie von sich gibt, im Medium der Öffentlichkeit, und das zu beobachten, gibt instruktive Informationen für das Handeln in den Funktionsbereichen, die in irgendeiner Weise von den Publikumsresonanzen öffentlicher Kommunikation abhängen.« Es wird betont, »daß die Leistungen von Öffentlichkeit über die Akquisition des Rohstoffs an Themen und Meinungen nicht hinauskommt, der als Input öffentlich wird. In diesem Sichtbarmachen wird der entscheidende Beitrag gesehen und gewürdigt. Öffentlichkeit erfüllt Transparenzfunktionen [und keine Validierungsfunktionen; J.K.] [. . .]. Allenfalls erzeugt sie eine ›Institutionalisierung von Themen‹[11], also mit ›agenda-setting‹ eine Fokussierung der Aufmerksamkeit auf bestimmte Angelegenheiten.«[12]

In beiden Modellen wird, was den Bereich der Politik betrifft, die Rolle der Massenmedien nicht unabhängig gesehen von den Kommunikationsstrategien der Politiker als Öffentlichkeitsakteuren einerseits und dem Bedarf des Publikums andererseits. Die Ergebnisse empirischer Forschungen zeigen, daß Kommunikationsstile vorherrschen, die das Diskursmodell eher als Ideal und das Spiegelmodell eher als Realität erscheinen lassen.

Linguistische[13], medienwissenschaftliche[14], öffentlichkeitssoziologische[15] und politologische[16] Untersuchungen kommen übereinstimmend zu dem Ergebnis, daß in öffentlichkeitszugewandter Politikerkommunikation monologischer Kommuniquéstil und/oder agitatorisch-polemisch gefärbte Konfrontationsmuster dominieren. Das gilt für Presseerklärungen und Interviews ebenso wie für Parlamentsdebatten, Kundgebungsreden und politische Fernsehdiskussionen. Vor allem im Wahlkampf ist die Tendenz stark, sich nicht sachlich-argumentativ und konsenswillig im Sinne des oben erläuterten Diskursmodells auf die Positionen anderer einzulassen.

Daß Politiker dabei die Selektionskriterien der Massenmedien in ihre Überlegungen einbeziehen und mutmaßliche Aufmerksamkeits- und Zustimmungschancen beim Publikum (bzw. bei relevanten Publikumssegmenten) einkalkulieren, wird deutlich, wenn man damit den Kommunikationsstil in nichtöffentlichen Ausschußsitzungen oder in Koalitionsverhandlungen vergleicht, wo auch im Falle von starkem Dissens monologischer Verlautbarungsstil und – mehr noch – polemisches Agitieren verpönt sind.[17]

Die Dominanz monologischer und polemischer Stile ist die Folge von Publikumsbezug unter den Bedingungen von Konkurrenz und Massenmedialität. Der politische Konkurrenzkampf um Aufmerksamkeit ist heute fast identisch mit demjenigen um mediale Beachtung. Die Aufmerksamkeitsmuster der Massenmedien begünstigen insbesondere die »linguistische Aufladung von Präsentationen, beispielsweise durch die Übertreibungsmethode, [. . .] die Bevorzugung des Neuen und Überraschenden, die Überbetonung von Konflikten und spektakulär abweichenden Fällen [. . .], die Dramatisierung von Folgen, vor allem dann, wenn sie für das Publikum Schaden bedeuten könnten und deshalb Angst machen«[18].

Von besonderer Bedeutung sind die strukturellen Bedingungen öffentlich-politischer Kommunikation, die das zum Leitmedium der Gesellschaft gewordene Fernsehen setzt. Diese im folgenden skizzierten Bedingungen spielen seit der Einrichtung des Privatfernsehens eine noch größere Rolle. Sie betreffen die grundlegenden Dimensionen menschlichen Erlebens: Raum und Zeit.

In räumlicher Hinsicht vermittelt Fernsehen den (illusionären) Eindruck des Dabeiseins. Das fördert in Handlungs- und Entscheidungszusammenhängen – und damit auch im Bereich der Politik – eine Personalisierung auf Nahdistanz. Der Eindruck von räumlicher Intimität wird dabei auf zweifache Weise erzeugt: auf Produzentenseite durch Kameratechnik (Groß- und Nahaufnahme) und durch Bevorzugung von Sendungsformen in relativ intimer Studioatmosphäre (Interviews, Diskussionsrunden, Talk-Shows), auf Zuschauerseite durch die Privatheit in den eigenen vier Wänden.

Vor allem die letztgenannten Sendungsformen begünstigen andere rhetorische Qualitäten als die große Debattenrede oder der sachverständige Beitrag in Kabinett oder Ausschußsitzung. In TV-Streitgesprächen sind Schlagfertigkeit und suggestive Techniken des verbalen Nahkampfs gefragt, in Talk-Shows herrscht Kammerton vor, mal wird Witzigkeit, mal Betroffenheitsstil erwartet – immer aber ist sympathische Nahausstrahlung gefordert.

Politiker pflegen darin große Chancen der Selbstdarstellung zu sehen. Doch was Meyrowitz für den Zusammenhang zwischen der Ausbreitung des Fernsehens in den USA und dem kontinuierlichen Absinken des Ansehens amerikanischer Präsidenten herausgearbeitet hat[19], gilt für Politikerpräsenz im Fernsehen generell: Während politische Führer der Vergangenheit Autorität aus der Distanz und Nimbus aus den Propagandachancen der Unsichtbarkeit schöpfen konnten, sind die Politiker des Fernsehzeitalters, die jeden Abend in den Wohnzimmern der Zuschauer auftreten möchten, mediale Alltagsbekannte, denen per Fernbedienung jederzeit die Gnade der Aufmerksamkeit entzogen werden kann. Vertrauen und vor allem Autorität sprießen unter solchen medien- und sozialpsychologischen Bedingungen eher spärlich, zumal Politiker im Fernsehen, auch wenn sie die oben genannten gesprächsrhetorischen Qualitäten beherrschen, gegenüber Medienstars anderer Profession, etwa aus den Unterhaltungssparten, im Nachteil sind, weil Politik die Domäne der unsympathischen »harten Themen« ist.

In der Dimension Zeit wirken sich die TV-typischen Bedingungen auf die Präsentation von Politik vor allem als Verkürzung und Fragmentierung aufgrund von Zeitknappheit und Aktualitätszwang aus. In zweifacher Weise pflegen Zusammenhänge in der TV-Darstellung von Politik zurückzutreten: erstens durch weitgehende Ausblendung der größeren Zusammenhänge, in denen das jeweils thematisierte Problem (*issue*) steht, zweitens innerhalb des Problemfelds selbst durch eine Verkürzung auf Konfliktaspekte und emotionale Reize unter weitgehender Ausblendung differenzierter Argumentation.[20]

Dies ist die Konsequenz aus einer Orientierung am Konflikt auf der Basis minimaler Debattenausschnitte und Kürzeststatements. Da politische TV-Maga-

zine sich primär als Institutionen politischer Kontrolle (zur Aufdeckung von Mißständen) verstehen, kommt auch in ihnen die Darstellung komplexer Zusammenhänge zu kurz. Diese Art der Berichterstattung begünstigt beim Publikum politisches Unverständnis und den Eindruck, politische Auseinandersetzungen seien argumentationsarmes Gezänk ausschließlich um der Macht oder um seiner selbst willen.
Gleichzeitig birgt die Zunahme vor allem von Nachrichtensendungen im Minimal-Portionen-Format auf vielen Kanälen auf seiten des Publikums die Gefahr in sich, Langeweile oder Überdruß zu erzeugen: ein- und dieselbe Meldung nur in unterschiedlicher Aufmachung verliert schnell ihren Neuigkeitsreiz und -wert. Dies gilt vor allem auch angesichts der Langwierigkeit politischer Problemlösungs- und Entscheidungsprozesse, die auf dem Bildschirm um Zuschauerakzeptanz konkurrieren mit den Problemlösungsmodellen der Unterhaltungsbranche.[21]
Angesichts der gegenwärtigen strukturellen Bedingungen öffentlich-politischer Kommunikation mit ihren Folgen (Dominanz von Verlautbarungs- und Agitationsmustern, von Personalisierung und Konfliktbetonung, von argumentationsarmer, minimalistischer, negativistisch gefärbter Politikdarstellung insbesondere im Fernsehen) verwundert es kaum, daß demoskopische Umfragen seit Jahren sinkendes Vertrauen in »die Politiker« signalisieren. Aber auch weniger an Marktbedingungen orientierte wissenschaftliche Untersuchungen für die Bundesrepublik zeigen, »daß in der Bevölkerung bei großen Minderheiten (zum Teil sogar bei Mehrheiten) kein Vertrauen gegenüber den Öffentlichkeitsakteuren, nämlich gegenüber Medien und jenen Parteien, Interessengruppen, Behörden, deren Sprecher die Öffentlichkeitsarenen dominieren, vorhanden ist«[22]. Die Immunisierung gegen diesen Vertrauensverlust, die in früheren Jahrzehnten durch eine ideologische oder milieubedingte Parteianhängerschaft geleistet wurde, läßt seit langem nach, weil im Zuge von Entideologisierung, Wertewandel und Individualisierung das politische Verhalten der Bevölkerungsmehrheit immer weniger durch treue Anhängerschaft zu einer Partei, sondern immer mehr durch Distanz oder ein verbraucherähnliches Verhältnis gegenüber den Parteien als Anbietern auf dem »Markt der Politik« gekennzeichnet ist.[23]
Die klassische Medienwirkungsforschung beschäftigt sich bis heute zu wenig mit globalen Auswirkungen des Systems Öffentlichkeit, wie sie gerade skizziert wurden. Sie ist primär an spezifischen Wirkungen, insbesondere an den Möglichkeiten der Meinungsbeeinflussung zugunsten bzw. zulasten einer bestimmten politischen Position oder Partei interessiert. Nachdem bis Ende der 70er Jahre Theorien eher schwacher Medienwirkung dominierten, hat vor allem unter dem Einfluß der von Noelle-Neumann entwickelten Theorie der Schweigespirale[24] die Annahme eher starker Medienwirkung – vor allem unter den Bedingungen hoher Meinungsübereinstimmung innerhalb von Leitmedien – an Überzeugungskraft gewonnen.

Die heutige Medienrealität ist gekennzeichnet durch Kumulation und Permanenz massenmedialer Angebote. Untersuchungen, die diese Tatsachen systematisch in Rechnung stellen, findet man überwiegend im Kontext der Theorie der Schweigespirale. So ist das Phänomen der *pluralistic ignorance* – die Mehrheit täuscht sich über die Mehrheit – am plausibelsten als starke Medienwirkung zu erklären. Man deckt es auf, indem in demoskopischen Erhebungen zum Meinungsklima sowohl Fragen nach dem eigenen Befinden der Befragten als auch solche nach der Auffassung der Befragten über das Befinden »der meisten« gestellt werden. Während Urteile über das eigene Befinden auf Selbsterfahrung beruhen, kommen als direkte oder indirekte Quelle für Annahmen über »die meisten« – und damit über einen Bereich weit jenseits der persönlichen Erfahrung – nur die Massenmedien in Frage.
Derartige Umfragen in der Bundesrepublik haben in den letzten Jahren charakteristische Verzerrungen zutage gefördert: Eine Mehrheit der Befragten schätzte die eigene Situation als gut ein. Es wäre daher zutreffend gewesen, wenn die Befragten bei der Frage danach, wie sie die Situation »der meisten« beurteilen, überwiegend mit »gut« geantwortet hätten. Doch das war nicht der Fall. Die Mehrheit der Befragten pflegte sich gehörig zu täuschen, indem sie die Situation der Mehrheit jeweils als überwiegend schlecht annahm.[25] Der Zusammenhang dieses Irrtums mit den Informationen, die die Befragten aus den Hauptquellen ihrer Annahmen über die allgemeine Situation, den Massenmedien, beziehen, wird in inhaltsbezogenen Cross-Analysen der Massenmedien deutlich. Sie zeigen eine Berichterstattung, die überwiegend am Nachrichtenwert Negativismus ausgerichtet ist, entsprechend dem Motto »Only bad news are good news«.[26]
Die *Ergebnisse der Analyse des gegenwärtigen Zustands der öffentlichen Kommunikation* sind:
- Dominanz eines Agitations- und Verlautbarungsstils bei Politikern;
- argumentationsarme, konfliktüberzeichnende, stark personen- und weniger sachinteressierte Berichterstattung mit einem Hang zu Negativismus und vor allem im Fernsehen mit Tendenzen zu Minimalportionierung und zu fehlender Darstellung des Gesamtzusammenhangs;
- Vertrauensschwund gegenüber den Öffentlichkeitsakteuren, vor allem gegenüber den Politikern.

Diese Ergebnisse können kein Anlaß für Zufriedenheit sein. Die unbefriedigenden Befunde sind keine Einzel- oder Zufallsphänomene, die man allein durch moralische Appelle oder permanente Anstrengungen politischer Bildung nachhaltig bessern könnte. Sie sind, wie oben ausgeführt, die Konsequenz der gegenwärtigen strukturellen Bedingungen des Systems Öffentlichkeit.
Eine dieser strukturellen Bedingungen heutiger politischer Öffentlichkeit ist das Repräsentanzprinzip in unserem politischen System. Ihm kommt große Bedeutung zu für die (in der schon skizzierten öffentlichkeits-soziologischen

Konzeption von Neidhardt nicht beachteten) Frage nach Sinn und Funktion der Teilnahme der Bürger als Publikum im System Öffentlichkeit. Bekäme durch die Einführung nichtmarginaler plebiszitärer Elemente in das politische System der Bundesrepublik diese Teilnahme für die Bürger einen einsehbareren Sinn und eine attraktivere Funktion als derzeit? Und ist dann zu erwarten, daß nicht nur das Publikum sein Verhältnis zur politischen Kommunikation und zu den politischen Kommunikatoren neu sehen und definieren würde, sondern dies auch Rückwirkungen auf die Politikpräsentation durch Politiker und Massenmedien hätte? Diese Fragen sind naheliegend, denn wir haben gesehen, daß sich politische Kommunikationsstile ebenso wie massenmediale Berichterstattung in Art und Umfang in hohem Maße an den Aufmerksamkeitsregeln und massenmedialen Präferenzen eines Publikums orientieren, das als Staatsbürger/-in ja durchaus unzufrieden ist mit den von seinem eigenen derzeitigen Medienverhalten provozierten Stilen politischer Kommunikation.

Medien und Meinungsbildung unter plebiszitären Vorzeichen: Schweizer Erfahrungen

In einem demokratischen System mit hohen plebiszitären Anteilen, wie in der Schweiz, erschöpft sich politische Kommunikation mit und zwischen den Bürgern nicht in bloßer Meinungsbildung. Sie hat unmittelbare Handlungskonsequenzen und damit eine andere Funktion als im repräsentativen System, in dem die Wahl im Vier-Jahres-Rhythmus – verglichen mit einer Sachentscheidung, etwa zum Ausbau des Schienen- oder Straßennetzes – pauschal und abstrakt ist. Idealistisch formuliert ließe sich folgendes Bild entwerfen:
Das Volk – oder genauer gesagt: der politisch interessierte Teil des Volkes – würde Politik als seine eigene Sache begreifen, nicht nur als Angelegenheit der mißtrauisch beäugten Politiker. Die Bürger würden sich intensiver und verantwortungsbewußter mit den Sachfragen der Politik beschäftigen, weil es ja sie selbst sind, die darüber abstimmen. Auch die Stammtische stünden dann unter dem Druck, sich vor Abstimmungen weniger ignorant und selbstherrlich über die Politik herzumachen als hierzulande üblich. Der bequeme Ausweg, erstens für alles und jedes »die Politiker« verantwortlich und sie zweitens verächtlich zu machen, wäre verbaut, hat man doch als Bürger dann selbst die direkte Mitverantwortung für die wichtigsten Weichenstellungen. Ein entscheidender Schritt zum Abbau von Politik- bzw. Parteienverdrossenheit wäre getan, weil ein Hauptgrund, der Vorwurf einer Monopolisierung von Entscheidungen über politische Sachfragen durch Parteien und Politiker, entfiele. Die Massenmedien sähen sich genötigt, zumindest im Vorfeld von Volksabstimmungen den Informationsbedarf entscheidungsmotivierter Bürger intensiver

zu bedienen, als es vor parlamentarischen Abstimmungen der Fall ist, wo die Bürger in der Zuschauerrolle bleiben.[27]

Doch stellen sich vor diesem Hintergrund zwei Fragen:

1. Inwieweit entspricht der Zusammenhang zwischen direkter Demokratie, politischer Kommunikation und der Rolle der Medien in der Schweizer Realität dem skizzierten Idealbild?

2. Gibt es, wenn sich herausstellen sollte, daß die Schweizer Verhältnisse für die Einführung nichtmarginaler plebiszitärer Elemente ermutigend sind, kommunikationstheoretische und kommunikationspolitische Gesichtspunkte, die bei der Frage nach Ausmaß und Grenzen plebiszitärer Elemente zu berücksichtigen sind?[28]

Der Genfer Politikwissenschaftler Kriesi hat auf der Basis von repräsentativen Umfragen, die in der Schweiz regelmäßig nach Abstimmungsterminen durchgeführt werden, untersucht, inwiefern die Medien die Qualität der »politischen Beratschlagung der Bürger und Bürgerinnen« im Vorfeld von Volksabstimmungen beeinflussen. Dabei geht er aus vom »Modell der deliberativen [also überlegenden bzw. beratschlagenden; J.K.] Demokratie«. Schon die Begriffe »Beratschlagung der Bürger« und »deliberative Demokratie« enthalten Implikationen, die mit den für die Bundesrepublik Deutschland festgestellten dominanten Kommunikationsverhältnissen nicht übereinstimmen.

Im Modell der deliberativen Demokratie ist als wichtige Voraussetzung betont, »daß die Meinungen im allgemeinen nicht bereits feststehen; [. . .] die individuellen Präferenzen [sind] vielmehr modifizierbar im Laufe des Beratschlagungsprozesses«[29].

Mit dem Begriff der Beratschlagung wird die kommunikative Seite der Meinungsbildung betont. In ihm steckt mehr als die Vorstellung, daß entweder fixierte Meinungen aufeinanderprallen oder daß diese bisher unentschiedene Personen zur Festlegung bringen. Er bezieht sich vor allem auf den Sachverhalt, daß hier auch in hohem Maße Subjekte (Personen, Gruppen, Medien) miteinander kommunizieren, die noch nicht festgelegt sind und per Kommunikation Pro und Contra erwägen.

Dafür, daß öffentliche Meinungsbildung vor Abstimmungen in der Schweiz sich in diesem Modell angemessen darstellen läßt, kann Kriesi – und zu ähnlichen Ergebnissen kommt auch Longchamp[30] – folgendes anführen: Seit Anfang der 90er Jahre besteht die Möglichkeit, genauere empirische Aussagen über die Zusammenhänge zwischen Meinungsbildungsprozessen und Medienrezeption vor Volksabstimmungen in der Schweiz zu machen. In den dort seit langem schon unmittelbar nach den Abstimmungen durchgeführten »Vox«-Umfragen wird seit 1990 nach den Medien als Informations- und Meinungsquellen, seit 1991 auch nach dem Zeitpunkt der jeweils eigenen Entscheidung gefragt.[31] In den Jahren 1991/92 gab es in der Schweiz auf bundesstaatlicher Ebene sechs Abstimmungstermine über insgesamt 20 Vorlagen. In den »Vox«-Analysen wurden für zwei Abstimmungstermine die Fragen über

mehrere nah verwandte Vorlagen so zusammengefaßt, daß Zahlen für 14 Abstimmungen vorliegen. Bis auf eine Ausnahme (Herabsetzung des Wahlalters von 20 auf 18 Jahre) hat sich die Mehrheit der Abstimmungsteilnehmer erst im Laufe des Abstimmungskampfes entschieden – rund ein Drittel bis rund die Hälfte der Teilnehmer erst kurz vor dem Urnengang.[32] Hier wird also ein großer Spielraum für Deliberation sichtbar.
Wie wird dieser genutzt, und welche Rolle spielen dabei die Medien? Agenda-setting, d.h. Themenbestimmung, erfolgt nicht durch die Medien, sondern ist den Medien durch Abstimmungsthema und Abstimmungstermin vorgegeben. Kein Schweizer Medium mit politischem Informationsanspruch kann sich dem entziehen. Während der Abstimmungskämpfe intensiviert sich nicht nur die Berichterstattung im vorhandenen Medienangebot, sondern das Spektrum der eingesetzten Medien und – parallel dazu – dasjenige der Mediennutzung erweitert sich: Zur politischen Berichterstattung im Fernsehen und Radio sowie im redaktionellen Teil der Presse treten hinzu:

- die Abstimmungsbroschüre des Bundesrates, die an alle Schweizer Haushalte verschickt wird und neben dem Abstimmungstext – entweder eine »Vorlage« der Regierung oder eine »Initiative« aus dem Volk – obligatorisch die Stellungnahme der Regierung sowie (in knapper Form) die Darlegung des Standpunktes der Regierungsgegner enthält[33];
- Zeitungsinserate;
- Drucksachen;
- Leserbriefe;
- Direct Mailing;
- Straßenplakate, Standaktionen und ähnliches.

»Vox«-Repräsentativbefragungen der Stimmberechtigten haben ergeben, daß im Durchschnitt drei bis vier dieser Medientypen zur Information und Meinungsbildung über den Abstimmungsgegenstand genutzt werden. An der Spitze steht der redaktionelle Teil der Presse, den im Durchschnitt rund zwei Drittel nutzen, knapp gefolgt von Fernsehen und Radio. Je nach Vorlage greifen zwischen einem Drittel und der Hälfte der Stimmberechtigten nach der Regierungsbroschüre. Von rund einem Viertel werden auch Zeitungsinserate, Drucksachen und Leserbriefe – diese vor allem, wenn sie in Kontrast zu übereinstimmenden Positionen von Regierung und Zeitungsredaktion stehen – beachtet. Es fällt auf, daß nicht nur die Orientierungssuche der Bürger überwiegend darauf zielt, sich über beide Standpunkte zu informieren – nicht zuletzt daher die Breite der Mediennutzung –, auch die Struktur des Angebots ist in den wichtigsten Medien so, daß die konkurrierenden Argumentationslinien präsentiert werden. Das gilt von der Regierungsbroschüre über das zu Ausgewogenheit verpflichtete Schweizer Fernsehen bis zur Presse. Letztere hat zwar keine gesetzliche Verpflichtung zur Ausgewogenheit, kommt aber nicht umhin, alle relevanten Standpunkte sichtbar zu machen, wobei Leserbriefe keine unwichtige Rolle spielen.[34]

Bei der Untersuchung der Einflußeffekte, die die verschiedenen Medien »auf die Entscheidung der Bürger an der Urne« haben, zeigte sich, daß »sie ganz allgemein sehr begrenzt sind. Kein einziges Medium übt zudem unabhängig von der Vorlage, um die es geht, stets einen signifikanten Effekt auf den Ausgang einer Abstimmung aus. Am häufigsten haben jene beiden Medien einen Effekt, die auch in bezug auf die Informiertheit am wirksamsten waren: der redaktionelle Teil der Presse und die offizielle Broschüre des Bundesrates.«[35]
Dafür, wie weit vor diesem Hintergrund abstimmungsbezogene Informations- und Meinungsbildungsprozesse durch Privatkommunikation geprägt werden, liegen leider nur wenige Daten vor: Für die Abstimmung über den Beitritt der Schweiz zum Europäischen Wirtschaftsraum (= EG und EFTA), die sogenannte EWR-Abstimmung, am 6. Dezember 1992 zeigt ein Umfrageergebnis, daß für 19 Prozent der Stimmberechtigten auch der Arbeitsplatz ein Ort der Information über den Abstimmungsgegenstand war.[36] Hinsichtlich ihrer Meinungsbildung gaben nach dieser Abstimmung 24 Prozent der befragten Abstimmungsteilnehmer Freunde und Bekannte als stärkste Einflußquelle an. Mit diesem Wert liegt die Privatkommunikation als angegebene Einflußgröße vor den Medien (22 Prozent) und dem Bundesrat (17 Prozent).
Der auf massenmedialer wie privatkommunikativer Ebene vielfältige Deliberationsprozeß führt in Abhängigkeit vom Abstimmungsgegenstand zu unterschiedlichen Zeitpunkten zur Festlegung auf ein bestimmtes Votum. Erkennbar ist die Tendenz: Je enger man den Abstimmungsgegenstand als mit eigenen Grundüberzeugungen oder eigenen materiellen Interessen verknüpft ansieht, um so früher fällt durchweg die Entscheidung. Am spätesten findet sie statt, wenn der Abstimmungsgegenstand sehr komplex ist und ein »öffentliches Gut« betrifft, das weder tiefe Grundüberzeugungen noch die individuell-materiellen Interessen nennenswert tangiert.[37]
Neben der Überforderung durch die Komplexität des Abstimmungsgegenstandes – auf die die meisten Schweizer bei einem derartigen Gefühl durch Nichtteilnahme an der Abstimmung zu reagieren pflegen[38] – zeigt sich ein Grundproblem der direkten Demokratie, daß nämlich in wichtigen Fragen, bei denen Rationalität geboten wäre, tiefsitzende Traditionen und politisch-kulturelle Mythen den Ausschlag geben: »So hatten die Gegner des Beitritts der Schweiz zum Europäischen Wirtschaftsraum (EWR) bei der Abstimmung vom 6. Dezember 1992 beispielsweise ein leichteres Spiel als dessen Anhänger, weil ihre Argumente direkt bei den tief verwurzelten Mythen des Schweizertums anzusetzen vermochten.«[39]
Obwohl die Schweizer Regierung, alle politischen Parteien von Gewicht, die führenden Medien, Wirtschaft und Gewerkschaften mit erheblichem argumentativem Aufwand ein Ja propagierten, d.h. trotz aller deliberativen Präsenz der Befürworter, hat die Mehrheit bekanntlich gegen den EWR-Beitritt gestimmt.

Fassen wir zusammen, was sich aus dem Bisherigen für den Zusammenhang von direkter Demokratie, Medienverhalten und politischer Meinungsbildung in der Schweiz ergibt:

Die innere Logik der Entscheidung über Sachfragen durch das Volk führt, im Vergleich zu den Verhältnissen in repräsentativen Systemen, z.B. der Bundesrepublik Deutschland, zu anderen Schwerpunkten im Medienangebot und in der Mediennutzung. Das mediale Angebot vor Abstimmungen ist breiter, themenbezogener, argumentativer und weniger personalisierend. Es orientiert sich an Prozessen deliberativer Meinungsbildung, bei denen die Beratschlagung im privaten Kreis zumindest einen Puffer gegenüber medialer Steuerung bildet. Einen im Vergleich etwa zur Bundesrepublik starken Schutz davor, Opfer medialer Manipulation zu werden, bildet auch die Tendenz, Medienangebote zu favorisieren, in denen konkurrierende Standpunkte deutlich werden. Insgesamt erscheint der Umgang der Schweizer Stimmbürger, zumindest der großen Mehrheit der Abstimmungsteilnehmer, mit den zur Entscheidung stehenden Themen erheblich intensiver, argumentativer und sachbezogener zu sein als in repräsentativen Demokratien die Auseinandersetzung der Bürger mit Fragen, die das Parlament entscheidet. Die Schweizer Medien insgesamt beeinträchtigen das Niveau des deliberativen Prozesses nicht, sie fördern es eher. Bezogen auf die eingangs skizzierten Modelle der öffentlich-politischen Kommunikation zeigt die Schweizer deliberative Demokratie zumindest in den Phasen der Beratschlagung vor Volksabstimmungen deutlich mehr Nähe zum Diskursmodell als die Bundesrepublik.

Das bedeutet: Unter den Aspekten der öffentlichen Kommunikation, insbesondere auch unter dem Medienaspekt, spricht die Schweizer Realität keineswegs gegen, eher für die Einführung nichtmarginaler plebiszitärer Elemente in das politische System. Allerdings kann diese Tatsache nicht die Bedenken beseitigen, die sich aus der Sorge ergeben, daß die Bürger auch bei einem hohen Maß an themenbezogenen deliberativen Bemühungen durch die Komplexität mancher Abstimmungsgegenstände überfordert sein könnten, daß politische Kontinuität und Berechenbarkeit gefährdet seien und der Einfluß irrationaler Entscheidungsfaktoren, z.B. politischer Mythen und ähnliches, beim Volk eher zu befürchten sei als bei professionellen Parlamentariern. Dem würden Verteidiger des Schweizer Systems sicherlich entgegenhalten, die außergewöhnliche politische Stabilität und Prosperität, die die Schweiz trotz im Prinzip ungünstiger Bedingungen – Zusammenleben von drei Ethnien, die sich in eigenstaatlichen Formen (Deutschland, Frankreich, Italien) vielfach bekriegt haben – seit sehr langer Zeit auszeichnet, sei nicht zuletzt eine Folge des politischen Systems und des dadurch motivierten Verfassungspatriotismus. Wie dem auch sei, mit medien- und sprachwissenschaftlichen Argumenten läßt sich dieser Dissens nicht auflösen.

Folgerungen für die Bundesrepublik Deutschland

Bei medienbezogenen Hypothesen über Tendenzen bei einer Einführung nichtmarginaler plebiszitärer Elemente auf Bundesebene in das politische System Deutschlands muß man neben der gegenwärtigen Mediensituation in Deutschland und den Erfahrungen in der Schweiz vor allem zwei Aspekte bedenken, die dem Gedanken einer simplen Übertragung Schweizer Verhältnisse auf das Nachbarland entgegenstehen: Tradition und außenpolitisches Gewicht. In der Schweiz hat sich, wie das Gros der Abstimmungsergebnisse und die auf dieser Grundlage operierende Schweizer Politik zeigen, eine politische Kultur der Kontinuität und Verläßlichkeit mit erkennbar konservativem Grundtenor herausgebildet, welche die – theoretisch berechtigte – Sorge, plebiszitäre Entscheidungsstrukturen würden sprunghafter, inkohärenter Politik Vorschub leisten, im konkreten Falle nicht bestätigt.
Politische Kontinuität und Verläßlichkeit haben dagegen in Deutschland keine lange Tradition. Sie sind in dieses Land erst mit der – repräsentativen – Demokratie seit 1949 eingekehrt. Vor diesem Hintergrund ist das Risiko nicht auszuschließen, daß ohne die Wirksamkeit einer solchen Tradition wie der schweizerischen die politische Kontinuität und Berechenbarkeit deutscher Politik gefährdet sein könnten, wenn die politischen Zentralfragen plebiszitär entschieden würden.
Ein zweiter Differenzpunkt betrifft die außenpolitische Dimension. Zunächst läßt sich hier auf Deutschlands wirtschaftliches Gewicht verweisen. Vor allem aber ist Deutschland im Unterschied zur Schweiz mit ihrer Neutralitätstradition auf komplexe und vielfältige, zum Teil historisch heikle Weise mit vielen Staaten verknüpft. Plebiszite von außenpolitischer Relevanz hätten daher in Deutschland sehr viel stärkere Auswirkungen und verwickeltere Folgen für andere Staaten. Diese wären substantiell betroffen, ohne selbst an dem deutschen Plebiszit und seiner politisch-kommunikativen Vorbereitung unmittelbar beteiligt zu sein.

Wenn man dies alles zusammennimmt, ergibt sich aus medien- und kommunikationswissenschaftlicher Perspektive *folgende Quintessenz*:
1. Wenn Bürger/-innen über relevante politische Fragen selbst abstimmen könnten, würde das aus kommunikationsstrukturellen Gründen, wie sie in der Schweiz deutlich werden, zu einer dichteren, sachbezogeneren, deliberativeren politischen Kommunikation innerhalb der Bürgerschaft führen. Denn es ginge nicht mehr um die Bewertung der Entscheidung anderer (= »der da oben«), sondern um die kommunikative Vorbereitung der eigenen Entscheidung.
2. Die Tatsache, daß man selbst mitentscheidet und damit die Stammtischparole, daß die einmal gewählten Politiker »sowieso tun, was sie wollen«, ihre Durchschlagskraft verlöre, würde in Deutschland vielleicht nicht gleich zu

dem hohen Maß an Systemzufriedenheit und Verfassungspatriotismus wie in der Schweiz führen, aber die sogenannte Politikverdrossenheit hätte weit weniger Nährboden. Die Mißtrauen provozierende institutionelle Entkoppelung von politischer Kommunikation in der Gesellschaft und politischer Entscheidung im Parlament wäre für die plebiszitär zu entscheidenden Fragen aufgehoben.

3. Aus den am Schweizer Beispiel erläuterten strukturellen Gründen dürften auch die Medien in Deutschland sich im Falle von Plebisziten stärker auf die deliberativen Interessen eines Publikums, das vor Sachentscheidungen steht, einstellen. Das bedeutet: strengerer Themenbezug, weniger Personalisierung, vermehrter und vertiefter Gebrauch von Argumenten in Pro- und Contra-Dimension.

Dennoch ist angesichts des oben genannten Mangels an Kontinuitätstradition in Deutschland offen, ob die Medien den damit verbundenen Gefahren wirksam entgegenarbeiten würden. In den deutschen Medien sind ebenso Tendenzen zu oberflächlichem, kurzatmigem Kampagnenjournalismus zu erkennen wie zu kontinuierlicher Problemorientierung – ihr Umgang mit dem Themenbereich »Umwelt« bietet seit mehr als anderthalb Jahrzehnten reichlich Anschauungsmaterial für beides.

4. Plebiszite über Fragen von außenpolitischer Relevanz enthalten – abgesehen von der Frage möglicher sachimmanenter Komplexität – eine Anzahl von kommunikationsbezogenen Problemen, die in der Diskussion über Wert und Unwert von Plebisziten wenig beachtet werden:

- Außenpolitisch relevante Plebiszite betreffen unter Umständen in existentieller Weise andere Staaten und deren Bevölkerungen, die weder an der medial-kommunikativen Vorbereitung noch an der Abstimmung unmittelbar teilnehmen können.
- Plebiszite haben eine Ja-Nein-Struktur und sind Letztentscheidungen des Volkes als Souverän. Sie lassen keinen Spielraum für Kompromisse. Kompromißorientiertes Verhandeln ist aber der wichtigste außenpolitische Kommunikationsmodus.
- Plebiszite sind öffentlich, und ihre kommunikative Vorbereitung ist massenmedial bestimmt. Im Hinblick auf betroffene andere Völker und Staaten geht ihnen daher eo ipso jeder Aspekt von Diskretion und stiller Rücksichtnahme auf das »Gesicht« und die Empfindlichkeiten anderer ab.
- Plebiszite zu außenpolitisch relevanten Themen fördern Tendenzen zu einer national bestimmten In-group/Out-group-Mentalität. Sie begünstigen eine ausschließlich an den Belangen der eigenen Nation orientierte Themenbehandlung und erschweren eine rationale, die Partnerperspektive einbeziehende Diskussionsführung. Wie die Auseinandersetzungen vor den EU-Plebisziten in verschiedenen europäischen Ländern gezeigt haben, kann man nicht darauf hoffen, daß die Medien sich solchen Tendenzen entziehen.

5. In Abwägung der positiven und negativen Aspekte kann der Kommunikationswissenschaftler insoweit nichts gegen die stärkere Verankerung plebiszitärer Elemente im politischen System Deutschlands einwenden, als ihre Einführung zu niveauvollerer öffentlicher Kommunikation über die Abstimmungsthemen, insbesondere auch in den Medien, und zu einer stärkeren Identifikation der Bevölkerung mit dem politischen System führen dürfte – sofern die skizzierten Gefahren vermieden werden. Da solche vor allem bei außenpolitisch relevanten Fragen bestehen und immer mehr Entscheidungen auf Bundesebene außenpolitisch relevant sind, kann die Ausweitung plebiszitärer Möglichkeiten aus kommunikationswissenschaftlicher und kommunikationspolitischer Sicht am ehesten für die Ebenen der Kommunen und der Länder empfohlen werden.

Anmerkungen

1 Beide Stufenmodelle sind idealtypisch. Ausgeblendet sind in ihnen z.B. Rückkoppelungsprozesse und Rollenüberschneidungen.

2 Walter Lippmann: Public Opinion, London 1961 (1. Auflage 1922), S. 29.

3 Die Funktionen lassen sich getrennt oder kombiniert realisieren. »Infotainment« ist der neue Ausdruck für die uralte Praxis, z.B. der Reiseliteratur, Information und Unterhaltung zu mischen. TV-Sendungen wie das ZDF-Magazin ›Frontal‹ können für sich in Anspruch nehmen, vier Funktionen zu kombinieren: Information, Förderung der politischen Meinungsbildung, Kontrolle und Unterhaltung.

4 Vgl. Ulrich Sarcinelli: Politische Kommunikation in der Medienöffentlichkeit. Kommunikationsstrukturelle Bedingungen politischer Realitätsvermittlung. In: Josef Klein/ Hajo Diekmannshenke (Hrsg.): Sprachstrategien und Dialogblockaden, Berlin – New York 1996, S. 36 ff.

5 Friedhelm Neidhardt: Öffentlichkeit, öffentliche Meinung, soziale Bewegungen. In: ders. (Hrsg.): Öffentlichkeit, öffentliche Meinung, soziale Bewegungen (= Kölner Zeitschrift für Soziologie und Sozialpsychologie, Sonderheft 34), Opladen 1994, S. 8 ff.

6 Vgl. Jürgen Habermas: Theorie des kommunikativen Handelns, 2 Bde., Frankfurt/M. 1981, und ders.: Volkssouveränität als Verfahren. Ein normativer Begriff von Öffentlichkeit. In: Merkur 1989, H. 6, S. 165-177, und öfter.

7 Neidhardt: Öffentlichkeit, öffentliche Meinung, soziale Bewegungen (wie Anm. 5), S. 8. Vgl. auch Bernhard Peters: Der Sinn von Öffentlichkeit. In: Neidhardt (Hrsg.): Öffentlichkeit, öffentliche Meinung, soziale Bewegungen (wie Anm. 5), S. 42-76.

8 Neidhardt: Öffentlichkeit, öffentliche Meinung, soziale Bewegungen (wie Anm. 5), S. 9 f.

9 Niklas Luhmann: Gesellschaftliche Komplexität und öffentliche Meinung. In: ders.: Soziologische Aufklärung. 5. Konstruktivistische Perspektive, Opladen 1990, S. 170-182.

10 Frank Marcinkowski: Publizistik als autopoetisches System. Politik und Massenmedien. Eine systemtheoretische Analyse, Opladen 1993.

11 Niklas Luhmann: Öffentliche Meinung. In: ders.: Politische Planung. Aufsätze zur Soziologie von Politik und Verwaltung, Opladen 1971, S. 9-34; Marcinkowski: Publizistik als autopoetisches System (wie Anm. 10), S. 120.

12 Neidhardt: Öffentlichkeit, öffentliche Meinung, soziale Bewegungen (wie Anm. 5), S. 9.

13 Vgl. z.B. Walther Dieckmann: Wie redet man ›zum Fenster hinaus‹? Zur Realisierung des Adressatenbezugs in öffentlich-dialogischer Kommunikation am Beispiel eines Redebeitrags Brandts. In: Wolfgang Sucharowski (Hrsg.): Gesprächsforschung im Vergleich. Analysen zur Bonner Runde nach der Hessenwahl '82, Tübingen 1985, S. 54-76; Werner Holly/Peter Kühn/Ulrich Püschel: Politische Fernsehdiskussionen. Zur medienspezifischen Inszenierung von Propaganda als Diskussion, Tübingen 1986; Josef Klein: Elefantenrunden ›Drei Tage vor der Wahl‹. Die ARD-ZDF-Gemeinschaftssendung 1972-1987, Baden-Baden 1990.

14 Vgl. z.B. Kendall L. Baker/Helmuth Norpoth/Klaus Schönbach: Die Fernsehdebatten der Spitzenkandidaten vor den Bundestagswahlen 1972 und 1976. In: Publizistik 26 (1981), S. 530-544; Jo Groebel u.a.: Bericht zur Lage des Fernsehens für den Präsidenten der Bundesrepublik Deutschland, 1994 (Manuskript); Hans Mathias Kepplinger: Publizistische Konflikte. Begriffe, Ansätze, Ergebnisse. In: Neidhardt (Hrsg.): Öffentlichkeit, öffentliche Meinung, soziale Bewegungen (wie Anm. 5), S. 214-233.

15 Vgl. z.B. Neidhardt: Öffentlichkeit, öffentliche Meinung, soziale Bewegungen (wie Anm. 5); Rüdiger Schmitt-Beck/Barbara Pfetsch: Politische Akteure und die Medien der Massenkommunikation. Zur Generierung von Öffentlichkeit in Wahlkämpfen. In: Neidhardt (Hrsg.): Öffentlichkeit, öffentliche Meinung, soziale Bewegungen (wie Anm. 5), S. 106-138.

16 Vgl. z.B. Ulrich Sarcinelli: Symbolische Politik, Opladen 1987; Rainer Mathes/Stefan Dahlem: Campaign Issues in Political Strategies and Press Coverage. The Rental Law Conflict in the 1982-1983 Election Campaign in the Federal Republic of Germany. In: Political Communication and Persuasion 6 (1987), S. 35-48.

17 Wegen der Nichtöffentlichkeit dieser Kommunikationssituationen liegen empirische Untersuchungen dazu nicht vor. Der Verfasser trifft seine Feststellung dazu dennoch mit großer Gewißheit, da er entsprechende Erfahrungen in einer Vielzahl von Ausschußsitzungen in Bundestag, Kreistag und Stadtrat sowie in etlichen Koalitions- und ähnlichen Verhandlungen selbst gemacht hat.

18 Vgl. Neidhardt: Öffentlichkeit, öffentliche Meinung, soziale Bewegungen (wie Anm. 5), S. 18-21.

19 Joshua Meyrowitz: Die Fernsehgesellschaft, 2 Bde., Weinheim – Basel 1990 (engl. Originalausgabe 1985), insbesondere Bd. 2, S. 143 ff.

20 Ein typisches Beispiel dafür bot die TV-Berichterstattung zur Auseinandersetzung um die Änderung des Asylrechts. Von den annähernd hundert Argumenten, die dazu in den parlamentarischen Debatten von den verschiedenen politischen Lagern vorgebracht und auch außerhalb des Parlamentes oft wiederholt wurden, sind in den Nachrichtensendungen des Fernsehens trotz häufiger Thematisierung der Auseinandersetzung, verteilt auf zwölf Monate innerhalb der Jahre 1991 und 1993, nur elf Prozent erwähnt worden (vgl. Josef Klein: Asyldiskurs. Konflikte und Blockaden in Politik, Medien und Alltagswelt. In: Ruth Reiher [Hrsg.]: Sprache im Konflikt, Berlin – New York 1995, S. 53 ff.).

21 An anderer Stelle hat der Verfasser dies sarkastisch formuliert: »In jedem Wohnzimmer steht ein Kasten, da sieht man um 19.30 Uhr, wie schöne, souveräne Männer vom Typ Prof. Brinkmann aus der ›Schwarzwaldklinik‹ ihre Probleme noch während der Sendung lösen – und dann um 20.00 Uhr, in den Nachrichten, lassen wir im selben kleinen Kasten unsere Spitzenpolitiker auftreten: nicht schön, nicht souverän. Und Probleme? Von ihrer Lösung wird gesprochen – aber es gibt sie noch nicht. Nicht einmal morgen in der Fortsetzung ist sie zu erwarten« (Josef Klein: Dialogblockaden. Dysfunktionale Wirkungen von Sprachstrategien auf dem Markt der politischen Kommunikation. In: Klein/Diekmannshenke [Hrsg.]: Sprachstrategien und Dialogblockaden [wie Anm. 4], S. 20).

22 Neidhardt: Öffentlichkeit, öffentliche Meinung, soziale Bewegungen (wie Anm. 5), S. 29. Beispielhaft wird dort auch auf die Ergebnisse von Günter Bentele: Der Faktor Glaubwürdigkeit. In: Publizistik 33 (1988), S. 406-426, und Ola Listhaug/Matti Wiberg: Confidence in Political and Private Institutions. Paper for Presentation at the Meeting of the ESF-Project »Beliefs in Government«, Budapest 1993, verwiesen.

23 Vgl. Klein: Dialogblockaden (wie Anm. 21).

24 Vgl. Elisabeth Noelle-Neumann: Kumulation, Konsonanz und Öffentlichkeitseffekt. Ein neuer Ansatz zur Analyse der Wirkung der Massenmedien. In: Publizistik 18 (1973), S. 26-55; dies.: Öffentliche Meinung. Die Entdeckung der Schweigespirale, Frankfurt/M. – Berlin 1991, und öfter. Die Grundannahmen der Theorie der Schweigespirale sind:

1. Menschen sind soziale Wesen und vermeiden daher Isolation. Ihre Meinungen formulieren sie möglichst unter Kenntnis der Meinung anderer. Diese kann man direkt erfahren oder durch die Medien wahrnehmen.

2. Der einzelne nimmt nicht nur die augenblickliche Meinungsverteilung wahr, sondern auch deren Veränderung.

3. Personen, die annehmen, daß sie die dominante Meinung vertreten, wagen sich damit stärker hervor als Personen, die dies nicht annehmen. Dadurch verstärkt sich in der Öffentlichkeit die Dominanz der bislang nur als dominant unterstellten Meinung, so daß sich deren Vertreter noch mehr hervorwagen etc. Umgekehrt werden Personen, welche die als nichtdominant angesehene Meinung vertreten, dadurch weiter eingeschüchtert und halten sich noch mehr zurück.

4. Schließlich wird die als dominant angesehene Meinung wirklich zur dominanten Meinung. (Vgl. auch Klaus Merten: Wirkungen von Kommunikation. In: Klaus Merten/Siegfried J. Schmidt/Siegfried Weischenberg (Hrsg.): Die Wirklichkeit der Medien, Opladen 1994, S. 291-328.

25 Vgl. z.B. Allensbacher Archiv: IfD-Umfrage 5082, Juli 1993, zur wirtschaftlichen Lage; auch Allensbacher Archiv: IfD-Umfrage 5093, März/April 1994, zur Situation der Frauen in den östlichen Bundesländern.

26 Vgl. Elisabeth Noelle-Neumann: Wirkung der Massenmedien auf die Meinungsbildung. In: dies./Winfried Schulz/Jürgen Wilke (Hrsg.): Das Fischer-Lexikon Publizistik, Massenkommunikation, Frankfurt/M. 1994, S. 564 ff.

27 Vgl. Klein: Dialogblockaden (wie Anm. 21), S. 25.

28 Die Frage nach der Qualität und Sachangemessenheit plebiszitärer Entscheidungen im Vergleich zu parlamentarischen Entscheidungen durch Berufspolitiker bleibt in diesem Beitrag weitgehend ausgespart, weil sie den fachlichen Kompetenzbereich eines Sprach- und Kommunikationswissenschaftlers übersteigt.

29 Hanspeter Kriesi: Akteure – Medien – Publikum. Die Herausforderung direkter Demokratie durch die Transformation der Öffentlichkeit. In: Neidhardt (Hrsg.): Öffentlichkeit, öffentliche Meinung, soziale Bewegungen (wie Anm. 5), S. 242.

30 Claude Longchamp: Herausgeforderte demokratische Öffentlichkeit. Zu den Möglichkeiten und Grenzen des politischen Marketing bei Abstimmungen und Wahlen in der Schweiz. In: Annuaire suisse de science politique 31 (1991), S. 303-326.

31 Kriesi: Akteure – Medien – Publikum (wie Anm. 29), S. 242.

32 Ebd., S. 243.

33 Ebd., S. 236.

34 Ebd., insbesondere S. 247 f.

35 Ebd., S. 253.

36 Ebd., S. 248.

37 Ebd., S. 245 f.

38 Ebd., S. 244.

39 Ebd., S. 239.

Heinrich Oberreuter

Repräsentative und plebiszitäre Elemente als sich ergänzende politische Prinzipien

Seit seinem Inkrafttreten gilt das Grundgesetz der Bundesrepublik Deutschland als »super-repräsentative Verfassung«[1], und eben deswegen sieht es sich immer wieder der Kritik ausgesetzt. Seit der Diskussion um die Wiederbewaffnung in den 50er Jahren werden in regelmäßigen Abständen Forderungen nach plebiszitären Entscheidungsverfahren laut. Jene Länderverfassungen, die in der verfassungspolitischen Formierungsphase zwischen 1946 und 1949 vor dem Grundgesetz verabschiedet worden sind, wiesen solche Entscheidungsverfahren auf. Die meisten von ihnen wurden sogar – anders als das Grundgesetz – per Volksabstimmung angenommen. Dem Grundgesetz blieb dies versagt – der deutschen Teilung wegen. Mit der Idee des Teilstaatprovisoriums, das gar keinen längeren Bestand und keine Verfassung im eigentlichen Sinn haben sollte, wäre die Anrufung der Legitimationskraft des (Teil-) Volkes nicht vereinbar gewesen. Ähnliches gilt für den Aufwand und die Bindekraft einfacher plebiszitärer Entscheidungen in einem politischen System, das sich nach allgemeiner Überzeugung so schnell wie möglich überflüssig und einem wiedervereinigten Gesamtstaat Platz machen sollte. Für die Länder traf dies nicht zu. Die generelle Skepsis gegenüber Instrumenten, die kurz zuvor von der Führer-Diktatur zur Legitimation mißbraucht und vor deren Etablierung schon in der Weimarer Republik zur Manipulation politischer Emotionen und damit zur propagandistischen Destabilisierung genutzt worden waren, kam hinzu. Wenn sich dazu in den Protokollen der Beratungen des Parlamentarischen Rats keine ausufernden Diskussionen finden, belegt dies eher die erfahrungsgesättigte Selbstverständlichkeit von Argumenten und Motiven als die Vermutung, sie würden im nachhinein überschätzt.[2] Die SED-Praxis in der damaligen Ostzone, ihr Sowjetisierungsmodell[3] plebiszitär abstützen zu wollen, trug wesentlich dazu bei, Skepsis zu vertiefen und die destabilisierenden Möglichkeiten zu illustrieren – und dies in einer politisch und sozial ruinösen Situation, zu deren Bewältigung es kein rechtes Zutrauen gab. Von plebiszitären Ergänzungen der repräsentativen Demokratie wurde also wegen der Gefahr ihrer demagogischen Potentiale[4] in einer alles andere als stabilen politischen Situation Abstand genommen, keineswegs deswegen, weil sie sich gegenseitig systematisch ausschlössen.

Plebiszitär versus repräsentativ oder Repräsentation durch Kommunikation?

Zur Begründung einer solch grundsätzlichen Dichotomie von plebiszitären Entscheidungen oder repräsentativer Demokratie muß man auf Jean-Jacques Rousseau (1712-1778) zurückgreifen, der die Souveränität des Volkes für unübertragbar, unveräußerbar und unrepräsentierbar erklärte und deswegen die Entscheidungsgewalt grundsätzlich beim Volk beließ. Andernfalls sei ein Gesetz nichtig und die Freiheit verloren.[5] Da es in der Geschichte ein solches rein plebiszitäres System nie gegeben hat, haben wir es mit einem theoretischen Konstrukt zu tun. Variationen dieser Vorstellung sind immer auf Rousseau zurückzuführen, wie sich speziell an der Definition des idealtypischen plebiszitären Regierungssystems durch Ernst Fraenkel zeigen läßt: Dieses System gehe von der Voraussetzung eines einheitlichen Volkswillens aus, von dem a priori angenommen werde, daß er mit dem Gesamtinteresse identisch sei. Minoritäts- und Sonderinteressen gälten als zu vernachlässigende, auszuschaltende oder zu neutralisierende Störfaktoren. Ziel sei es, optimale Kongruenz von empirischem Volkswillen und Gesamtinteresse zu gewährleisten, wobei dem empirischen Volkswillen im Konfliktfall Priorität vor dem hypothetischen Gemeinwohl gebühre.[6] Alles, was Fraenkel darüber hinaus über die ideologische Überhöhung des Plebiszits bemerkt, verdient Zustimmung. Doch die Kerndefinition läuft darauf hinaus, plebiszitäre Demokratie und Identitätsdemokratie auch heute in eins zu setzen. Dafür gibt es keine logische Basis, denn Volksentscheide homogenisieren keineswegs politische und soziale Pluralität. Ebensowenig werden normative Orientierungen ausgeschlossen, da selbstverständlich auch der empirische Volkswille Gemeinwohlkonzeptionen und dem Recht verpflichtet ist oder sein kann, wie übrigens Rousseau ausdrücklich postuliert hatte. Umgekehrt bleibt auch die Entscheidung demokratisch legitimierter Repräsentanten nicht stets von Sonderinteressen und Egoismen frei. Freilich schränken Plebiszite die Chance ein, im Rahmen eines Gesamtkonzepts politisch zu führen und für vorausschauende Entscheidungen nachträglich durch Wahlen Legitimation zu erlangen. Denn wenn das Volk im Einzelfall entschieden hat, ist der Fall abgeschlossen. Sein Wille ist dokumentiert. Für Repräsentanten gibt es dann keinen Spielraum mehr, unter Berufung auf die »eigentlich wichtigen« Interessen des Volkes von diesen empirisch festgestellten Meinungen abweichend zu entscheiden.

Das Scheitern des plebiszitären Idealtypus an der Wirklichkeit

Das idealtypische Konstrukt beruht auf der Annahme, daß der Volkswille in der plebiszitären Demokratie grundsätzlich rechtlich und normativ ungebunden ist. Für solche Willkürsysteme gibt es schmerzliche Beispiele, wie die

Diktaturen des 20. Jahrhunderts oder auch wertrelativistische Systeme zeigen. Sie beruhen jedoch auf prekären Legitimitätsideen, nicht auf plebiszitären Entscheidungsverfahren. Die Willkürvermutung greift insbesondere dann nicht, wenn diese Verfahren in ein Repräsentativsystem eingebettet sind. In der Tat empfiehlt es sich, Legitimitäts- und Verfahrensaspekte zu unterscheiden.[7] So stehen Plebiszite, obgleich sie immer die Entscheidungskompetenz der Institutionen hintansetzen, keineswegs a priori im Gegensatz zu den Legitimitätsideen des Verfassungsstaats, zumindest solange dem Volkswillen Grenzen gesetzt sind und er an die Wertordnung der Verfassung gebunden bleibt, diese also dem Mehrheitswillen nicht ausgeliefert ist. In der wertgebundenen Ordnung kommt dieser Gedanke zum Ausdruck. Damit ist jedoch über die praktische Leistungsfähigkeit direktdemokratischer Verfahren keine empirische Aussage getroffen. Doch zeigt sich, daß grundlegende Prämissen des »plebiszitären Idealtypus«, wie er in der Literatur konstruiert wird, irreal sind. Darüber hinaus ist diese Konstruktion auch logisch unbefriedigend. Denn wenn angenommen wird, daß sich die Prinzipien repräsentativer und plebiszitärer Demokratie gegenseitig ausschließen, ist die Schlußfolgerung Fraenkels zumindest überraschend, beide Systeme könnten vor ihrer Selbstvernichtung nur bewahrt werden, wenn sie sich als Elemente eines gemischten Regierungssystems wiederfänden.[8]

Offensichtlich trifft die unterstellte Unvereinbarkeit repräsentativer und plebiszitärer Verfahren nur dann zu, wenn man sie zu Ende denkt und aus ihnen idealtypische Modelle konstruiert. Doch weder ist plebiszitäre Demokratie durch Verantwortungsfreiheit des Volkes noch repräsentative Demokratie durch Verantwortungsfreiheit der Abgeordneten charakterisiert. Allerdings widerstreitet der reine plebiszitäre Typus dem Parlamentarismus, seinen Willensbildungsmechanismen und seiner Leistungsfähigkeit, Konflikte und Probleme rational zu lösen. In der Realität kommt dieser Typus jedoch nicht vor: Nirgendwo wird das Volk mit permanenter und ausschließender Entscheidungskraft ausgestattet. Auch wo der parlamentarische Gesetzgeber dem obligatorischen oder fakultativen Referendum unterliegt, reagiert das Volk auf dessen Vorgaben.

Jedoch neigen akzentuiert direktdemokratische Ansätze zur Relativierung oder gar Delegitimierung repräsentativer Institutionen, weil sie Demokratie »eigentlich« als unmittelbare Selbstherrschaft interpretieren und die Konstituierung von Leitungsorganen, die für das Volk und in seinem Auftrag handeln, eher als technischen Notbehelf denn als Eigenwert einschätzen. Demnach wird jedes zusätzliche plebiszitäre Element als »mehr Demokratie«[9] interpretiert. Aber auch wenn diese Position letztendlich nach Aufhebung von Repräsentation strebt, bleibt sie praktisch doch in deren Strukturen eingebettet, weil diese aus unterschiedlichen Gründen in der Praxis gar nicht aufgehoben werden kann. Rousseau mag das Reich der Ideen beherrschen, nicht jedoch die Wirklichkeit.

Erfolgreich und praktikabel hat sich dagegen die repräsentative Demokratie erwiesen, in welcher Volkssouveränität und Parlamentarismus sich miteinander verbinden. Vielfach wird sie durch plebiszitäre Elemente ergänzt, die durch ihre Einbindung in den Verfassungsstaat domestiziert sind. Aus Gründen begrifflicher Klarheit sollten darunter nur direkte Entscheidungsrechte verstanden werden und nicht alle beliebigen Partizipationsrechte der Bürger oder auch bürgerfreundliche Politik-, Kommunikations- und Verfahrensangebote der Institutionen. Selbst in der Wissenschaft ist der Sprachgebrauch leider unpräzise. Gelegentlich wird unter dem Stichwort »plebiszitäre Mitwirkung« auf alle Instrumente bürgerlicher Einflußnahme auf den politischen Willensbildungs- und Entscheidungsprozeß verwiesen: »Parteien, Verbände, Vereinigungen, Bürgerinitiativen, Demonstrationen, Massenmedien, Petitionen«[10]. So verstanden, gerät Partizipation zu einer Art Plebiszit. Wenn zugleich noch plebiszitäre und repräsentative Demokratie als unvereinbare Gegensätze begriffen werden, liefe das logisch auf die Systemwidrigkeit von Partizipation in der repräsentativen Demokratie hinaus. Wir verfügen aber durchaus über einen breitgefächerten Begriffsapparat, um Entscheidungsverfahren von Partizipation, Kommunikation oder auch Populismus – als opportunistische Orientierung an Stimmungen der Öffentlichkeit – zu unterscheiden.

Die Notwendigkeit zur Differenzierung besteht schon deshalb, weil ein formaler Repräsentationsbegriff – legitimierte Leitungsorgane handeln für das Volk und verpflichten es zugleich – nicht mehr genügt. Ein materieller Repräsentationsbegriff stellt darauf ab, daß im autorisierten Handeln der Leitungsorgane der Volkswille auch faktisch zum Ausdruck kommt.[11] Repräsentation ist somit ein Prozeß, der ebensowenig auf Kommunikation und Partizipation verzichten kann wie auf »Responsivität«, d.h. die Sensibilität und Aufnahmebereitschaft der Abgeordneten und Institutionen für die Interessen der Bürger, selbstverständlich ohne Preisgabe von Eigeninitiative, Führung oder Entscheidungsfreiheit.[12] Repräsentative Demokratie verwirklicht sich also durch Kommunikation[13], und die spezifische Funktion des Parlaments läßt sich als »Legitimation durch Kommunikation«[14] definieren. Beides ist nicht »plebiszitär«. Volksvertretung wird zum dynamischen Prozeß. Repräsentation ist »eine – auf Korrelation beruhende – Übereinstimmung zwischen regierender Elite und öffentlicher Meinung«[15], die durch Kommunikation und Partizipation hergestellt wird. Je besser dieser Prozeß funktioniert, um so entbehrlicher erweisen sich im Grunde plebiszitäre Verfahren. Sie sind als Ergänzung der parlamentarischen Demokratie möglich, doch nicht unbedingt nötig. Gefordert werden sie zumeist wegen parlamentarischer Kommunikationsdefizite.[16] Ob sie die ihnen zugeschriebenen theoretischen und praktischen Funktionen erfüllen, bleibt eine offene Frage.

Was spricht für die repräsentative Demokratie? – Fünf Antworten

In der Theorie war durch Rousseau die repräsentative Demokratie längst in Frage gestellt, bevor es ihr vergönnt war, ein funktionierendes Gemeingut der europäischen Staatspraxis zu werden. Auf dem Hintergrund der bisherigen Überlegungen sei Fraenkels Definition zitiert:

> »Repräsentation ist die rechtlich autorisierte Ausübung von Herrschaftsfunktionen durch verfassungsmäßig bestellte, im Namen des Volkes, jedoch ohne dessen bindenden Auftrag handelnde Organe des Staates oder sonstigen Trägers der öffentlichen Gewalt, die ihre Autorität mittelbar oder unmittelbar vom Volk ableiten und mit dem Anspruch legitimieren, dem Gesamtinteresse des Volkes zu dienen und dergestalt dessen wahren Willen zu vollziehen.«[17]

Demnach besteht die Möglichkeit, das Gemeinwohl unabhängig vom empirischen Volkswillen zu finden, so sehr der Mehrheit auch Rechnung getragen werden soll.

Seit Rousseau haben sich die Front- und Fragestellungen im Kern nicht verändert. Der Gedanke, daß zwischen Freiheit und Repräsentation ein Gegensatz bestünde, begegnet uns heute in Konzepten wieder, welche Stellvertretung ablehnen und allein dem Bürger vertrauen statt Abgeordneten. Aber auch dort, wo keine derart radikale Position bezogen wird, ist die Ansicht weitverbreitet, Demokratie sei in ihrem Kern Autonomie, Selbstregierung und Selbstentscheidung des Volkes. Nicht andere sollen entscheiden, sondern die Bürger in ihren eigenen Angelegenheiten selbst. Jeder Schritt zur Zurückdrängung repräsentativer Elemente wird von dieser Warte aus als Fortschritt begrüßt, der die Demokratie näher zu sich selbst und zur Vollendung führe. Der Abbau politischer Repräsentation gilt dann als progressives verfassungspolitisches Programm.[18]

Aber ist dies wirklich so? Es kommt nicht von ungefähr, daß es zu diesem kontinentaleuropäischen Ansatz immer Gegenpositionen, insbesondere in der angelsächsischen Staatsphilosophie und Staatspraxis, gab. Dieses Denken hat sich auch durch die modernen verkehrs- und kommunikationstechnischen Möglichkeiten nicht davon abbringen lassen, in der Repräsentation des Volkes durch Abgeordnete keinen defizitären, sondern einen eigenständigen Wert zu sehen.[19] Er liegt als verfassungspolitische Maxime den meisten politischen Systemen der westlichen Demokratie zugrunde. Und selbst die eidgenössische Referendumsdemokratie, in der das Volk nach Kräften Initiative zeigen oder die Entscheidungen seiner Repräsentanten korrigieren kann, kommt ohne eine gehörige Beimengung repräsentativer Elemente keineswegs aus. Schon daran mag sich zeigen, daß Ernst Fraenkel nicht zu Unrecht jeden Ansatz, der auf die Bürger allein und auf Abgeordnete überhaupt nicht setzen will, als »vulgär-demokratisch«[20] bezeichnet hat.

In der Tat hat die repräsentative Demokratie die größere Komplexität für sich. Nach diesem Konzept konstituiert das Volk Leitungsorgane – Parlament, Regierung –, die für es handeln. Es regiert also nicht selbst. Aber diese Leitungsorgane sind dem Volk gegenüber verantwortlich und rechenschaftspflichtig; ihr Auftrag ist zeitlich und rechtlich begrenzt und gerade deswegen auch periodisch revozierbar. Die größere Komplexität der repräsentativen Demokratie liegt darin begründet, daß sie politische Führung und Partizipation der Idee nach ausbalanciert und gerade dadurch gemeinwohlorientiertes politisches Handeln in übergreifenden Zusammenhängen leichter möglich macht. Auf die Frage, warum die Repräsentation durch Abgeordnete der Selbstregierung der Bürger vorzuziehen sei, gibt es zeitlos aktuelle Antworten, die an Bedeutung gerade zu Zeiten noch gewinnen, in denen die Mobilisierung der Massen in der Stimmungs- und Fernsehdemokratie immer einfacher und das Alltagsplebiszit immer möglicher zu werden versprechen.

Das Problem des Gemeinwohls

Ist es überhaupt richtig, die Entscheidung für Selbstregierung oder Repräsentation, für repräsentative oder plebiszitäre Demokratie mit der Frage des in den Bürger investierten Vertrauens oder Mißtrauens zu verknüpfen? Sicher nicht, denn beide Prinzipien vertrauen grundsätzlich in ganz ähnlicher Weise auf den Bürger.

Der Unterschied liegt an anderer Stelle, nämlich in der Annahme, ob der Volkswille irren kann oder nicht.[21] Das Repräsentationsprinzip geht davon aus, es gäbe ein originäres Gesamtinteresse, das weder aus dem Willen einzelner noch aus dem Willen von Kollektiven abgeleitet werden kann. Die Tradition des Gemeinwohls als einer Leitidee politischen Handelns scheint hier auf. Es wird unterstellt, daß sich der Wille des Volkes auf die Förderung des Gesamtinteresses richtet. Politische Entscheidungen sollen demnach auf das Gemeinwohl zielen, von dem angenommen wird, es entspreche dem Willen des Volkes. Sind Repräsentanten und – z.B. mit den Instrumenten moderner Demoskopie gemessener – empirischer Volkswille einmal uneins, kommt dem angenommenen (»hypothetischen«) Volkswillen der Vorrang zu, eben weil die Gemeinwohlverantwortung grundsätzlich für ihn spricht. Empirisch kann das Volk sich also irren – und muß sich dann von der Warte des Gemeinwohls aus durch seine Repräsentanten korrigieren lassen.

Die Ablehnung des Repräsentativprinzips geht davon aus, Gesamtinteresse und Gemeinwohl seien identisch mit der freien Entscheidung der Bürger – ein Gedankengang, dem Rousseau übrigens nicht gefolgt wäre. Das Gemeinwohl stellt also keine Steuerungsgröße mehr dar. Es wird schlicht abgeleitet aus den Ergebnissen von Entscheidungsprozessen. Dadurch kann jedes beliebige Interesse zum Gesamtinteresse werden. Inhaltliche Bindungen und normative Dimensionen der Politik erhalten dadurch einen prekären Status: Stets gilt, was aktuell Zustimmung findet, vorausgesetzt, wir bewegen uns in einem rein plebiszitären System mit äußerst zurückgenommenen normativen Bindungen.

Im Ergebnis vertrauen beide Demokratieformen dem Volk. Nur gilt das eine Mal, daß das Volk grundsätzlich das Richtige will, das andere Mal, daß es grundsätzlich das Richtige tut. Die zweite Annahme birgt das größere Risiko. Schon hier zeigt sich, daß das so häufig als defizitär empfundene »Stellvertretersystem« normativ tiefer gegründet ist. Noch wichtiger aber erscheint die Feststellung, daß nicht bloß gelten soll, was empirisch meßbar, sondern gerade das, was rechtens und im Namen der normativen Leitvorstellungen des Systems, des Grundkonsenses, verantwortbar ist. Das ethische Fundament der Demokratie kann nicht von unterschiedlichen Politikfeldern abhängig sein. Es ist unteilbar. Folglich kann man auf den empirischen Volkswillen nicht nur setzen, wenn politische Opportunität es genehm erscheinen läßt – wie z.B. jüngst bei der Nachrüstungsdebatte Anfang der 80er Jahre oder beim Dauerstreit um die Kernenergie. Dem empirischen Volkswillen wäre dann wohl auch bei der Frage der Todesstrafe oder Asylbewerberproblemen zu vertrauen. Daher sollte man durchaus ohne jeglichen Anflug von Scham zugeben, daß die Überantwortung der politischen Entscheidung an Repräsentanten statt an die Bürger Auftrag und Hoffnung einschließt, den empirischen Volkswillen zu verbessern und zu veredeln. Genau dies ist aber unter legitimer politischer Führung in der Demokratie zu verstehen.

Diese Idee setzt natürlich auch entsprechendes politisches Personal voraus. Sie ist auch keineswegs schon deswegen verwirklicht, weil sie einem politischen System zugrunde liegt, denn natürlich können auch Abgeordnete irren oder gemeinwohlunwillig sein. Doch entscheidend für den Ablauf politischer Prozesse bleiben die Ideen, die sie steuern. Von bewährten Ideen soll man aber nicht ohne Not und schon gar nicht aus aktueller politischer Opportunität lassen.

Zu konzedieren ist, daß diesen Prinzipien wohl auch ein Entscheidungsmix keinen Abbruch täte, solange der faktische Vorrang repräsentativer Verfahren fortbesteht. Doch vom Standpunkt der Logik aus stellt die Eröffnung plebiszitärer Wege das parlamentarische Verfahren insgesamt unter Vorbehalt, auch wenn sie nur in Ausnahmefällen beschritten werden. In Deutschland stünden aber gegen Beliebigkeit, Relativismus und Willkür immer noch die wertgebundene Ordnung und die Verfassungsgerichtsbarkeit. »Frei« in Rousseaus Sinn machen unter diesen Voraussetzungen auch plebiszitäre Verfahren nicht. Umgekehrt werden sie durch diese Wert- und Rechtsbindungen durchaus domestiziert, ohne daß damit das logische Problem aufgehoben wäre.

Betroffenheit

Wenn politische Entscheidungen auf das Gesamtinteresse abzielen, dann müssen sie auch insgesamt verantwortet werden können. Manche Bürgerinitiative scheint dies zu übersehen. Nicht umsonst steht an der Wiege der Idee demokratisch-politischer Repräsentation[22] der alte Grundsatz: Was alle angeht, soll von allen gebilligt werden. Dieser verlangt nicht nur aus den bekannten technisch-organisatorischen Gründen nach Entscheidung durch Abgeordnete im Rahmen parlamentarischer Strukturen, sondern heute mehr denn je auch die Einbettung der Einzelentscheidung in ein koordiniertes politisches Programm.

Von daher beruht die Idee der »Betroffenheitsdemokratie«, die ja in besonderer Weise Bürger initiativ werden lassen will, auf falschen Grundannahmen. Solange Politik dadurch definiert bleibt, daß sie Entscheidungen trifft, die für alle verbindlich sind, läßt sie nur Betroffene zurück; denn ob Entscheidungen von einzelnen positiv oder negativ empfunden werden mögen – ihre Bindungswirkung ist für alle gleich. Nur vordergründig ist es möglich, personelle, gruppenspezifische oder regionale Betroffenheiten einzugrenzen. In der Sache gehen solche Versuche jedoch fehl, weil jedes politische Konzept, das mit Detailentscheidungen auf unterschiedliche Herausforderungen antwortet, alle betrifft. Dem liegt natürlich die Annahme zugrunde, daß auch der demokratische Staat als Gemeinwesen funktionsfähig sein muß und nicht in Duodezfürstentümer und Betroffenheitsinseln dezentralisiert und auseinanderdefiniert werden darf: der Staat also als Handlungs- und Wirkungseinheit, als Willensverband, wie es der autoritärer Neigungen gänzlich unverdächtige Hermann Heller herausgearbeitet hat.[23]

Die Betroffenheitsdemokratie löst diesen Zusammenhang auf. Ganz abgesehen davon, arbeitet sie mit einem falschen Betroffenheitsbegriff, lassen sich doch jene Entscheidungsgegenstände, die zu ihren Gunsten ins Feld geführt werden, keineswegs in ihren Auswirkungen auf Anrainer begrenzen. Schließlich gehen Fragen von Müll, Energieversorgung, Verkehrswegen und Infrastruktur alle an und nicht nur die einzelnen oder auch vielen, die in besonderer Nähe zum Streitobjekt leben. Ihnen und ihren Initiativen allein kann die Entscheidung über eine alle angehende Angelegenheit nicht überlassen bleiben, weil subjektive Kriterien zwangsläufig und völlig legitim dann über allgemeine dominieren würden. Dieses Dilemma läßt sich nur in Konflikten lösen.

»Politisch« kann eine solche Lösung aber nur sein, wenn sie im Blick auf die Interessen aller Bürger informiert, ausgewogen und vor allem verantwortlich herbeigeführt wird. Die Idee der Repräsentation bietet diese Chance. Plebiszite müßten nicht nur Anrainer, sondern alle einschließen. Sie würden weniger Gewähr für Verantwortlichkeit und Ausbalancierung bieten, sondern eher die Stärke divergierender Egoismen messen.

Legitimität

Bringt direkte Demokratie einen Zugewinn an Legitimität? Man sollte es meinen, wenn man von einer ständigen Beteiligung aller Bürger am politischen Entscheidungsprozeß ausgeht. Aber diese Prämisse trifft nicht zu. In Wirklichkeit gibt es kein vorrangiges und universelles menschliches Interesse an politischer Beteiligung, welches sich alle anderen Interessen unterordnet.[24] Soweit überhaupt vorhanden, konkurriert es mit anderen Interessen mehr privater Natur, bei denen die Chancen effizienter Selbstverwirklichung ungleich größer sind als auf dem unübersichtlichen und von konkurrierenden Ansprüchen geprägten Feld der Politik. Politische Beteiligung ist daher die Ausnahme, Aktivität und Mobilisierung eine Sache von Minderheiten. Alltagsroutine entfaltet keine partizipatorische Attraktivität. Darüber hinaus verlangt die wachsende Komplexität der Materien Professionalität. Arbeitsteilung kennzeichnet auch die moderne Demokratie: Die einen wenden sich intensiv der Politik zu und treiben in ständiger Suche nach Information und Sachverstand die Entscheidungsprozesse voran. Andere halten andere Lebensinhalte für wichtiger und verlassen sich auf die politisch besonders Motivierten. Darüber hinaus kennzeichnen Arbeitsteilung und Spezialisierung seit langem das parlamentarische Verfahren, da nur dadurch ausreichend Sachverstand im Wettbewerb mit Interessenorganisationen und Administration um sozialverträgliche politische Lösungen freigesetzt werden kann. Abgeordnete sind längst nicht mehr allzuständig, sondern verlassen sich auf ihre spezialisierten Fraktionskollegen, die ihnen umgekehrt wiederum auf ihrem Themenfeld Vertrauen entgegen bringen.

Punktuelle und spontane Initiative löst die Alltags- und Kontinuitätsprobleme nicht. Sie schafft den Anschluß an die Institutionen nicht, sondern entwickelt sich an ihnen vorbei, teilweise auch bewußt gegen sie. Der Forderung nach ständiger allgemeiner politischer Initiative und Beteiligung der Bürger, die ja dann gelten muß, wenn Amt und Funktion des Abgeordneten aufgehoben oder entschieden beschnitten werden sollen, stehen also strukturelle und individualpsychologische Gründe entgegen. Zudem ist allgemeine Partizipation nicht zu erzwingen, solange Freiheit herrscht.

Von daher findet sich politische Aktivität immer nur bei Minderheiten. Sie genießen denn auch die Prämien direkter Demokratie, die denen zufallen, die sich beteiligen wollen und können. Zudem bleibt zu bedenken, daß der Volkswille ja nicht als feste, eindeutige Größe abrufbar besteht, sondern als Antwort auf eine Frage erst hervorgebracht werden muß. Sobald er sich artikuliert, besitzt er Antwortcharakter.[25] Wer beherrscht aber das Instrument des Fragens? Wer formuliert Initiativen und Entwürfe? In diesem Vorfeld liegen erhebliche Macht- und Einflußpositionen, die jene stärken, die über Routine, Techniken, Kenntnisse und Mittel verfügen. Von daher ergänzen plebiszitäre Verfahren nicht nur die Parteien- und Interessendemokratie, sondern sind offensichtlich gleichzeitig deren alternative Instrumente, die parlamentarisch unterlegenen Minderheiten oder gesellschaftlichen Organisationen die Möglichkeit bieten, ihre Positionen in einem zweiten Schritt durchzusetzen. Die meisten erfolgreichen Volksbegehren in Deutschland waren faktisch Parteibegehren, und wenn in Bayern die Initiatoren des 1995 erfolgreichen Begehrens zugunsten kommunaler Plebiszite inzwischen per Flugblatt ihre Kenntnisse und Dienste anbieten, so profilieren sie sich als ein ambulantes Team von Plebiszitorganisatoren, die dem Volkswillen professionelle Artikulationshilfe andienen. Auch ohne diesen gewerblichen Aspekt bilden die Träger von Initiativen stets Leitungsorgane repräsentativen Charakters, die allgemeiner direktdemokratischer Beteiligung vorausgehen. Ernst-Wolfgang Böckenförde hat für diesen Vorgang das treffende Bild geprägt, daß der direktdemokratische Mantel die versteckte Repräsentationsstruktur verhülle, die sich dabei entfaltet.[26]

Demokratische Gleichheit kann sich niemals in permanenter Beteiligung aller an aktuellen Entscheidungsprozessen entfalten. Sie verwirklicht sich vielmehr eher in der gleichen Chance und im gleichen Recht aller bei der Bestellung der politischen Führung. Gerade die Wahl von Abgeordneten und die Übertragung der Entscheidungsbefugnisse auf sie gibt erst dem Gleichheitsgrundsatz eine Chance, statt ihn dem Anspruch politischer Aktivisten zu opfern – denn Repräsentanten, die ihr Amt und die parlamentarische Demokratie recht verstehen, entscheiden für alle und nicht für sich selbst oder Einzelinteressen. Nur so läßt sich Legitimität gewinnen. Es kann kein verfassungspolitischer Fortschritt sein, die Selbstverwirklichung weniger gegen eine Politik in der Verantwortung für alle einzutauschen.

Rationalität

Die Verfechter einer parlaments- und abgeordnetenskeptischen Linie bezweifeln selbst, ob ihr Konzept zu einer neuen Regierungsform führt, die auch eine ähnliche Leistungsfähigkeit wie die parlamentarische für sich beanspruchen kann.

Tatsächlich muß die Verdrängung der Abgeordnetenentscheidung durch die Entscheidungsautonomie der Bürger vor allem an der heutigen Ausdehnung und Differenzierung der Politik scheitern. Selbst wenn er es möchte: Niemand ist mehr in der Lage, sich über alle Fragen auf der politischen Tagesordnung gleichzeitig und umfassend zu informieren. Auch für den Berufspolitiker bleibt die Allzuständigkeit in allen Bereichen der Politik eine unter heutigen Bedingungen nicht einzulösende Utopie. Um so weniger läßt sich das von Bürgern erwarten, die sich punktuell der Politik zuwenden. Der Abbau des Repräsentationsprinzips würde aber eine Allzuständigkeitszumutung an die Bürger bedingen, die sie nicht einlösen können. Zudem stehen ihnen die Waf-

fen der Parlamentarier zur Effizienzerhaltung – Spezialisierung und Arbeitsteilung – nicht zur Verfügung. Parlamentarier spezialisieren sich auf der Basis einer gemeinsamen politischen Überzeugung und versuchen dann die Ergebnisse arbeitsteiliger Willensbildung in den Fraktionen zu einem politisch-koordinierten Konzept zusammenzufügen.
Politik verlangt heute in hohem Maße Sachverstand.[27] Es kommt nicht nur darauf an, sich auf eine »Ideologie« und Wertprioritäten zu berufen. Man muß auch auf die rationalen Herausforderungen antworten können, die von der Kompliziertheit der zur Entscheidung stehenden Materien ausgehen. Natürlich darf Politik nicht vorschnell den berühmten Sachzwängen erliegen, wenn der Anspruch demokratischer und wertorientierter Profilierung und Steuerung aufrecht erhalten werden soll. Aber ebensowenig kann sie sich einfach über die gegebenen Verhältnisse hinwegsetzen. Sie würde ihre Position dann selbst untergraben und sehr schnell den Ansprüchen der Bürger nicht mehr entsprechen.

Rechtfertigung, Diskussion, Kommunikation

Es gibt eine Reihe guter Gründe, den Abgeordneten und dem Repräsentationsprinzip zu vertrauen. Aber die Alternative, Entscheidung durch Abgeordnete oder Entscheidung durch Bürger, stellt sich in dieser Ausschließlichkeit ohnehin in der Realität wohl kaum. Zumindest sollte man tunlichst vermeiden, sie sich aufnötigen zu lassen.
Vor dem gewachsenen Beteiligungsanspruch der Bürger kann nur ein Repräsentationsverständnis erschrecken, das Edmund Burke (1729-1797) noch immer beim Wort zu nehmen versucht, der den Abgeordneten nach der Wahl von der Verantwortung vor seinen Wählern freistellen wollte. Das ist unzeitgemäß. Denn keineswegs verfällt man dem Fehler plebiszitärer Uminterpretation, wenn man das parlamentarische Regierungssystem in enger Korrespondenz mit der öffentlichen Meinung begreift. Es wäre ein Mißverständnis zu glauben, daß sich Repräsentation gleichsam im Wahlakt erschöpft. Dieser Prozeß kann nur mit Hilfe öffentlicher Meinungsbildung und Meinungsäußerung von Regierenden und Regierten stattfinden sowie mit Hilfe der dafür zu Gebote stehenden Formen und Kanäle. Dazu zählen alle demokratischen Artikulations- und Partizipationsrechte der Bürger, insbesondere aber auch die Medien der politischen Kommunikation. Die Verschränkung parlamentarischer und vorparlamentarischer Kommunikation gilt als grundlegendes Postulat, weil in diesem Prozeß die Legitimität auf dem Spiel steht.
Repräsentative Demokratie muß demnach kommunikative Demokratie sein. Im Begriff der kommunikativen Demokratie kommt das Dynamische und Prozeßhafte des Repräsentationsvorgangs am besten zum Ausdruck. Er scheint auch gut geeignet, die sterile Entgegensetzung von repräsentativer und

plebiszitärer Demokratie zu überwinden, die das eigentliche Problem nicht faßt. Kommunikation zielt ja nicht unmittelbar auf Sanktion, auf Entscheidungsgewalt ab, so daß sie unterhalb der Schwelle des Plebiszitären bleibt und die parlamentarische Entscheidung zwar beeinflußt, aber nicht ersetzt und verdrängt. Andererseits wirkt sie einem verkürzten Repräsentationsverständnis entgegen und verdeutlicht im Grunde die Permanenz des Repräsentationsprozesses, in dem ständig und allseitig Begründung, Rechenschaft und Diskussion eingefordert wird, um parlamentarische Regierung in Korrespondenz mit der öffentlichen Meinung zu vollziehen.

Das bedeutet, daß das Vertrauen auf den Abgeordneten in der repräsentativen Demokratie nicht blind sein muß und darf. Seine grundsätzliche Entscheidungsfreiheit entläßt den Abgeordneten keineswegs aus der Kommunikation mit den Bürgern. Diese wiederum haben alle Freiheit und allen Anlaß, ihre Partizipationsrechte in Anspruch zu nehmen, um Einfluß auszuüben. Es gibt keinen Grund, darüber zu erschrecken, wenn sie das auf verfassungs- und rechtsstaatskonforme Weise tun. Aber sie müssen wissen, wer nach intensiven Kommunikationsprozessen die Entscheidungskompetenz und -verantwortung innehat, und diese dann auch respektieren. Parlamentarische Demokratie verfälscht sich aber nicht schon deswegen plebiszitär, weil Abgeordnete mit guten Gründen den Initiativen und Argumenten von Bürgern folgen. Ebensowenig wird sie autoritär, wenn Abgeordnete, ebenfalls mit guten und öffentlich gemachten Gründen, dies nicht tun.

Anmerkungen

1 Ernst Fraenkel: Die repräsentative und die plebiszitäre Komponente im demokratischen Verfassungsstaat. In: ders.: Deutschland und die westlichen Demokratien, 4. Auflage, Stuttgart 1968, S. 117.

2 So jedoch Otmar Jung: Grundgesetz und Volksentscheid. Gründe und Reichweite der Entscheidungen des Parlamentarischen Rats gegen Formen direkter Demokratie, Opladen 1994, S. 297. Die These Jungs, die damaligen Entscheidungen seien eigentlich ein Produkt des Kalten Krieges und des Antikommunismus als Antwort auf die plebiszitären Aktionen der SED, hält ihr Protagonist selbst für eine schwer beweisbare »Vermutung« (S. 336).

3 Vgl. dazu Gerhard Wettig: Kontrastprogramm »antifaschistisch-demokratische Ordnung«: Sowjetische Ziele und Konzepte. In: Heinrich Oberreuter/Jürgen Weber (Hrsg.): Freundliche Feinde? Die Alliierten und die Demokratiegründung in Deutschland, München 1995, S. 101 ff.

4 Vgl. die prominente Äußerung von Theodor Heuss (in: Parlamentarischer Rat: Stenographischer Bericht, 3. Sitzung, 9. September 1948, S. 30), solche Instrumente seien in überschaubaren Verhältnissen mit staatsbürgerlichen Traditionen »wohltätig«, jedoch »in der Zeit der Vermassung und Entwurzelung in der großräumigen Demokratie die Prämie für jeden Demagogen und die dauernde Erschütterung des mühsamen Ansehens, worum sich die Gesetzgebungskörper, die vom Volk gewählt sind, noch werden bemühen müssen, um es zu gewinnen«.

5 Vgl. Jean-Jacques Rousseau: Contrat social, Buch III, c. 15.

6 Vgl. Fraenkel: Die repräsentative und die plebiszitäre Komponente im demokratischen Verfassungsstaat (wie Anm. 1).

7 Vgl. Winfried Steffani: Repräsentative und plebiszitäre Elemente des Verfassungsstaates. In: ders.: Pluralistische Demokratie. Studien zur Theorie und Praxis, Opladen 1980, S. 149 ff.; er interpretiert aus Fraenkels Ansatz den institutionellen und den legitimatorischen Aspekt als zwei Problemebenen, bleibt aber bei der Unvereinbarkeit beider *Prinzipien* stehen (S. 153).

8 Vgl. Fraenkel: Die repräsentative und die plebiszitäre Komponente im demokratischen Verfassungsstaat (wie Anm. 1).

9 Im Oktober 1995 setzte sich in Bayern beim Volksentscheid über die Einführung des Plebiszits auf kommunaler Ebene zwangsläufig jener Entwurf durch, der »Mehr Demokratie« verhieß. Warum sollte die Mehrheit für die Alternative stimmen, die allein von der Wortwahl her eben schon »weniger« Demokratie verhieß?

10 So Steffani: Repräsentative und plebiszitäre Elemente des Verfassungsstaates (wie Anm. 7), S. 156.

11 Vgl. Ernst-Wolfgang Böckenförde: Demokratie und Repräsentation. Zur Kritik der heutigen Demokratiediskussion, Hannover 1983, S. 18 ff.

12 Vgl. Heinz Eulau u.a.: The Role of the Representative. In: American Political Science Review 53 (1959), S. 742 ff.; Heinz Eulau/Paul Karps: The Puzzle of Representation: Specifying Components of Responsiveness. In: Legislative Studies 2 (1977), S. 233 ff.; Hanna F. Pitkin: The Concept of Representation, Berkeley – Los Angeles 1967.

13 Vgl. Heinrich Oberreuter: Abgesang auf einen Verfassungstyp? Aktuelle Herausforderungen und Mißverständnisse der parlamentarischen Demokratie. In: ders. (Hrsg.): Wahrheit statt Mehrheit? An den Grenzen der parlamentarischen Demokratie, München 1986, S. 34 ff.

14 Heinrich Oberreuter: Kann der Parlamentarismus überleben?, 2. Auflage, Zürich 1978, S. 49.

15 Marek Sobolewski: Politische Repräsentation im modernen Staat. In: Heinz Rausch (Hrsg.): Zur Theorie und Geschichte der Repräsentation und Repräsentativverfassung, Darmstadt 1968, S. 419 ff., hier: S. 422.

16 Vgl. Rudolf Wassermann: Die Zuschauerdemokratie, Düsseldorf – Wien 1986.

17 Fraenkel: Die repräsentative und die plebiszitäre Komponente im demokratischen Verfassungsstaat (wie Anm. 1), S. 81.

18 In der Bundesrepublik versucht sich in den letzten Jahren geradezu eine plebiszitäre Bewegung zu etablieren, die in den Grünen wohl ihre Protagonisten hat, jedoch weit über sie hinausreicht. Eine »Aktion Volksentscheid« verfügt offenbar über ansehnliche Mittel zur Propagierung ihres Anliegens. Die kontinentale, auf Rousseaus Schultern stehende Demokratietheorie ist auf dem Vormarsch. Auch die Literatur öffnet sich zusehends dieser Position. Vgl. etwa Wassermann: Die Zuschauerdemokratie (wie Anm. 16); Jürgen Fijalkowski: Neuer Konsens durch plebiszitäre Öffnung? In: Albrecht Randelzhofer/Werner Süß (Hrsg.): Konsens und Konflikt. 35 Jahre Grundgesetz, Berlin 1986. S. 236-266; ziemlich radikal die Arbeit von Claus Henning Obst: Chancen direkter Demokratie in der Bundesrepublik Deutschland. Zulässigkeit und politische Konsequenzen, Köln 1986. Jüngst: Franz-Ludwig Knemeyer: Bürgerbeteiligung und Kommunalpolitik, München 1995. Zu Weimar: Reinhard Schiffers: Elemente direkter Demokratie im Weimarer Regierungssystem (= Beiträge zur Geschichte des Parlamentarismus und der politischen Parteien, Bd. 40), Düsseldorf 1971; Otmar Jung: – Volksgesetzgebung –. Die »Weimarer Erfahrung« aus dem Fall der Vermögensauseinandersetzungen zwischen Freistaaten und ehemaligen Fürsten, Teilband I und II, Hamburg 1990. In den Verfassungen der neuen Bundesländer sind plebiszitäre Elemente dem Zeitgeist entsprechend überall verankert worden.

19 Die wichtigsten Arbeiten über moderne Repräsentation kommen nicht von ungefähr

von dort. Siehe etwa Pitkin: The Concept of Representation (wie Anm. 12); Heinz Eulau/John C. Wahlke u.a.: The Politics of Representation. Continuities in Theory and Research, Beverly Hills u.a. 1978.

20 Ernst Fraenkel: Deutschland und die westlichen Demokratien, 7. Auflage, Stuttgart 1979, S. 20.

21 Vgl. dazu Fraenkel: Die repräsentative und die plebiszitäre Komponente im demokratischen Verfassungsstaat (wie Anm. 1), S. 113-151; ders.: Repräsentation. In: Ernst Fraenkel/Karl Dietrich Bracher (Hrsg.): Staat und Politik (Fischer-Lexikon), Neuausgabe, Frankfurt/M. 1964, S. 294-297. Siehe auch: Wilhelm Hennis: Amtsgedanke und Demokratiebegriff. In: ders.: Politik als praktische Wissenschaft, München 1968, S. 48-64.

22 Hierzu die beiden Arbeiten von Hasso Hofmann: Repräsentation. Studien zur Wort- und Begriffsgeschichte von der Antike bis ins 19. Jahrhundert, Berlin 1974, und Heinz Rausch: Repräsentation und Repräsentativverfassung. Anmerkungen zur Problematik, München 1979.

23 Vgl. Hermann Heller: Staatslehre, 3. Auflage, Leiden 1963, S. 81 ff., 228 ff.

24 So zutreffend schon Fritz Scharpf: Demokratietheorie zwischen Utopie und Anpassung, 2. Auflage, Kronberg 1975, S. 29 ff.

25 Vgl. Erich Kaufmann: Zur Problematik des Volkswillens. In: Ulrich Matz (Hrsg.): Grundprobleme der Demokratie, Darmstadt 1973, S. 22 ff.

26 Vgl. Böckenförde: Demokratie und Repräsentation (wie Anm. 11).

27 Daß dies ein generelles Problem aller demokratischen Parlamente ist, belegt der vom Verfasser herausgegebene Sammelband: Parlamentsreform. Probleme und Perspektiven in westlichen Demokratien, Passau 1981; vgl. auch Heinrich Oberreuter: Krise des Parlamentarismus? In: Aktuelle Herausforderungen der repräsentativen Demokratie (= Sonderheft 2 der Zeitschrift für Politik, hrsg. von Ulrich Matz), Köln u.a. 1985, S. 55-72; Paul Kevenhörster: Politik im elektronischen Zeitalter. Politische Wirkungen der Informationstechnik, Baden-Baden 1984; Volker von Thienen: Künftig ein technikgestaltendes Parlament? Zu den Empfehlungen der Enquete-Kommission »Technologiefolgenabschätzung«. In: Zeitschrift für Parlamentsfragen (ZParl) 17 (1986), S. 548-556; Gerhard Vowe: Wissen, Interesse, Macht. Zur Technikgestaltung durch Enquete-Kommissionen. In: ZParl 17 (1986), S. 557-568.

Anhang

Quellen

Die nachfolgende kleine Quellendokumentation[1] hat erläuternden Charakter. Sie greift Stichworte auf, die in den vorangegangenen Beiträgen Erwähnung finden, aber dort nicht näher ausgeführt werden konnten. Die Begriffe »Demokratie« und »Repräsentation« werden in einem geschichtlichen Abriß erklärt. Zentrale Passagen aus Jean-Jacques Rousseaus »Gesellschaftsvertrag« und John Lockes »Zwei Abhandlungen über die Regierung« kommen zur Sprache, soweit diese unmittelbar zum besseren Verständnis des Sammelbandes beitragen. Robert von Mohls berühmte Auseinandersetzung mit Rousseaus polemischer Kritik an der Repräsentation wird ebenso ergänzend angeführt wie Edmund Burkes häufig erwähnte Rede an die Bürger seines Wahlkreises in Bristol zum Mandat des Abgeordneten von 1774. Die Auswahl von Texten der Klassiker des politischen Denkens beschränkt sich auf ein Minimum. Max Webers Abhandlung »Parlament und Regierung im neugeordneten Deutschland« wurde aufgenommen, weil sie das cäsaristische Element moderner Massendemokratien bereits 1918 veranschaulicht.
Die großen verfassungspolitischen Kontroversen um die Weimarer Republik sind hier bestenfalls in ihrer Spannung anzudeuten. Als Exponenten wurden Carl Schmitt, dessen plebiszitäre Demokratievorstellungen und Parteienkritik bis heute nachwirkt, und Hermann Heller ausgewählt, der sich dazu bekennt, daß Demokratie zwar Volksherrschaft heißt, aber nicht ohne die legitimierte Herrschaft weniger auf Zeit auskommt. Die Fragwürdigkeit des gerne als Begründung für die direkte Demokratie ins Feld geführten Begriffs »Volkswille« zeigt Erich Kaufmann in seinem weitsichtigen Aufsatz von 1931.
Zum Demokratieverständnis der Bundesrepublik Deutschland werden einige wenige Autoren zitiert, von deren Arbeiten ein prägender Einfluß auf die Parlamentarismusdebatte ausging. Die Textstellen haben propädeutischen Charakter, weisen aber auch auf unterschiedliche Auffassungen hin, die sich gerade an der demokratietheoretischen Einordnung der Parteien in unser parlamentarisches Regierungssystem entzündeten. Das englische und Schweizer Regierungssystem sollen zwei Auszüge verständlicher machen, weil auf diese in einzelnen Beiträgen des Buches immer wieder verwiesen wird. Der Beitrag von Karl Dietrich Bracher zur Krisenanfälligkeit moderner Massendemokra-

tien weist auf die Schwierigkeiten des politischen Systems in der Weimarer Republik zurück, ordnet aber auch die aktuelle Diskussion damit in einen historischen Zusammenhang ein.
Abgesehen von Burkes Rede an die Bürger in Bristol handelt es sich bei allen Texten um Auszüge. Anmerkungen und Fußnoten innerhalb der Quellentexte wurden – von einigen wenigen Ausnahmen abgesehen – nicht übernommen, jedoch als Auslassungen entsprechend gekennzeichnet. Die Überschriften bzw. Stichworte stammen – mit Ausnahme der ersten beiden Texte zu »Demokratie« und »Repräsentation« – vom Herausgeber. Der Textauszug von Hanna F. Pitkin wird wegen einer fehlenden deutschen Ausgabe im amerikanischen Original wiedergegeben.

Der Herausgeber

Guenther Bien/Hans Maier [1972] zu:

Demokratie

I. Das Wort begegnet zuerst bei HERODOT, zweimal in substantivischer (δημοκρατια)[. . .] und zweimal in verbaler[. . .] Verwendung; es findet sich jedoch nicht in der berühmten Verfassungsdiskussion der persischen Großen, in der bei Herodot[. . .] ein Stück politischer Reflexion aus dem Perikles-Kreis faßbar wird. In einem Rede-Agon zwischen Otanes, Megabyzos und Dareios werden hier in einer Erörterung, die eine ausgebildete Verfassungslehre verrät, die Vorzüge und Nachteile der Volksherrschaft (δημοζ, το πολυ, το πληθοζ), der Oligarchie und Monarchie zur Sprache gebracht. Zum Lob der D., des πληθοζ αρχον[. . .] führt Otanes aus, daß sie erstens den allerschönsten Namen habe: die Gleichheit vor dem Gesetz (Isonomie), und daß sie zweitens frei sei von allen Gefahren der negativ (als Tyrannis) verstandenen Alleinherrschaft (Selbstüberhebung und Neid, Zerstörung der altüberlieferten Ordnungen, Ausschweifungen und Töten von Untertanen ohne Richterspruch); ihre positiven Vorzüge sind: Besetzung aller Ämter durch Los, die Rechenschaftspflicht der Amtsträger, alle Beschlüsse werden der Gesamtheit vorgelegt. Herodot stellt die drei genannten Verfassungen in ihrer besten Form zur Diskussion: »Drei Verfassungen sind möglich; nehmen wir sie alle in der besten Form an, also die vollkommenste Demosherrschaft, die vollkommenste Oligarchie und die vollkommenste Monarchie . . .«[. . .], und deutet damit implizit die Möglichkeit von drei Entartungsformen an, ohne diese terminologisch auseinanderzuhalten. [. . .]
II. [. . .] Die theoretische Diskussion ist im 19. Jh. einerseits dadurch gekennzeichnet, daß D. im nachrevolutionären Europa als *mögliche Gestaltungsform großer Staaten,* mithin als eine die Gegenwart unmittelbar bestim-

mende politische Macht empfunden wird. Die zunehmende Orientierung der Theorie an der demokratischen Praxis bewirkt andererseits eine Verschiebung des D.-Verständnisses: D. wird aus einer Verfassungsform, die der Monarchie und Aristokratie als Alternative gegenübersteht, zu einem den modernen Verfassungen im ganzen inhärierenden politischen *Element.* Entgegen der bisherigen Fixierung auf die direkte D. entwickelt sich im Vormärz der Gedanke einer beschränkten oder *repräsentativen* D.[...]. Die reine oder direkte wird der gemäßigten oder repräsentativen D. gegenübergestellt. Nach TOCQUEVILLES Amerikabuch (1835) tritt vor allem das Beispiel der Vereinigten Staaten, die D. als großer Flächenstaat, als gesellschaftlich differenziertes Gemeinwesen in den Mittelpunkt der Erörterungen: »Die D. als eigentliche Volksherrschaft hat ihr Feld in Amerika«, bemerkt der ›Brockhaus‹ von 1838[...].
Die Debatte über die Vereinbarkeit von D. und Königtum führt in den fünfziger Jahren bei BLUNTSCHLI zu der Empfehlung, die Monarchie möge das demokratische Element anerkennen und so als sichere Stütze in einer Repräsentativverfassung an sich binden[...]. In ähnlicher Weise verlangt schon das *demokratische Prinzip* ROTTECKS keineswegs die volle Realisierung der politischen D. als Staatsform, vielmehr wird eine betont freundliche Haltung gegenüber der Monarchie eingenommen, die Hand in Hand geht mit der Abwehr der jakobinischen Radikal-D. Nach Rotteck ist D. in jeder Gesellschaft als ein von der Volksgesamtheit konstituierter Rechtsboden immer vorhanden. Im Unterschied zum republikanischen ziele das demokratische Prinzip nicht auf die Staatsform, sondern auf die Rechtsgleichheit, die durchaus neben einem ungleichen Wahlrecht bestehen könne[...].
Das bürgerliche 19. Jh. löst sich sowohl von der pragmatischen Absicht wie von der zyklischen Orientierung früherer Untersuchungen über die Volksherrschaft. Die D. erscheint nicht mehr als ein Verfassungszustand, der andere Formen zur Voraussetzung hat und eines Tages von anderen abgelöst werden wird, sondern als *Endpunkt der Geschichte*, auf den die »historische Tendenz« schon seit Jahrhunderten – angefangen von der »altgermanischen Freiheit« und vom freiheitlichen angelsächsischen Protestantismus – hinzielt[...]. In England entwirft J. ST. MILL gegen die »geläufige Vorstellung« das Bild einer D., »in der Alle vertreten sind und nicht blos die Majorität, . . . die allein gleich, allein unparteiisch, allein die Regierung Aller durch Alle und der einzige wahre Typus der D. ist . . . frei von den größten Übelständen der fälschlich sogenannten D. . . .«[...].
Die soziale Frage mit ihrer ungeahnten Sprengkraft verhindert jedoch, daß die Entwicklungsgeschichte des D.-Begriffs in der problemlosen Verzahnung bürgerlich-liberaler Hoffnungen, Interessen und Geschichtsideologien zu ihrem Ende kommt. Im ›Brockhaus‹ von 1851/55 wird die Dichotomie der Forderungen nach politischer und nach materieller und sozialer Gleichheit registriert[...]. Das Vorspiel der ›sozialen D.‹ in der Zweiten Republik in Frankreich leitet über zum revolutionären Marxismus, der in der reinen, poli-

tischen D. eine *Vorstufe* sieht, die bekämpft und überwunden werden muß, sobald sie erreicht ist. [. . .]
Im 20. Jh. stehen ein westlich-liberaler, an der kapitalistischen Wirtschaftsordnung und an persönlichen Freiheitsrechten festhaltender, und ein relativierter, marxistischer, auf die Vollendung im Sozialismus und Kommunismus vorausweisender D.-Begriff – terminologisch seit dem Zweiten Weltkrieg oft in die emphatisch-pleonastische Neubildung ›Volks-D.‹ gefaßt – einander gegenüber.

Quelle: Joachim Ritter (Hrsg.): Historisches Wörterbuch der Philosophie, Bd. 2, Basel – Stuttgart 1972, S. 50-54.

Dieter Grimm [1988] zu:

Repräsentation

Grundlagen
Der schon in der Antike verwendete Begriff der R. erlangte erst relativ spät eine politische, auf die Ausübung und Legitimation von Herrschaft bezogene Bedeutung. Dazu kam es, als noch im Mittelalter der transzendentalen oder traditionellen Legitimation von Herrschaft Theorien entgegentraten, die legitime Herrschaft von der Zustimmung der Beherrschten abhängig machten. Für das damit entstehende Problem der Befähigung größerer Personenverbände zu organisierter Willensbildung ließ sich die R.sidee nutzbar machen. R. bedeutete in diesem Zusammenhang die vergegenwärtigende Darstellung einer als Einheit zwar betrachteten, aber nicht präsenten Personenmenge durch eine Person oder Personengruppe, die im Namen jener zu handeln befugt war und deren Handlungen den Repräsentierten zugerechnet wurden. In dieser Funktion ist R. von fundamentaler Bedeutung für alle Herrschaftssysteme, die die Beherrschten (das Volk) einerseits zum politischen Subjekt erklären, andererseits aber nicht unmittelbar an der politischen Entscheidung beteiligen (können oder wollen). Den Gegensatz zur R. bilden daher die identitären oder plebiszitären Systeme [. . .], in denen die Gesamtheit (das Volk) nicht fiktives Zurechnungssubjekt, sondern faktischer Urheber politischer Entscheidungen ist. Mischformen sind freilich denkbar und heute sogar üblich. Liegt in der Vergegenwärtigung einer als Einheit geltenden und auf kollektiv verbindliche Entscheidungen angewiesenen Personenvielfalt durch wenige mit Verpflichtungskraft ausgestattete Vertreter der konstante Sinn der R., so ist ihre historische Ausgestaltung doch variabel. Hier geht es im wesentlichen um die Fragen, wer als Repräsentant auftritt und wer oder was repräsentiert wird, worauf die R. beruht und wie die Beziehung zwischen Repräsentation und Repräsentierten eingerichtet ist. [. . .]

Parlamentarische Repräsentation

Die heute übliche demokratisch-parlamentarische R. war nach Überwindung des ständischen Partikularismus als Vertretung des Gesamtinteresses gedacht. Dieses bildete nun keine präexistente und vom Herrscher gewußte Größe mehr, sondern sollte sich aus dem öffentlichen Diskurs gewählter, aber weisungsfreier Volksrepräsentanten ergeben. Mit der Auflösung der geburtsständischen Interessenbindungen verschwand aber nicht die gesellschaftliche Interessenpluralität überhaupt. Das mochte verdeckt bleiben, solange ein auf Besitz und Bildung beschränktes Wahlrecht für eine relativ homogene Zusammensetzung der Parlamente sorgte. Mit der graduellen Ausweitung des Wahlrechts drangen die bestehenden Interessengegensätze aber in die repräsentativen Versammlungen ein, verfestigten sich dort zu Fraktionen und griffen anschließend in Gestalt politischer Parteien wieder in die Gesellschaft aus.

Parteien sind die ebenso unbeabsichtigte wie unausweichliche Konsequenz der repräsentativen Demokratie mit Massenwahlrecht. Erst die von ihnen geleistete Selektion und Konzentration der Meinungs- und Interessenvielfalt setzt das Volk in Stand, seine Repräsentanten zu bestellen. Gleichzeitig haben die Parteien durch ihre Mediatorenrolle zwischen Volk und Staatsorganen die R. aber nachhaltig verändert. In der Wahl geht es nicht mehr um die Bestellung unabhängiger, aufgrund vorpolitisch begründeten Ansehens ausgezeichneter Vertreter, sondern um die Bestimmung von Machtanteilen der Parteien, die in Mandaten gemessen werden, und die parlamentarische Entscheidung resultiert nicht mehr aus dem öffentlichen Diskurs der Besten des Volkes, sondern ist die Registrierung der innerhalb der Parteien vorgefaßten Meinungen [. . .].

Dennoch spricht wenig für die Annahme, daß sich durch die Intervention der Parteien die repräsentative Demokratie unter der Hand in eine identitäre verwandelt habe. Weder lassen sich die Parteien in ihrer Gesamtheit mit dem Volk gleichsetzen oder als dessen verkleinertes Abbild begreifen, noch bestimmt das Volk in der Wahl über Sachfragen, sondern trifft lediglich eine hochgeneralisierte, Sachentscheidungen nur schwach determinierende Richtungsentscheidung. Überdies sichert das nach wie vor zur Grundausstattung repräsentativer Demokratien zählende freie Mandat den Repräsentanten eine temporär unangreifbare Position und verhindert das für identitäre Demokratien charakteristische Weisungsverhältnis ebenso wie den in den parteienstaatlichen Surrogaten der direkten Demokratie immer wieder reklamierten Durchgriff der Partei auf die Mandatsträger. [. . .]

Je mehr der Staat gesellschaftliche Veränderungen zu seiner Aufgabe macht, desto häufiger ist er in freiheitlich organisierten Systemen zur Planung und Durchsetzung seiner gesellschaftspolitischen Ziele auf die Folgebereitschaft der Interessenverbände angewiesen. Daher geht er zunehmend zu institutionalisierter Kooperation über und macht die Verbände so von bloßen Einflußgruppen zu Partizipanten an staatlichen Entscheidungen *(Neokorporatismus).*

Das auf monistische R. angelegte parlamentarisch-demokratische System tendiert auf diese Weise wieder zu dualistischen R.sformen. Allerdings wird dadurch nicht die ursprüngliche Teilung in Einheits- und Vielfalts-R. wiedergewonnen, denn auch die parteipolitisch strukturierten Parlamente repräsentieren die Gesellschaft weniger in ihrer Übereinstimmung als in ihren Widersprüchen. Darin liegt ihre Anfälligkeit für Kompromißunfähigkeit und Mehrheitsdiktatur [. . .]. In beiden Fällen wird die Integrationsaufgabe verfehlt, weil entweder der Entscheidungsbedarf ungedeckt bleibt oder die Entscheidungen an innerer Verpflichtungskraft für die Minderheit verlieren. Das Bestreben richtet sich unter solchen Umständen wieder auf eine von den organisierten gesellschaftlichen Kräften relativ unabhängige R. der staatlichen Einheit, die dann gewöhnlich bei der Exekutive gesucht wird. [. . .]

Gegenwartsprobleme

Die aktuellen Probleme der R. resultieren eher aus einer Kluft zwischen überlieferter R.sform und moderner Staatstätigkeit sowie aus Schwächen des Parteiensystems. Der Staat ist längst vom bloßen Garanten einer auf den Marktmechanismus bauenden Ordnung zur ordnungsgestaltenden und zukunftsplanenden Instanz geworden. Für die R. hat das vor allem zwei Folgen. Erstens ist die planende und gestaltende Staatstätigkeit gesetzlich nur begrenzt steuerbar. Die materielle Entscheidung verlagert sich deswegen in dic Verwaltung, die aber ihrer Konzeption als Vollzugsinstrument gemäß nicht repräsentativ organisiert ist. Zweitens erzeugt die moderne Staatstätigkeit in zunehmendem Maß gruppenspezifische ad hoc-Betroffenheit, auf die das R.ssystem nicht zugeschnitten ist. Betroffenheit von und Partizipation an politischen Entscheidungen fallen dann auseinander, und zwar in räumlicher, funktionaler und zunehmend auch zeitlicher Hinsicht. [. . .]

Quelle: Dieter Grimm: Repräsentation. In: Görres-Gesellschaft (Hrsg.): Staatslexikon, Bd. 4, 7., völlig neu bearbeitete Auflage, Freiburg – Basel – Wien 1988, S. 878-882.

John Locke [1690] zu:

Der Gesellschaftsvertrag

§ 95. Da die Menschen, wie schon gesagt wurde, von Natur aus alle frei, gleich und unabhängig sind, kann niemand ohne seine Einwilligung aus diesem Zustand verstoßen und der politischen Gewalt eines anderen unterworfen werden. Die einzige Möglichkeit, mit der jemand diese natürliche Freiheit aufgibt und *die Fesseln bürgerlicher Gesellschaft anlegt,* liegt in der Übereinkunft mit anderen, sich zusammenzuschließen und in eine Gemeinschaft zu vereinigen, mit dem Ziel eines behaglichen, sicheren und friedlichen Miteinanderlebens, in dem sicheren Genuß ihres Eigentums und in größerer Sicherheit gegenüber allen, die nicht zu dieser Gemeinschaft gehören. [. . .] Wenn eine Anzahl von Menschen darin *eingewilligt hat, eine einzige Gemeinschaft* oder eine Regierung zu bilden, so haben sie sich ihr damit gleichzeitig einverleibt, und sie bilden *einen einzigen politischen Körper,* in dem die *Mehrheit* das Recht hat, zu handeln und die übrigen mitzuverpflichten.

§ 96. Denn wenn eine Anzahl von Menschen mit der Zustimmung jedes Individuums eine *Gemeinschaft* gebildet hat, dann haben sie dadurch diese *Gemeinschaft* zu einem einzigen Körper gemacht, mit der Macht, wie ein einziger Körper zu handeln, was nur durch den Willen und den Beschluß der *Mehrheit* geschehen kann. Denn da eine Gemeinschaft allein durch die Zustimmung ihrer einzelnen Individuen zu handeln vermag und sich ein einziger Körper auch nur in einer einzigen Richtung bewegen kann, so muß sich notwendigerweise der Körper dahin bewegen, wohin die stärkere Kraft ihn treibt. Und das eben ist *die Übereinstimmung der Mehrheit.* [. . .]

§ 97. Jeder Mensch also, der mit anderen übereinkommt, einen einzigen politischen Körper unter einer Regierung zu bilden, verpflichtet sich gegenüber jedem einzelnen dieser Gesellschaft, sich dem Beschluß der *Mehrheit* zu unterwerfen und sich ihm zu fügen. Denn sonst würde dieser *ursprüngliche Vertrag,* durch den er sich mit anderen zu *einer Gesellschaft* vereinigt, keinerlei Bedeutung haben und kein Vertrag sein, wenn der einzelne weiter frei bliebe und unter keiner anderen Verpflichtung stände als vorher im Naturzustand. [. . .]

Quelle: John Locke: Zwei Abhandlungen über die Regierung (1690), Frankfurt/M. – Wien 1967, S. 264 f.

Repräsentation

§ 158. *Salus populi suprema lex*[2] ist sicherlich eine so gerechte und grundlegende Regel, daß jemand, der sie gewissenhaft befolgt, nicht gefährlichen Irrtümern verfallen kann. Wenn deshalb die Exekutive, die die Macht hat, die Legislative einzuberufen, mehr auf das richtige Verhältnis als auf die Art der *Repräsentation* achtet, und daher nicht nach altem Brauch, sondern der Vernunft entsprechend die *Zahl der Mitglieder* an allen Orten festlegt, die ein Recht haben, besonders vertreten zu werden – was jeder Teil des Volkes, gleichgültig wie er sich vereinigt hat, lediglich im Verhältnis zu dem Beistand beanspruchen kann, den er der Öffentlichkeit leistet –, so kann das nicht als Einsetzung einer neuen Legislative beurteilt werden, sondern nur als eine Wiederherstellung der alten und wahren und als eine Berichtigung der Mißverhältnisse, die sich im Laufe der Zeit ebenso unmerklich wie unvermeidlich eingeschlichen haben. Denn da es sowohl dem Interesse als auch der Absicht des Volkes entspricht, eine gerechte und *gleiche Vertretung* zu haben, so ist jeder, der es diesem Ziel am nächsten bringt, zweifellos ein Freund der Regierung und festigt sie, und ihm kann daher auch nicht die Zustimmung und der Beifall der Gemeinschaft versagt werden. *Prärogative* ist nichts anderes als eine Gewalt in den Händen des Fürsten, für das öffentliche Wohl zu sorgen, und zwar in solchen Fällen, die von unvorhergesehenen und ungewissen Ereignissen abhängen und deshalb nicht nach bestimmten und unabänderlichen Gesetzen sicher geregelt werden können. [. . .] Die Macht, neue Gemeindebehörden und damit *neue Vertretungen* zu schaffen, schließt die Annahme in sich, daß sich im Laufe der Zeit die *Verhältnisse der Repräsentation* ändern können und solche Orte einen berechtigten Anspruch auf Repräsentation haben, die ihn vorher nicht hatten, und daß aus demselben Grunde andere, die ihn vorher besaßen, diesen Anspruch verlieren können und für ein solches Privileg zu unbedeutend werden. Nicht eine möglicherweise durch Korruption oder Verfall herbeigeführte Änderung des gegenwärtigen Zustandes unternimmt einen Angriff gegen die Regierung, sondern ihre Tendenz, das Volk ungerecht zu behandeln und es zu unterdrücken und eine Gruppe oder eine Partei einzusetzen, die diese vom übrigen Volk unterscheidet und zu dessen ungleicher Unterwerfung führt. Was immer nach gerechten und dauernden Gesetzen als vorteilhaft für die Gesellschaft und das Volk im allgemeinen anerkannt werden muß, wird sich immer, wenn es geschehen ist, selbst rechtfertigen. Und so oft das Volk *seine Vertreter nach* gerechten und unleugbar *gleichen Maßstäben* wählt, die dem ursprünglichen Aufbau der Regierung entsprechen, kann nicht bezweifelt werden, daß dies der Wille und der Akt der Gesellschaft ist, wobei es völlig gleichgültig ist, wer es dem Volk erlaubte oder es veranlaßte, so zu handeln.

Quelle: Ebd., S. 307 f.

Das Vertrauen

§ 149. Obwohl es in einem verfaßten Staat, der auf seiner eigenen Grundlage ruht und der eigenen Natur gemäß handelt, d. h. zur Erhaltung der Gemeinschaft, nur *eine höchste Gewalt* geben kann, nämlich *die Legislative,* der alle übrigen Gewalten untergeordnet sind und auch sein müssen, so ist doch die Legislative nur eine Gewalt, die auf Vertrauen beruht und zu bestimmten Zwecken handelt. Es verbleibt *dem Volk* dennoch *die höchste Gewalt,* die *Legislative* abzuberufen oder zu *ändern,* wenn es der Ansicht ist, daß die *Legislative* dem in sie gesetzten Vertrauen zuwiderhandelt. Denn da alle *Gewalt, die im Vertrauen auf einen bestimmten Zweck übertragen wird,* durch diesen

Zweck begrenzt ist, so muß, wenn dieser *Zweck* vernachlässigt oder ihm entgegen gehandelt wird, dieses *Vertrauen* notwendigerweise *verwirkt* sein und die Gewalt in die Hände derjenigen zurückfallen, die sie erteilt haben und die sie nun von neuem vergeben können, wie sie es für ihre Sicherheit und ihren Schutz am besten halten. Und so *behält die Gemeinschaft* beständig *eine höchste Gewalt für sich,* um sich vor den Angriffen und Anschlägen einer Körperschaft, selbst ihrer Gesetzgeber, zu sichern, so oft diese so töricht oder schlecht sein sollten, Pläne gegen die Freiheiten und Eigentumsrechte der Untertanen zu schmieden und zu verfolgen. [. . .]

Quelle: Ebd., S. 301.

Die Legislative

§ 153. Es ist nicht notwendig und nicht einmal angebracht, daß die *Legislative dauernd im Amte* bleibt. Dagegen ist dies unbedingt notwendig für die *Exekutive.* Obwohl nicht dauernd neue Gesetze benötigt werden, ist es aber immer notwendig, daß die bereits erlassenen Gesetze vollzogen werden. Wenn die *Legislative* die *Vollziehung* der von ihr erlassenen Gesetze in andere Hände gelegt hat, behält sie doch immer noch eine Macht, sie aus diesen Händen zurückzunehmen, sobald sie einen Grund dazu findet, und jede schlechte und gesetzwidrige Verwaltung zu bestrafen. Dasselbe gilt auch hinsichtlich der *föderativen* Gewalt, denn beide, die föderative und die exekutive Gewalt, stehen im *Dienst der Legislative und sind dieser untergeordnet.* [. . .] Denn da ihr die höchste Gewalt vom Volke übertragen wurde, liegt sie immer bei ihr, und sie darf sie zu jedem beliebigen Zeitpunkt ausüben, es sei denn, sie wäre durch ihre ursprüngliche Verfassung an bestimmte Perioden gebunden oder sie hätte sich durch einen Beschluß ihrer höchsten Gewalt auf eine bestimmte Zeit vertagt. [. . .]

§ 154. Wenn die *Legislative* oder ein Teil von ihr aus Repräsentanten gebildet wird, die vom Volke auf Zeit gewählt werden und danach wieder zu gewöhnlichen Untertanen werden und nur durch eine Neuwahl wieder an der gesetzgebenden Gewalt teilhaben können, so muß auch diese Macht der Wahl vom Volke ausgeübt werden, und zwar entweder zu bestimmten, festgesetzten Zeiten, oder aber wenn es dazu aufgefordert wird. Im letzteren Falle liegt die Macht, die Legislative einzuberufen, gewöhnlich in den Händen der Exekutive, und sie ist in bezug auf den Zeitpunkt einer der beiden folgenden Beschränkungen unterworfen: entweder verlangt ihre ursprüngliche Verfassung, daß sich die Legislative in bestimmten Intervallen *versammelt und in Tätigkeit tritt* – dann tut die exekutive Gewalt nichts anderes, als im Dienste der Legislative in gebührender Form Weisungen für ihre Wahl und ihre Versammlung zu erlassen –, oder aber es bleibt ihrer Klugheit überlassen, das Volk zu neuen Wahlen aufzurufen, sobald die Gelegenheit oder die Bedürfnisse der Öffentlichkeit verlangen, daß alte Gesetze verbessert oder neue Gesetze erlassen werden oder daß irgendwelche Unzuträglichkeiten, die auf dem Volk lasten oder es bedrohen, beseitigt oder verhindert werden.

Quelle: Ebd., S. 303-305.

Charles-Louis de Montesquieu [1748] zu:

Demokratie und Tugend

Zum Fortbestand oder zur Stützung einer monarchischen oder einer despotischen Regierung ist keine sonderliche Tüchtigkeit vonnöten. Unter der einen regelt die Kraft des Gesetzes alles oder hält alles zusammen, unter der anderen der immer schlagkräftige Arm des Herrschers. In einem Volksstaat ist aber eine zusätzliche Triebkraft nötig: die *Tugend.*

Was ich sage, wird von dem ganzen Geschichtszusammenhang bestätigt und stimmt durchaus mit der Natur der Dinge überein. Denn augenscheinlich bedarf es in einer Monarchie, wo sich der Mann, der die Gesetze ausführen läßt, über den Gesetzen stehend dünkt, der Tugend weniger als bei einer Volksregierung, wo der Mann, der die Gesetze ausführen läßt, fühlt, daß er selbst ihnen unterworfen ist und sie in ihrer Schwere zu ertragen hat.

Ebenso augenscheinlich kann der Monarch, der infolge schlechter Beratung oder aus eigener Saumseligkeit die Anwendung der Gesetze auf sich beruhen läßt, den Mißstand leicht abstellen. Er braucht lediglich die Ratgeber zu wechseln oder seine Saumseligkeit aufzugeben. Wenn bei einer Volksregierung die Gesetze aber einmal zu herrschen aufhören, ist der Staat bereits verloren. Denn das kann nur von der Verderbtheit der Republik herrühren. [. . .]

Sobald diese Tugend schwindet, ergreift der Ehrgeiz die dafür empfänglichen Herzen, und der Geiz die Herzen aller anderen. Die Begierden wenden sich anderen Gegenständen zu. Man liebt nicht mehr, was man vordem liebte. Man war mit den Gesetzen frei, nun will man gegen die Gesetze frei sein. Was *Maxime* war, nennt man *Strenge,* was *Regelung* hieß, nennt man *Zwang*, was man *Vorsicht* hieß, nennt man *Furcht.* Die Genügsamkeit gilt als Geiz, nicht die Besitzgier.

Einst stellte das Gut der Privatleute den öffentlichen Schatz dar, nun aber wird der öffentliche Schatz zur Einnahmequelle der Privatleute. Die Republik ist nun ein Beutestück. Ihre Kraft ist nur noch die Macht einiger Bürger und die Haltlosigkeit aller.

Quelle: Montesquieu: Vom Geist der Gesetze (1748), Stuttgart 1965, S. 118 f.

Jean-Jacques Rousseau [1762] zu:

Der Gesellschaftsvertrag

Befreit man also den Gesellschaftsvertrag von allem Unwesentlichen, so wird man finden, daß er sich auf folgende Formel zurückführen läßt: *Jeder von uns stellt seine Person und seine ganze Kraft gemeinschaftlich unter die oberste Leitung des allgemeinen Willens; wir nehmen jedes Mitglied in einen Körper als untrennbaren Teil des Ganzen auf.*

An Stelle der einzelnen Person jedes Vertragschließenden entsteht jetzt durch diesen Akt der Vergesellschaftung ein sittlicher und gemeinschaftlicher Körper, der sich aus soviel Mitgliedern zusammensetzt, wie die Versammlung Stimmen hat, und der durch eben diesen Akt seine Einheit, sein gemeinschaftliches *Ich*, sein Leben und seinen Willen empfängt. Diese Staatspersonalität, die sich so durch die Vereinigung aller Einzelpersonen bildet, erhielt ehemals den Namen *Stadt*[...] (Cité) und heißt jetzt *Republik* oder *Staatskörper,* der von seinen Mitgliedern *Staat* genannt wird, wenn er passiv bleibt, *Staatoberhaupt,* wenn er aktiv ist, *Macht,* wenn er sich in Vergleich zu anderen setzt. [. . .]

Quelle: Jean-Jacques Rousseau: Der Gesellschaftsvertrag (1762), München 1948, S. 61.

Der allgemeine Wille

Aus dem Vorhergehenden ergibt sich, daß der allgemeine Wille immer richtig ist und immer auf das allgemeine Wohl abzielt, aber es folgt nicht daraus, daß die Beschlüsse des Volkes auch immer richtig sind. Man will immer sein Bestes, aber man sieht es nicht immer. Das Volk läßt sich nie bestechen, wohl aber hinters Licht führen, und nur dann scheint es das Schlechte zu wollen.

Oft besteht ein großer Unterschied zwischen dem Willen aller und dem allgemeinen Willen. Dieser zielt nur auf das gemeinsame Interesse, jener auf das Privatinteresse und ist nur die Summe der einzelnen Willensmeinungen. Zieht man aber von diesen Willensmeinungen die sich gegenseitig vernichtenden Extreme[...] ab, so bleibt als Summe der Differenzen der allgemeine Wille.

Ja, hätten bei einer Beschlußfassung eines hinreichend unterrichteten Volkes die Staatsbürger keine Verbindung unter sich, so würde aus der großen Zahl der kleinen Differenzen immer der allgemeine Wille hervorgehen und der Beschluß wäre immer gut. Wenn sich aber auf Kosten der allgemeinen Vereinigung Cliquen und Parteien bilden, so wird der Wille jeder dieser Parteien in bezug auf ihre Mitglieder allgemein und dem Staat gegenüber ein einzelner: man kann alsdann sagen, daß nicht mehr soviele Stimmberechtigte wie Menschen vorhanden sind, sondern nur soviele wie es Parteien gibt. [. . .]

Ebd., S. 75 f.

Der allgemeine Wille und die Opposition

Es gibt nur ein einziges Gesetz, dessen Annahme seiner Natur nach Einstimmigkeit verlangt: der Gesellschaftsvertrag; denn die bürgerliche Vereinigung ist die freiwilligste Handlung von der Welt. Da jeder Mensch von Geburt frei und sein eigener Herr ist, kann ihn sich niemand – unter welchem Vorwand auch immer – ohne seine Einwilligung unterwerfen. [. . .]
Wenn sich daher bei Abschluß des Gesellschaftspaktes Gegner erheben, so wird durch ihre Opposition der Vertrag nicht ungültig, sie werden nur von ihm ausgeschlossen. Bleiben sie, nachdem der Staat gegründet worden ist, so bedeutet ihr Bleiben Zustimmung; das Staatsgebiet bewohnen, heißt sich der Staatshoheit unterwerfen[. . .].
Von diesem grundlegenden Vertrag abgesehen, ist Stimmenmehrheit für alle anderen verbindlich; das folgt unmittelbar aus dem Vertrage selbst. Man könnte jedoch einwenden, wie ein Mensch frei und doch gezwungen sein kann sich einem fremden Willen zu fügen. Wie können Oppositionelle frei und zugleich Gesetzen unterworfen sein, denen sie nicht zugestimmt haben? Ich antworte darauf, daß die Frage falsch gestellt ist. Der Staatsbürger willigt in alle Gesetze ein, auch in die, die gegen seinen Willen erlassen werden, sogar in die, die ihn mit Strafe bedrohen, wenn er sie übertritt. Der stete Wille aller Mitglieder des Staates ist der allgemeine Wille; durch ihn sind sie Staatsbürger und frei[. . .]. Wird in der Volksversammlung ein Gesetz vorgeschlagen, so fragt man sie nicht eigentlich, ob sie ihm zustimmen oder ob sie es verwerfen, sondern ob es dem Volkswillen entspricht oder nicht; jeder gibt bei der Abstimmung seine Meinung bekannt; an der Stimmenzahl liest man den Volkswillen ab. Unterliege ich, so beweist dies nichts anderes, als daß ich mich geirrt habe, und es nicht der allgemeine Wille war, was ich dafür gehalten habe. Hätte sich meine persönliche Meinung durchgesetzt, so hätte ich etwas ganz anderes getan, als ich gewollt hätte; gerade dann wäre ich nicht frei gewesen.
Das setzt freilich voraus, daß die Stimmenmehrheit alle Kennzeichen des allgemeinen Willens aufweise; ist das nicht mehr der Fall, so gibt es keine Freiheit mehr, gleichgültig welche Partei man ergreift.

Ebd., S. 175-177.

Edmund Burke [1774] zu:

Das imperative und das freie Mandat

Gewiß, meine Herren, es sollte das Glück und der Ruhm eines Volksvertreters sein, in engster Verbindung, völliger Übereinstimmung und rückhaltlosem Gedankenaustausch mit seinen Wählern zu leben. Ihre Wünsche sollten für ihn großes Gewicht besitzen, ihre Meinung seine hohe Achtung, ihre Interessen seine unablässige Aufmerksamkeit. Es ist seine Pflicht, seine Ruhe, seine Freuden und seine Befriedigungen den ihren zu opfern; und vor allem in jedem Falle ihre Interessen den seinen vorzuziehen. Doch seine unvoreingenommene Meinung, sein ausgereiftes Urteil, sein erleuchtetes Gewissen sollte er weder euch, noch irgendeinem Menschen oder irgendeiner Gruppe von Menschen aufopfern; denn er leitet sie nicht von eurer Gunst her, noch aus dem Recht oder der Verfassung. Sie sind ein von der Vorsehung anvertrautes Gut, für dessen Mißbrauch er voll verantwortlich ist. Euer Abgeordneter schuldet euch nicht nur seinen ganzen Fleiß, sondern auch einen eigenen Standpunkt; und er verrät euch, anstatt euch zu dienen, wenn er ihn zugunsten eurer Meinung aufopfert.

Mein ehrenwerter Kollege sagt, sein Wille solle sich dem euren fügen. Ist das alles, so ist die Sache harmlos. Wenn das Regieren nur eine Frage des Willens auf irgendeiner Seite wäre, so müßte euer Wille ohne Zweifel der höhere sein. Doch das Regieren und die Gesetzgebung sind Fragen der Vernunft und des Urteils, und nicht der (persönlichen) Neigung; und was ist das für eine Vernunft, bei der der Beschluß der Diskussion vorangeht, bei der eine Gruppe von Menschen berät und eine andere beschließt; und wo diejenigen, die den Beschluß fassen, vielleicht dreihundert Meilen von denen entfernt sind, die die Argumente für und wider hören?

Eine Meinung zu äußern, ist das Recht aller Menschen; diejenige der Wähler ist eine gewichtige und achtenswerte Meinung, die zu hören ein Volksvertreter sich stets freuen sollte und die er immer auf das ernsthafteste erwägen müßte. Doch autoritative Instruktionen, erteilte Mandate, die das Parlamentsmitglied blindlings und ausdrücklich befolgen muß, für die es seine Stimme abgeben und für die es eintreten soll, obgleich diese Instruktionen im Gegensatz zur klarsten Überzeugung seines Urteils und Gewissens stehen mögen, sind Dinge, die den Gesetzen unseres Landes völlig unbekannt sind und die aus einem fundamentalen Mißverständnis der gesamten Ordnung und des Inhalts unserer Verfassung entspringen.

Das Parlament ist kein Kongreß von Botschaftern im Dienste verschiedener und feindlicher Interessen, die jeder als Vertreter und Befürworter gegen andere Vertreter und Befürworter verfechten müßte, sondern das Parlament ist die beratende Versammlung einer Nation, mit einem Interesse, dem des Ganzen, wo nicht lokale Zwecke, nicht lokale Vorurteile bestimmend sein sollten, sondern das allgemeine Wohl, das aus der allgemeinen Vernunft des Ganzen hervorgeht. Wohl wählt ihr allein einen Abgeordneten, aber wenn ihr ihn gewählt habt, dann ist er nicht mehr Vertreter von Bristol, sondern ein Mitglied des Parlamentes. Falls der lokale Auftraggeber ein Interesse verfolgen oder sich eine voreilige Meinung gebildet haben sollte, die ganz offensichtlich im Widerspruch zum wahren Wohl der restlichen Gemeinschaft stehen, dann sollte der Abgeordnete dieses Wahlkreises, so gut wie jeder andere, davon Abstand nehmen, diese Sonderinteressen durchzusetzen.

Quelle: Edmund Burke: Rede an die Wähler von Bristol (1774). In: Dieter Oberndörfer/ Wolfgang Jäger (Hrsg.): Klassiker der Staatsphilosophie. Ausgewählte Texte, Bd. 2, Stuttgart 1971, S. 47 f.

Robert von Mohl [1860] zu:

Jean-Jacques Rousseaus Repräsentationsverständnis – eine Kritik

Die Ansichten der Wenigen, welche sich mit der inneren Berechtigung der Stellvertretung im Staate beschäftigt haben, sind sehr auseinander gegangen. Während ein bedeutender Mann in der Bestellung von Vertretern tiefe Unsittlichkeit und Verfall der staatsbürgerlichen Gesinnung erblickt, erkennt ein Anderer in derselben Einrichtung eine nothwendige Erfüllung von Pflichten.

Bekannt ist einer Seits der heftige Ausfall *J. J. Rousseau's* [Du Contrat social, III, 15] auf die Vertretung. »Sobald«, sagt er, »der öffentliche Dienst aufhört die hauptsächliche Beschäftigung der Bürger zu sein, diese lieber mit ihrem Beutel als mit ihrer Person bezahlen, ist der Staat seinem Untergang nahe. Muss man zum Kampfe gehen, so zahlen sie Soldaten und bleiben zu Hause. Soll man sich in den Rath begeben, so ernennen sie Abgeordnete und bleiben zu Hause. Aus Trägheit und mit Geld haben sie dann Söldner um das Vaterland zu unterjochen und Stellvertreter um es zu verkaufen. . . . Die Staatsgewalt (souverainété) kann nicht repräsentirt werden, und zwar aus demselben Grunde, warum sie nicht veräussert werden kann: sie beruht wesentlich in dem allgemeinen Willen, und dieser kann nicht repräsentirt sein. Er ist er selbst, oder er ist ein anderer; es giebt kein Drittes. Die Abgeordneten des Volkes sind also nicht seine Vertreter, sondern nur seine Beauftragte (commissaires); sie können keinen schliesslichen Entscheid geben. Jedes Gesetz, welches das Volk nicht gutgeheissen hat, ist ungültig; es ist gar kein Gesetz.« [. . .]

Rousseau's Verurtheilung der Volksvertretung beruht theoretisch auf einer längst als unrichtig anerkannten Auffassung der Staatsgewalt und des Verhältnisses des Volkes zu ihr; practisch aber auf einer Voraussetzung räumlich und

wirthschaftlich äusserst beschränkter Verhältnisse, wie sie in den meisten Staaten der Neuzeit nicht bestehen. [. . .]
Glücklicherweise lässt sich ein anderer Weg zur Begründung des Repräsentativsystemes einschlagen. Es ist nicht nur möglich, sondern sogar weit zweckmässiger, die Frage, was Repräsentation sei und wie sich der Gedanke zu den menschlichen Einrichtungen überhaupt verhalte, viel einfacher zu fassen und unmittelbar aus dem Leben zu beantworten.
Ohne Besorgniss vor Widerspruch können zwei Thatsachen nicht nur als richtig, sondern auch als in den verschiedensten Verhältnissen und Modifikationen vorkommend angenommen werden. Einmal, dass sehr häufig ein Mensch eines Rechtes oder eines Interesses überall nicht selbst warten kann und daher damit zufrieden sein muss, wenn ein Anderer die Besorgung auf verständige und redliche Weise übernimmt. Zweitens, dass es für eine grössere Anzahl von Menschen, welche ein gemeinschaftliches Recht oder Interesse besitzen, eine schwere Aufgabe ist, die Wahrung und Ausübung ihres Anspruches gegenüber von einem Dritten auf wirksame Weise selbst zu besorgen. Bleiben sie nämlich bei solchem Unternehmen vereinzelt, so haben sie nicht blos in dieser Zersplitterung nur eine geringe Macht, sondern es ist auch höchst wahrscheinlich, dass sie, unter sich verschiedener Meinung, gegenseitig ihre Absichten selbst durchkreuzen und verhindern; ein Zusammentritt Aller zu einer gemeinschaftlichen Versammlung aber ist schwerfällig, mannchfach störend und bedenklich, ja sogar bei einer grossen Menge von Theilnehmern und einer bedeutenden räumlichen Entfernung derselben von einander geradezu unmöglich. Diese beiden Thatsachen sind nun die Veranlassung, dass in einer unzähligen Menge von Fällen des täglichen bürgerlichen Lebens Vertretungen von Rechten und Interessen durch Andere als die Eigenthümer selbst, und namentlich durch eine kleinere Anzahl an der Stelle zahlreicher Betheiligter vorkommen. Jeder Vormund oder Verwalter, und jeder Ausschuss von Gläubigern oder Actionären ist ein Beweis von der rechtlichen Thunlichkeit und von der thatsächlichen Nothwendigkeit einer Stellvertretung. [. . .]
Es gehörte J. J. Rousseau's ganzer verkehrter Scharfsinn dazu, um eine *sittliche* Unmöglichkeit in der Vertretung staatlicher Rechte zu finden. Die Uebertragung einer Handlung an einen Anderen kann doch nur in den zwei Fällen unsittlich sein, wenn es aus einem an und für sich verwerflichen Beweggrunde geschieht, oder wenn voraussichtlich ein nützlicher Zweck dadurch verhindert oder gefährdet ist. Beides findet aber hier nicht statt. Die Gründe der Uebertragung öffentlicher Rechte an Vertreter sind keineswegs nothwendig Feigheit und Bequemlichkeit, wie Rousseau annimmt, und der Erfolg ist nichts weniger, als Verrath am Vaterlande; vielmehr ist die Bestellung von Vertretern in den meisten Fällen eine Nothwendigkeit, wenn nicht das Recht selbst nutzlos bleiben soll, und leisten die Vertreter erfahrungsgemäss grosse Dienste. Ja, noch mehr. Wenn auch etwa in einzelnen Fällen die Handhabung der öffentlichen Rechte durch die Gesammtheit der Befugten

möglich wäre, würde es sich immer fragen, ob nicht diese Beschäftigung mit der Erreichung wesentlicher Lebenszwecke unvereinbar, z. B. allzu zeitraubend, sei, und müsste im Falle einer Bejahung dieser Frage die eigene Wartung der Rechte sogar als unvernünftig, folglich unsittlich bezeichnet werden.

Quelle: Robert von Mohl: Staatsrecht, Völkerrecht und Politik, Bd. 1 (1860). In: ders.: Politische Schriften. Eine Auswahl. Hrsg. von Klaus von Beyme, Köln – Opladen 1966, S. 85-90.

Max Weber [1918] zu:

Massendemokratie und Plebiszit

Die Bedeutung der aktiven Massendemokratisierung ist: daß der politische Führer nicht mehr auf Grund der Anerkennung seiner Bewährung im Kreise einer Honoratiorenschicht zum Kandidaten proklamiert, dann kraft seines Hervortretens im Parlament zum Führer wird, sondern daß er das Vertrauen und den Glauben der Massen an sich und also seine Macht mit *massen*demagogischen Mitteln gewinnt. Dem Wesen der Sache nach bedeutet dies eine *cäsaristische* Wendung der Führerauslese. Und in der Tat neigt jede Demokratie dazu. Das spezifisch cäsaristische Mittel ist ja: das Plebiszit. Es ist keine gewöhnliche »Abstimmung« oder »Wahl«, sondern die Bekennung eines »Glaubens« an den Führerberuf dessen, der für sich diese Akklamation in Anspruch nimmt. Entweder der Führer kommt auf militaristischem Weg in die Höhe: als Militärdiktator wie NAPOLEON I., der sich seine Stellung durch Plebiszit bestätigen läßt. Oder auf bürgerlichem Wege: durch plebiszitäre Bestätigung des Herrschaftsanspruches eines nichtmilitärischen Politikers wie NAPOLEON III., der sich das Heer fügt. Beide Wege der Führerauslese leben mit dem parlamentarischen Prinzip ganz ebenso in Spannung wie (selbstverständlich) mit dem erbmonarchischen Legitimismus. Jede Art von direkter *Volkswahl* des höchsten Gewaltträgers, darüber hinaus aber jede Art von politischer Machtstellung, welche auf der Tatsache des Vertrauens der Massen, nicht der Parlamente, beruht – auch die Machtstellung eines kriegerischen Volkshelden wie HINDENBURG –, liegt auf dem Wege zu jenen »reinen« Formen cäsaristischer Akklamation. [. . .] Die Hoffnungen, welche eine so cäsarische Gestalt wie BISMARCK an das gleiche Wahlrecht knüpfte, und die Art seiner antiparlamentarischen Demagogie lagen, nur in ihrer Formulierung und Phrase den nun einmal legitimistischen Bedingungen seiner Ministerstellung angepaßt, in der gleichen Richtung. Wie der Erblegitimismus der Monarchien gegen diese cäsaristischen Gewalten reagiert, zeigte die Art von BISMARCKS Scheiden aus dem Amt. Jede parlamentarische Demokratie sucht auch ihrerseits die der Parlamentsmacht gefährlichen plebiszitären Methoden der Führerwahl geflissentlich auszuschalten, wie dies namentlich die jetzt geltende französische Verfassung und das französische Wahlrecht (Wiederabschaffung der Listenwahl wegen der boulangistischen Gefahr[3]) getan haben. Sie bezahlte dies freilich mit jenem Mangel an Autorität der höchsten Gewalten bei der Masse, welcher für Frankreich typisch ist und so charakteristisch gegen die Machtstellung des amerikanischen Präsidenten absticht. In demokratisierten Erbmonarchien andererseits ist das cäsaristisch-plebiszitäre Moment stets stark temperiert. Aber es fehlt nicht. Die Stellung des jetzigen englischen Premierministers ruht der Sache nach durchaus *nicht* auf dem Vertrauen des Parlaments und seiner Parteien, sondern auf dem der Massen im Lande und des kämpfenden Heeres. Das Parlament aber fügt sich (innerlich widerwillig genug) der Lage. Der Gegensatz zwischen plebiszitärer und parlamentarischer Auslese der Führer besteht also. Aber die *Existenz* des Parlaments ist deshalb nicht etwa wertlos. Denn gegenüber dem (der Sache nach) cäsaristischen Vertrauensmann der Massen gewährleistet sie in England 1. die *Stetigkeit* und 2. die *Kontrolliertheit* seiner Machtstellung; 3. die Erhaltung der bürgerlichen *Rechtsgarantien* gegen ihn; 4. eine geordnete Form der politischen *Bewährung* der um das Vertrauen der Massen werbenden Politiker innerhalb der Parlamentsarbeit und 5. eine friedliche Form der *Ausschaltung* des cäsaristischen Diktators, wenn er das Massenvertrauen *verloren* hat. Aber daß gerade die großen Entscheidungen der Politik, auch und gerade in der Demokratie, von *Einzelnen* gemacht werden: *dieser* unvermeidliche Umstand bedingt es, daß die Massendemokratie ihre positiven Erfolge seit den Zeiten des PERIKLES stets erkauft durch starke Konzessionen an das cäsaristische Prinzip der Führerauslese.

Quelle: Max Weber: Parlament und Regierung im neugeordneten Deutschland (1918). In: ders.: Gesammelte politische Schriften. Hrsg. von Johannes Winckelmann, 2. Auflage, Tübingen 1958, S. 381-383.

Carl Schmitt [1928] zu:

Identität und Repräsentation

Staat ist ein bestimmter Status eines Volkes, und zwar der Status politischer Einheit. Staatsform ist die besondere Art der Gestaltung dieser Einheit. Subjekt jeder Begriffsbestimmung des Staates ist das Volk. Staat ist ein Zustand, und zwar der Zustand eines Volkes. Aber das Volk kann auf zwei verschiedene Weisen den Zustand politischer Einheit erreichen und halten. Es kann schon in seiner unmittelbaren Gegebenheit – kraft einer starken und bewußten Gleichartigkeit, infolge fester natürlicher Grenzen oder aus irgendwelchen anderen Gründen – politisch aktionsfähig sein. Dann ist es als realgegenwärtige

Größe in seiner unmittelbaren *Identität* mit sich selbst eine politische Einheit. Dieses Prinzip der Identität des jeweils vorhandenen Volkes mit sich selbst als politischer Einheit beruht darauf, daß es keinen Staat ohne Volk gibt und ein Volk daher als vorhandene Größe immer wirklich anwesend sein muß. Das entgegengesetzte Prinzip geht von der Vorstellung aus, daß die politische Einheit des Volkes als solche niemals in realer Identität anwesend sein kann und daher immer durch Menschen persönlich *repräsentiert* werden muß. Alle Unterscheidungen echter Staatsformen, welcher Art sie auch sein mögen, Monarchie, Aristokratie und Demokratie, Monarchie und Republik, Monarchie und Demokratie usw., lassen sich auf diesen entscheidenden Gegensatz von *Identität* und *Repräsentation* zurückführen. Auch die [. . .] Verschiedenheit der beiden in Betracht kommenden Subjekte der verfassunggebenden Gewalt – Volk oder Monarch – bewegt sich zwischen diesen beiden gegensätzlichen Prinzipien. Wo das Volk als Subjekt der verfassunggebenden Gewalt auftritt, bestimmt sich die politische Form des Staates an der Vorstellung einer Identität; die Nation *ist* da; sie braucht und kann nicht repräsentiert werden, ein Gedanke, der den oft zitierten Ausführungen *Rousseaus* (Contrat social, III, 15) ihre demokratische Unwiderleglichkeit gibt. Die absolute Monarchie ist in Wahrheit nur absolute Repräsentation und beruht auf dem Gedanken, daß die politische Einheit erst durch Repräsentation, durch Darstellung, bewirkt wird. Der Satz: »L'Etat c'est moi« bedeutet: ich allein repräsentiere die politische Einheit der Nation.
In der Wirklichkeit des politischen Lebens gibt es ebensowenig einen Staat, der auf alle Strukturelemente des Prinzips der Identität, wie einen Staat, der auf alle Strukturelemente der Repräsentation verzichten könnte.

Quelle: Carl Schmitt: Verfassungslehre (1928), 5. Auflage, Berlin 1970, S. 205.

Identität von Regierenden und Regierten

Definition der Demokratie: Demokratie (als Staatsform wie als Regierungs- oder Gesetzgebungsform) ist Identität von Herrscher und Beherrschten, Regierenden und Regierten, Befehlenden und Gehorchenden.
1. Diese Definition ergibt sich aus der substanziellen Gleichheit, welche die wesentliche Voraussetzung der Demokratie ist. Sie schließt es aus, daß innerhalb des demokratischen Staates die Unterscheidung von Herrschen und Beherrschtwerden, Regieren und Regiertwerden eine *qualitative* Verschiedenheit ausdrückt oder bewirkt. Herrschaft oder Regierung darf in der Demokratie nicht auf einer Ungleichheit beruhen, also nicht auf einer Überlegenheit der Herrschenden oder Regierenden, nicht darauf, daß die Regierenden etwas qualitativ Besseres sind als die Regierten. Sie müssen ihrer Substanz nach in der demokratischen Gleichheit und Homogenität verbleiben. Dadurch daß

einer herrscht oder regiert, darf er nicht aus der allgemeinen Identität und Homogenität des Volkes heraustreten. Infolgedessen darf die Macht oder Autorität derer, die herrschen oder regieren, nicht auf irgendwelchen höheren, dem Volke unzugänglichen Qualitäten beruhen, sondern nur auf dem Willen, dem Auftrag und dem Vertrauen derer, die beherrscht oder regiert werden, und die sich auf solche Weise in Wahrheit selbst regieren. So bekommt die Redewendung, daß Demokratie eine Herrschaft des Volkes über sich selber ist, ihren gedanklichen Sinn. Alle demokratischen Tendenzen und Einrichtungen, wie die Gleichheit und Gleichberechtigung auf den verschiedensten Gebieten, allgemeines Wahl- und Stimmrecht und die immer weitere Ausdehnung des allgemeinen Wahl- und Stimmrechts auf Männer und Frauen, Herabsetzung des Wahlalters, Abkürzung der Wahlperioden, Auflösung der Parlamente, entspringen diesem Bestreben, die Identität von Regierenden und Regierten zu verwirklichen.

Ebd., S. 234 f.

Erich Kaufmann [1931] zu:

Volkswille und Repräsentation

Da der Begriff des Volks in seinem Kern ein politischer Begriff ist, sind es vor allem auch politische Erlebnisse, die ein Volk als Volk gehabt hat, die die Substanz des Volksgeistes aufbauen und sein Wollen und Handeln beeinflussen und bestimmen: die Erinnerung an politische Helden, an Macht und Ruhm, an soziale Erschütterungen, an Demütigung und Schmach, an Not und Elend, an Erhebung, Aufstieg und Freiheit.
Als politischer Größe muß dem Volk ein politischer Wille zukommen. Dieser politische Wille ist zunächst Lebenswille und Geltungswille, d. h. der Wille zum Volksein und der Wille zum unabhängigen Staat als der politischen Willenseinheit des Volkes. Er ist ferner Gestaltungswille; nicht ein Wille zu romantischer oder klassischer Selbstgestaltung, sondern der Wille zur Gestaltung und Ordnung der gesellschaftlichen Kräfte im Innern und zur Mitgestaltung einer internationalen Ordnung sowie zur Einfügung in diese Ordnung; kurz, der Wille zur Erfüllung der ewigen staatlichen Aufgaben, je nach den teils konstanten, teils wechselnden, räumlichen und zeitlichen Besonderheiten des Volkes, und dies mit den besonderen ethischen und geistigen Kräften und Anlagen des Volkes.
So real dieser Volkswille ist, so ist er doch als solcher seinem Wesen nach sowohl unformiert wie der Formung bedürftig. In ihm klingen und schwingen die verschiedensten, sich durchkreuzenden, ja einander widerstreitenden Weisen; er enthält in sich unendliche Möglichkeiten, aber natürlich nur die Mög-

lichkeiten seines konkreten Selbst. Je nach dem, der ihn anschlägt und anzuschlagen versteht, kann er einen verschiedenen Ton geben. Große Ereignisse, die den Lebens- und Geltungswillen des Volkes im innersten Kern treffen, vermögen ganz einheitliche und starke Reaktionen auszulösen, neben denen an sich vorhandene widerstrebende Gefühle zurücktreten oder verstummen. Nur durch einzelne Persönlichkeiten und in einzelnen Persönlichkeiten kann der Volkswille sich aktualisieren, können sich die in ihm liegenden mannigfaltigen Möglichkeiten konkretisieren, kann er wirkender Wille werden. Er bedarf persönlicher Bildner und Träger, er bedarf seinem Wesen nach der *Repräsentation.* Der größte und folgenschwerste staatstheoretische Irrtum, der je ausgesprochen wurde, ist der Satz Rousseaus: »La volonté ne se représente pas.« Der Begriff der Repräsentation ist eine der entscheidenden Grundkategorien alles geistigen und Wertverhaltens; er bedarf gegenüber der mit ihm üblich gewordenen geistreichen Spielerei dringend ernsthafter Untersuchung und Klärung.

Quelle: Erich Kaufmann: Zur Problematik des Volkswillens (1931). In: Ulrich Matz (Hrsg.): Grundprobleme der Demokratie, Darmstadt 1973, S. 22 f.

Hermann Heller [1934] zu:

Demokratie und Herrschaftsorganisation

Das Recht der Demokratie rechnet – seiner Funktion als Orientierungs- und Berechnungsregel entsprechend – die Bildung der Staatsgewalt dem »Volke« zu, auch wenn das wählende Volk nur einen kleinen Teil der wirklichen Bevölkerung ausmacht und Einzelne im Volk z. B. durch ihre überlegene Wirtschaftsmacht den grössten Teil der Wählermacht aufwiegen. Aber auch in der Demokratie mit gleichen sozialen Chancen kann das Volk nur herrschen mittels einer Herrschaftsorganisation. Jede Organisation bedarf aber einer Autorität, und alle Machtausübung unterliegt dem Gesetz der kleinen Zahl; immer müssen diejenigen, welche die organisatorisch vereinigten Machtleistungen aktualisieren, über ein gewisses Mass von Entscheidungsfreiheit und damit von demokratisch nicht gebundener Macht verfügen. Das gilt für die Staatsorganisation ebenso wie für den Machtaufbau der politischen Parteien, welche in der Demokratie die Willenskundgebungen der Wähler organisieren. In den Parteien konzentriert ein sehr enger Führerring zusammen mit der Parteibürokratie die Macht umso leichter in seiner Hand, je grösser und verwickelter die Organisation und je geringer das politische Sachverständnis und Interesse der Wähler ist. Erst recht macht die in ihrem Umfang ständig wachsende und sich komplizierende Staatsverwaltung in allen ihren Zweigen ein fachlich vorgebildetes und sachlich eingearbeitetes Berufsbeamtentum erforderlich, dessen

Sachverstand und Routine besonders dann einen nicht geringen Teil der juristisch im Volk lokalisierten Staatsgewalt absorbiert, wenn die ständige Bürokratie wechselnden parlamentarischen Mehrheiten und einer wechselnden politischen Führung gegenübersteht.
Trotz aller dieser Einschränkungen und Verfälschungen bedeutet die juristische Lokalisierung der Souveränität im Volke durchaus keine blosse Fiktion, sondern eine politische Wirklichkeit, welche allerdings nur dann in ihrer Bedeutung erfasst wird, wenn man die Volkssouveränität richtig versteht als ein polemisches Prinzip der politischen Machtverteilung im Gegensatz zum Prinzip der Herrschersouveränität. Dass dieses Prinzip im politischen Leben nicht rein verwirklicht wird, kann nur den Doktrinarismus enttäuschen. Umgekehrt kann nur Unkenntnis oder Demagogie bestreiten, dass die Volkssouveränität ein Strukturprinzip der wirklichen politischen Machtverteilung ausdrückt. Denn immer bleibt es eine Tatsache, dass im Gegensatz zur Autokratie grössere oder kleinere Kreise des demokratischen Staatsvolkes über eine wirksame politische Macht verfügen, die vor allem bei der Bestellung, Abberufung und Kontrolle der politischen Führer praktisch wird.

Quelle: Hermann Heller: Staatslehre (1934), 4. Auflage, Leiden 1970, S. 247.

Ernst Fraenkel [1964] zu:

Das repräsentative und das plebiszitäre Regierungssystem

Das repräsentative und das plebiszitäre Regierungssystem beruhen somit auf verschiedenartigen Legitimitätsprinzipien.
Das Repräsentativsystem geht von dem Axiom eines naturrechtlich basierten, (weder aus einem Kollektivwillen noch gar aus individuellen ableitbaren und deshalb) originären Gesamtinteresses aus, das sich auf den Gegenstand obrigkeitlicher Hoheitstätigkeit erstreckt, ohne dogmatisch an ein bestimmtes Organisationsprinzip gebunden zu sein. Unter der Herrschaft des Repräsentationsprinzips wird die Entscheidung über die Modalitäten der Bildung des Staatswillens primär unter der Berücksichtigung der Erwägung getroffen, dem Gesamtinteresse eine tunlichst große und ungehinderte Chance der Entfaltung zu geben. Salus rei publicae suprema lex.
Das plebiszitäre System geht von dem doppelten Axiom des individuellen Wahl- und Mitbestimmungsrechts als eines Menschenrechts und der Volkssouveränität als einer prinzipiell uneingeschränkten und unantastbaren Kollektivbefugnis aus. Aus diesen beiden Axiomen wird ein allgemeine Gültigkeit beanspruchendes, naturrechtlich basiertes Regierungsprinzip entwickelt, das die Methoden der Bildung des Staatswillens unverbrüchlich festlegt, jedoch dem unter Beachtung dieser Methoden gebildeten Staatswillen keine

anderen Schranken auferlegt als die Verpflichtung, die kraft Naturrecht geltenden Voraussetzungen plebiszitärer Herrschaftsausübung zu respektieren. Es bedarf der Erschütterung der naturrechtlichen Grundlagen des plebiszitären Prinzips, damit die immanenten Schranken, die seiner Geltung gesetzt sind, die Bewußtseinsschwelle zu überschreiten in der Lage sind. Unter der Herrschaft des plebiszitären Systems wird das Vorliegen eines Gesamtinteresses aus der freien Entscheidung des Volkes abgeleitet, jedwedes Interesse, d. h. auch ein, vom objektiven Blickpunkt aus betrachtet, beliebiges Interesse zum Gesamtinteresse zu erklären. Das Bekenntnis zum plebiszitären Prinzip schließt die Anerkennung eines originären präexistenten Gemeinschaftswohls aus und die Erkenntnis des derivativen Charakters des jeweils als verbindlich erklärten Gemeinwohls ein. Stat pro ratione voluntas.
Trotz der Verschiedenheit ihrer Legitimitätsgrundlagen vermögen das repräsentative und plebiszitäre Prinzip sich im Grenzfall so stark einander zu nähern, daß ihre Unterscheidung nicht ohne Schwierigkeiten zu erfolgen vermag. Scheint es doch ausschließlich von theoretischem Interesse zu sein, ob das Gesamtinteresse Gültigkeit zu beanspruchen vermag, weil es vom Volk gewollt ist, oder ob der Volkswille gilt, weil er das Gesamtinteresse repräsentiert.

Quelle: Ernst Fraenkel: Deutschland und die westlichen Demokratien (1964), 4., unveränderte Auflage, Stuttgart 1968, S. 83.

Walter Bagehot [1867] zu:

Die wichtigsten Funktionen des englischen Parlaments

Die Wahlfunktion ist jetzt die wichtigste Funktion des House of Commons. Es ist außerordentlich wünschenswert, mit Nachdruck darauf zu bestehen, weil unsere Tradition dies ignoriert. Am Ende der Hälfte aller Parlamentssitzungen wird man in den Zeitungen lesen und es sogar von denen hören, die aufmerksamer beobachteten und es eigentlich besser wissen müßten: »Während dieser Sitzungsperiode hat das Parlament nichts getan. In der Thronrede war einiges versprochen worden, aber das waren nur kleine Dinge; und die meisten wurden nicht verabschiedet.« Lord Lyndhurst pflegte jahrelang die geringen Ergebnisse gesetzgeberischer Tätigkeit aufzuzählen; und doch war das die Zeit der ersten Whig-Regierungen, die größere legislative Aufgaben zu erfüllen hatten und mehr als irgendeine Regierung vollbrachten. Die richtige Antwort auf solche Feststellungen Lord Lyndhursts sollte ein Minister in der ersten Person singularis erteilen. Er hätte mit Bestimmtheit sagen sollen: »Das Parlament hat *mich* im Amt gehalten und das war seine erste Pflicht; das Parlament hat, in der Sprache traditionellen Respekts, die Regierung der Königin

fortgeführt; es hat unterstützt, was es kluger- oder unklugerweise als die beste Exekutive der englischen Nation betrachtete.«
Die zweite Funktion des House of Commons möchte ich die Funktion der Meinungsäußerung nennen. Es ist sein Amt, die Gedanken des englischen Volkes zu allen Angelegenheiten, mit denen es konfrontiert wird, zum Ausdruck zu bringen. [. . .]
Die dritte Funktion des House of Commons möchte ich – und dabei selbst in vertrauten Dingen aus Gründen der Deutlichkeit eine Art technische Ausdrucksweise beibehaltend – seine Lehrfunktion nennen. Eine große und öffentliche Körperschaft gewichtiger Männer kann nicht in die Mitte eines Gemeinwesens gestellt werden, ohne dies Gemeinwesen zu verändern. Sie sollte es zum besseren verändern. Sie sollte die Nation lehren, was sie nicht weiß. [. . .]
Viertens besitzt das House of Commons etwas, das als Beschwerdefunktion bezeichnet werden kann – eine in ihrer gegenwärtigen Form zwar ganz moderne, jedoch in einzigartiger Weise einer mittelalterlichen gleichende Funktion. In der Vergangenheit war es das Amt des House of Commons, den Souverän zu informieren, wenn etwas nicht stimmte. Es trug der Krone die Beschwerden und Klagen partikularer Interessen vor. Seit der Veröffentlichung der Parlamentsdebatten ist es dementsprechend Aufgabe des Parlaments, die gleichen Beschwerden, die gleichen Klagen der Nation als dem gegenwärtigen Souverän vorzulegen. Die Nation braucht das ebensosehr, wie es der König benötigte. Ein freies Volk ist meistens fair, die Freiheit gewöhnt den Menschen an ein Geben und Nehmen, und darin besteht ungefähr das Wesen der Gerechtigkeit. Die englische Nation ist möglicherweise noch fairer als andere freie Nationen. Doch eine freie Nation hat selten – und die englische Nation besitzt keine – schnelle Auffassungsgabe. Sie begreift nur, was ihr vertraut ist – was in ihre eigene Erfahrung paßt, was sich mit ihren eigenen Gedanken verträgt. [. . .] Jede Vorstellung, jede Anschauung, jedes Gefühl, jede Beschwerde, für die sich eine annehmbare Zahl von Abgeordneten einsetzt, wird vielleicht von fast allen Engländern als falsche und schädliche Meinung, auf jeden Fall aber als mögliche Meinung angesehen – eine Meinung innerhalb der intellektuellen Sphäre, eine Meinung, mit der man zu rechnen hat. Und das ist eine ungeheuere Leistung. [. . .] Eine freie Nation jedoch hört keine andere Seite als die eigene. Die Zeitungen wiederholen nur die Argumente, die ihre Leser hören wollen. Die günstigen Argumente werden dargelegt, ausgeführt, mit Beispielen versehen, anschaulich gemacht; die Gegenargumente werden verstümmelt, falsch dargestellt, durcheinandergebracht. Der schlechteste Richter, so sagt man, ist ein tauber Richter; die schwerfälligste Regierung ist eine freie Regierung in Angelegenheiten, von denen die herrschenden Klassen nichts hören wollen. Ich möchte es fast als zweitwichtigste Funktion des Parlaments ansehen, daß es uns bis zu einem gewissen Grad zu Gehör bringt, was wir sonst nicht hören würden.

Schließlich ist die Funktion der Gesetzgebung zu nennen, deren große Bedeutung zu leugnen widersinnig wäre und die ich nur nicht für *ebenso* wichtig ansehe wie die exekutive Leitung des ganzen Staates oder die politische Erziehung, die das Parlament der ganzen Nation gibt. Ich räume ein, daß es Zeiten gibt, in denen die Gesetzgebung beide an Wichtigkeit übertrifft. Die Gesetze können der Nation nicht entsprechen und müssen geändert werden [. . .]. Im allgemeinen jedoch entsprechen die Gesetze dem Leben einer Nation; einzelne Anpassungen sind von untergeordneter Bedeutung; [. . .]. Doch ein sehr großer Teil der Gesetzgebung ist in der Sprache der Jurisprudenz überhaupt keine Gesetzgebung. Ein Gesetz ist ein genereller, auf viele Einzelfälle anwendbarer Befehl. Die »special acts« (Maßnahmegesetze), die das Statute Book in großer Zahl füllen und die Parlamentsausschüsse ermüden, sind auf nur einen Fall anwendbar. Sie legen keine Regeln fest, nach denen Eisenbahnen zu bauen sind, sie legen den Bau einer bestimmten Eisenbahnlinie von diesem Ort zu jenem Ort gesetzlich fest und betreffen kein anderes Vorhaben. Doch selbst nach Berücksichtigung aller Abstriche und Einschränkungen bleibt die jährliche Gesetzgebungsarbeit des Parlaments ein Ergebnis von einzigartiger Wichtigkeit; [. . .].
Manch einer wird vielleicht meinen, ich sollte noch eine sechste Funktion des House of Commons anführen – eine Finanzfunktion. Doch ich glaube nicht, daß das House of Commons, beschränkt man sich auf allgemeine Prinzipien und vernachlässigt man rechtstechnische Details, irgendeine besondere Finanzfunktion besitzt, die sich von seinen Funktionen in anderen Bereichen der Gesetzgebung unterscheidet. Es soll hier wie dort entscheiden und über beide durch das Kabinett bestimmen. Die Finanzgesetzgebung ist notwendigerweise eine jährlich wiederkehrende Gesetzgebung; doch Regelmäßigkeit des Vorkommens bedeutet keinen Wesensunterschied und zwingt nicht zu gegensätzlicher Behandlung.

Quelle: Walter Bagehot: Die englische Verfassung (1867). Hrsg. von Klaus Streifthau, Neuwied – Berlin 1971, S. 137-140.

Heidrun Abromeit [1995] zu:

Die Schweizer Demokratie

»Unter den Staaten der Welt gibt es keinen, in dem das Volk im blanken und einfachen Sinn des Wortes als Souverän herrscht . . .« (Peter Graf Kielmansegg: Volkssouveränität. Eine Untersuchung der Bedingungen demokratischer Legitimität, Stuttgart 1977, S. 9). Selbst in abgemilderten Formen gilt direkte Demokratie in differenzierten Industriegesellschaften als unpraktikabel. In dieser modernen Welt wiederum ist die Schweiz erklärtermaßen der

»Sonderfall«.[...] Das Schweizer Beispiel gibt zugleich Antwort auf Kielmanseggs eingangs zitierte Frage, ob denn das Prinzip der Volkssouveränität heute noch als »brauchbare Umschreibung der Bedingungen demokratischer Legitimität gelten kann« (ebd.): Es kann, sofern man es nicht im Sinn permanenter tatsächlicher Herrschaftsgewalt des Volks versteht, sondern als permanente Veto-Möglichkeit seiner »interessierten« bzw. betroffenen Teile – oder, in Anlehnung an Ranney und Kendall (1956, zitiert nach Kielmansegg 1977, S. 197), als Chance, »daß die Mehrheit des Volkes ihren Willen immer dann durchzusetzen vermöge, wenn sie dies zu tun wünsche«.

Die Schweizer selbst verstehen ihr Modell als eines der »halbdirekten Demokratie«. Zum einen entscheidet das Volk nicht im Normalfall; zum anderen muß das Volk seine Souveränität mit den Kantonen teilen: In allen Fällen, in denen die Verfassung tangiert ist, liegt das Letztentscheidungsrecht beim Volk *und* bei den »Ständen«. Die schweizerische Variante der für Bundesstaaten typischen Souveränitätsteilung stellt indessen keine wirkliche Abweichung vom Prinzip der Volkssouveränität dar, da in den Kantonen das Letztentscheidungsrecht wiederum (zumeist) beim Volk liegt; ja in den deutschschweizerischen Kantonen wird die direkte Demokratie im allgemeinen weit extensiver praktiziert als im Bund.

Zu den Kernbestandteilen der schweizerischen direkten Demokratie zählt, daß auf Bundes- wie auf Kantonsebene Aufgaben und Befugnisse der Staatsorgane an den »Vorbehalt der Rechte des Volkes« gebunden sind.[...] Die Kompetenzkompetenz liegt damit beim Volk; Erweiterungen der Staatstätigkeit bedürfen der Rückfrage bei ihm. Das heißt konkret, daß die Bundesverfassung keine zuständigkeitsbegründenden Generalklauseln, keine »implied powers« o.ä. kennt, sondern jede Zuständigkeitsausweitung eine Verfassungsänderung erfordert; jede Verfassungsänderung wiederum unterliegt dem obligatorischen Referendum.

Die beiden Instrumente, mit denen das Volk darüber hinaus in die Bundespolitik einzugreifen vermag, sind das fakultative Referendum und die Volks- bzw. Verfassungsinitiative. Das erstere erlaubt es 50.000 Stimmbürgern (aber auch 8 Kantonen), eine Volksabstimmung über Bundesgesetze sowie eine Reihe weiterer Bundesbeschlüsse[...] zu erzwingen. Damit können Minderheiten, die sich von der parlamentarischen Mehrheit übergangen fühlen, mißliebige Regelungen außerparlamentarisch verhindern. Diesem Blockade-Instrument steht mit der Initiative ein Innovations-Instrument gegenüber: Mit ihr können 100.000 Stimmbürger eine Verfassungsänderung bzw. die Aufnahme einer neuen Verfassungsbestimmung verlangen. Da ein Recht der Gesetzesinitiative fehlt, das Volk also nur auf Verfassungsebene initiativ werden kann, sieht die Bundesverfassung inzwischen wie ein bunter Flickenteppich disparater Einzelbestimmungen aus.

Vor allem das Blockaderecht des fakultativen Referendums hat sich für das schweizerische politische System als strukturprägend erwiesen. Wie von den

Kritikern der Volkssouveränität seit je geargwöhnt, brachte dieses Stück direkter Demokratie ein Element der Unberechenbarkeit in die Politik, das die politischen Macher alsbald zu neutralisieren trachteten. Das ging nur, indem nach und nach alle Gruppen, die in der Lage waren, auf diese Weise querzuschießen, am Zustandekommen wichtiger politischer Entscheidungen von vornherein beteiligt wurden. So war das Referendum der entscheidende Motor bei der Herausbildung der schweizerischen Konkordanz- oder Verhandlungsdemokratie. Das tatsächliche Referendum ist seither eigentlich ein »Mißgeschick«: Es zeigt das Scheitern der Kompromißsuche zwischen den beteiligten Gruppen an [. . .].

Das Referendum öffnete das politische System, das anfangs vom politisch organisierten Bürgertum (dem Freisinn) dominiert war, nicht nur für die anderen Parteien (deren wichtigere seit Jahrzehnten nach der sogenannten Zauberformel quasi auf ewig zusammen regieren), sondern zugleich für die Verbände. Die Parteien beherrschen zwar die Eidgenössischen Räte; aber gegen deren Beschlüsse können die Verbände jederzeit ihre Klientel mobilisieren. So führten die Volksrechte nicht unbedingt die Volksherrschaft, wohl aber den Verbändestaat herbei [. . .]. Beides, der Verbändestaat wie die Verhandlungsdemokratie, funktionieren im Alltagsgeschäft als Elitenkartell[. . .] – als eine stark verfestigte Oligarchie, die so ziemlich das Gegenteil von dem darstellt, was man von einem direktdemokratischen System erwarten würde.

Intern traf dieses System darum seit je auf Kritik. Seit den 70er Jahren steigerte sie sich zur Forderung nach einer Totalrevision der Verfassung; inzwischen kommt hinzu, daß die schweizerischen Entscheidungsstrukturen nicht allein als zukunfts-, sondern insbesondere als europa-untauglich gelten [. . .]. Vor allem zielt die Kritik gegen deren Ineffizienz und Selektivität. Schon die Stimmbeteiligung (so Wolf Linder: Staatshandeln zwischen Akzeptanz und Blockade: Wie prägend ist das ›Volk‹? In: Heidrun Abromeit/Werner Pommerehne (Hrsg.): Staatstätigkeit in der Schweiz, Bern 1992, S. 129 [. . .]) sei selektiv, denn »der Chor der direkten Demokratie (singt) mit einem Ober- und Mittelschichtakzent«, und das um so mehr, je geringer die Beteiligung an einem Urnengang sei. Darüber hinaus wird der direkten Demokratie ausgeprägt strukturkonservierende Wirkung zugeschrieben. Hierfür gibt es mehrere Gründe: Zum einen sind generell Negativkoalitionen leichter zusammenzubringen als Positivkoalitionen; d.h. via Abstimmung wird eher gebremst als neu gestaltet. Zum anderen kanalisieren die direktdemokratischen Instrumente Protest und verunmöglichen Radikalopposition; jeder Versuch, das bestehende System zu verändern, endet, gerade wenn er (via Initiative) erfolgreich ist, mit dessen Stabilisierung, was vor allem die Vertreter der »neuen sozialen Bewegungen« offenbar frustriert [. . .].

Die Klage über den Immobilismus dieses Systems – gern unter dem Titel »helvetisches Malaise« zusammengefaßt (Max Imboden, Zürich 1964) – ist so verbreitet, daß auf sie hier nicht gesondert eingegangen werden muß. In der

Tat ist der Zeitbedarf schweizerischer Entscheidungsprozesse im Normalfall um einiges höher als andernorts [. . .]. Daraus auf generelle Ineffizienz zu schließen, wäre indessen verfrüht. [. . .]
Was ihre Selektivität betrifft, sieht die schweizerische Konkordanzdemokratie bei Betrachtung je einzelner Entscheidungen wie Minderheitsherrschaft aus und erscheint die erwähnte Kritik darum berechtigt. Betrachtet man allerdings das Gesamt der Entscheidungsprozesse über einen gewissen Zeitraum, fällt ihr hoher Inklusionsgrad auf. Kleine Parteien, Bürgerinitiativen, ad hoc-Gruppen haben hier prinzipiell jederzeit die Chance, sich Gehör zu verschaffen und die oligarchische »Kernelite« zu zwingen, auf ihre Interessen Rücksicht zu nehmen. Ökonomisch gesprochen, erlauben die direktdemokratischen Instrumente die Minimierung der externen Kosten kollektiver Entscheidungen – bei zugegebenermaßen vergleichsweise hohen Entscheidungskosten. Gegen solche tendenziell breite Interessenberücksichtigung läßt sich die aus unterschiedlichen Partizipationsraten herrührende Selektivität faktischer Entscheidungsprozesse schwerlich ins Feld führen: Ein politisches System kann für ungleiche Partizipations*chancen*, kaum aber für ungleiche Partizipations*neigungen* verantwortlich gemacht werden. Vom Standpunkt sozialer Gerechtigkeit mag problematisch erscheinen, daß sich im Endeffekt häufig die »interessierte Minderheit« durchsetzt. Genauso problematisch ist indessen der Versuch eines Nutzenvergleichs zwischen »lauer« Mehrheit und intensiv präferierender Minderheit – um so mehr, wenn die Mehrheitspräferenzen zu lau sind, um zum Gang an die Urne zu motivieren.
Was Kritikern als systemstabilisierender Strukturkonservatismus erscheint, ist darum eigentlich ein wesentliches Element der Legitimität dieses Systems: Da dank der direktdemokratischen Instrumente ein Jeder entscheidend zum Zustandekommen oder zur Verhinderung von Gesetzen hätte beitragen können, dürfte er sie nicht als von außen Auferlegtes empfinden, sondern als Ausdruck eigenen Willens bzw. Duldens. Tatsächlich aber nimmt die Akzeptanz ab, jedenfalls wenn man sie über die Beteiligungswerte bei Wahlen und Abstimmungen mißt (sie pendeln um die 40%-Marke herum). Bei den Unorganisierten, vor allem bei den Jugendlichen, wachsen – streng genommen irrationalerweise – Unzufriedenheit und das Gefühl des Nichtvertretenseins [. . .].

Quelle: Heidrun Abromeit: Volkssouveränität, Parlamentssouveränität, Verfassungssouveränität: Drei Realmodelle der Legitimation staatlichen Handelns. In: Politische Vierteljahresschrift 36 (1995), H. 1, S. 53-56.

Gerhard Leibholz [1967] zu:

Parteienstaat und plebiszitäre Demokratie

In diesem Zusammenhang ist zunächst auf die gründsätzliche Bedeutung des repräsentativen Prinzipes hinzuweisen Mit Hilfe dieses Prinzipes vermag sich eine demokratische Gemeinschaft immer wieder von neuem als Willensverband zu verwirklichen. Der Volkswille, die volonté générale, könnte sich in der politischen Sphäre in der Demokratie nicht konstituieren und bliebe richtungs- und wirkungslos, wenn nicht repräsentative, gleichgütig wie formierte Instanzen beständen, durch die die vielspältige Menge individueller Willen zu einem wirklichen individualisierten Gemeinschaftswillen einheitlich zusammengeschlossen werden könnte. Man hat insoweit nicht mit Unrecht, verfassungstheoretisch gesehen, das Prinzip der Repräsentation als das funktionell wichtigste Konstitutionsprinzip des modernen Staates bezeichnet. [. . .]
Aber der Hinweis auf das politische Prinzip der Repräsentation allein ist nicht ausreichend, um die Gemeinwillensbildung innerhalb einer Demokratie völlig zu erklären. Wenn Sie z.B. von Ihrem Wahl- oder Stimmrecht Gebrauch machen, so treten Sie als politisch akzentuierter Bürger und nicht als Repräsentant in Erscheinung. Sie repräsentieren weder Ihre Familie noch Ihre Gemeinde noch irgend sonst etwas. In der plebiszitären Demokratie, wie z.B. in der Schweiz, in der sich das Volk in Gestalt der Aktivbürgerschaft sozusagen selbst versammelt, wird niemand repräsentiert und kommt der Gemeinwille ohne Zuhilfenahme repräsentativer Strukturelemente dadurch zustande, daß der Wille der Mehrheit der Aktivbürgerschaft mit dem des gesamten Volkes identifiziert wird. Anders ausgedrückt: Neben dem integrierend wirkenden politischen Prinzip der Repräsentation gibt es noch ein anderes Prinzip, das in der plebiszitären Demokratie willensvereinheitlichend wirkt und das man als das Prinzip der Identität, das den Willen der jeweiligen Mehrheit der Aktivbürgerschaft mit dem Volkswillen, d. h. der ›volonté générale‹ identifiziert, bezeichnen kann.
Diese Feststellung ist deshalb von besonderer Bedeutung, weil sie Konsequenzen für die richtige Analyse des modernen Parteienstaates hat. Uns allen ist gegenwärtig, daß das Parlament heute nicht mehr seine repräsentativen Funktionen zu erfüllen vermag. Es kann sie nicht mehr erfüllen, weil im 20. Jahrhundert die Demokratie den Charakter einer parteienstaatlichen Demokratie angenommen hat. Selbst derjenige, der die Parteien negativ bewertet und sie aus der politischen Sphäre überhaupt eliminieren möchte, kann nicht umhin, um dieses Ziel zu erreichen, sich zusammen mit seinen Anhängern selbst parteimäßig zu organisieren. Heute haben die politischen Parteien die Funktion, die durch die fortschreitende Demokratisierung von Millionen von Menschen freigesetzten Aktivbürger zu politischen Handlungseinheiten zu organisieren. Sie sind sozusagen das unentbehrliche Werkzeug, um das sich

selbst organisierende Volk politisch funktionsfähig zu machen. Dieses mündig gewordene Volk könnte sich in der politischen Sphäre nicht konstituieren, wenn diese Organisationen nicht vorhanden wären. [. . .]
Die Feststellung, daß die Demokratie des 20. Jahrhunderts zwangsläufig eine parteienstaatliche ist, hat gewichtige verfassungstheoretische Konsequenzen. Wir haben von dem politischen Prinzip der Repräsentation und dem willensvereinheitlichend wirkenden Prinzip der Identität in der plebiszitären Demokratie gesprochen. Der moderne demokratische Parteienstaat ist seinem Wesen wie seiner Form nach nichts anderes wie eine rationalisierte Erscheinungsform der plebiszitären Demokratie oder – wenn man will – ein Surrogat der direkten Demokratie im modernen Flächenstaat. Deshalb unterscheidet sich dieser in seiner grundsätzlichen Struktur auch so weitgehend von der der liberal-repräsentativen Demokratie.
Aus dieser Einsicht ergibt sich, daß der durch die Parteien gebildete Volks- oder Gemeinwille in der parteienstaatlichen Demokratie nicht mit Hilfe des politischen Prinzips der Repräsentation, sondern mit Hilfe des Prinzips gebildet wird, das auch in der plebiszitären Demokratie zur ›volonté générale‹ führt. Wie in der plebiszitären Demokratie der Wille der Mehrheit der Aktivbürgerschaft mit dem jeweiligen Gesamtwillen des Volkes identifiziert wird, wird in einer funktionierenden parteienstaatlichen Demokratie der Wille der jeweiligen Parteienmehrheit in Regierung und Parlament mit dem Volks- und Gemeinwillen identifiziert. Anders ausgedrückt: Der Gemeinwille kommt in der parteienstaatlichen Demokratie des 20. Jahrhunderts mit Hilfe des Identitätsprinzips ohne Beimischung repräsentativer Strukturelemente zur Geltung.
Zusammenfassend können wir also feststellen, daß die Demokratien des 20. Jahrhunderts auf dem Prinzip der Volkssouveränität beruhen und parteienstaatlich organisiert sein müssen. Eine solche parteienstaatliche Demokratie ist eine Erscheinungsform der plebiszitären Demokratie, in der der Volkswille mit Hilfe des willensvereinheitlichend wirkenden Prinzips der Identität zustandekommt.

Quelle: Gerhard Leibholz: Strukturprobleme der modernen Demokratie, 3., erweiterte Auflage, Karlsruhe 1967, S. 145-147.

Peter Haungs [1981] zu:

Parteien in der Demokratie – eine Auseinandersetzung mit Gerhard Leibholz

Wie in der kurzen Zusammenfasung der zentralen Thesen von Leibholz bereits deutlich wurde, versteht er Demokratie in dem auf Rousseau zurückge-

henden Sinne als Selbstregierung des Volkes, als völlige Einheit (Identität) von Herrschenden und Beherrschten. Geht man davon aus, das »Wesen« der Demokratie sei die Identität zwischen Herrschenden und Beherrschten, dann ist Demokratie mit Repräsentation, verstanden als »verantwortliche Regierung«, der die Regierungsbefugnis auf Zeit von einer Mehrheit übertragen wird, unvereinbar. Ein Anhänger der Identitätsdemokratie lehnt also Repräsentation im Sinne »verantwortlicher Regierung« ab, weil sie aus seiner Sicht »Fremdherrschaft« bedeutet und eben nicht »Selbstregierung« des Volkes. Muß er aber aus technischen Gründen die Notwendigkeit repräsentativer Organe im »Flächenstaat« und in der »Massendemokratie« bejahen, stellt sich ihm die Frage, wie die Verfälschung des »wahren Volkswillens« durch die Existenz und das Wirken solcher Entscheidungs- und Führungsgremien verhindert werden kann. Die Lösung dieses Problems scheint in der möglichst engen Bindung der Repräsentanten an die wählende(n) Instanz(en) zu liegen. Diese enge Bindung aber schließt eine selbständige Entscheidungsbefugnis der Mandatsträger aus. Das Verhältnis zwischen Wählerschaft und Mandatsträgern gestaltet sich vielmehr als »Befehls-Gehorsams-Beziehung auf der Basis von Instruktionen und jederzeitiger Abberufbarkeit, in dem den Mandatsträgern die Rolle von ›Dienern‹ und ›Werkzeugen‹ . . . zufällt«[4].
Demokratie und Repräsentation müssen jedoch nicht als unvereinbare »Prinzipien« interpretiert werden. Vielmehr lassen sich beide als verschiedenartige Komponenten eines historisch gewachsenen Verfassungssystems begreifen – der modernen repräsentativen Demokratie westlicher Prägung –, eines Systems, das man in Anlehnung an die antike Staatsformenlehre als »gemischte Verfassung« bezeichnen kann. Gemischt ist dieses Verfassungssystem der »repräsentativen Demokratie« oder des »demokratischen Verfassungsstaates« insofern, als in ihm Elemente unmittelbarer Entscheidungsbefugnis des Volkes mit solchen nur mittelbarer, weil an Repräsentanten übertragener, Entscheidungsbefugnis verknüpft sind. [. . .]
Es fördert die Entwicklung eines angemessenen Verfassungsverständnisses wenig, wenn Leibholz zu der Erkenntnis gelangt, das Repräsentativsystem sei geschichtlich überholt, es habe »ausgedient«, und an seine Stelle sei ein rein demokratisches System getreten, eben die parteienstaatliche Demokratie. Repräsentation ist eben keineswegs eine bloße »Technik zur Besetzung von Herrschafts- und Führungspositionen«[5]. Man stelle sich nur einmal vor, was es bedeutete, wollte »das Volk« seinen weisungsgebundenen Repräsentanten für jede zu treffende Entscheidung genaue Direktiven geben. Bei der Fülle von Problemen, die sich in einer hochdifferenzierten Industriegesellschaft mit starker internationaler Verflechtung ergeben, und – damit zusammenhängend – der Vielzahl von notwendigen Entscheidungen, ist es unmöglich, daß »das Volk« alles selbst entscheidet oder auch nur gemäß seinem »Willen« von seinen Repräsentanten »entscheiden« läßt.
Wer sich heute politisch engagiert, kann bestenfalls in einigen Politikbe-

reichen sachverständig sein, niemals jedoch überall. Selbst die politischen »Profis«, etwa die Abgeordneten, haben beträchtliche Mühe, sich gegenüber dem spezialisierten Sachverstand der Ministerialbürokraten und der Verbändevertreter zu behaupten. In Anbetracht dieser Sachlage erscheint politische Repräsentation im Sinne von »verantwortlicher Regierung« als unausweichlich. [. . .]

Parteien mit einer demokratischen Binnenstruktur eröffnen also politisch engagierten Bürgern Möglichkeiten, sich am Prozeß der politischen Willensbildung zu beteiligen. Wären Parteien nichts weiter als Vorschlagskörperschaften für politische Amtsbewerber, müßte sich die Aktivität der Parteimitglieder im wesentlichen darauf beschränken, an den innerparteilichen Nominierungsprozessen teilzunehmen. Weitere Betätigungsfelder könnten in der Wahlkampfunterstützung für die gewählten Mandatsbewerber liegen. Einem solchen Typ entsprechen – jedenfalls weitgehend – die amerikanischen Parteien. Die Parteien der Bundesrepublik sind jedoch mehr als Organisationen mit dem Ziel der Rekrutierung und »Beförderung« von Amtsbewerbern; sie repräsentieren politische Ordnungsvorstellungen und versuchen, Mehrheiten für die Verwirklichung ihrer Ziele zu gewinnen. Zu diesem Zweck entwerfen sie Programme, werben, agitieren sie, und suchen sie nach potentiellen Verbündeten. Da die großen Parteien der Bundesrepublik als Volksparteien in ihrer sozialen Zusammensetzung und in ihrer politischen Orientierung uneinheitlich strukturiert sind und zudem ein möglichst großes Spektrum von Interessen einbeziehen müssen, vollzieht sich die Auseinandersetzung nicht nur mit dem politischen Gegner, sondern auch parteiintern. Politische Lösungsvorschläge sind häufig nicht nur zwischen den Parteien, sondern auch *innerhalb* der Parteien umstritten. Deshalb kann es für einen in einer Partei aktiven Bürger durchaus ein vorrangiges Ziel sein, »seiner Richtung« innerhalb der eigenen Partei zum »Sieg« zu verhelfen.

Quelle: Peter Haungs: Parteiendemokratie in der Bundesrepublik Deutschland, 2., durchgesehene Auflage, Berlin 1981, S. 14-18.

Theodor Eschenburg [1956] zu:

Regierungs- und Oppositionsparteien

Die Fraktionen sind in mehr oder minder lockerer Form in zwei große Gruppen zusammengefaßt, in die Regierungskoalition einerseits und die Opposition andererseits. Weder die Verfassung noch die Geschäftsordnung sprechen von dieser Unterscheidung, aber sie ist für die Verfassungswirklichkeit von entscheidender Bedeutung [. . .].

Im Zweiparteienstaat kann jede Partei der Wählerschaft ein Regierungsprogramm unterbreiten, denn eine von beiden muß die absolute Mehrheit erreichen und hat damit die Chance der Verwirklichung dieses Programms. Sie kann klar sagen, was sie will, weil sie allein die Regierung übernimmt.
Im Vielparteienstaat ist es im allgemeinen zumindest ungewiß, daß eine Partei über 50 Prozent der Stimmen erhält. Zur Regierungsbildung sind daher meist zwei oder mehrere Parteien erforderlich. Für die Regierungsbildung gibt es also nicht das Entweder-Oder, sondern verschiedene Kombinationsmöglichkeiten. Oft weiß die einzelne Partei im Wahlkampf nicht, mit welcher oder welchen der anderen Parteien sie die Regierung bilden und ob sie überhaupt an dieser beteiligt sein wird. Die Parteien müssen daher in ihrem Wahlprogramm aus zwei Gründen viel behutsamer sein; einmal weil sie es mit etwaigen künftigen Koalitionspartnern durch einen allzu scharfen Kampf nicht verderben wollen, zum anderen, um nachträglich gegenüber ihren Wählern nicht dadurch in Verlegenheit zu geraten, daß sie bestimmte Hauptforderungen vor den Wahlen proklamiert haben, die sie in der in Betracht kommenden Koalition mit Rücksicht auf die anderen Partner aufgeben müssen. Daher sind im Vielparteienstaat die programmatischen Äußerungen der Partei sehr viel unpräziser und die Fronten verschwommener. Aus Koalitionspartnern können Koalitionsgegner werden und umgekehrt. Die Dynamik des Wahlkampfes ermuntert die einzelnen Parteien zur scharfen Unterscheidung gegenüber den anderen; die Rücksichtnahme auf die bevorstehenden Regierungsverhandlungen dämpft die Kampfleidenschaft, beeinträchtigt aber auch stark die Klarheit der Zielsetzung. [. . .]
Nicht allein in den rechtlichen Institutionen, sondern in diesem Spannungsverhältnis zwischen Regierungsparteien und Opposition liegt ein wirksamer Schutz der Rechte und Freiheiten des Bürgers. [. . .]
Das Parlament hat als Ganzes die kontrollierende Gewalt auszuüben. Es sind auch schon Situationen im deutschen Bundestag vorgekommen, in denen das Parlament in seiner überwiegenden Mehrheit – also unter Einbeziehung eines Teils der Regierungskoalition – kritisch zu Regierungsmaßnahmen oder -unterlassungen Stellung genommen oder Gesetzesvorlagen abgeändert hat. In anderen Fällen hat auch die Opposition mit der Koalition Beschlüsse gefaßt. Aber das Schwergewicht der Kontrolle liegt bei der Opposition, sie ist der Schrittmacher. Dolf Sternberger bezeichnet [. . .] diese aus dem parlamentarischen System sich ergebende Gewaltenteilung zwischen Regierung und Opposition als »vitale Gewaltenteilung« im Gegensatz zur institutionellen Gewaltenteilung. Während die Koalitionsparteien »das Trennende beiseite zu setzen« sich bemühen, stellt die Opposition gegenüber der Regierungskoalition das Trennende betont und bewußt heraus. Nur so kann das parlamentarische System funktionieren, daß Koalitionsparteien einander anziehen, Koalition und Opposition sich gegenseitig abstoßen. [. . .]
Regierungskoalition und Opposition sind zwar formiert, aber nicht starre

Gruppierungen. Sie handeln nach den gleichen, im Grundgesetz und in der Geschäftsordnung festgelegten Regeln, die sie im Prinzip gemeinsam respektieren. Eine Ausnahme bildet jene Opposition, die sich in erster Linie gegen die Grundordnung richtet. Diese Opposition hat das Ziel, die Opposition abzuschaffen, wenn sie selbst an die Macht kommt. Die Beziehungen der totalen Opposition sind zur Regierungskoalition und zur loyalen Opposition in gleicher Weise feindlich. Diese Bezeichnung aber für die Beziehungen zwischen den Regierungs- und loyalen Oppositionsparteien anzuwenden, wäre falsch. Sternberger hat die Polarität von Regierung und Opposition und die Möglichkeit des Wechsels der Verantwortung ein »geregeltes Kampfspiel, auch wenn es längst keine Ritter mehr sind, die es betreiben, auch im Zeitalter der Massenorganisationen, auch im Zeitalter des Parteienstaates« genannt.

Quelle: Theodor Eschenburg: Staat und Gesellschaft in Deutschland, Stuttgart 1956, S. 537-544.

Thomas Ellwein/Joachim Jens Hesse [1987] zu:

Die Fraktionsdisziplin

Für den Abgeordneten bleibt normalerweise die Partei entscheidend, seitdem man in der Bundesrepublik den Weg zum Berufspolitiker eingeschlagen hat. An seiner Befestigung haben viele Abgeordnete selbst, die Parteien und die Parlamente, vor allem aber das Bundesverfassungsgericht gearbeitet. Auf diesem Weg haben sich einige Probleme, die früher viel diskutiert worden sind, mehr oder weniger aufgelöst oder völlig verändert Das gilt für den denkbaren Widerspruch zwischen der in Artikel 38 GG gewährleisteten Freiheit und der Fraktionsbindung des Abgeordneten, es gilt für die Möglichkeit des Parteiwechsels, es gilt schließlich auch für die Besoldung der Abgeordneten.
Die *Fraktionsdisziplin* ist Ausfluß sowohl von Organisation und Arbeitsweise der Fraktion im Parlament als auch der Zugehörigkeit des Abgeordneten zur Partei und der Abhängigkeit von dieser. In beiderlei Hinsicht versteht sie sich zunächst von selbst. Wer sich einer Partei anschließt, teilt zwar heute nicht unbedingt deren Weltanschauung, aber er ist den übrigen Mitgliedern dieser Partei durch ein mehr oder minder gemeinsames Konzept darüber verbunden, wie das Gemeinwesen regiert werden soll. So ist die Fraktion keine Gesinnungs-, jedoch eine Aktionsgemeinschaft, in der eine unerläßliche Arbeitsteilung stattfindet. Das Parlament findet sich derart mit den verschiedenartigsten und teils ungemein spezialisierten Fragen überlastet, daß der Betrieb der Spezialisten bedarf. Sie bereiten für das Parlament als Ganzes in den Ausschüssen die Entscheidungen vor und tun dasselbe zugleich für ihre Fraktion. Im Rahmen

der innerfraktionellen Arbeitsteilung bereiten Spezialisten die Einzelentscheidung der Fraktion vor, die Fraktionsmehrheit entschließt sich dann so oder so, und im Parlament selbst stimmt die Fraktion endlich geschlossen so ab, wie sich vorher ihre Mehrheit entschieden hat.
Die Fraktionsdisziplin läßt sich teilweise aus innerer Notwendigkeit begründen. Gleichzeitig sind mit ihr erhebliche Vorteile verbunden. Der feste Zusammenhalt der Fraktionen hat das westdeutsche Parlamentsleben seit 1945 deutlich stabilisiert.

Quelle: Thomas Ellwein/Joachim Jens Hesse: Das Regierungssystem der Bundesrepublik Deutschland, 6., neubearbeitete und erweiterte Auflage, Opladen 1987 (zitiert nach der 1988 erschienenen Sonderausgabe des Textteils der 6. Auflage), S. 243.

Ernst-Wolfgang Böckenförde [1983] zu:

Demokratie und Staatsform

Das Ergebnis läßt sich dahin zusammenfassen, daß Demokratie als Staatsformbegriff nicht im Sinne einer unmittelbaren Demokratie konzipiert werden kann. Das plébiscite de tous les jours ist keine Staatsform (Carl Schmitt). Es würde damit zum Ausgangspunkt der Begriffsbildung ein nachweisbarer Irrealismus gemacht und ein Demokratie-Begriff gebildet, dessen Kerngehalt (und eigentliches Telos) von vornherein der Realisierbarkeit ermangelte. Jede Wirklichkeit der Demokratie würde gegenüber diesem Begriff zu einer schlechten, defizitären oder auch illegitimen Wirklichkeit; die permanent nicht erfüllte Demokratie erschiene als notwendiges Element des Demokratiebegriffs. Ich sehe nicht, daß dies der Sinn einer wissenschaftlichen Begriffsbildung sein kann.
Wenn Demokratie – als Staatsform – eine Form politischer Herrschaft und eine Form von Herrschaftsorganisation darstellt, muß sie unter allen Umständen auch eine Entscheidungs- und Wirkungseinheit bilden und ein System relativer Willensvereinheitlichung hervorbringen.[...] Dafür sind leitende und selbsthandelnde, insofern repräsentative Organe unabdingbar notwendig. Sie sind Bedingungen der Möglichkeit einer demokratischen Herrschaftsorganisation. Und zwar nicht als »zweiter Weg« oder Konzession an räumlich-technische oder zahlenmäßige Gegebenheiten, sondern als ursprünglich notwendig. Aufgabe demokratischer Organisation politischer Gemeinwesen ist daher nicht, weisungsunabhängige Leitungsgewalt und selbsthandelnde Repräsentanten abzubauen oder auf das unabdingbare Minimum zurückzudrängen – als Annäherung an »eigentliche« Demokratie; die Aufgabe ist vielmehr, solche Leitungsgewalt und Repräsentanten bestehen zu lassen, womöglich zu stabilisieren, sie aber demokratischer Legitimation in einem offenen Prozeß demo-

kratischer Willensbildung zu unterwerfen sowie an Verantwortlichkeit und demokratische Kontrolle zu binden, damit ihr Handeln als autorisiertes Handeln für das Volk und im Namen des Volkes gelten und solches Handeln auch sein kann.[...] Dieses realisierbare Konzept demokratischer Herrschaftsorganisation und -ausübung, das Repräsentation als konstituierendes Element der Demokratie miteinbezieht, muß im Demokratiebegriff eingefangen und zur Aussage gebracht werden, nicht jedoch ein gegen die Wirklichkeit und Verwirklichungsbedingungen der Demokratie andenkendes illusionär-utopisches Modell.

Quelle: Ernst-Wolfgang Böckenförde: Demokratie und Repräsentation. Zur Kritik der heutigen Demokratiediskussion (1983). In: ders.: Staat, Verfassung, Demokratie. Studien zur Verfassungstheorie und zum Verfassungsrecht, Frankfurt/M. 1991, S. 388 f.

Hanna F. Pitkin [1967] zu:

Repräsentation und Regierung

It seems to me that we show a government to be representative not by demonstrating its control over its subjects but just the reverse, by demonstrating that its subjects have control over what it does. Every government's actions are attributed to its subjects formally, legally. But in a representative government this attribution has substantive content: the people really do act through their government, and are not merely passive recipients of its actions. A representative government must not merely be in control, not merely promote the public interest, but must also be responsive to the people. The notion is closely related to the view of representing as a substantive activity. For in a representative government the governed must be capable of action and judgment, capable of initiating government activity, so that the government may be conceived as responding to them. As in nonpolitical representation, the principal need not express his wishes, or even have formulated any, but he must be capable of doing so; when he does, his wishes should be fulfilled unless there is good reason (in terms of his interest) to the contrary. Correspondingly, a representative government requires that there be machinery for the expression of the wishes of the represented, and that the government respond to these wishes unless there are good reasons to the contrary. There need not be a constant activity of responding, but there must be a constant condition of responsive*ness*, of potential readiness to respond. It is not that a government represents only when it is acting in response to an express popular wish; a representative government is one which is responsive to popular wishes when there are some. Hence there must be institutional arrangements for responsiveness to these wishes. Again, it is incompatible with the idea of representation for the

government to frustrate or resist the people's will without good reason, to frustrate or resist it systematically or over a long period of time. We can conceive of the people as »acting through« the government even if most of the time they are unaware of what it is doing, so long as we feel that they could initiate action if they so desired.[...]
Because this kind of political representation requires only potential responsiveness, access to power rather than its actual exercise, it is perfectly compatible with leadership and with action to meet new or emergency situations. It is incompatible, on the other hand, with manipulation or coercion of the public. To be sure, the line between leadership and manipulation is a tenuous one, and may be difficult to draw. But there undoubtedly *is* a difference, and this difference makes leadership compatible with representation while manippulation is not.[...] This is because leadership is, in a sense, at the mercy of the led. It succeeds only so long as they are willing to follow. Thus it is not incompatible with our requirement that the represented be able to get their way when they have an explicit will. Manipulation by a ruler, on the other hand, is imposed on the ruled, and threatens their capacity to reject a policy or initiate a new one. A person can be led and yet go of his own free will; something that is manipulated does not move itself. An inanimate object can be manipulated, but it cannot be led. Again, these are not just verbal games, but the right terms for naming a distinction in reality: the difference between democratic and dictatorial relationships between ruler and ruled. Only if it seems right to attribute governmental action to the people in the substantive sense do we speak of representative government.[...]

Quelle: Hanna F. Pitkin: The Concept of Representation (1967), 1. Paperback Edition, Berkeley – Los Angeles – London 1972, S. 232 f.

Gerhard Loewenberg [1971] zu:

Parlament und Öffentlichkeit

Zwischen Parlament und Öffentlichkeit bestehen sehr ausgeprägte Beziehungen, die sich sowohl aus dem Wahlverfahren als auch aus der relativen Öffentlichkeit der Parlamentsarbeit ergeben. Beide Seiten hegen bestimmte Erwartungen: die Öffentlichkeit erwartet, daß das Parlament auf ihre Forderungen eingeht; das Parlament erwartet von der Öffentlichkeit Aufmerksamkeit und Achtung für seine Arbeit. Ob und wie diese Erwartungen erfüllt werden, hängt von dem Grad der Kommunikation zwischen Parlament und Öffentlichkeit ab.
Die Wahrnehmung kommunikativer Funktionen durch das Parlament ist für das ganze politische System von Bedeutung. Das Parlament übermittelt For-

derungen aus der Öffentlichkeit an die Politiker und macht eine interessierte Öffentlichkeit mit den zur Debatte stehenden politischen Problemen und Entscheidungen bekannt. Innerhalb des Parlaments können die divergierenden politischen Gesichtspunkte der einzelnen Gruppen sichtbar werden und gleichzeitig auch die Möglichkeiten und Grenzen eines Ausgleichs. Die übermittelten Informationen wiederum können die Aufmerksamkeit der Regierung gegenüber Forderungen einzelner öffentlicher Gruppen intensivieren, während sich die Öffentlichkeit anhand der parlamentarischen Debatten über ihre eigene Rolle im politischen Entscheidungsprozeß orientieren kann. Der Kommunikationsprozeß selbst kann einer interessierten Öffentlichkeit ein Gefühl des Zugangs zur Regierung vermitteln und damit Entscheidungen der Regierung eine günstige Aufnahme in der Öffentlichkeit schaffen. Vor allem wenn politische Institutionen und Symbole eine bedeutsame Wandlung durchmachen, wie das im Nachkriegsdeutschland der Fall war, kann das Verhältnis zwischen Parlament und Öffentlichkeit ein wichtiger Entscheidungsfaktor für die Legitimität des gesamten politischen Systems sein[...].

Quelle: Gerhard Loewenberg: Parlamentarismus im politischen System der Bundesrepublik Deutschland, Tübingen 1971, S. 451.

Peter Graf Kielmansegg [1977] zu:

Das Volk als Souverän

Ist die Frage nach den Bedingungen demokratischer Legitimität denn nicht längst beantwortet? Natürlich, es gibt Antworten. Die geläufigste, die klassische Antwort ist die Formel von der Souveränität des Volkes. Sie scheint im Begriff der Demokratie selbst angelegt zu sein. Seit die Demokratie in den Revolutionen des ausgehenden achtzehnten Jahrhunderts ihren Siegeszug antrat, ist diese Formel zum Grundstein fast aller Verfassungen geworden. In der Sprache der Politik ist sie allgegenwärtig, Rechtfertigung und Anklage greifen zuletzt immer auf sie zurück.
Aber diesem ersten Befund ist sogleich ein anderer entgegenzuhalten: Unter den Staaten der Welt gibt es keinen, in dem das Volk im blanken und einfachen Sinne des Wortes als Souverän herrscht (und es hat auch keinen gegeben in den bald zweihundert Jahren seit der Proklamation der Volkssouveränitätsformel durch die Französische Revolution). Mehr noch: Nicht einmal ein schlüssiger Entwurf findet sich in der politischen Theorie, der uns Auskunft darüber gäbe, welche Praxis dem Anspruch der Volkssouveränitätsformel denn genügen könnte. Im Grunde weiß das jedermann. Und es wird deshalb von Volkssouveränität selten ohne den Zusatz gesprochen, in einem buchstäb-

lichen Sinn könne das Volk natürlich nicht herrschen; ganz wörtlich dürfe die Formel vom Volkssouverän nicht genommen werden.

Quelle: Peter Graf Kielmansegg: Volkssouveränität. Eine Untersuchung der Bedingungen demokratischer Legitimität, Stuttgart 1977, S. 9.

Bernd Guggenberger [1978] zu:

Bürgerinitiativen und Repräsentation

Wie wir sahen, rückt die faktische Entwicklung zum Parteien- und Verbändestaat vor allem zwei Schwachstellen der Repräsentationswirklichkeit in den Vordergrund. Erstens: Die etablierten Medien der politischen Willensbildung – Parteien und Verbände – wirken immer mehr als Filtersysteme, die verhindern, daß bestimmte Bedürfniskategorien politisch thematisiert werden. Und zweitens: Die »Repräsentation« selbst schrumpft mehr und mehr auf das »ordnungsfunktionale« Element der Wahl in Form »unspezifischer« Personaldelegation. [. . .]
Will man diesen strukturellen und funktionellen Schwächen des repräsentativen Systems beikommen, ohne das Kind mit dem Bade auszuschütten (d.h. ohne die Handlungsfähigkeit des Systems infrage zu stellen!), dann muß man den Kanon der etablierten repräsentativen Beteiligungsverfahren um neue Formen der direkten Mitwirkung ergänzen. Es geht dabei jedoch nicht nur darum, daß Interessen, die heute unberücksichtigt bleiben, morgen förmlich mitvertreten, mit-«repräsentiert« werden, um eine Annäherung an eine mathematisch exakte Vertretung aller irgendwie vorhandenen Interessen also. Denn eine solche Aufsummierung konstituiert ja noch keinen programmatisch faßbaren Gemeinwillen. Auch Parteien und Abgeordnete »repräsentieren« ja (entgegen einer zählebigen verfassungspolitischen communis opinio, welche das Parlament als maßstabsgerecht verkleinertes Abbild des eigentlichen Souveräns, des Volkes, begreift) nicht einfach den Volkswillen im Sinne einer empirisch vorgegebenen Größe, sondern sie *formen* ihn und *bilden* ihn, wirken also aktiv am Zustandekommen einer allgemeinen Willensorientierung mit. Und in diesem Prozeß der *Formung* des gemeinsamen Willens, des *Thematisierens* von Problemen und Bedürfnissen, der *Vorbereitung* weitreichender politischer Entscheidungen gilt es die Bürgerinitiativen verstärkt miteinzubeziehen. [. . .]
Was sind also Bürgerinitiativen und als was sind sie im Feld der Willensbildung anzusiedeln? Sie sind, mit all ihren [. . .] Strukturmerkmalen: Spontaneität, Flexibilität, Heterogenität, geringer Organisationsgravidität, Offenheit usw., ergänzungsnotwendige Vermittlungsträger zwischen gesellschaftlichen Bedürfnissen einerseits und der politisch zuständigen Ebene andererseits. Sie

erstreben überwiegend nicht die direkte politische Mitentscheidung (das wäre eine systemfremde Forderung!), sondern die Beteiligung an der Willensbildung, was zunächst etwas deutlich anderes ist: Als Teilnehmer an der politischen Willensbildung signalisieren sie das Vorhandensein eines Bedürfnisses und machen auf die Notwendigkeit aufmerksam, dieses Bedürfnis mit anderen vorhandenen Bedürfnissen in eine sinnvolle und tragfähige Beziehung zu setzen.

Quelle: Bernd Guggenberger: Wie repräsentativ ist die »Repräsentative Demokratie«? In: Bernd Guggenberger/Udo Kempf (Hrsg.): Bürgerinitiativen und repräsentatives System, Opladen 1978, S. 182-184.

Karl Dietrich Bracher [1985] zu:

Massendemokratie und plebiszitäre Gefährdung

Die Erfahrungen der zwanziger und dreißiger Jahre hatten gelehrt, die moderne Demokratie als eine komplexe, stets gefährdete, keineswegs vollkommene Regierungsform zu erkennen, die unter den Bedingungen der Industrialisierung und Technisierung, der sozialen Umschichtung und des geistigen Wandels einer ständigen Umformung und Anpassung ausgesetzt ist. Einmal steht sie im Zeichen von Spannungen und Diskrepanzen zwischen Freiheit und Gleichheit, zwischen Herrschaft, Selbst- oder Mitbestimmung, zwischen sozialer Ordnung und individueller Entfaltung, zwischen der Idee der Volkssouveränität und der Praxis der Repräsentation, zwischen direkter Demokratie und einem Parlamentarismus, ohne den Willensbildung und demokratische Regierung in Großstaaten unmöglich erscheint. [. . .]
Doch Aufwind bekommen erneut Begriff und Ideologie der »Bewegungen«, die seit je als angeblich wahrer Ausdruck des Volkswillens, als Antiparteienpartei, die pluralistische Demokratie in Frage stellen. Sie stützen sich auf ein plebiszitäres und akklamatorisches Verständnis des Wahlakts, das als angeblich »volksnäher« dem repräsentativ-parlamentarischen Verfahren entgegengehalten wird. Dabei wird übersehen, wie angeblich plebiszitäre Abstimmung erfordernde Entscheidungen zu diktatorischer Machtanmaßung mißbraucht werden können[. . .]. Gewiß sind demokratische Plebiszite nach Schweizer Muster von diktatorischen zu unterscheiden. Aber wenn argumentiert wird, daß dadurch die politische Beteiligung gesteigert werde – Zauberwort Partizipation –, so ist dagegen nicht nur an die hohe Wahlbeteiligung hierzulande im Vergleich zu jenen Plebisziten zu erinnern, sondern auch an die Erfahrung, daß die Aufputschung von Massenstimmungen durch Häufung von quasi-plebiszitären Wahlakten zumal in Krisenzeiten wie einst 1930-33 noch akzelerie-

rend wirkt. Es bleibt ein Risiko, unser politisches System in mehr plebiszitärer Richtung zu verändern.

Mehr noch: werden politische Formen, die immer auch Wertsetzungen bedeuten, durch betont militante »Bewegungen« in Frage gestellt, und zwar mit Angriffen gegen die »Formaldemokratie«, die doch das Gemeinwesen erst berechenbar macht, so besteht die erhöhte Gefahr einer »subjektivistischen Auslegung des Rechts« durch Kombattanten und Sympathisanten[...], wie wir es jüngst wieder mit der fatalen Unterscheidung von Gewalt gegen Sachen und Gewalt gegen Personen erfahren haben – »und das in einem Land, das die Kristallnacht erlebte«. (Hättich)[...] Dabei taucht auch die historische Erinnerung an die erfolgreiche Gerichtsbeschimpfung und Glorifizierung des Mordes von Potempa durch Hitler im August 1932, am Abend der Republik, auf. Rechtsstaatliche Ordnung wird zugunsten angeblich höherwertiger Ziele beiseite geschoben, Legitimitätskrisen werden beschworen, der subjektive Inhalt über das objektive Verfahren gestellt. Wenn es um sogenannte irreversible Fragen wie Ökologie, Friedensfrage, nukleare Bedrohung geht, gibt es angeblich »keine Alternative« – eine Alltagsformel, die eigentlich gegen den Geist pluralistischer und freiheitlicher Politik verstößt. Es gibt immer Alternativen, um des Menschen willen, aber man muß frei sein, um sie im Auge behalten und abwägen zu können. [. . .]

Unsere geschichtliche Erfahrung mit der Entwicklung des modernen Staates und einer Massen-Demokratie, die in Diktatur umschlagen kann, läßt Zeiten der Krise als immer neue Bewährungsprobe erscheinen. Schon im gebändigten Konfliktgeschehen demokratischer Systeme steckt deren stete Anfechtung durch jene Stimmen, die eine konfliktlose Gesellschaft versprechen, den Pluralismus verteufeln und durch einlinige, hochzielige Entscheidungswege anstelle des Gegeneinanders der Interessen eine Befreiung vom ewigen Macht- und Herrschaftsproblem in Aussicht stellen, wie es in den großen politischen Krisenlagen seit 1918 immer wieder geschah. [. . .]

Eine entscheidende Anforderung an die politischen Institutionen der freiheitlichen Demokratie, worin sie sich von allen anderen Staatsformen unterscheidet, bleibt gerade: den friedlichen Austrag von Konflikten in einer pluralistisch offenen Gesellschaft zu ermöglichen und mit dem Mehrheitsprinzip den geregelten Regierungs- und Machtwechsel zu garantieren.[...] Es ist dieses friedliche Aushalten und Überwinden von Krisen, das sie zur schwierigsten, aber zugleich menschlichsten Idee, ihre Institutionen zu unvollkommenen Gebilden, doch flexiblen Trägern eines gesellschaftlichen und politischen Prozesses zwischen Staatsüberhöhung und Staatsverdrossenheit macht.

Die freiheitliche Parlamentsdemokratie bleibt empfindlich und verwundbar. Diese sehr komplexe[...] und differenzierte, durchaus der Sorgfalt und des Schutzes bedürftige Form des Gemeinwesens kann als Staat aber nur bestehen, wenn Verfassungssystem und Regierungspraxis so weit wie möglich auf nicht-parlamentarische Wege verzichten, um alle politischen Kräfte mit der

Anerkennung der Regeln, dem »Verfahrenskonsens«[6], auf den Weg des Kompromisses zu zwingen und den freiwilligen Minimalkonsens zu fördern gerade angesichts alter und neuer apokalyptischer Krisentöne.

Quelle: Karl Dietrich Bracher: Politische Institutionen in Krisenzeiten. In: Vierteljahrshefte für Zeitgeschichte 33 (1985), H. 1, S. 20-24.

Anmerkungen

1 Soweit möglich, wurde für den Abdruck der Texte die Genehmigung eingeholt. Sollten trotzdem Rechte nicht berücksichtigt worden sein, so bittet der Herausgeber um Nachsicht.
2 Das Wohl des Volkes ist das höchste Gesetz.
3 1889. (D.H.)
4 Hella Mandt: »Responsible Government« und kontinentale Demokratietheorie. In: Civitas 13 (1974), S. 97.
5 Udo Bermbach: Probleme des Parteienstaates. Der Fall Littmann. In: Bernd Guggenberger/Hans-Joachim Veen/Albrecht Zunker (Hrsg.): Parteienstaat und Abgeordnetenfreiheit. Zur Diskussion um das imperative Mandat, München 1976, S. 43
6 Manfred Hättich: Probleme des Politik- und Demokratieverständnisses. In: Heinrich Oberreuter (Hrsg.): Freiheitliches Verfassungsdenken und politische Bildung, Stuttgart 1980, S. 68.

Literaturhinweise

Zu: *Günther Rüther: Was verbirgt sich hinter der Forderung nach mehr direkter Demokratie? Eine einführende Betrachtung*

Arnim, Hans Herbert von: »Gewaltenteilung mit Leben erfüllen«. Vorschläge der »Frankfurter Intervention« gegen die Politikverdrossenheit. In: Stuttgarter Zeitung, 23. September 1994.

Arnim, Hans Herbert: Alle Macht dem Volk. In: Die Zeit, 4. November 1994.

Böckenförde, Ernst-Wolfgang: Staat, Verfassung, Demokratie. Studien zur Verfassungstheorie und zum Verfassungsrecht, Frankfurt/M. 1991.

Bracher, Karl Dietrich: Politische Institutionen in Krisenzeiten. In: Vierteljahrshefte für Zeitgeschichte 33 (1985), H. 1, S. 1-27.

Fraenkel, Ernst: Deutschland und die westlichen Demokratien, erweiterte Ausgabe, Frankfurt/M. 1991.

Heller, Hermann: Staatslehre, 6. Auflage, Leiden 1983.

Langguth, Gerd: Suche nach Sicherheiten. Ein Psychogramm der Deutschen, Stuttgart 1995.

Lösche, Peter: Parteienverdrossenheit ohne Ende? Polemik gegen das Lamentieren deutscher Politiker, Journalisten, Politikwissenschaftler und Staatsrechtler. In: Zeitschrift für Parlamentsfragen 26 (1995), H. 1, S. 149-159.

Luthardt, Wolfgang: Direkte Demokratie. Ein Vergleich in Westeuropa, Baden-Baden 1994.

Püttmann, Andreas: Moral aus dem Glashaus. Anmerkungen zur »Politikverdrossenheit«. In: Die neue Ordnung 49 (1995), H. 5, S. 351-365.

Schmitt, Carl: Der Hüter der Verfassung, 3. Auflage, Berlin 1985.

Zu: *Hans Hugo Klein: Die parlamentarisch-repräsentative Demokratie des Grundgesetzes. Wie übt das Volk seine Macht aus?*

Benda, Ernst/Werner Maihofer/Hans-Jochen Vogel: Handbuch des Verfassungsrechts der Bundesrepublik Deutschland, 2. Auflage, Berlin – New York 1994.

Hennis, Wilhelm: Politik als praktische Wissenschaft, München 1968.
Isensee, Josef: Grundrechte und Demokratie. Die polare Legitimation im grundgesetzlichen Gemeinwesen, Bonn 1981.
Isensee, Josef/Paul Kirchhof (Hrsg): Handbuch des Staatsrechts der Bundesrepublik Deutschland, Bd. 1, Heidelberg 1987; Bd. 2, Heidelberg 1987.
Kriele, Martin: Einführung in die Staatslehre. Die geschichtlichen Legitimitätsgrundlagen des demokratischen Verfassungsstaates, 4. Auflage, Opladen 1990.
Stern, Klaus: Das Staatsrecht der Bundesrepublik Deutschland, Bd. 1, 2. Auflage, München 1984; Bd. 2, München 1980.

Zu: *Ulrich Matthée: Der Gedanke der Repräsentation in der politischen Ideengeschichte*

Originalliteratur

Bodin, Jean: Les six livres de la République, Paris 1576 (dt.: Sechs Bücher über den Staat. Übersetzt von Bernd Wimmer, Buch 1-3, München 1981, Buch 4-6, München 1986).
Helvétius, Claude Adrien: De l'Esprit, Paris 1754 (dt.: Discurs über den Geist des Menschen: Aus dem Französischen des H. Helvétius Ihro Majestät der Königinn von Frankreich 1. Leibarztes. Mit einer Vorrede H. Joh. Christoph Gottsched/Claude Adrien Helvétius, Leipzig 1760).
Holbach, Paul Heinrich Dietrich Baron von: Le système de la nature, Amsterdam 1770 (dt.: System der Natur oder von den Gesetzen der physischen und moralischen Welt. Übersetzt von Fritz Voigt, Frankfurt/M. 1978).
Hume, David: A Treatise of Human Nature, London 1739/40 (dt.: Traktat über die menschliche Natur, Bd. 1, Hamburg 1989; Bd. 2, Hamburg 1978).
Lilburne, John: Legal fundamental Liberties of the People of England, London 1649.
Locke, John: A Letter concerning Toleration, Gouda/London 1689 (dt.: Ein Brief über Toleranz. Eingeleitet und übersetzt von Julius Ebbinghaus, Hamburg 1996).
Locke, John: An Essay concerning Human Understanding, London 1690 (dt.: Versuch über den menschlichen Verstand, Bd. 1, 4. Auflage, Hamburg 1981; Bd. 2, unveränderter Nachdruck der 4. Auflage, Hamburg 1988).
Locke, John: Two Treatises of Government, London 1690 (dt.: Zwei Abhandlungen über die Regierung. Herausgegeben und eingeleitet von Walter Euchner, übersetzt von Hans J. Hoffmann, Frankfurt/M. 1977).
Montesquieu, Charles-Louis de: Lettres persanes, Paris 1721 (dt.: Persische Briefe. Übersetzt und herausgegeben von Peter Schunck, Stuttgart [Reclam]).

Montesquieu, Charles-Louis de: De l'Esprit des Lois, Genf 1748 (dt.: Vom Geist der Gesetze, Stuttgart [Reclam]).
Pufendorf, Samuel: De officio hominis et civis iuxta legem naturalem libri duo, Lund 1673 (dt.: Die Gemeinschaftspflichten des Naturrechts. Ausgewählte Stücke, Frankfurt/M. 1948; Über die Pflicht des Menschen und des Bürgers nach dem Gesetz der Natur. Herausgegeben und übersetzt von Klaus Luig, Bd. 1, Frankfurt/M. 1994; Bd. 2 noch nicht erschienen).
Rousseau, Jean-Jacques: Discours sur l'origine et les fondements de l'inégalité parmi les hommes, Dijon 1755 (dt.: Diskurs über die Ungleichheit. Kritische Ausgabe des integralen Textes. Herausgegeben von Heinrich Meier, 3. Auflage, Paderborn 1993).
Rousseau, Jean-Jacques: Du Contrat Social, Amsterdam 1762 (dt.: Vom Gesellschaftsvertrag oder Grundsätze des Staatsrechts, Stuttgart [Reclam]).
Rousseau, Jean-Jacques: Considérations sur le gouvernement de la Pologne, Paris 1772.
Siéyès, Emmanuel-Joseph Abbé: Qu'est-ce que le Tiers-Etat?, 1789 (dt.: Was ist der Dritte Stand? Herausgegeben und bearbeitet von Otto Dann, Bonn 1988).

Sekundärliteratur

Erdmann, Karl Dietrich: Die Revolutionen Mitteleuropas. Historische Perspektiven, Kiel 1995.
Fraenkel, Ernst: Deutschland und die westlichen Demokratien, erweiterte Ausgabe, Frankfurt/M. 1991.
Leibholz, Gerhard: Das Wesen der Demokratie und der Gestaltwandel der Repräsentation im 20. Jahrhundert, 3. Auflage, Berlin 1966.
Löwenstein, Karl: Verfassungslehre, Tübingen 1959.
Maier, Hans (Hrsg.): Klassiker des politischen Denkens, Bd. 2: Von John Locke bis Max Weber, München 1968.
Mann, Golo: Politische Entwicklung 1815-71. In: Golo Mann (Hrsg.): Propyläen-Weltgeschichte, Bd. 8, Berlin – Frankfurt/M. – Wien 1960, S. 367-582.
Oppen-Rundstedt, Katharina von: Die Interpretation der amerikanischen Verfassung im Federalist, Bonn 1970.
Schwan, Alexander: Politische Theorien des Rationalismus und der Aufklärung. In: Hans-Joachim Lieber (Hrsg.): Politische Theorien von der Antike bis zur Gegenwart, Bonn 1991, S. 157-258.
Shakleton, Robert: Montesquieu. A Critical Biography, London 1961.
Sternberger, Dolf: Der Begriff der Repräsentation im Streit zwischen Burke und Paine. In: Politische Vierteljahresschrift 1967, H. 4, S. 526-543.
Talmon, Jacov L.: Die Ursprünge der totalitären Demokratie, Köln – Opladen 1961.

Wise, John: A Vindication of the Government of the New England Churches, Boston 1717.

Zu: *Klaus Hornung: Plebiszitäre Demokratie und totalitäre Diktatur. Historische Erfahrungen mit direktdemokratischen Ideen und Programmen*

Bracher, Karl Dietrich: Die deutsche Diktatur, Köln – Berlin 1969.
Fraenkel, Ernst: Deutschland und die westlichen Demokratien, erweiterte Ausgabe, Frankfurt/M. 1991.
Glaeßner, Gert-Joachim: Kommunismus – Totalitarismus – Demokratie. Studien zu einer säkularen Auseinandersetzung, Frankfurt/M. u.a. 1995.
Hornung, Klaus: Das totalitäre Zeitalter. Bilanz des 20. Jahrhunderts, Frankfurt/M. – Berlin 1993.
Jesse, Eckhard (Hrsg.): Totalitarismus im 20. Jahrhundert. Eine Bilanz der internationalen Forschung (= Schriftenreihe der Bundeszentrale für politische Bildung, Bd. 336), Bonn 1996.
Maier, Hans (Hrsg.): »Totalitarismus« und »Politische Religionen«. Konzepte des Diktaturvergleichs, Paderborn 1996.
Oberndörfer, Dieter/Wolfgang Jäger (Hrsg.): Die neue Elite. Eine Kritik der kritischen Demokratietheorie, Freiburg 1975.
Talmon, Jacov L.: Die Ursprünge der totalitären Demokratie, Köln – Opladen 1961.
Talmon, Jacov L.: Politischer Messianismus. Die romantische Phase, Köln – Opladen 1963.
Tocqueville, Alexis de: Über die Demokratie in Amerika, München 1976 (= Dünndruck-Ausgabe dtv-Bibliothek, Bd. 6063).
Zitelmann, Rainer: Hitler. Selbstverständnis eines Revolutionärs, 2. Auflage, Stuttgart 1989.

Zu: *Thomas Würtenberger: Repräsentative und plebiszitäre Elemente in der deutschen Verfassungsgeschichte*

Bugiel, Karsten: Volkswille und repräsentative Entscheidung. Zulässigkeit und Zweckmäßigkeit von Volksabstimmungen nach dem Grundgesetz, Baden-Baden 1991.
Heussner, Hermann K.: Volksgesetzgebung in den USA und in Deutschland. Ein Vergleich der Normen, Funktionen, Probleme und Erfahrungen, Köln u.a 1994.
Jürgens, Gunther: Direkte Demokratie in den Bundesländern, Stuttgart 1993.

Krause, Peter: Verfassungsrechtliche Möglichkeiten unmittelbarer Demokratie. In: Josef Isensee/Paul Kirchhof (Hrsg.): Handbuch des Staatsrechts der Bundesrepublik Deutschland, Bd. 2, Heidelberg 1987, § 39 (S. 313).
Pestalozza, Christian: Der Popularvorbehalt. Direkte Demokratie in Deutschland, Berlin – New York 1981.
Ritter, Gerhard A. (Hrsg.): Gesellschaft, Parlament und Regierung, Düsseldorf 1974.
Ritter, Gerhard A. (Hrsg.): Regierung, Bürokratie und Parlament in Preußen und Deutschland von 1848 bis zur Gegenwart, Düsseldorf 1983.
Rommelfanger, Ulrich: Das konsultative Referendum, Berlin 1988.
Schanbacher, Eberhard: Parlamentarische Wahlen und Wahlsysteme in der Weimarer Republik, Düsseldorf 1982.
Stern, Klaus: Das Staatsrecht der Bundesrepublik Deutschland, Bd. 2, München 1980, § 25 II.

Zu: *Adolf Kimmel: Plebiszitäre Elemente im französischen und italienischen Regierungssystem*

Dokumentationen

Duval, Hervé u.a. (Hrsg.): Référendum et plébiscite, Paris 1970 (Auswahl wichtiger Texte und Statistiken, überwiegend zu Frankreich).
Duverger, Maurice (Hrsg.): Constitutions et documents politiques, 3. Auflage, Paris 1964 (enthält alle Verfassungstexte Frankreichs seit 1789).
Kimmel, Adolf (Hrsg.): Die Verfassungen der EG-Mitgliedstaaten, 4. Auflage, München 1996.
Maus, Didier (Hrsg.): Les grands textes de la pratique institutionnelle de la Ve République, Paris 1993 (S. 54-81 bieten die vollständigste und wichtigste Dokumentation zum Referendum in der V. Republik).

Sekundärliteratur

Denquin, Jean-Marie: Référendum et plébiscite, Paris 1976.
Duhamel, Olivier: Le pouvoir politique en France, 2. Auflage, Paris 1993 (Kapitel 7, S. 107-124 zum Referendum).
Fraenkel, Ernst: Die repräsentative und die plebiszitäre Komponente im demokratischen Verfassungsstaat. In: Ernst Fraenkel: Deutschland und die westlichen Demokratien, erweiterte Ausgabe, Frankfurt/M. 1991, S. 153-203.
Luchaire, François/Gerard Conac (Hrsg.): La constitution de la république française, 2. Auflage, Paris 1987 (Kommentar zu Art. 11).

Luthardt, Wolfgang: Direkte Demokratie. Ein Vergleich in Westeuropa, Baden-Baden 1994.
Moeckli, Silvano : Direkte Demokratie. Ein internationaler Vergleich, Bern 1994.
Pouvoirs, Nr.77: Le référendum, Paris 1996.
Robert, Jacques: L'aventure référendaire. In: Recueil Dalloz 1984, S. 243-252.

Zu: *Wolfgang Rudzio: Parteiendemokratie und Repräsentation*

Bermbach, Udo: Repräsentation, imperatives Mandat und Recall. Zur Frage der Demokratisierung im Parteienstaat. In: Klaus von Beyme (Hrsg.): Theory and Politics, Den Haag 1971, S. 497 ff.
Brettschneider, Frank: Öffentliche Meinung und Politik. Eine empirische Studie zur Responsivität des Deutschen Bundestages zwischen 1949 und 1990, Opladen 1995.
Guggenberger, Bernd/Hans-Joachim Veen/Albrecht Zunker (Hrsg.): Parteienstaat und Abgeordnetenfreiheit. Zur Diskussion um das imperative Mandat, München 1976.
Gusy, Christoph: Die Lehre vom Parteienstaat in der Weimarer Republik, Baden-Baden 1993.
Leibholz, Gerhard: Strukturprobleme der modernen Demokratie, 3. Auflage, Frankfurt/M. 1974.
Rausch, Heinz (Hrsg.): Zur Theorie und Geschichte der Repräsentation und Repräsentativverfassung, Darmstadt 1968.
Rudzio, Wolfgang: Die Bundesrepublik Deutschland – ein Parteienstaat? In: Politische Studien 1993, Sonderheft 4, S. 5 ff.
Uppendahl, Herbert: Repräsentation und Responsivität. In: Zeitschrift für Parlamentsfragen 12 (1981), H. 1, S. 123 ff.

Zu: *Hans-Joachim Jentsch: Die Diskussion um das Grundgesetz nach der Wiedervereinigung*

Bericht der Gemeinsamen Verfassungskommission, Bundesrats-Drucksache 800/93.
Busch, Eckart u.a.: Zusammenfassung der Diskussion und Ergebnisse der Gemeinsamen Verfassungskommission. In: Aus Politik und Zeitgeschichte 1993, B 52-53.

Guggenberger, Bernd/Tine Stein (Hrsg.): Die Verfassungsdiskussion im Jahr der deutschen Einheit, München – Wien 1991.
Guggenberger, Bernd/Ulrich K. Preuß/ Wolfgang Ullmann: Eine Verfassung für Deutschland. Manifest, Text, Plädoyers, München – Wien 1991.
Isensee, Josef: Schlußbestimmung des Grundgesetzes: Art. 146. In: Josef Isensee/Paul Kirchhof (Hrsg.): Handbuch des Staatsrechts der Bundesrepublik Deutschland, Bd. 7, Heidelberg 1992, S. 272-306.
Kriele, Martin: Art. 146: Brücke zu einer neuen Verfassung. In: Zeitschrift für Rechtspolitik 1991, S. 1-5.
Scholz, Rupert: Die Gemeinsame Verfassungskommission. Auftrag, Verfahren und Ergebnisse. In: Aus Politik und Zeitgeschichte 1993, B 52-53.
Schuster, Rudolf (Hrsg.): Deutsche Verfassungen, München 1994.
Stärkung des Föderalismus in Deutschland und Europa sowie weitere Vorschläge zur Änderung des Grundgesetzes, Bericht der Kommission Verfassungsreform des Bundesrates, Bonn 1992.
Thaysen, Uwe: Der Runde Tisch. Oder: Wo blieb das Volk? Der Weg der DDR in die Demokratie, Opladen 1990.
Voscherau, Henning: Verfassungsreform und Verfassungsdiskurs. In: Aus Politik und Zeitgeschichte 1993, B 52-53.

Zu: *Werner Kaltefleiter: Die Wahl des Bundespräsidenten durch Plebiszit?*

Adenauer, Konrad: Erinnerungen, Stuttgart 1965, S. 499 ff.
Carstens, Karl: Erinnerungen und Erfahrungen, Bonn 1993, S. 551 ff.
Dichgans, Hans: Überlegungen für eine Totalrevision des Grundgesetzes. In: Aus Politik und Zeitgeschichte 1970, B 7, S. 8 ff.
Gemeinsame Verfassungskommission: Stenographischer Bericht, 4. Öffentliche Anhörung, S. 10, und 9. Sitzung, 9. Juli 1992, S. 8.
Hartmann, Jürgen: Streiter oder Integrator? Zur aktuellen Rollenbestimmung des Bundespräsidenten. In: Gegenwartskunde 43 (1994), H. 1, S. 5-14.
Heuss, Theodor/Konrad Adenauer: Unserem Vaterland zugute. Der Briefwechsel 1948-1963, Berlin 1992, S. 323.
Kaltefleiter, Werner: Die Funktionen des Staatsoberhauptes in der parlamentarischen Demokratie, Köln – Opladen 1970.
Koerfer, Daniel: Kampf ums Kanzleramt. Adenauer und Erhard, Stuttgart 1987, S. 233 ff.
Kunig, Philip: Der Bundespräsident. In: Jura 1994, H. 4, S. 217 ff.
Pflüger, Friedbert: Der Bundespräsident ist mehr als ein Staatsnotar. In: Die neue Gesellschaft/Frankfurter Hefte 1994, H. 4, S. 312 ff.
Rausch, Heinz: Der Bundespräsident. Zugleich eine Darstellung des Staatsoberhauptes in Deutschland seit 1919, 2. Auflage, München 1984.

Zu: *Eckhard Jesse: Mehr plebiszitäre Elemente in der Parteiendemokratie?*

Bugiel, Karsten: Volkswille und repräsentative Entscheidung. Zulässigkeit und Zweckmäßigkeit von Volksabstimmungen nach dem Grundgesetz, Baden-Baden 1991.

Hennis, Wilhelm: Die mißverstandene Demokratie. Demokratie, Verfassung, Parlament, Freiburg 1973.

Hirscher, Gerhard (Hrsg.): Repräsentative Demokratie und politische Partizipation, München 1993.

Jesse, Eckhard: Repräsentative Demokratie, Melle 1995.

Jung, Otmar: Grundgesetz und Volksentscheid. Gründe und Reichweite der Entscheidungen des Parlamentarischen Rats gegen Formen direkter Demokratie, Opladen 1994.

Luthardt, Wolfgang: Direkte Demokratie. Ein Vergleich in Westeuropa, Baden-Baden 1994.

Meyer, Thomas/Klaus-Jürgen Scherer/Christoph Zöpel: Parteien in der Defensive? Plädoyer für die Öffnung der Volkspartei, Köln 1994.

Niclauß, Karlheinz: Das Parteiensystem der Bundesrepublik Deutschland, Paderborn 1995.

Oberreuter, Heinrich: Bewährung und Herausforderung. Zum Verfassungsverständnis der Bundesrepublik Deutschland, München 1989.

Rüttgers, Jürgen: Dinosaurier der Demokratie. Wege aus der Parteienkrise und Politikverdrossenheit, Hamburg 1993.

Zu: *Werner J. Patzelt: Imperatives Mandat und plebiszitäre Elemente: Nötige Schranken der Abgeordnetenherrlichkeit?*

Böckenförde, Ernst-Wolfgang: Demokratie und Repräsentation. Zur Kritik der heutigen Demokratiediskussion (= Grundfragen der Demokratie, Schriftenreihe der niedersächsischen Landeszentrale für politische Bildung, Folge 4), Hannover 1983.

Fraenkel, Ernst: Die repräsentative und die plebiszitäre Komponente im demokratischen Verfassungsstaat. In: Ernst Fraenkel: Deutschland und die westlichen Demokratien, erweiterte Ausgabe, Frankfurt/M. 1991, S. 153-203.

Guggenberger, Bernd/Hans-Joachim Veen/Albrecht Zunker (Hrsg.): Parteienstaat und Abgeordnetenfreiheit. Zur Diskussion um das imperative Mandat, München 1976.

Guggenberger, Bernd: Zwischen freiem und imperativem Mandat. Die Stellung des Abgeordneten in der parlamentarischen Parteiendemokratie. In: Die »vergessenen« Institutionen (= Handbücher der Politischen Akademie Eichholz, Bd. 8), Melle 1979, S. 391-414.

Kasten, Hans-Hermann: Möglichkeiten und Grenzen der Disziplinierung des Abgeordneten durch seine Fraktion: Fraktionsdisziplin, Fraktionszwang und Fraktionsausschluß. In: Zeitschrift für Parlamentsfragen 16 (1985), S. 475-484.
Kevenhörster, Paul: Das imperative Mandat. Seine gesellschaftliche Bedeutung, Frankfurt/M. – New York 1975.
Oberreuter, Heinrich (Hrsg.): Wahrheit statt Mehrheit? An den Grenzen der parlamentarischen Demokratie, München 1986.
Patzelt, Werner J.: Abgeordnete und Repräsentation. Amtsverständnis und Wahlkreisarbeit, Passau 1993.
Patzelt, Werner J.: Abgeordnete und ihr Beruf. Interviews, Umfragen, Analysen. Mit einem Vorwort von Rita Süssmuth, Berlin 1995.
Weber, Jürgen: Die plebiszitäre Herausforderung der parlamentarischen Demokratie. In: Jürgen Weber (Hrsg.): Schwierigkeiten mit der Demokratie, München 1987, S. 9-40.

Zu: *Everhard Holtmann: Zwischen Repräsentation und Plebiszit: Bürger und Parteien in der Kommunalpolitik*

Blanke, Bernhard (Hrsg.): Staat und Stadt (= Politische Vierteljahresschrift, Sonderheft 22), Opladen 1991.
Gabriel, Oscar W./Rüdiger Voigt (Hrsg.): Kommunalwissenschaftliche Analysen (= Mobilität und Normenwandel, Bd. 13), Bochum 1994.
Gabriel, Oscar W./Everhard Holtmann: Kommunale Demokratie. In: Raban Graf von Westphalen (Hrsg.): Parlamentslehre, München – Wien 1993, S. 471-488.
Gunlicks, Arthur B.: Local Government in the German Federal System, Durham 1986.
Hesse, Joachim Jens (Hrsg.): Erneuerung der Politik »von unten«?, Opladen 1986.
Naßmacher, Hiltrud/Karl-Heinz Naßmacher: Kommunalpolitik in der Bundesrepublik, Opladen 1979.
Püttner, Günter (Hrsg.): Handbuch der kommunalen Wissenschaft und Praxis, 6 Bde., Berlin u.a. 1981 ff.
Roth, Roland/Hellmut Wollmann (Hrsg.): Kommunalpolitik. Politisches Handeln in den Gemeinden, Opladen 1994.

Zu: *Uwe Thaysen: Repräsentative Demokratie: Ist der Deutsche Bundestag dem zunehmenden gesellschaftlichen Pluralismus noch gewachsen?*

Bugiel, Karsten: Volkswille und repräsentative Entscheidung. Zulässigkeit und Zweckmäßigkeit von Volksabstimmungen nach dem Grundgesetz, Baden-Baden 1991.

Demmler, Wolfgang: Der Abgeordnete im Parlament der Fraktionen, Berlin 1994.
Heussner, Hermann K.: Volksgesetzgebung in den USA und in Deutschland. Ein Vergleich der Normen, Funktionenen, Probleme und Erfahrungen, Köln u.a. 1994.
Hofmann, Wilhelm: Repräsentative Diskurse. Untersuchungen zur sprachlich-reflexiven Dimension parlamentarischer Institutionen am Beispiel des englischen Parlamentarismus, Baden-Baden 1995.
Ismayr, Wolfgang: Der Deutsche Bundestag. Funktionen, Willensbildung und Reformansätze, Opladen 1992.
Kimme, Johannes: Das Repräsentativsystem – unter besonderer Beachtung der historischen Entwicklung der Repräsentation und der Rechtsprechung des Bundesverfassungsgerichts, Berlin 1988.
Luthardt, Wolfgang: Direkte Demokratie. Ein Vergleich in Westeuropa, Baden-Baden 1994.
Pitkin, Hanna F.: The Concept of Representation, Berkeley – Los Angeles 1967.
Przygode, Stefan: Die deutsche Rechtsprechung zur unmittelbaren Demokratie. Ein Beitrag zur Praxis der Sachentscheide in Deutschland, Baden-Baden 1995.
Steffani, Winfried: Repräsentative und plebiszitäre Elemente des Verfassungsstaates. In: Winfried Steffani: Pluralistische Demokratie. Studien zur Theorie und Praxis, Opladen 1980.
Veen, Hans-Joachim: Opposition im Bundestag. Ihre Funktionen, institutionellen Handlungsbedingungen und das Verhalten der CDU/CSU-Fraktion in der 6. Wahlperiode 1969-1972, Bonn 1976.

Zu: *Josef Klein: Plebiszite in der Mediendemokratie*

Cronin, Thomas E.: Direct Democracy. The Politics of Initiative, Referendum and Recall, Cambridge (Mass.) 1989.
Klein, Josef/Hajo Diekmannshenke (Hrsg.): Sprachstrategien und Dialogblockaden, Berlin – New York 1996.
Kriesi, Hanspeter: Akteure – Medien – Publikum. Die Herausforderung direkter Demokratie durch die Transformation der Öffentlichkeit. In: Friedhelm Neidhardt (Hrsg.): Öffentlichkeit, öffentliche Meinung, soziale Bewegungen (= Kölner Zeitschrift für Soziologie und Sozialpsychologie, Sonderheft 34), Opladen 1994, S. 234-260.
Lippmann, Walter: Public Opinion, London 1961 (1. Auflage 1922).
Luhmann, Niklas: Öffentliche Meinung. In: Niklas Luhmann: Politische Planung. Aufsätze zur Soziologie von Politik und Verwaltung, Opladen 1971, S. 9-34.

Merten, Klaus/Siegfried J. Schmidt/Siegfried Weischenberg (Hrsg.): Die Wirklichkeit der Medien, Opladen 1994.
Meyrowitz, Joshua: Die Fernsehgesellschaft, 2 Bde., Weinheim – Basel 1990 (englische Originalausgabe 1985).
Miller, David: Deliberative Democracy and Social Choice. In: Political Studies XL (1992), Special Issue, S. 54-67.
Noelle-Neumann, Elisabeth: Öffentliche Meinung. Die Entdeckung der Schweigespirale, Frankfurt/M. – Berlin 1991.
Sarcinelli, Ulrich: Symbolische Politik, Opladen 1987.
Schenk, Michael: Medienwirkungsforschung, Tübingen 1987.

Zu: *Heinrich Oberreuter: Repräsentative und plebiszitäre Elemente als sich ergänzende politische Prinzipien*

Böckenförde, Ernst-Wolfgang: Demokratie und Repräsentation. Zur Kritik der heutigen Demokratiediskussion (= Grundfragen der Demokratie, Schriftenreihe der niedersächsischen Landeszentrale für politische Bildung, Folge 4), Hannover 1983.
Fraenkel, Ernst: Deutschland und die westlichen Demokratien, erweiterte Ausgabe, Frankfurt/M. 1991.
Jung, Otmar: Grundgesetz und Volksentscheid. Gründe und Reichweite der Entscheidungen des Parlamentarischen Rats gegen Formen direkter Demokratie, Opladen 1994.
Knemeyer, Franz-Ludwig: Bürgerbeteiligung und Kommunalpolitik, München 1995.
Matz, Ulrich (Hrsg.): Grundprobleme der Demokratie, Darmstadt 1973.
Oberreuter, Heinrich (Hrsg.): Wahrheit statt Mehrheit? An den Grenzen der parlamentarischen Demokratie, München 1986.
Pitkin, Hanna F.: The Concept of Representation, Berkeley – Los Angeles 1967.
Rausch, Heinz (Hrsg.): Zur Theorie und Geschichte der Repräsentation und Repräsentativverfassung, Darmstadt 1968.
Steffani, Winfried: Pluralistische Demokratie. Studien zur Theorie und Praxis, Opladen 1980.

Die Autoren

Holtmann, Everhard, Dr. phil.; geb. 1946. Professor für Systemanalyse und Vergleichende Politik an der Universität Halle-Wittenberg. Publikationen u.a.: *Politik und Nichtpolitik*. Erscheinungsformen Politischer Kultur im frühen Nachkriegsdeutschland 1945 bis 1950 (1989), *Lokale Identität und Gemeindegebietsreform*. Der Streitfall Ermershausen (mit Winfried Killisch, 1991), *Politik-Lexikon* (Hrsg., 2. Aufl. 1994), *Sachsen-Anhalt*. Eine politische Landeskunde (mit Bernhard Boll, 1995), *Wohnen und Wohnungspolitik in der Großstadt*. Eine empirische Untersuchung über Wohnformen, Wohnwünsche und kommunalpolitische Steuerung in Nürnberg (mit Rainer Schaefer, 1996).

Hornung, Klaus, Dr. phil.; geb. 1927. Professor em. für Politikwissenschaft an der Universität Hohenheim. Publikationen u.a.: *Staat und Armee*. Studien zum politisch-militärischen Verhältnis in der Bundesrepublik Deutschland (1975), *Der faszinierende Irrtum*. Karl Marx und die Folgen (4. Aufl. 1982), *Frieden ohne Utopie* (Hrsg. und Mitautor, 1983), *Politisch-Pädagogisches Handwörterbuch* (Mithrsg. und Mitautor, 2. Aufl. 1985), *Das totalitäre Zeitalter*. Bilanz des 20. Jahrhunderts (2. Aufl. 1996).

Jentsch, Hans-Joachim, Dr. iur.; geb. 1937. Justizminister a.D. des Freistaats Thüringen; Oberbürgermeister von Wiesbaden a.D.; Rechtsanwalt und Notar in Wiesbaden. Seit 1996 Richter des Bundesverfassungsgerichts. Publikationen u.a.: *Die Funktion der Verfassung in einem demokratischen Rechtsstaat unter besonderer Berücksichtigung der Thüringer Landesverfassung*. In: Karl Schmitt (Hrsg.): Die Verfassung des Freistaats Thüringen (1995).

Jesse, Eckhard, Dr. phil.; geb. 1948. Professor für Politikwissenschaft an der Technischen Universität Chemnitz-Zwickau. Publikationen u.a.: *Wahlen*. Bundesrepublik Deutschland im Vergleich (1988), *Jahrbuch Extremismus & Demokratie* (Mithrsg., 1989 ff.), *Das wiedervereinigte Deutschland* (Mithrsg., 1995), *Politischer Extremismus in der Bundesrepublik Deutschland* (mit Uwe Backes, 4. Aufl. 1996), *Totalitarismus im 20. Jahrhundert* (Hrsg., 1996).

Kaltefleiter, Werner, Dr. rer. pol.; geb. 1937. Professor für Politische Wissenschaft an der Universität Kiel. Publikationen u.a.: *Die Funktionen des Staatsoberhauptes in der parlamentarischen Demokratie* (1970), *Parteien im Umbruch* (1984), *Mehrheitsprinzip, Konsens und Verfassung* (Mithrsg. und Mitautor, 1986), *Volksparteien: Ratlose Riesen?* (Mitautor, 1989), *Deutschland: Zwischen Reformbedürftigkeit und Reformfähigkeit* (Mithrsg. und Mitautor, 1994), *Das Parteiengesetz 1994*. In: Zeitschrift für Parlamentsfragen (1994), *Die Kanzlerdemokratie des Helmut Kohl*. In: Zeitschrift für Parlamentsfragen (1996).

Kimmel, Adolf, Dr. phil.; geb. 1938. Professor für Politikwissenschaft an der Universität Trier. Publikationen zur vergleichenden Regierungslehre, zum politischen System Frankreichs und zu den deutsch-französischen Beziehungen, u.a.: *Die Nationalversammlung in der V. Französischen Republik* (1983, erweiterte französische Übersetzung 1991), *Die Verfassungen der EG-Mitgliedstaaten* (Hrsg., 4. Aufl. 1996), *Frankreich Jahrbuch* (Mithrsg., seit 1988). Jährliche politische Chroniken zu Frankreich (in: Les pays d'Europe occidentale) und zu Deutschland (in: Pouvoirs).

Klein, Hans Hugo, Dr. iur.; geb. 1936. Professor für Öffentliches Recht an der Universität Göttingen. Mitglied des Deutschen Bundestages 1972-1983; Richter des Bundesverfassungsgerichts 1983-1996. Publikationen u.a.: *Bundesverfassungsgericht und Staatsraison* (1968), *Die Grundrechte im demokratischen Rechtsstaat* (1972), *Ziviler Ungehorsam im demokratischen Rechtsstaat?* In: Bernd Rüthers/Klaus Stern (Hrsg.): Freiheit und Verantwortung im Verfassungsstaat (1984), *Aufgaben des Bundestages – Status des Abgeordneten*. In: Josef Isensee/Paul Kirchhof (Hrsg.): Handbuch des Staatsrechts der Bundesrepublik Deutschland, Bd. 2 (1987), *Die grundrechtliche Schutzpflicht*. In: Deutsches Verwaltungsblatt (1994), *Kontinuität des Grundgesetzes und seine Änderung im Zuge der Wiedervereinigung*. In: Isensee/Kirchhof (Hrsg.): Handbuch des Staatsrechts, Bd. 8 (1995), *Der demokratische Grundrechtsstaat*. In: Bitburger Gespräche, Jahrbuch 1995/I.

Klein, Josef, Dr. phil.; geb. 1940. Professor für germanistische Sprachwissenschaft an der Universität Koblenz/Landau. Mitglied des Deutschen Bundestages 1972-1976. Publikationen u.a.: *Politische Semantik* (Hrsg., 1989), *Elefantenrunden ›Drei Tage vor der Wahl‹*. Die ARD-ZDF-Gemeinschaftssendung 1972-1987 (1990), *Asyldiskurs*. Die Konflikte und Blockaden in Politik, Medien und Alltagswelt. In: Ruth Reiher (Hrsg.): Sprache im Konflikt (1995), *Sprachstrategien und Dialogblockaden* (Mithrsg., 1996).

Matthée, Ulrich, Dr. phil., Dr. iur., Dr. sc. pol.; geb. 1941. Professor für Politische Wissenschaft an der Universität Kiel. Publikationen u.a.: *Das Gewerkschaftssystem Portugals*. In: Hans Rühle/Hans-Joachim Veen (Hrsg.): Gewerkschaften in den Demokratien Westeuropas, Bd. 1 (1983), *Katala-*

nische Frage und spanische Autonomien (1988), *Die Wiedergeburt der europäischen Mitte und die Grenzen des Abendlandes* (1991).

Oberreuter, Heinrich, Dr. phil.; geb. 1942. Professor für Politikwissenschaft an der Universität Passau. Direktor der Akademie für Politische Bildung Tutzing. Publikationen u.a.: *Notstand und Demokratie*. Vom monarchischen Obrigkeits- zum demokratischen Rechtsstaat (1978), *Wahrheit statt Mehrheit?* An den Grenzen der parlamentarischen Demokratie (Hrsg., 1986), *Stimmungsdemokratie*. Strömungen im politischen Bewußtsein (1987), *Bewährung und Herausforderung*. Zur Verfassung der Republik (1989), *Parteiensystem am Wendepunkt?* Wahlen in der Fernsehdemokratie (Hrsg., 1996).

Patzelt, Werner J., Dr. phil.; geb. 1953. Professor für Politische Systeme und Systemvergleich an der Technischen Universität Dresden. Publikationen u.a.: *Einführung in die Politikwissenschaft* (2. Aufl. 1993), *Abgeordnete und Repräsentation*. Amtsverständnis und Wahlkreisarbeit (1993), *Aufgaben politischer Bildung in den neuen Bundesländern* (1994), *Abgeordnete und ihr Beruf*. Interviews, Umfragen, Analysen (1995). Aufsätze zur Parlamentsforschung.

Rudzio, Wolfgang, Dr. phil.; geb. 1935. Professor für Politikwissenschaft an der Universität Oldenburg. Publikationen u.a.: *Die Neuordnung des Kommunalwesens in der Britischen Zone* (1968), *Der Marsch der DKP durch die Institutionen* (Mitautor, 1980), *Die organisierte Demokratie* (2. Aufl. 1982), *Die Erosion der Abgrenzung* (1988), *Die SPD nach der Bundestagswahl 1994*. In: Gerhard Hirscher (Hrsg.): Parteiendemokratie zwischen Kontinuität und Wandel (1995), *Das politische System der Bundesrepublik Deutschland* (4. Aufl. 1996).

Rüther, Günther, Dr. phil., M.A.; geb. 1948. Mitglied der Geschäftsleitung der Konrad-Adenauer-Stiftung e.V. und Leiter des Bereichs Politische Bildung; Lehrbeauftragter an der Universität Bonn. Herausgeber der *Zeitschrift zur politischen Bildung – Eichholz Brief* (vierteljährlich). Publikationen u.a.: *Geschichte der christlich-demokratischen und christlich-sozialen Bewegung in Deutschland* (Hrsg. und Mitautor, 3. Aufl. 1989), *»Greif zur Feder Kumpel«*. Schriftsteller, Literatur und Politik in der DDR 1949-1990 (2. Aufl. 1992), *Politik und Gesellschaft in Deutschland* (Hrsg. und Mitautor, 1994). Aufsätze zur Kulturpolitik und politischen Bildung.

Thaysen, Uwe, Dr. phil.; geb. 1940. Professor für Politologie an der Universität Lüneburg. Chefredakteur der *Zeitschrift für Parlamentsfragen*. Publikationen zu den Themen: Bürgerinitiativen, Föderalismus, Kommunalpolitik, Parlamentarismus, politische Parteien, politische Planung, Systemvergleich, Transformation; u.a.: *Parlamentsreform in Theorie und Praxis* (1972), *Parlamentarisches Regierungssystem in der Bundesrepublik Deutschland* (1976), *Politische Planung in Parteien und Parlamentsfraktionen* (1976), *Bürger-, Staats- und Verwaltungsinitiativen* (1982), *Der*

Runde Tisch. Oder: Wo blieb das Volk? Der Weg der DDR in die Demokratie (1990), *Bundesrat, Länder and German Federalism* (1994).

Würtenberger, Thomas, Dr. iur.; geb. 1943. Professor für Staats- und Verwaltungsrecht an der Universität Freiburg. Publikationen u.a.: *Staatsrechtliche Probleme politischer Planung* (1979), *Legitimität, Legalität.* In: Geschichtliche Grundbegriffe, Bd. 3 (1982), *Zeitgeist und Recht* (2. Aufl. 1991), *Wiedervereinigung und Verfassungskonsens.* In: Juristenzeitung (1993), *Die Akzeptanz von Verwaltungsentscheidungen* (1996).

Personenregister